meledonzelli

via Mentana 2b
www.donzelli.it
editore@donzelli.it

ISBN 978-88-6036-262-9

Questo volume è stampato su carta riciclata.

Igiaba Scego

Oltre Babilonia

Donzelli editore

Oltre Babilonia

Sólo quiero que comprendan
el valor que representa
el coraje de querer.

Cuesta Abajo
Carlos Gardel
Alfredo La Pera

Caloosheyda waxaa marahaya jidka... jidka heshiiska
Sulla mia pancia passa la linea... la linea della pace.

Jidka
Saba Anglana

PROLOGO

Ho sempre provato compassione per la Spagna. Bel paese la Spagna, ma a me mette tanta tristezza, *wallahi billahi*, lo giuro. E se dico *wallahi billahi* mi dovete credere. Alice dice che sono tutta matta e che non si è mai sentita una roba del genere. «La Spagna è vita» dice. E poi fa l'elenco di tutte le cose meravigliose della Spagna. Elenco valido, cose stupende, ma a me resta la compassione. Strano sentimento, questo qua. All'inizio credevo fosse per via di quella guerra civile che hanno avuto laggiù. Una brutta guerra di tutti contro tutti, negli anni trenta. Ma la guerra in Spagna è finita da un pezzo (non come da noi in Somalia che dura da secoli), ora c'hanno Zapatero e fanno i matrimoni gay. Una figata, pare. Poi come in un lampo, mi sono ricordata che 'sta roba della compassione era tutta colpa della Ranieri, di quella squilibrata della mia prof di storia dell'arte. Come dimenticare quei giovedì pomeriggio, quando trascinava le sue classi, me compresa, per le strade di Roma? Che tipa, quella. I capelli castagnaccio avviluppati in una crocchia da beghina. Dava l'impressione della racchia, invece era solo bella. Occhi da gatta scaltra, labbra ripiene di carne morbida. Ai ragazzi un po' lo faceva venire duro, quando si metteva quelle strane minigonne a sbuffo.

Ci faceva camminare ore per Roma, la Ranieri. In lungo e largo per Roma. Di traverso per Roma. Diceva che camminando saremmo inciampati in qualche colore. «Roma è piena di colori» diceva lei «ognuno ha il suo, ricordatevelo sempre». È stata la Ranieri a farmi venire questa assurda compassione per la Spagna. Eravamo a Villa Borghese, uno di quei suoi giovedì. Tre classi dell'ultimo anno. Il sole era alto e caldo per essere marzo. *Wallahi billahi*, caldo davvero e se dico *wallahi billahi* mi dovete credere. Le nuvole formavano conigli e allodole dall'aria psichedelica. I ragazzi adocchiavano le turiste americane grasse, in bermuda attillati. Gli ormoni di tutti erano in fermento. Tranne i miei. All'epoca erano congelati. In quel bailamme distratto, fu la Ranieri a scuotere gli animi dall'inerzia. Nessuna parola. Solo un gesto. Un dito, per l'esattezza. L'indice, più in dettaglio. La Ranieri indicò un punto equidistante da lei e da noi, le quinte al completo. Una panchina sbrindellata che aveva visto giorni migliori. «Vedete lì quell'azzurro mare?». Io non vedevo niente, *wallahi billahi*, niente di niente. Solo una panchina mal messa. «Lì lui ha scritto» disse la prof solenne. «Lì lui ha pianto. In esilio, solo. Lui, Rafael Alberti, il grande poeta spagnolo».

Poeta o non poeta non c'era verso di vedere quell'azzurro di cui cianciava la prof. Vidi tutto molto scolorito, invece. La compassione si era ormai impadronita di me. Quel Rafael in esilio a Roma e la Spagna intera mi ricordavano troppo l'esilio di me da me – una cosa incompiuta. Arginai le lacrime per farle straripare dopo, quando sarei stata sola nell'intimità del cesso di casa mia. Piansi tanto poi, soffocai le urla e mi accorsi solo allora che non avevo più i colori, li avevo persi tutti in giro per la città. Ma com'era potuto succedere? E come mai fino a quel momento non mi ero accorta di nulla?

Poi, questa faccenda dei colori me la sono scordata. Ho camminato così nella mia vita, quasi senza accorgermi. Mondi pallidi, occhi vitrei, trasparenza sleale. La cosa è andata avanti per un decennio o poco più.

Alice dice che dipende dalla mia verginità. È infatti sono ancora vergine purtroppo, *wallahi billahi*, lo giuro su Cristo e su Shiva, su Buddha e su tutte le anime del purgatorio e del nirvana – non mentirei mai su una cosa del genere. Vergine come la Madonna che piange sangue di pomodoro, vergine come una piccola nella pancia della mamma, *wallahi*, vergine, *wallahi billahi*, e se dico *wallahi billahi* mi dovete credere. Quindi ci devo andare cauta con le emozioni forti, mi potrei spezzare e poi chi mi ricompone più? Sono senza colori. Senza difese. Vergine. Sola. Alice dice che dovrei darmi da fare per trovare un ragazzo che mi scopi. Sono già nove anni che ho finito la scuola e non si può essere vergini alla mia età, non si usa più. «Non sei mica nell'Ottocento cocca bella» dice Alice.

Un po' mi vergogno di questa cosa, è che le vergini sono un po' scolorite, parecchio nervose, anche. Mi piacerebbe trovarmi un ragazzo, mi piacerebbe davvero rivedere i colori, ma non è che uno va al supermercato a comprare un colore o un ragazzo, la faccenda è un po' più complicata. Certo della quinta A sono l'unica ancora con l'imene del cuore intatto. Delle otto femmine che eravamo solo io sono ancora in questo stato assurdo. Solo io ho una membrana cucita dentro il cuore. La prima a darla a qualcuno è stata Erica. Lei lo diceva sempre che si sarebbe data da fare. Mi hanno detto che lo ha fatto in bagno con il bidello Enzo, ma forse era solo un pettegolezzo. Poi, dopo Erica, a ruota le altre: Deborah, Enrica, Valeria, Cristina, Bilqis. Persino

Anna la botola ha trovato un'occasione. Mi ha chiamata sere fa per dirmelo, mi ha detto qualcosa come «È successo» o «L'ho fatto», e io «Ti è piaciuto?». Non mi ha risposto.

In realtà io il sesso l'ho conosciuto molto prima di loro, è l'amore che non ho mai conosciuto. Ecco è questo il problema mio. Non ci ho mai azzeccato con i tempi. Stavo alle elementari, in collegio, e avevamo un bidello che chiamavamo zio. Aveva la pelle squamata e ricordo che mi faceva senso. Era stato quello zio a darmi lezioni non richieste di sesso. Che poi zio non è la parola giusta, è che per i somali tutti sono zii e zie, anche i bidelli bianchi che badano alla prole che sbatti in collegio. Ti sembra di stare in un fottuto fumetto di Walt Disney, e alla fine non ci capisci più niente, non sai se uno è zio per davvero, un parente o solo qualcuno che era meglio non metterti vicino. Beh, questo zio che tale non era, un pomeriggio, mentre stavo ripetendo la lezione sugli etruschi, tira fuori il suo arnese dalla patta dei pantaloni e comincia a strusciarsi sulle mie spalle.

Fu così che cominciarono cinque anni tosti. Mi lavavo le cosce con il sapone ogni giorno, meticolosamente. E quel sapore acre? Non si toglieva dalla bocca neppure con mille dentifrici. Avevo otto anni la prima volta. Poi ne ho avuti nove. Poi dieci. Undici. A dodici qualcuno ha pensato che gli incubi sono tali solo se durano poco e ha messo fine a quell'inferno. Ho smesso di lavarmi così tanto i denti solo alle superiori. Mamma mi ha detto che lo hanno menato. Non lo so. So solo che sono uscita dalla porta del collegio per non tornarci più. Non ricordo più la sua faccia. So che mi ha fatto di tutto e mi ha lasciato vergine. Via, andato, sparito. Ecco... però... quello zio si è preso tutti i miei colori, tutti quanti. Se li è portati con sé, ma non è affatto giusto. Già s'era preso una parte di me, non poteva lasciarmi almeno i colori?

Per questo ora li cerco come una pazza per tutta Roma. La Ranieri diceva che a Roma ci inciampi sui colori. Per questo continuo a camminarci dentro. Al Parco di Veio ho trovato il giallo, sonnecchiava ozioso. *Wallahi billahi*, dormiva come un bradipo scemo. E il verde? Che avventura il verde! Si era perso nel suq di piazza Vittorio, tra gli spinaci e il mate argentino. Ma l'ho riacchiappato, eh, dove pensava di scappare? Anche tutte le gradazioni del nero sono riuscita a recuperare. Pian pianino, ho la sacca bella piena di colori. Quando li riavrò tutti, sarò pronta e farò l'amore con un uomo. Un uomo che mi piacerà moltissimo. È che senza colori non puoi fare l'amore. Verrebbe tutto storto. E io di cose storte sono stufa, *wallahi billahi*, stufa marcia e se dico *wallahi billahi* mi dovete credere. Voglio odori buoni, parole dolci, sguardi complici, stupori. Eh sì, magari con la barba.

Ora a dir la verità, nella sacca manca solo il rosso. L'ho sfiorato una volta. Proprio qui l'ho sfiorato, qui dove mi trovo ora, in via Tomacelli. Sono sicura che prima o poi ripasserà. Per questo mi sono appostata. Faccio tre turni giornalieri, uno la mattina, il secondo nel tardo pomeriggio e il terzo la sera, tra le dieci e le undici. Conosco ormai tutto di questa via anonima. Ogni angolo, ogni vetrina, ogni essere umano in transito. È strana via Tomacelli, non sembra centro storico. Non sembra niente a dir la verità. *Wallahi*, niente sembra. Campeggia pachidermica la vetrina del negozio Ferrari, poi qualche bar, una libreria antiquaria, un megastore della Benetton. Capitalismo, soldi, lusso. Ma poi nelle viscere scopri un'anima proletaria, fatta di vecchi compagni comunisti duri e puri, il loro giornale, le loro utopie possibili. A quanto pare però i compagni stanno traslocando... se ne andranno. Ma qualcosa di loro secondo me resterà sempre qui, attaccato a questa via. Profusione di rosso: la Ferrari, i compagni duri e puri del «manifesto», le giacche coi pon pon esposte in saldo. Però il mio rosso era diverso. Ricopriva per intero la chioma di un uomo dalle scarpacce marroni. Era uscito da un portone, uno dei mille di quel cordone ombelicale scambiato per via. Un attimo fugace. Una sigaretta arrotolata in una pausa o in un'esistenza. Barba folta, piena, sguardo stanco, spalle ricurve, occhi svelti, una borsa a tracolla, come gli studenti. Magari studia. Non sembra un bancario. Forse è un cantante. O un dj. Un poeta. Un nomade itinerante. O chissà, un barbone. Un liutaio. Un perfetto idiota. Uno in crisi. Me stessa specchiata in un uomo. La mia gioia, magari. Il mio amore, il mio *habibi*. O niente. Non so, forse è solo un pellegrino. Roma dopotutto è la loro città. Alza lo sguardo, il mio pellegrino. Mi vede. Sorride. Torna alla sua sigaretta. La fuma. Finisce il tempo. Va via. Sfuma. Si gira. Mi guarda. Mi sorride di nuovo. È *charmant*. Sfuma. Definitivamente. Lasciando un alone di rosso. E se fosse così l'amore a Roma? Una sfumatura di rosso?

Ora sto qui, faccio i turni, tre al giorno – la domenica e i festivi solo due. Aspetto che ritorni quel pellegrino. Ho provato a cercarlo alla Benetton, negli interstizi tra le Ferrari in vetrina, in mezzo ai compagni comunisti del «manifesto», tra i pacchi malmessi del loro trasloco. L'ho cercato nei ristoranti, nei balconi abusivi, tra le borse di marca. L'ho cercato nei bar, in tutti quei bar dove le commesse hanno paura dei loro sogni. L'ho cercato dappertutto. Ma ora aspetto. In via Tomacelli. Spero venga. Così faremo l'amore. E mi metterò della bella lingerie rossa.

Il dottor Ross mi ha detto che questa faccenda dell'attesa non la convince. Il dottor Ross è la mia psicologa. L'ho sempre chiamata così, come il personaggio di George Clooney in E.R. Non è un caso. Anche se è una donna è infatti un po' come George, ha il suo stesso sorriso materno. Persino la stessa fossetta. La gente pensa che Clooney sia uno sciupafemmine sexy, ma a me sembra solo materno invece, accogliente. Ha la faccia di uno che si vede che non ti farà mai del male. Magari sì, andrà anche con altre donne, ma non mi sembra un picchiatore. No, George non stupra le donne, non è come lo zio dalla pelle squamata. Non è credibile come duro, è un po' come Cary Grant, ha il marchio di fabbrica del buono, di uno che ti porta il latte caldo a letto. Che ti rimbocca le coperte. Di uno che ti accarezza la testa e si prende cura di te. E non importa se poi nella vita reale uno fa lo sciupafemmine e l'altro è gay.

Io poi, con i gay ci vado molto d'accordo, sono simpatici e sono gli unici a raccontarti per filo e per segno come si scopa. Se non ci fossero loro, forse io del corpo maschile non saprei proprio un bel niente. Il mio amico Lionello, per esempio, lui sì che è una manna dal cielo su queste cose del sesso. Però al dottor Ross non piace che io aspetti il mio pellegrino rosso qui a via Tomacelli. È come una mamma, il dottor Ross, si preoccupa. Ma non mi dà ordini, lei. Non mi dice questo non lo fai e questo lo fai. Non mi dice nulla. Si preoccupa, ma non dice nulla. C'è il libero arbitrio, sostiene lei, e dice che devo fare quello che sento. Ma (lei lo sa bene) io sento poco. È che sono troppo razionale e non mi concedo mai le sensazioni di pancia. È per la faccenda dei colori. Se non hai i colori, non hai nemmeno la pancia per sentire le emozioni. È un brutto guaio perdere i colori. Un brutto guaio davvero.

Il dottor Ross mi ha detto di fare qualcosa mentre aspetto. Non che me lo abbia proprio detto, mi ci ha fatto arrivare, ecco. Sono io che poi mi sono fissata che lì impalata come uno stoccafisso non ci potevo stare. Potevo anche dare nell'occhio, e con il colore di pelle che ho, di questi tempi non conviene dare nell'occhio. Ci vuole niente a essere scambiati per pericolosi sovversivi. Un attimo per diventare un terrorista. Basta una barba, uno straccio addosso, un'idea in testa. Poi se sei nero, sei sempre il primo sospettato. Di tutto. Di vivere, forse. Perciò non mi va di dare nell'occhio. Allora ho raccolto il consiglio del dottor Ross e ho fatto qualcosa.

Mi sono spostata un po'. Sono andata a sedermi all'Ara Pacis. Poi, a orari prestabiliti mi risposto e torno a via Tomacelli a cercare il mio pellegrino. Non sono nemmeno cinque secondi a piedi. Quand'ero piccola l'Ara Pacis era diversa. Disadorna. Ora sembra una nave spaziale. Ci mancano solo gli androidi e i venusiani. In compenso ci sono i pattinatori. A quelli piace molto l'Ara Pacis, ci fanno le loro belle capriole. A me non so se piace l'Ara Pacis. È strana questa zona. È come se non riuscisse a decollare mai. Quasi rosicasse perché poco più in là c'è piazza di Spagna, la vita vera, la Roma glamour, quella invidiata. Io non la invidierei quella Roma lì. Via Condotti per esempio, che c'è da invidiare in una via così finta? Mi mette angoscia via Condotti. Troppe buste, troppi bodyguard, troppa felicità confezionata. È una finzione che contagia. Stamattina per esempio, camminando ho visto una donna a via Condotti. Una barbona. Guardava la vetrina di Cartier. E piangeva. Che scena assurda.

Buona per un romanzo, però. Sì, un libro di pagine fitte fitte. Dove la punteggiatura ha un perché e dove i silenzi sono immaginati. Mi sono detta che, mentre aspettavo il mio pellegrino rosso, potevo magari scrivere un romanzo. Allora ho comprato un quaderno a quadretti. Scrivo meglio con i quadretti. Mi sembrano meno imbriglianti delle righe. Più ribelli. Ho comprato questo quaderno, naturalmente con la copertina rossa. Cioè non lo so se è rossa davvero, ma al commesso ho detto, «Mi dia un quaderno a quadretti con la copertina rossa» e lui me ne ha dato uno col disegno di uno strano elefante. Prima di pagare mi sono sincerata che il quaderno avesse veramente la copertina rossa. L'ho chiesto a una ragazza bionda che stava in fila dopo di me. Lei ha fatto una faccia strana. Però ha risposto. Non con le parole, con la testa. L'ha dondolata in avanti in senso affermativo. Me la sono fatta bastare come risposta. Dopotutto dovevo sincerarmi, io il rosso non lo vedo ancora. E il mio romanzo lo voglio scrivere solo su quaderni rossi. Non avrebbe senso in un altro colore. Sarebbe monco. E io sono stufa di cose monche, *wallahi billahi*, stufa marcia. E se dico *wallahi billahi* mi dovete credere. Quindi ho pagato e sono uscita. Poi ne ho comprati altri, di quaderni. Tutti rossi. E li ho riempiti di parole. In totale sette. Mi piacerebbe arrivare a dieci. È un numero tondo dieci, ti dà l'idea di qualcosa di compiuto, di costruito. Poi dieci è il numero della maglia di Diego Armando Maradona. Mi piace un sacco Diego Armando. È un ribelle. Un po' sfigato. Anche se è un maschio, mi assomiglia molto Maradona. Assomiglia a un angelo quando caga.

Ci ho scritto sopra tante parole, sui quaderni rossi. Delle storie. Il dottor Ross mi ha detto che scrivere era una buona idea. Che mi avrebbe aiutato a tirare fuori il femminile che è in me. Ecco, quando ha detto così non ho capito bene. Non credo di aver afferrato bene il concetto. Quando il dottor Ross parla, di solito la capisco. Parla semplice semplice. Ripete i concetti infinite volte, finché non li capisco, finché non mi entrano bene nella capoccia. Ha molta pazienza, il dottor Ross. Ma a volte se ne esce con certe frasi che sa solo lei, esperta del ramo. E quando lo fa, io non la capisco bene. O forse la capisco troppo bene. Di solito mi viene la tremarella. E mi metto a braccia conserte. Lei mi guarda e mi fa «Ahhh! Visto quelle braccia?». Le guardo e le vedo conserte. Sembro una condannata alla sedia elettrica. Sto tutta chiusa, rattrappita. E capisco che non è una bella cosa. Che se voglio stare bene e fare l'amore con il mio pellegrino, devo schiudermi. Sì, come una rosa.

Però alla dottoressa – il mio dottor Ross è pur sempre una donna –, questa cosa della scrittura è piaciuta. Per via di quel femminile che deve uscire. Io non ho afferrato, però. Femminile? Perché, non si vede che sono una femmina? Ho un culo a mandolino, le tette, anche se piccole, una figa, dei capelli che un maschio non avrebbe mai, una bocca a cuore – che cosa mi manca per dimostrarlo? E poi, una volta ogni ventotto giorni, ho le mestruazioni. A me piace un sacco chiamarle così, mestruazioni. È un termine medico, normale, igienico. Ma la gente ti guarda male se le chiami con il loro nome vero, autentico. A me piace. Mi sembra un atto di sovversione pura, chiamarle così. Non mi piace dire «ciclo». Non mi piace dire «Sono indisposta», e nemmeno dire «le mie cose». A Roma i trasteverini parlavano di un certo marchese, al paese mio d'origine, la Somalia, si aspetta *Godude.* Gli americani poi, mettono in campo le zie, è tutto un via vai di *aunt* Flo, *aunt* Rosie, *aunt* Martha. In Messico invece la buttano sul lugubre ed è un profluvio di *vampiritos*, piccoli vampiri che ti succhiano – ma non si fa prima a dire assorbente? I più fantasiosi però sono i finlandesi. A me non verrebbe tanta fantasia in mezzo ai ghiacci. Ma i finlandesi ce l'hanno e le chiamano le giornate del mirtillo rosso.

La gente ha paura della parola mestruazione. Panico totale. La gente si spaventa quando una cosa è troppo vera. Anch'io ne avevo molta paura, prima di andare dal dottor Ross. Non dicevo nulla. Non le nominavo proprio. Mi illudevo che non nominandole sarebbero sparite dalla mia vita per sempre. Sognavo una menopausa perenne. Non le odio. Ma prima un po' sì, le odiavo. Un po' tanto. Ma non perché fanno male. Tutte le odiano per questo motivo. Anch'io forse dovrei odiarle per questo, a rifletterci su. Mi fanno venire dei crampi assurdi al basso ventre e poi quelle emicranie che dal collo salgono su su fino alla punta più estrema del cranio. Non lo reggo quel dolore. Le emicranie sono veramente insopportabili e sono sempre accompagnate da nausee raccapriccianti. E poi ti sembra che ci sia qualcuno che ti mangi le budella, o peggio, te le attorcigli come fettuccine al ragù. Non è una bella sensazione. Ma non era per il dolore che non le nominavo. Non per quello fisico, almeno. Era per un altro dolore. Ogni volta che venivano, ogni volta che vedevo le mutande sporche mi rattristavo. Era più forte di me, mi rattristavo. Guardavo le mutande, la carta igienica e mi rattristavo. Guardavo tutto per ore. Stavo lì impalata, sperando che qualcosa succedesse. E di solito non succedeva un bel niente.

Mi hanno detto che le mestruazioni hanno il colore del sangue, mi hanno detto che è sanguc. In realtà non sono sangue sangue, ci assomigliano, ma non lo sono. Questo me lo ricordo dalla lezione che ci faceva la prof Gentili sul corpo umano. Lei ci teneva un sacco che noi conoscessimo bene il nostro corpo, come funzionava, a cosa serviva. «Non vi ignorate!» diceva la prof Gentili. Mi è ricapitato di vederla su un bus, la Gentili, stavo già al terzo anno di università. Sorrideva al vuoto. È sempre stata molto sorridente. Forse perché non si ignorava. Però, a ben vedere, un po' le mestruazioni assomigliano al sangue. Sono rosse.

Io però lo so per sentito dire. Quando le guardo sulle mie mutande vedo solo un punto di grigio. L'ho chiesto in giro «Ma davvero sono rosse?». Mi hanno guardata con pietà. Hanno pensato tutti che fossi daltonica. Ho fatto credere che lo fossi. Sarebbe lungo spiegare che ho perso i colori. Mi piacerebbe vedere quel filo di rosso sgorgare dalle mie gambe. Qualcosa che sgorga c'è, lo so, mi fa venire i crampi. Ma io non lo vedo ancora il rosso. L'ho visto solo sulla testa di quel pellegrino. Ah, che darei per vederlo uscire dalle mie gambe, dalla mia figa. Mi sentirei potente. Il dottor Ross è entusiasta di questa faccenda della scrittura. Dice che mi farà venire mestruazioni meno dolorose. «È lo stress, cara mia» dice. Accumulo troppo, dice lei.

Un'umidità vischiosa. Uno spruzzo di calore. Sento molto caldo. Sto sudando. La temperatura non è eccessiva. Anzi tira un vento subdolo, di quelli che ti becchi il raffreddore fuori stagione. Tira proprio un ventaccio, *wallahi billahi*, un ventaccio brutto e se dico *wallahi billahi* mi dovete credere. Ma io ho caldo, ho molto caldo. L'umidità aumenta, sono inzuppata... inzuppata di me. È presto per le mestruazioni. Stanno bussando in anticipo. Frugo nella borsa, frenetica. Niente assorbente. Niente salvaslip. Nemmeno dei luridi fazzolettini di carta. Che situazione incresciosa! Fra un po' mi si sporcherà questo bel pantalone comprato da Momento. Mi è costato l'ira di Dio. Ma io sono così con i pantaloni, preferisco comprarli larghi, comodi, un po' trendy. Se ci vuoi stare comoda te li fanno pagare cari. Sennò ti attacchi e cerchi di entrare in un pantalone da anoressica.

Io non sono anoressica. In compenso sono stata bulimica. Ora però mangio normale. Non mi faccio più di ciambelle Montebovi alla mattina presto. Da adolescente mi piacevano un sacco, quelle ciambelle. E sì, una mattina mi sono fatta pure una grossa grassa bistecca ai ferri. Ai tempi non c'era la mucca pazza, *no nada de vaca loca*, *nada de vida loca*, quindi le bistecche ai ferri abbondavano. Io ne avevo trovata una bella grossa in frigo. Ma pachidermica. Dovevo andare a scuola. Guardai l'orologio. Avevo ben due ore di tempo per combinare qualche casino a me stessa. Era mattina presto, potevo fare ancora di tutto. Presi una padella e mi cucinai ben bene la bistecca, accanto ci misi un bell'uovo. Me la sono mangiata tutta e di gusto, quella bistecca. Ma solo cinque minuti dopo sono andata al cesso a vomitarla. L'ho vomitata tutta, di gusto. Mi sono lavata i denti e sono andata a scuola. Fu alla lezione di fisica sui vettori, che mi resi conto che vomitare una bistecca così cara non era una cosa ben fatta. Anzi, era proprio da coglioni. Ho smesso di essere bulimica quel giorno. Ma ho cominciato a mangiare in modo disordinato o peggio, a dimenticarmi di mangiare. Per tutta l'università, e pure ora che sono una precaria, posso anche tirare avanti solo con la prima colazione.

Il dottor Ross dice che dipende dalla mancanza dei colori. Ma ora sono umida, sento croste di sangue rappreso sotto di me e lungo le gambe. Mi sporcherò i pantaloni. E mi toccherà rosicare, perché a me i pantaloni da anoressica non mi piacciono. Sono magra, ma ho il fondoschiena africano. Voglio stare comoda. Mi piacciono i pantaloni che ho adesso. Non voglio che mi si sporchino...

Voglio un assorbente. Cerco frenetica. Sembro una matta. Frugo nella borsa come se mi aspettassi un miracolo. Guardo, riguardo. Poi mi rendo conto che è una borsa qualsiasi la mia, un po' banale, nera con tasche a mo' di tetta, media grandezza – mi piace portarmi il mio mondo appresso come i nomadi. Però la grandezza è media. Non è mica la borsa di Mary Poppins. So solo che vorrei un assorbente. E ne sono priva. Mi sento sempre più umida, appiccicaticcia e sudata.

Una ragazza accanto a me sorride. Ha capelli ricci, neri, ribelli. Come me. Simile a me in più punti – naso, bocca, anche, glutei. Però ha un viso più rilassato, la schiena più dritta. Gli occhi sono abbelliti da una montatura con brillantini Swarovski. Una sciccheria esagerata. Mi guarda dritto nella pupilla. Non ha paura del confronto. Il suo sguardo è colla. Mi segue ovunque. Non mi lascia respirare. È una ragazza vigile. Curiosa. Abbiamo anche lo stesso colore di pelle.

Dovrei chiedere aiuto a lei. Me lo sta offrendo gratuitamente. Sì, dovrei dirle qualcosa, qualsiasi cosa, una cazzata, un pensiero. Ma non so, sono restia. Perché dovrei metterla a parte di un problema così intimo? Chi la conosce, dopotutto? Cioè, il fatto di avere lo stesso colore di pelle mica ci fa diventare automaticamente sorelle? Però mi assomiglia davvero tanto. Si tocca sempre i ricci ribelli, e fa le faccine anche. Ha un libro aperto in grembo. Cerco di leggere il titolo. Non si vede un bel niente. Ha una copertina azzurra. Quel colore lo vedo, è solo il rosso che non ho più visto. Il libro azzurro ha tante pagine, sembra bello, lo si nota dalla postura della ragazza. Ha anche delle cuffie. Ascolta musica. Non si sente un bel niente. Non si sa che musica è. Ora ha smesso di guardarmi fisso, come faceva prima. È tornata al suo libro. Io sono sempre più umida. Il pantalone è fottuto. Ti immagini se arrivasse ora il pellegrino? Mi vedrebbe così immersa nel mio sangue mestruale. Immersa nei liquidi, umida, appiccicaticcia, sudata. Io vedo solo grigio, però. Il mio sangue mestruale sgorga, ma io non lo vedo bello e rosso come tutte. Vedo solo un punto di grigio, cazzo.

La ragazza si dondola. La musica dev'essere molto bella. Forse è in paradiso, la ragazza. Non la dovrei disturbare. Ora che non mi guarda più, vorrei che mi guardasse. Che mi manomettesse con la sua forza di donna. Forse quando il dottor Ross parla di femminile, intende la forza che ha quella ragazza. Non saprei. Non mi guarda più. Mi strazia questa cosa. Guardami, cazzo, sono qui, sono qui, non mi vedi? Sono qui, ti prego guardami. Ho bisogno della tua pupilla. Ho bisogno di te e del tuo sguardo. Alza gli occhi dal libro. Non so se è telepatia o coincidenza. La sua pupilla si alza e mi si appiccica addosso. Che bella sensazione. Mi fa sentire viva.

«Hai un assorbente?» le chiedo.

«Ho un tampone, ti va bene?».

Ho detto di sì, che andava bene, che era lo stesso. Io un tampone però non l'ho mai messo in vita mia.

Me ne ha dati due. Sono andata nel bagno dell'Ara Pacis. È pulito. Non è malaccio. I bagni pubblici sono sempre veri inferni terrestri. Fango, liquidi viscerali, escrementi mai levati, sporcizie assortite. Questo aveva solo un vago odore di usato. E si sentiva lo spray deodorante delle addette alle pulizie. Però io sto tremando. Cioè non so proprio da dove cominciare. Perché non mi sono cercata una farmacia? Ora avrei in mano un bel pacco di pratici assorbenti esterni che saprei sicuramente usare. Ma mi sarei sporcata prima di arrivare a quella fantomatica farmacia. Lo so. E adesso? Ho questo tubo in mano, l'altro me lo sono conservato in borsa, nel caso che il tentativo fallisca. Ce l'ho in mano. Lo guardo e mi sembra uno strumento chirurgico. Ha un'aria vagamente minacciosa. La ragazza mi ha dato anche il foglio delle istruzioni. Io l'ho afferrato biascicando un grazie sommesso. Lei mi ha gridato da lontano «Io sto qui, se hai bisogno». Ecco, lei lo sa che non ho mai messo un tampone in vita mia, che vergogna! E saprà anche dei colori? L'ha capito che non vedo il rosso?

Il foglietto delle istruzioni fa paura. C'è una tipa (disegnata) molto disinvolta che si allarga la vagina con due dita. La vagina in quel disegno sembra un mostro. Non mi piace. C'è scritto in tutte le lingue che mi devo rilassare. *Antes de empezar, relàjate*. *Não fiques nervosa. Prenez votre temps et détendez-vous.* Rilassati. Rilassati. Rilassati. C'è scritto ovunque. Un mantra. Ti dicono che se sei contratta i muscoli diventano più duri, che il tampone non entra, che il corpo non lo accoglie. Invece se chiudi gli occhi, la smetti di fare la bambina, cominci a vederti donna e ti comporti in modo naturale, beh, allora il tampone ti balla dentro e non lo senti quasi. È importante tenere il cordoncino fuori. Cominciavo quasi a crederci, quando ecco che leggo della TSS. Stavo quasi entrando in una fase nirvana, cazzo, e mo' che è 'sta TSS? Dicono che è una sindrome allergica o qualcosa del genere, che qualcuna, poche però, può essere allergica al tampone. E se lo sei, puoi pure entrare in coma. Se senti disturbi strani meglio rimuovere il tampone. Ecco, la notizia di questa TSS non mi ci voleva. Ora sono di nuovo tesa. Ma rileggo le istruzioni nella parte più innocua ed è la stessa cosa di prima. Mi dicono che devo rilassarmi e che non devo stare contratta. È un po' come fare l'amore. L'uomo ti entra dentro con dolcezza e te lo dice pure «Amore mio, non ti farò del male» – nei film alle vergini dicono sempre così. Il mio pellegrino me lo dirà. «Amore mio, non ti farò del male» e io gli crederò. Non sono tutti come quello «zio» dalla pelle squamata. Lui voleva vedermi soffrire, star male. Mi inondava di quella sua schiuma bianca e rideva come un pazzo. Il mio pellegrino invece mi vorrà bene, *wallahi* lo sento, lui mi amerà e mi rispetterà. M'inonderà di rispetto, *wallahi*, rispetto.

Quindi mettersi un tampone è un po' come fare l'amore. Allora mi devo rilassare. Che paura che ho, però. L'ho messo. È stato facile. Ho messo l'applicatore nella vagina fino a quando le dita hanno toccato il mio corpo. Poi ho spinto il tubicino. L'ho fatto piano. Con dolcezza estrema. Con calma, anche. Ero agitata, però ho pensato che l'amore è un'agitazione che dà tranquillità. In quel momento facevo l'amore con me. Mi volevo bene. Perciò sono stata dolce. Come il pellegrino quando arriverà. Ho spinto. Il tampone è entrato e ora balla dentro di me.

La ragazza è seduta allo stesso posto di prima. Il libro aperto. Però è andata avanti nella lettura. Mi sembra che il libro sia aperto in una pagina diversa da quella di prima. Dev'essere un libro che l'assorbe, è tutta presa.

«Messo?» mi dice alzando gli occhi improvvisamente.

«Sì» ho detto. Cosa dovevo dire?

«Anche per me la prima volta è stata dura. Tu invece si vede che sei stata più brava».

Dovevo commentare?

Sono rimasta in silenzio.

«Li conosci i Tinariwen?».

Dovevo rispondere?

Ho scosso la testa.

«Sono un gruppo del deserto».

Mi mette delle cuffie nelle orecchie. Il suo i-Pod è di un bel colore azzurro, s'intona al libro. Spinge PLAY, la ragazza. Comincia una canzone. Le prime parole le capisco. L'uomo che canta dice qualcosa come *oualahila*, mi sembra il mio *wallahi*. Forse sono parole parenti. La gente batte le mani. L'uomo ha un coro che gli va dietro. Delle chitarre sottolineano le parole. *Oualahila*, continua a dire l'uomo. *Oualahila*, dice il suo popolo. Stanno raccontando una storia. Mi piacerebbe conoscerla quella storia. Batto le mani anch'io nel vuoto. Il ritmo mi trasporta in un caos cosmico che sembra il mio. Batto le mani. Accenno un movimento di spalle. Vedo che la ragazza mi guarda e sorride. L'accenno di movimento diventa frenesia. Sembro una pazza che sente il suo pancreas.

La canzone finisce.

«Bravi» dico.

«*Oualahila ar tesninam*...», canta la ragazza.

«Cosa significa?».

«Secondo te?» mi chiede.

«C'è la parola Dio» non so aggiungere altro.

«Sì, c'è la parola Dio. Dice, Oh Dio, tu sei infelice».
«Ma la musica è allegra» commento maldestra io.
«La tristezza ha tanti ritmi. Come la felicità».
«E ne uscirà dalla sua tristezza?» chiedo.
«Sì, raccontandola. Attraverso le storie se ne esce».
«E che storia raccontano?».
«La tua, credo» mi risponde la ragazza.
«La mia?» faccio io, esterrefatta.
«Sì, quella che stai scrivendo, quella che hai dentro da tanto. Perché non continui?».
«È troppo faticoso...».
«Continua».
«Ma non ne ho il tempo, deve arrivare...».
«Ti aspetterà, se ne vale la pena... tu racconta invece, e smettila di trovare scuse».

È stato così che io, Zuhra Laamane, ho aperto la prima pagina del quaderno rosso numero otto. La penna scorre morbida sui quadretti. Il tampone intanto balla felice dentro il mio mare mestruale.

UNO

La Nus-Nus[1]

C'è qualcosa nella morte che assomiglia all'amore.

Antologia di *Spoon River*, pagina 103, versione comprata in edicola, allegata a un giornale. Quale? Mar non se lo ricordava più. Testo a fronte. Mar comprava solo poesie con testo a fronte. Rilesse il verso in inglese *There is something about death like love itself*.

Il ritmo era abisso. Come la canna della pistola dentro la bocca di Patricia.

Le faceva paura. Era seduta in mezzo al niente di Villa Borghese, Mar. Intorno i bambini giocavano, le coppiette si baciavano e i tossici speravano di rimediare la loro dose in vena con qualche borseggio sul bus 490.

La vita scorreva fluida intorno a Mar. Il cielo era terso come in certi telefilm tedeschi. Le nuvole distratte. Gli uccelli esitanti. Niente solcava quel bel blu finzione. Roma sembrava un set cinematografico. Sembrava uno studio della MGM degli anni d'oro. O forse era solo Cinecittà. A ogni angolo, inaspettati, potevano spuntare Visconti, la Magnani, Alberto Sordi. O perché no, il grande Federico Fellini con una Ekberg e una fontana. Con un

[1] La «mezza mezza», in lingua somala.

Mastroianni e una soubrette. Federico Fellini che gira il suo nuovo film con Mar Ribero Martino. Una ragazza nera. Troppo nera. Con una madre bianca, argentina, italiana, portoghese. Una famiglia di errori, la sua. Una famiglia di pazzi.

Mar si chiamava così per una poesia. Di un certo Rafael Alberti, un tipo che era dovuto scappare dal suo paese, dalla Spagna. Era venuto a Roma, Rafael. Forse si era anche seduto a Villa Borghese, Rafael. A Mar quella poesia non piaceva. Non le piaceva nemmeno il suo nome. Però Rafael lo stimava. Aveva sofferto più di altri.

Doveva tornare a casa, Mar. Era seduta lì da quanto? Un'ora, un'ora e mezza, forse? La polizia l'aveva adocchiata. «Pensano che io sia una puttana, stronzi. Dementi». Però le gambe della ragazza non si decidevano a muoversi. Erano poco razionali. Erano scollegate dalla sua realtà di donna.

Era da un mese che in realtà tutto il suo essere era scollegato. Era dal funerale di Patricia che si sentiva a pezzi. Si sentiva una cosa rotta incollata male. Il funerale di Patricia era stato squallido. Lei era stata squallida al funerale di Patricia. Erano vestiti tutti in modo sobrio. Rispettoso.

Anche la chiesa scelta dai genitori di Pati era sobria e rispettosa. Non c'era mai stata da quelle parti, Mar. Con Patricia vivevano il centro, non la periferia. Pietralata era territorio sconosciuto. Quella chiesa, più che mai.

La madre di Pati, una romana abruzzese un po' grassoccia, aveva insistito per fare i funerali della figlia in quel quartiere, in quella chiesa. Pati lì era stata battezzata. E la madre aveva sempre coltivato la speranza di vederla proprio lì protagonista di una cerimonia importante. La madre sognava un matrimonio, non certo un funerale per suicidio. Era per questo dolore inaspettato e inspiegabile che il marito, un allampanato signore di Valencia, aveva appoggiato la scelta della moglie. Anche perché era l'unico modo per calmarla. Per lei era disposto a tutto. E già aveva fatto molto a ben vedere. Per lei l'allampanato signore di Valencia si era trasferito in Italia, per lei aveva stracciato la tessera del Partito comunista, per lei aveva impartito una disciplina severa a quella loro figlia tanto strana – che però a lavorare, all'inizio, se n'era andata in Spagna. E per lei aveva accettato un funerale per la figlia lontano da Valencia, dove era sepolta tutta la sua famiglia da generazioni.

La chiesa scelta era in stile moderno cattivo gusto. Però le vetrate similgotico erano belle. Ci si poteva specchiare dentro e uscirne colorati. Le piaceva l'idea di diventare rossa. Però non scelse il rosso per il funerale, ma il rosa. Rosa confetto, per l'esattezza. Un colore disgustoso. Come quello degli additivi chimici delle caramelle al luna park. Al disgusto aveva abbinato anche una borsa bianca, una mantella rossa e delle scarpe col tacco da battona. L'apoteosi l'aveva toccata con il cappello. Era a falde larghe, come se ne vedono solo ai matrimoni britannici. Non indossava mai cappelli, Mar. Quello però era un funerale, il funerale di Pati, valeva la pena fare un'eccezione.

I piedi le dolevano. Se lo sentiva: anche quel giorno sua madre sarebbe arrivata in anticipo. Era sempre in anticipo di quindici minuti. Mai di dieci, mai di venti, mai di cinque. Sempre in anticipo di quindici minuti. Per questo lei aveva preso l'abitudine di arrivare sempre in ritardo di quindici minuti. Mai di dieci, ma di venti, mai di cinque.

Anche a quel funerale era in ritardo. Entrò. Fece rumore. Diede scandalo con i suoi colori. Il prete la guardò con stizza. Aveva rotto l'incanto del momento topico. Evidentemente lui stava leggendo qualcosa di veramente commovente. Forse una delle parabole salvifiche del Nuovo Testamento. Dove Gesù era bello, biondo, senza smagliature da checca. Trentatre anni, niente donne. Impossibile. Gesù era una checca. Anche un po' isterica, insomma: l'episodio del tempio parlava chiaro, no?

Mar guardò i presenti. Tanta gente. Gente che Patricia odiava. Pati odiava tutti. Tranne lei, Mar. Odiava anche il loro bambino, per questo aveva dovuto abortire. Per questo si erano lasciate.

L'aborto. Era da sei mesi che non ci pensava più. Invece nel vuoto di Villa Borghese le ritornavano in mente tutte le scene tra lei e Patricia. Le più belle, le più agghiaccianti, quelle che non avrebbe mai voluto girare. Un vero flop, il film con protagoniste lei e Patricia. Un film da niente. A Mar sarebbe piaciuto rigirare la maggior parte delle scene. Anche l'inizio. Anche quel loro primo bacio sulle Ramblas di Barcellona.

Si alzò dalla panchina, Mar. I poliziotti avevano cominciato a guardarla con aria intollerante e una certa insolenza. Si alzò, l'idea di essere palpeggiata da dei celerini schifosi non l'attirava. Si diresse alla fermata del 490. Avrebbe potuto prendere anche il 495. Ne bastava uno qualsiasi per la metro Flaminio. Da quando era morta Pati, non riusciva più a montare sul suo SH verde metalizzato. Sentiva ancora sulla sella l'odore del sedere di lei. La Pati odorava di papavero. Anche il suo SH odorava di papavero. Si mise in attesa del bus. Chissà quanto avrebbe aspettato. Non aveva fretta. Non le fregava nulla del tempo. Non le fregava nulla di niente ormai. Avrebbe voluto passare tutta l'estate a ciondolare tra il suo buco di Prati e Villa Borghese. Tutti i giorni. Andata e ritorno. Ritorno e andata. Tutti i giorni, sguardi di celerini infami appiccicati alle sue natiche o alle sue enormi tette. Tutti i giorni nel vuoto a ricordare ogni istante del funerale di Patricia.

Invece sua madre non le permetteva di soffrire in pace. Per lei si doveva fare, fare, fare e sempre fare. Le mani non dovevano stare ferme. Tutto si doveva muovere in maniera frenetica. Le mani, le gambe, i peli della figa. Tutto si doveva muovere, in moto perpetuo e inconcludente. La sofferenza, la stasi, la morte non erano ammesse nel regno di Miranda. Lei doveva muoversi per essere. Muoversi per esistere. Per questo ora stava per trascinare la figlia nella sua ultima follia: lo studio dell'arabo classico.

«Vedrai, *hija* mia, l'arabo ti calmerà le raffiche del cuore».

Detto fatto. Miranda, da donna efficiente, si era precipitata al telefono per confermare l'iscrizione per due persone a una delle più esclusive scuole di arabo del mondo. Poi una capatina all'agenzia di viaggi, ad assicurarsi un volo per il 3 agosto per la città dei gelsomini e infine una capatina da Nima, la sua libreria preferita, a comprare cartine e guide della Tunisia.

«Certo, figlia mia, io studio arabo da due anni. Ma vedrai che te la caverai anche tu. Imparare un nuovo alfabeto ti apre altri mondi».

Efficienza pura. Ecco cos'era la madre di Mar. Non a caso aveva venduto migliaia di copie dei suoi cinque libri di poesia. In un paese, l'Italia, in cui i lettori di qualsiasi cosa scarseggiano, vendere tanta poesia era una follia organizzata. Lei andava fiera di questo successo e diceva sempre che «il duro lavoro alla fine paga sempre».

Era convinta che questo fosse possibile anche con quella figlia tanto strana che non le assomigliava per niente. Né fisicamente, né spiritualmente. O forse le assomigliava molto. Con lei aveva fallito. Per questo ora si dava da fare. Era rimorso per quell'aborto. Per quella storia tanto strana.

«Sei gay, figlia mia?».

«No, mamma. Amo questa donna. Però non so cosa sono. Tento di essere me stessa».

«Ma ci vai a letto, porca miseria!» si era lasciata sfuggire.

Miranda odiava Patricia. Era una donna che non capiva. Se sua figlia era lesbica, perché non aveva scelto una donna migliore? Patricia era troppo bianca, troppo triste, troppo strana. Poi quell'odore nauseante di papavero che si portava addosso. Un odore di morte che non l'abbandonava mai.

Era un po' spagnola, Patricia. E anche un po' italiana. Una giornalista che da Madrid avevano rispedito a Roma, forse perché in redazione nessuno la sopportava veramente. Miranda era sicura che in quella strana spagnola la figlia cercasse lei, la madre. Poi era venuto quel figlio a complicare i vissuti. Mar non sapeva perché si era lasciata convincere da Patricia. Si ricordava bene il giorno, il mese, l'ora. Quel momento aveva cambiato le loro vite. Aveva preparato la sua *paella* valenciana quella sera Pati. L'odore riempiva quel buco di Prati che già da cinque mesi era il loro nido d'amore.

«*Esta noche* verrà un mio amico a cena. Ti piacerà... *mucho*, *muchísimo*».

L'amico lavorava per conto di una ditta italiana sulle piattaforme petrolifere in giro per il mondo. Aveva visto un bel po' di paesi, dal Kazakistan al Turkmenistan. Era stato in Arabia Saudita, in Iran e in Cina. Era in procinto di recarsi in Venezuela. Parlava molte lingue, tutte male. In realtà le intuiva solamente. Mar non trovò simpatico quel ragazzo. Non le piaceva il modo in cui tagliava le zucchine nel piatto. Non lo sopportava, le risultava claustrofobico. Neppure la *paella* sapeva gestirla bene, in realtà. La mandava giù agli intestini senza gioia.

Dopo mangiato, Pati rollò una canna e tirò fuori una delle sue delizie. Un liquore francese al cioccolato. Mar sorseggiò quel liquore e pensò che a fine serata avrebbe fatto un bel massaggio alla sua donna, per ringraziarla.

Invece Pati la sorprese.

«È ora che io e te si faccia un figlio, Mar. Vincenzo è venuto qui per aiutarci».

Mar non capiva. Guardò la sua donna con aria imbarazzata e interrogativa.

«Io stasera vado da Marcela, la mia collega. Lei e il marito sono andati in gita in Maremma. Mi ha lasciato le chiavi di casa. Starò lì tutto *el fin de semana*. Voi fate i bravi e dateci dentro».

Mar si sentì crollare il mondo addosso. Il suo centro sacro si era volatilizzato.

Fece l'amore con Vincenzo per tutto il fine settimana. Si fece toccare, baciare, leccare. Poi anche rivoltare e umiliare. Per tre giorni quell'uomo sconosciuto che tagliava le zucchine in modo osceno, fece del suo corpo quel che voleva. Non era la prima volta che faceva l'amore con un uomo. Mai però con uno tanto infame. Forse Patricia lo aveva scelto apposta, perché temeva che a Mar venisse voglia di tornare a essere etero.

Non rimase incinta in quei tre giorni.

«Mar, *querida*, dobbiamo riprovarci».

Richiamarono Vincenzo. Stessa *paella* valenciana, stessa canna, stesso liquore al cioccolato. Poi Patricia uscì con le chiavi della solita Marcela nel taschino. Stessa scena. Stessi baci, palpatine, leccate. Stessa perforazione. Stesso piacere recitato. Quell'uomo era brutale. Una storia che andò avanti uguale a se stessa per due mesi. Poi finalmente la gravidanza.

Mar era contenta. Non avrebbe dovuto farsi toccare più da quell'uomo schifoso. Se fosse nato un maschio lo avrebbe chiamato Elias, come il padre che non aveva mai conosciuto. Mamma Miranda del padre le aveva detto solo il nome. Non aggiungeva mai una virgola in più.

Invece Pati la fece abortire.

«È stata una cattiva idea fare un bambino». Non le diede altre motivazioni.

Con Pati era così: prendere o lasciare. Era quasi un ossimoro stare con quella donna.

Mar si sentiva uno schifo. Le nausee e tutto il resto la stavano mettendo sottosopra. Si alzava irritata ogni mattina e addentava a casaccio tutta la roba dolce che c'era nella dispensa. Di solito non c'era un granché. Un po' di cracker e dei plum-cake di marca scadente. Mar si accontentava. Solo il dolce poteva confortare la sua rabbia. Passò giornate intere a ciondolare arruffata per casa. Andava su e giù, freneticamente. In realtà lo spazio da percorrere non era molto, ma quei pochi metri dentro casa sua erano gli unici momenti spensierati della giornata. Il resto erano tutte sentenze che le sputavano addosso. Tutti volevano avere l'ultima parola sul suo corpo, sul suo bambino. Mar aspettava di vedere il vincitore della contesa. Chi sarebbe stato? Attendeva il suo futuro con fastidiosa indolenza. Mamma Miranda era furibonda, «Possibile che mandi tutto così a catafascio? Non ti ho insegnato nulla io? Dimmi *hija*, nulla?». E poi, puntuale come un orologio svizzero: «Lascia quella donna. Ti sta facendo del male».

Era vero? Pati le faceva del male? Possibile? Lei, con quella pelle così bianca. Le piaceva massaggiarle la pelle diafana, sembrava quella di un cadavere. Ma non uno di quelli in putrefazione, no no. Era il biancore di una morte eterna. Per questo suggestiva, per questo pericolosa. Mar se l'era chiesto tante volte se il sangue scorresse davvero nelle vene di Patricia. «Le vengono le mestruazioni?». In quei mesi appiccicate l'una all'altra, non era riuscita a vederla mettersi un tampax, e a memoria di donna non si ricordava di averle visto un assorbente nella borsetta. Forse è un uomo senza cazzo. Non sono lesbica allora. «Hai visto mamma, non sono lesbica».

Però dopo, quando il suicidio era diventato già una realtà, la madre di Pati le aveva detto: «Mia figlia giaceva in un lago di sangue». Lo aveva detto come fosse stata un'agenzia di stampa. La madre di Pati, con i suoi capelli raccolti a cipolla, il sorriso falso, il dolore superfluo. Il lago rosso di Patricia. Le sarebbe piaciuto vederlo. Avrebbe preso un po' di quel suo sangue e si sarebbe toccata la fronte, come un'induista con l'acqua del sacro fiume Benares.

Alla clinica per abortire, Mar ci andò da sola, quando arrivò il giorno prescelto. Pati aveva un'intervista a un blogger che impazzava su Internet. I blog erano l'ultima passione di quella sua amica tanto strana. Se ne voleva persino aprire uno tutto suo. Ci andò da sola, Mar. Era tutto come s'immaginava. Come aveva visto miliardi di volte nelle soap opera che occupavano certi suoi pomeriggi depressi. Tutto era bianco. Come la pelle di Patricia. I muri erano bianchi, i vestiti delle infermiere erano bianchi, la barella era bianca. L'eccezione era lei, così nera. L'eccezione era il macchinario così grigio. Non le fece impressione. Era meno grande di quanto avesse creduto. Discreto, perfino. Acciaio inossidabile, forza bruta. Sì, quel coso dava fiducia. Le avrebbe tolto il peso che aveva sulla pancia. Tutto durò un palpito di cuore.

Gambe all'aria, lacrime e poi quel rumore stravagante. Sembrava lei bambina che mangiava la minestra di farro. Soffiava sul cucchiaio caldo, colmo. Soffiava forte per raffreddarlo. Poi di colpo in bocca. Un risucchio indigesto.

La minestra di farro non le era mai piaciuta.

«Sono dei politeisti un branco di fottuti politeisti ecco cosa sono questi apostolicoromani».

Abdel Aziz pronuncia la frase senza punteggiatura. Tutta di filato, in apnea. La voce da pupattolo imberbe si indurisce a ogni vocale. Un condensato di rabbia secca, ecco cosa ha prodotto l'ugola di Abdel Aziz. Mi fa quasi paura. Mi scordo che sto davanti a un pischelletto e soprattutto mi scordo che il pischelletto in questione è mio cugino.

Sono preoccupata. Tanto. La sua voce baritonale mi penetra il circuito nervoso. Lo disintegra quasi.

Vi prego, ditemi che non è vero. Ditemi che non sono tornati. Ditemi che sono sotto effetto di un acido e che Abdel Aziz non sta dicendo quello che temo, le mie orecchie ormai lo boicottano e non sono mai sicura di aver capito bene le sue parole. Ditemi qualcosa. Qualsiasi cosa. Accetto anche gli insulti. Non mi faccio di niente, giuro, ma oggi preferirei stare davvero in un delirio tossico, almeno avrei una spiegazione razionale di quello che il cugino va blaterando.

Silenzio. Nessuno risponde. Ho provato vari numeri. Giove, Buddha, Shiva, Ra, Zoroastro, Mitra, san Paolo, san Francesco, san Gennaro, Milingo. Nessuno ha una spiegazione da darmi. Niente miracolo. Il cielo non si apre. Le acque del mar Rosso nemmeno.

Sono tornati. L'evidenza mi atterrisce. Sono tornati, loro, i testimoni di Geova. Quando Abdel Aziz è in questo stato di sovreccitazione, la causa possono essere solo loro. Cosa gli avranno detto per ridurmelo così? Vorrei dirgli: «Cugino, il Consiglio di Nicea c'è già stato. E poi noi siamo musulmani, se Gesù Cristo è spirito, uomo, Dio o follia, non è affar nostro. Per noi è un profeta in seconda. Un panchinaro». Ma non ho la forza di dire nulla. Voglio il mio sofà scassato. Voglio appoggiare la testa per un po' all'indietro e magari sì, chiudere un attimo gli occhi. Ma non ho tempo nemmeno per sedermi. Tra meno di due ore arriva Lucy, mi devo sbrigare. Abbiamo i posti prenotati. Su un trabiccolo a rotaie direzione «Paleeemmu» città.

Da lì poi un battello ci porterà a Tunisi. In Africa. Non conosco l'Africa. E dire che mi scorre sangue negro nelle vene. E che ci sono nata. Ma non è come conoscerla, in fondo. Non è proprio la stessa cosa. Nascere può essere del tutto casuale, in realtà. Si nasce per i motivi più strani. Per un vodka lemon di troppo, per un occhio languido, per errore, per vendetta, per sacrificio e sì, anche per amore. Io quindi in Africa ci sono nata e basta. Sono uscita dall'utero caldo di Maryam Laamane, ho frignato un po', mi hanno lavata e poi ho succhiato quel latte acido di cui non ho più memoria.

Non capisco perché sto andando lì ora, in Africa. Lucy ha insistito, credo. E io non ho saputo dirle di no, suppongo. Io non riesco a dire di no (quasi) a nessuno.

«Zuzu, vedrai, sarà come stare a Miami Beach». Per Lucy Miami Beach è il massimo del godimento possibile. Miami per lei racchiude le tre S, sole, scialacquare, scopare. Ci si stende come iguana, ci si abbronza, si fa shopping in modo sconsiderato e infine, *last but not least*, si fa ginnastica motoria con qualche aitante giovanottone del luogo. Lucy tutto questo lo sa perché lo ha visto in tv. La sua serie preferita non a caso è *Miami Vice*. Quella roba vecchia degli anni ottanta, dove ci stanno quei due poliziotti politically correct, un viso pallido infedele e un negro ricciuto versione deluxe, che appunto ci danno dentro con le tre S, soprattutto l'ultima. I due, tra una gnocca e l'altra, risolvono anche qualche caso poliziesco, con tanto di inseguimenti, sparatorie, e finte sudate nei loro completini Armani rigorosamente cotone 100%.

Lucy a Miami non ci è mai stata però. Io non credo che Tunisi sia come Miami Beach. Cioè non so nemmeno se Miami Beach sia come Miami Beach, ma di sicuro Tunisi non lo è. Tutti quelli che ho sentito prima di questo viaggio mi hanno detto che è come andare a Latina. Cioè, fatemi capire, ho pagato 230 euro di biglietti treno/battello andata e ritorno per finire a Latina? Una città di fasci? Scusate, aridatemi la grana.

«E poi Zuzu, la scuola è buonissima». Ah sì, la scuola. Me l'ero dimenticata. Io e Lucy ci siamo iscritte a quella scuola di arabo, Bourguiba School, nota e apprezzata dagli arabisti di tutto il mondo. Entri e dopo un po' sei un grammatico del primo secolo dell'Egira. E, *in sha' Allah*, appena qualche giorno di trattamento bourguibiano e si stenta a riconoscere l'ugola di quando sei arrivato. L'iscrizione alla scuola comprende anche un trapianto completo, alla radice, dell'apparato fonatorio. Poche lezioni e sei finalmente in grado di pronunciare anche la famigerata *'ayn*, la più bastarda delle lettere arabe.

Cavolo, erano secoli che non avevo trenta giorni filati di ferie (trentadue, ho rossicchiato anche un sabato e una domenica), e dove li vado a sprecare? In una scuola! No comment. E non in una scuola qualsiasi – una scuola di arabo! Ma dico io, non potevo avere come hobby il cucito o la ceramica, come tutti i sani di mente? Proprio con l'arabo classico mi dovevo infognare? Pessima idea, Zuhra. Pessima idea. Come quelle che ho di solito.

Mi sarei pentita appena arrivata, me lo diceva la quarta vertebra che cominciava a dare feroci segni di squilibrio. La sentivo pulsare come una dannata, la mia povera vertebra. Forse ti dovrei ascoltare. Mi stai avvertendo, vero, vertebra? Tu ne sai una più del diavolo. Sarà un disastro, lo sento, ho paura, paura, paura.

«Cioè questi apostolicoromani credono nella trinità... credono che Dio sia fatto in tre, una cosa assurda. Dio è uno. Gesù è detto figlio di Dio perché è lo spirito primigenio, non perché il padre s'è fatto una ripassatina».

Che faccio, lo blocco? Ma sì, lo blocco. Anche perché mi sembra troppo bello Abdel Aziz per finire tra le braccia di quello zozzone di Lucifero. Riempio i polmoni di quanta più aria possibile, la trattengo giusto il necessario e poi la faccio esplodere insieme al mio grido. Cosa grido? *Haram*, logico. *Haram* ossia impuro, no *kosher*, no *halal* – puzzo di peccato, per intenderci. Abdel Aziz fa un sobbalzo all'indietro. Forse sobbalzo non proprio, qualche passo. Piccolo anche. Però ha accusato il colpo, il cugino, sta sbiancando. Io intanto ci prendo gusto e lo ripeto, *haram*, questa volta ci ho messo più enfasi nella H. Se mi vedesse Bin Laden mi recluterebbe per i suoi videoclip dalla grotta. Già mi vedo col mio kalashnikov made in Transnistria – un buco di terra, dove però se c'hai la grana te fai l'atomica alla faccia di Bush e di Ahmadinejad – e le famiglie dal Golfo al Maghreb a piagnucolare davanti ad Al Jazeera. La mia voce diventerebbe più popolare di quella di Fairuz, l'usignolo del Libano.

Per ora sono una sfigata che se non si sbriga non riuscirà a salire sul treno per Latin... ops Paleeemmu. Però prima devo fare la ramanzina al cuginetto. Devo ricordargli che siamo di cultura musulmana e che certe cose proprio non le può dire. Almeno per rispetto agli anziani, cioè a me, che ho compiuto i famigerati trenta da tre giorni. Non m'importa se non fa le cinque preghiere (io sì, anche se da poco. Ma mi sento tanto in colpa per il tempo perso. Cioè, non mi hanno insegnato tanto bene. Ero in collegio. Però la sura aprente la so, quella sì) o il ramadan, la *zaqat* o il pellegrinaggio. Ma non può venirmi a parlare ogni giorno di roba cristiana. Il Vaticano non è decisamente nella mia top five. E ancora di più mi stanno sui coglioni quei testimoni di Geova. Tra noi è guerra aperta, direi. Prima, giuro, non me ne fregava tanto. Li vedevo per strada, e quando mi fermavano sorridevo, acceleravo il passo, superavo con grazia, mi sganciavo divinamente. Poi un giorno disgraziato, hanno beccato i due cuginetti soli in casa. Mina dormiva, e Abdel Aziz gli ha offerto anche il tè coi biscotti, i miei! Gli amatissimi cookies al cioccolato.

«È un buon metodo per imparare l'italiano, *sister*», mi ha detto «ed è gratis». È che i miei due cuginetti stanno da me solo da sette mesi, sono venuti con una carretta del mare e ora l'italiano è una necessità, visto che la loro vita (clandestina) sarà per un po' qui. Cosa dovevo fare? Gli ho detto: «Ok, se è per l'italiano...».

Da quel momento il buco di sorcio, che mi ostino malgrado l'evidenza a chiamare casa, si è inzeppato. Di cosa? Ma di riviste di quegli assatanati della conversione. Io non ho nulla contro i testimoni, sia chiaro. Cioè non li odio, massimo rispetto, ma loro mi invadono gli spazi vitali. Quando ho trovato *La Bibbia parola di Dio o dell'uomo* tra i miei reggiseni sporchi, giuro, ho sclerato di brutto. La casa è tappezzata di roba come *Perché leggere la Bibbia*. Ecco sì, perché? Abdel Aziz le ficca ovunque. In cucina, tra i cd di Caetano Veloso, in mezzo alle finte gardenie e, dulcis in fundo, nello scaffale dei libri di argomento islamico. Se mi metteva una di quelle rivistacce in mezzo ai Corani, giuro, lo cacciavo a pedate da casa. STOP, STOP, STOP, non è come pensate, non sono una dannata integralista! Ma cavoli, a ciascuno i suoi spazi. È che ad Abdel Aziz voglio un gran bene, ma il cervello gli sta diventando una groviera con questa roba. O forse è il dolore di non avere più una patria, a mandarci in pappa il cervello?

Tiro fuori il mio passaporto bordò. Lo guardo. Zuhra Laamane. Io con il cognome di mia madre, anche se non si usa. Io, me medesima, in persona, carne e ossa, tette, figa e tutto. Io, italiana. Io, italiana? Il solito dubbio che mi assale. Mi basterà solo il passaporto per dimostrarlo? E se mi portassi anche la patente? E la tessera del cineclub? Sì, mi porto anche quella. E la tessera a punti del supermercato? E la tessera dell'Arci solidarietà? Quella della Biblioteca nazionale? Sì tutte, me le porto tutte. E pure quella der benzinaro. Tutto fa brodo. In ognuna di queste dannate tessere c'è scritto il mio nome in stampatello, no? La mia residenza nella Città eterna, pure. Purtroppo non c'è scritto che sono italiana, ma dimostrano che almeno vivo qua. Rafforzano l'italianità del mio passaporto.

Cioè, non voglio che mi succeda più quello che mi è successo in Spagna. Non c'era ancora er Zapata quando ci sono andata. Mi pare ci fossero ancora i destrorsi al governo. Non che ci sia in genere una gran differenza. Almeno in Italia non c'è. Però dicono che in Spagna un po' di differenza si vede... sarà... però io vivo qui. In Spagna mi volevano arrestare. Non all'aeroporto, dove comunque un negro saraceno mette in conto che queste cose gli possano succedere, no, non all'aeroporto. Mi volevano arrestare in questura. Pensa che dementi quelli della *guardia civil*. Pensavano che io fossi andata lì per farmi arrestare da loro. Io invece volevo un certificato di non residenza per aprire un conto in banca. Ero una pischelletta che si accingeva a muovere i suoi primi passi da borsista Erasmus a Valencia, la terra della *paella* e della *horchata de chufa*. Cazzo un conto in banca, niente di trascendentale! L'addetto mi guarda con degli occhietti da ebete che gli calano come le tette rifatte delle sessantenni. Mi guarda, strabuzza tutta l'orbita. Poi comincia a palpare la mia carta d'identità, manco fosse il deretano di una porno star. Gira e rigira la povera carta come se dietro di me non ci fossero almeno settanta persone in fila. Poi si alza con scatto felino e dopo due minuti mi vengono a prelevare quattro energumeni stile campi di addestramento marines. Erano grossi, muscolosi e con l'aria di qualcuno che sta per spaccarti le ossa. Mi guardano. Uno mi fa vedere il suo distintivo. L'amico accanto dice solo «*Por favor, seguidme*». Io allora non capivo bene cosa stesse succedendo. Ero una creatura da niente. Una borsista Erasmus. Però qualche reminiscenza cinematografica mi riaffiorava alla mente. Quelle cose che succedono nei film di Hitchcock, quando l'eroe viene accusato ingiustamente di un crimine. Cioè, quel genere di cose che succedono a Cary Grant in *Intrigo Internazionale*, non a Zuzu bella. Invece i tipi mi portano in una stanza, mi accecano con una lampada (stile B-movie) e mi interrogano. Oddio, interrogare è una parola grossa. Mi ripetono ossessivamente dei temi chiave – *Eres clandestina. No eres italiana. Puta. Marica. Falsificadora de papeles.* Io mi sono arrabbiata. Mi hanno lasciato andare dopo quarantacinque minuti e una mia chiamata all'ambasciata di Madrid. Scuse di tutto il commissariato. Me ne fotto delle vostre scuse, *entiendes, amigo?* Quelli erano stati i quarantacinque minuti più schifidi della mia intera esistenza, olè.

Da quel giorno parto sempre foderata di documenti. Noi negri saraceni dobbiamo difenderci a ogni costo. Mamma dice che esagero. «Sei così chiara, ciccia mia». E poi aggiunge (con mia grande vergogna): «Non sei negra tu, sei come Beyonce, un po' lattea». Mamma usa sempre questa parola qua. Dice sempre negro o negra, a volte l'ho sentita dire negraccio, mi si è gelato il sangue. Per mamma i negri sono quelli più scuri di lei, quelli che hanno i capelli crespi, il naso grande, le natiche prominenti. Lei ha il colore giusto, dice. Giusta miscela di melanina. Il suo colore le piace. Però il mio le piace di più. «Hai preso da tua nonna, che era bella chiara». Io mi guardo allo specchio e chiedo a Dio (o al suo vice, mi va bene uguale) perché cavolo non mi abbia fatto il naso grande. Mi avrebbe reso una vera black con i controcoglioni, mi sarei fatta quelle belle trecce da rasta e poi giù in un angolo con una canna a riempirmi di orgoglio. Invece ho degli strani ricci morbidi, il naso minuscolo dei somali e una pelle di un chiarore spettrale per essere nera. Forse mio padre era un bianco. L'idea mi inorridisce. Mamma di papà non parla mai.

Però le natiche sono da africana doc. Ecco, l'unica cosa che non volevo, la chiappa africana. Ho un deretano sproporzionato. Lucy dice che gli uomini me lo guardano sempre. Ma gli uomini sono dei sottosviluppati. Guarderebbero qualsiasi cosa posta intorno a quell'area sederifera.

Oh, Lucy… forse è lei che suona alla porta.

È lei.

«Ma che stai facendo?».

«Pattinaggio su ghiaccio, direi».

Non ride alla battuta. Non la nota nemmeno. Si avvicina risoluta alla mia valigia. Caccia un urlo. Abdel Aziz sobbalza per me, io mi ghiaccio sul posto per la paura…

«Che cazzo ti urli?» faccio io, urlando a mia volta. Fingo stupore, ma ho solo terrore. Lei non parla. Preleva dalla mia valigia un paio di scarpe. Oh mio Dio, so già cosa sta per dire. La prevengo.

«Sai, sono comode. Ci cammino bene. Lo so, sono bruttine, ma sapessi, indossate come…».

Lucy scaraventa le mie scarpe lontano. Le scaglia in un punto immaginario (forse una pattumiera) come un lanciatore yankee lancerebbe la palla della sua vita. Poi si inginocchia davanti alla mia valigia. Ci ficca dentro le mani e attacca con un'epurazione bulgara.

«E questo che è? Me pare da monaca, 'sto camicione! Io con questo addosso, in giro non ti ci porto! Oh Madonna immacolata e tutti li santi der paradiso, ma che davero te volevi porta' 'sta roba? Ma che è, un vestito premaman? Me stai a pija 'n giro, ve'?».

Alla fine si salvano pochissime cose. «Tanto compreremo tutto là».

Ho paura. Suona come una minaccia. Però almeno la valigia è pronta. Buon viaggio, *safar Salama ya Zuhra*.

La Reaparecida

Lunga capigliatura, spalle larghe, grandi falcate e il numero 10 dei vincitori sulla maglietta bianco-azzurra. Coppa del mondo '78. Argentina sugli altari.

Il paese sembrava impazzito. Forse lo era davvero. Tutti a osannare quel capellone che galoppava impudente sul campo da gioco. I giornali facevano vedere la gente che ululava di piacere. Ogni goal un orgasmo.

I giornali facevano vedere solo chi ululava di piacere. Gli altri ululati non interessavano a nessuno. Anzi non esistevano nemmeno. Gli altri erano dei *desaparecidos*, che venivano scannati rigorosamente fuori scena. Il palcoscenico era tutto per i ragazzi d'oro e per la giunta militare che aveva reso quell'orrore possibile.

Era dal 1976, o forse anche prima, che le persone venivano sequestrate, torturate, assassinate. Tutto nel più assoluto silenzio. Le nostre orecchie (e quelle del mondo) erano tappate, le bocche cucite, le mani legate. L'Argentina intera era stata lobotomizzata.

ARGENTINA CAMPEÓN MUNDIAL
ARGENTINA, REY DEL MUNDO
CAMPEONES GRAN TRIUNFO ARGENTINO

Osanna e fanatismo. Tutti uguali i titoli dei giornali.

Il capellone, per la cronaca, si chiamava Mario Kempes. Gli amici e i nemici lo chiamavano *el matador*. Goal e orgasmi. Ufficialmente era così. Per i militari. Per la stampa. Per gli stranieri. Gli altri ululati non contavano. Non erano ufficiali. Gli stranieri volevano il folclore. La stampa il batticuore. I militari gli allori. Autocelebrazione e champagne. Una coppa scintillante e denti aguzzi. Orgasmi in technicolor. Quel mondiale fu il primo non più in bianco e nero.

La leggenda dice che nella prima fase Kempes si dava da fare, ma non segnava. Sudava, sbuffava, imprecava. Ma non segnava. Attivo come pochi. In campo era il re. Ma non segnava. La classifica dei marcatori gli era negata da un destino volubile. Quel digiuno non piaceva ai militari. Il digiuno avrebbe negato loro la gloria, quella stessa gloria con cui volevano addormentare la coscienza di noi argentini. Era tutta una messinscena, una misera boutade. Loro fingevano di essere buoni e noi invece fingevamo di credere a quell'Argentina ormai di menzogna. Però senza i goal di Kempes l'impalcatura rischiava di crollare. Al calcio spettava fare qualcosa. Era compito suo. Con i cross, i tiri in porta, le parate straordinarie, doveva nascondere i crimini efferati che quella giunta militare stava compiendo contro la parte pensante del paese. Ci furono pressioni sulla squadra bianco-azzura. Velate minacce, anche. Allora Menotti, l'allenatore di Argentina '78, ebbe quello che i giornalisti sportivi definirono un lampo di puro genio. «Dobbiamo essere più scaramantici. Non si vince senza un pizzico di magia», e ordinò al futuro *matador* di radersi i famosi baffi a manubrio. Liscio come una fanciulla, Kempes scese in campo contro la Polonia. Era lo stadio di Arroyito, un impianto in cui si può dire fosse di casa. Fece una doppietta. E per quei mondiali non si fermò più fino alla fine.

Quando Kempes segnò quella doppietta alla Polonia io non ero più a Buenos Aires da mesi. Ero riuscita ad andarmene.

Molti argentini esultarono con la squadra. Ebbero i loro bravi orgasmi targati governo militare. Con la benedizione di Kempes e Menotti. Il potere ci voleva imbecilli, per questo aveva messo su quel baraccone dei mondiali. Giravano soldi e si nascondevano magagne. Come le persone che sparivano. Come mio fratello Ernesto.

Ernesto ora è un numero. Aveva un viso, capelli, belle mani. Rideva ingoiando sempre un po' d'aria, sembrava un motore a scoppio di inizio secolo. Era un bravo ragazzo. Migliore di me. Ora invece è un numero. Di quell'elenco di trentamila *desaparecidos* che non sono mai più tornati a casa. Di lui non abbiamo mai ritrovato il corpo. A tutt'oggi hanno scovato solo ventimila brandelli di persone, ma nessuno era di Ernesto. Mi chiedo quanti siano andati in putrefazione senza il conforto di una fossa.

Tanti spariti, tanti morti, tanti in esilio. Il paese aveva subito un duro colpo, nella sua parte più sana, migliore. Però insieme a quei ragazzi, ragazze, compagni, puerpere, sindacalisti, preti, intellettuali era sparito l'intero paese. Eravamo tutti *desaparecidos*. Non potevamo parlare, non potevamo discutere, non potevamo nemmeno respirare. Potevamo rischiare di fare la stessa fine dei nostri mariti, delle nostre mogli, dei nostri fratelli, delle nostre sorelle, dei nostri genitori, dei nostri vicini. Tutto era controllato e per la paura a poco a poco tutti cominciarono a cancellare se stessi.

Erano gli anni in cui i giornali titolavano

DECAPITATA LA GUERRIGLIA
ALTRI OTTO ESTREMISTI ABBATTUTI A LA PLATA
DURO COLPO ALL'EVERSIONE

Il linguaggio violento della stampa dell'epoca mi ghiacciava le vene. Avevo nostalgia della parola uccidere. Mi sembrava più calda e benevola di quelle usate con più frequenza dai giornalisti. Odiavo la parola abbattere per esempio. Mi sembrava avesse a che fare con la profanazione dell'umano. Non era solo togliere la vita, ma disumanizzare. Ecco, mi sembrava troppo, oltre. Non c'era testata all'epoca che non ne abusasse. Era tutto un abbattere di sovversivi da una parte all'altra del paese. 13 a Buenos Aires. 18 a Tucumán, 22 a Córdoba. Accoglievamo quel bollettino di morte come se fosse ordinaria amministrazione. C'era molto fatalismo in noi. Una certa pigrizia, anche. Che in fondo era l'altra faccia della paura. Eravamo talmente terrorizzati, che l'indolenza sembrava l'unica forma di resistenza all'orrore. Se non so, non ci resto tanto male. Il quieto vivere. Tanto succede agli altri non a me. Ed è così che, senza colpo ferire, migliaia di persone furono fatte sparire.

La gente esultava per Kempes, il capellone *matador*, e magari in quello stesso istante a tuo zio attaccavano gli elettrodi al culo per farlo parlare, di cosa poi?

Esultavano per Kempes, il *matador*. Un soprannome di cattivo gusto.

Perché ti sto scrivendo tutto questo, figlia mia? Siamo a Tunisi. Sembri anche felice. Perché raccontarti questa vecchia storia ora? Ha un senso, Mar? Non so nemmeno perché sto qui, in questa spiaggia, a scrivere per te. Forse perché non ce la faccio più a mentire? Voglio avere un residuo di vita decente, ne ho avuta una faticosa. Mentire è faticoso.

Ho incontrato tuo padre a Roma. Voglio forse raccontarti di tuo padre? O forse è solo un modo per alleggerirmi la coscienza? Non so.

Ho incontrato tuo padre a Roma.

Ero seduta su una panchina verde. Anonima. Sola. Roma era grande da impazzire. Ogni portone una selva. Roma mi sembrava la Patagonia, dove abitava nonno Alfio. Un solitario. Un uomo di cuore. Era di Genova, nonno. Aveva scelto la Patagonia per ricostruirsi una vita. Zona impervia. La nonna dicono sia morta di noia.

Ero molto bella nel '78, io. Una gran figa, sapessi. Avevo un bel seno teso in quegli anni, non questa cosa floscia di adesso. All'epoca avrei voluto non averlo. Ora darei la vita per ritornare com'ero. Non lo volevo perché attirava l'attenzione. Io volevo solo essere invisibile. Ecco perché me ne andavo alla villa. Volevo solo una panchina e del verde intorno.

Roma, una domenica. I bambini correvano felici, incuranti di sé. Era il 1978.

Fuori, Roma viveva di gioia, di una luna che si credeva un gatto. Il centro era vicino. Potevo allungare la mano e toccare il Colosseo, se solo lo avessi desiderato. Quella vicinanza mi dava un'angoscia inspiegabile. Quel monumento mi ricordava il cadavere di un amico di nostro padre. Il primo morto su cui avessi posato gli occhi. Puzzava di cancrena. Anche il Colosseo.

Spuntavano sempre bambini nella villa. Come funghi velenosi. Però poi spuntò lui. Sembrava un bambino lungo, ma era solo un uomo molto magro. Era come il cielo di Buenos Aires, quell'uomo. Indefinibile. Mi sembrava qualcosa di familiare.

Era tuo padre.

Giacca a vento verde. Pelle nera. Occhi a fessura. Sembrava aspettarmi. Le parole non sapevano uscire da lui. Un cenno di saluto. Rimanemmo muti. Mi accese una Marlboro. Fumavo tanto in quei giorni.

Poi me ne sono andata, ricordo. Una Marlboro e poi me ne sono andata.

Era prima di quel capellone. Prima di quel 10. Di quei goal. Mio fratello era già *desaparecido*. Mia madre già mi odiava. Avevo già fatto molti danni in giro. Era prima del capellone. Tuo padre, intendo. Era una villa di Roma. Il verde. Un quartiere incerto. Lui magro davanti a me.

Era come in quel tango di Gardel, *Tu sombra fue mi compañera*. In effetti ci facemmo compagnia quell'anno. Era il 1978. C'erano i mondiali in Argentina. A tuo zio Ernesto ficcavano elettrodi nel culo. Gli avevano messo la *capucha*, la famigerata. Un sacco in testa e niente più coordinate. Non sapevi cosa ti avrebbero fatto, non vedevi, entravi nel panico più totale. Era un gesto sadico: impedire la vista della propria tortura.

Destabilizzante.

Però seduta in quella villa non pensavo a mio fratello. Il mio pensiero era tutto per Carlos. Un militare. Un torturatore. L'uomo con cui avevo scopato per tre anni. Con cui avevo, credo, goduto per tre anni.

Así aprendí que hay que fingir
para vivir decentemente.
Que amor y fe mentiras son,
y del dolor se ríe la gente

Gardel era sempre un conforto. Perché nelle sue canzoni riuscivo a rivedermi. Nelle sue canzoni c'era il mio lato oscuro da perdente. Correvo oscena lungo le incisioni della memoria. Spuntavano bambini nella villa. Li odiavo tutti. Volevo solo una Marlboro.

La vorrei anche adesso. A Tunisi. Invece scrivo. Ho smesso di fumare anni fa. Ah sì, quando sei nata tu.

«Qui può solo pulire merda» mi ha detto la signora.

Lo ha detto con una voce strana, cattiva. Era una signora cattiva. La prima me la ricordo come la più cattiva.

«Qui può solo pulire merda».

«Solo?».

«Solo».

«Puzza troppo questa merda, signora?».

«Dipende».

«Da cosa, signora?».

«Da quanto lei si tura forte il naso».

Me lo sono turato forte il naso, Zuhra mia. Ma quell'odore mi si era ormai appiccicato addosso. È stato per questo che mi sono stordita con il gin... stava lì... non ho resistito... il gin non mi faceva sentire più nessun odore. Nessun odore, *wallahi*! Nemmeno la merda.

STOP

STOP

STOP

La donna bloccò la registrazione. Non era soddisfatta. La sua voce le risultava stupida.

Il dito si scagliò rabbioso sul pulsante nero STOP. Lo schiacciò come se da quel gesto dipendesse tutta la sua esistenza. Uno scricchiolio fece rabbrividire l'intero registratore. Una scossa del settimo grado della scala Mercalli. Per un attimo, la donna quasi si preoccupò di tutta la pressione esercitata dal suo minuscolo indice di femmina. Non voleva rompere (non ancora) quella cassa sonora che evidentemente le sarebbe servita. Come si sentiva antiquata davanti a quell'aggeggio antidiluviano. Antiquata e decrepita. Ormai la vita moderna, così le avevano detto, scorreva veloce su reti digitali. Non si registrava più la voce, la si spediva direttamente amplificata su YouTube. Alle brutte la si ritoccava un po', arricchita di effetti vari per renderla meravigliosa. Nessuno nel terzo millennio usava più le cassette e i bauli sonori. Lei, Maryam Laamane, però non avrebbe potuto usare altro a ben pensarci, lei era un po' come quel baule, era un pezzo di passato, uno strato di memoria. E poi si sentiva così a suo agio, in quella posizione: accucciata davanti al baule-registratutto. Non le dispiaceva affatto fare cose antiquate. Non la deprimeva neanche un po'.

L'idea di registrare la sua voce le era venuta per caso, un pomeriggio. Era da sola. Alla tv le solite scemenze. Aveva finito di leggere un libro che le aveva scombussolato l'intestino. E poi, due giorni prima, aveva seppellito la sua migliore amica Howa Rosario. L'aveva seppellita insieme a tutta la comunità somala. Si era alzata la mattina presto per andare alla stazione Termini. Da lì dovevano partire i pullman che li avrebbero portati tutti quanti insieme a Prima Porta, al cimitero, a seppellire Howa. Erano anni che Maryam non metteva piede alla stazione, in quel postaccio che odorava di pus e cancrena.

Tutte le strade portano a Roma. Per lei, ma per tutti i somali, tutte le strade portavano alla stazione Termini... almeno un tempo era così. Tutte le sue strade, tutti i suoi vicoli, tutti i suoi itinerari, tutti i passaggi, i percorsi, i tragitti, tutti i suoi incroci, persino le fermate erano orientate verso Termini. Un po' come la preghiera verso la Mecca.

Poi un giorno, Maryam cambiò strada. E non ci finì più lì. Dava appuntamento alle persone a Ottaviano o, come diceva lei, a Ottopiano. Quella *v* maledetta non era mai riuscita a pronunciarla bene. Finalmente dava appuntamento in un posto come si deve!

«Ma perché ci fai venire quassù? Non possiamo vederci al bar Amici o da Lul, a Termini?».

Scuoteva il capo Maryam: «Mi fanno male i piedi» diceva solo.

«Anche a noi».

«A me di più».

Aveva un tono deciso, autoritario. Ricordava i grandi oratori del passato. Un Cicerone, un Mao. Un Fidel. Gli altri quasi tremavano. Quasi la ossequiavano.

Piegava il capo e andavano a trovarla a Ottopiano (la *v* non sapevano pronunciarla nemmeno loro). Un caffè da Castroni, un giro per via Candia, le bancarelle di viale Giulio Cesare. Un po' di struscio all'ombra del cupolone. Era nel cuore della Roma cattolica, della Roma che spendeva e spandeva. C'erano i camiciai di Cola di Rienzo, i turisti americani con vecchie Canon a tracolla, i ragazzi con coni gelato da fantascienza. Era una Roma diversa da quella che aveva conosciuto un tempo. Una città quieta e presentabile. Una città da passeggio, rispettabile, che veniva bene nelle foto ricordo e nei ritratti. Anche i piccioni erano più educati. Pizzicavano con la punta del becco le molliche di pane che i turisti gettavano di nascosto. Il loro becchettare non era violento. Niente ansia. Niente fretta. Con grazia e savoir-faire.

Invece a Termini i piccioni erano obesi, sgraziati, occhi da carogna. C'era da aver paura. La loro tenuta di piume era mal messa. Il passo incerto. Tutto in loro denotava trascuratezza. Sbrindellati, trasandati, impiegavano il tempo a essere nulla. Quando trovavano qualcosa da ingurgitare, l'espressione degli occhi tradiva inquietudine. Un urlo che non si coglieva a fondo si impossessava di loro. Brama, voracità, bulimia. Beccavano la terra fino allo sfinimento. Con ferocia e una certa impetuosità mai sopita. Mangiavano di tutto, poi. I piccioni della stazione non facevano differenza tra molliche di pane e avanzi di pollo. Il primo giorno che Maryam vide un piccione mangiare un suo simile restò nauseata. A un ragazzo peruviano erano caduti dei pezzetti di pollo fritto. Due piccioni gli si avvicinarono. Lottarono a suon di becchi e alla fine il più grasso diede un colpo d'ala al magro e mezzo zoppicante contendente. Afferrò il pezzetto striminzito di pollo, lo fece volteggiare nell'atmosfera e lo ingoiò. Era diventato un cannibale.

Quel giorno, quel lontano giorno di un passato strano, nell'esofago di Maryam si erano subito affacciati i resti (annientati dai succhi gastrici) della colazione – fette biscottate e gin. Era forse come quei piccioni anche lei? Bulimica e sfatta? Aveva ancora speranze? Un tempo tutte le sue strade erano orientate verso la preghiera di Termini. Guardava i tabelloni e sognava di tornare indietro, all'inizio del viaggio, a Wardigley, il suo pacifico quartiere di Mogadiscio nord. Sperava nel ritorno, un ritorno senza partenze. Per non illudersi più.

Era da tanto che Maryam non andava più a guardare i tabelloni di Termini. Non voleva più sognare l'impossibile. Però il suo cuore sapeva che la stazione era là. Vicina. La sentiva scorrere nelle vene. Si trattava solo di ignorarla, per sopravvivere. Però la stazione Termini era un po' come un magnete, prima o poi riacchiappava i suoi adepti. Era sempre in agguato. Da quando non ci andava? Beh sì, da quando aveva smesso di farsi di gin la mattina presto.

Però Howa valeva uno sforzo. Era stata la sua migliore amica. Ed era morta. L'aveva seppellita due giorni prima insieme a tutta la comunità. Appena due giorni. Era per lei, quindi, che era tornata alla stazione. Per lei aveva affrontato le sue paure. Che Howa era morta lo aveva saputo dall'ospedale. Nel portafoglio Howa portava sempre un foglietto con su scritto «Per qualsiasi urgenza chiamate Zuhra Laamane o Maryam Laamane» e giù i loro numeri fissi e mobili. Zuhra, la sua figlia adorata, era un po' come lei, molto scrupolosa. Per questo aveva infilato dentro il portafoglio di zia Howa quel foglietto. Sapeva che la testa di Howa ormai non era più come un tempo. Che spesso inseguiva fantasmi lontani. Per questo sul foglio le aveva messo anche gli indirizzi delle loro case, nell'eventualità si fosse persa. Dall'ospedale furono laconici con Maryam. Le dissero solo di recarsi al San Giovanni urgentemente. Maryam lo fece. Anche perché la parola urgentemente la intimoriva non poco. Una volta lì, le avevano dato la notizia: la sua amica Howa, la sua migliore, unica amica Howa, era morta. Stecchita. Finita. Era caduta dal tram numero 8. Era scivolata con il piede destro. Poi aveva battuto la testa all'indietro. Colpo secco. Morte secca.

Maryam, inebetita, guardò la dottoressa che le stava dando la notizia. Si aspettava di sentirle dire: «Abbiamo fatto tutto il possibile» o anche: «Non ha sofferto molto», in tv dicevano sempre così. Invece la dottoressa non disse nulla. Perché del resto non poteva dire bugie, a lei avevano portato un corpo, non una persona. Quindi la dottoressa, un caschetto biondo di quarantacinque anni, non disse nulla, anzi a onor del vero una cosa la disse. Ma Maryam non se la ricordava già più. Era sicuramente una frase di circostanza. Quando vide il volto del cadavere di Howa, non ne fu molto impressionata – quasi uguale a quello da viva. Il suo naso a spirale dominava su tutto. Restava eccentrico. Di lì a poche ore il naso sarebbe stato diverso. Si sarebbe decomposto insieme al resto. Ma ancora per un po' sarebbe rimasto come se lo ricordava Maryam da una vita.

Il giorno del funerale, Maryam Laamane era salita tremante sulla metropolitana. I vagoni erano vuoti. La gente di Roma si era concessa una gita al mare fuori programma. Giovedì, giorno feriale, di lavoro, di stress. Però era estate. Era lecito uno strappo alle regole, una pazzia momentanea. Non si andava lontano a trasgredire. A Ostia, Fregene, Lido dei Pini. La sabbia era sporca, il mare un po' opaco. Ma che importava? Era già bello così. Le ragazze erano in fiore e gli uomini allegri. C'era la crisi economica, bisognava essere tristi di *default*, ma il sole abbrustoliva le epidermidi e la gente aveva voglia di innamorarsi. La crisi economica era roba invernale. Ora c'era il sole. Gli ormoni sfrecciavano su superstrade. Le donne avevano scoperto le pance, gli uomini i toraci. E chi per decenza non voleva mostrare il corpo, si colorava di arcobaleno. Era tutto uno sventolio di oggetti. Ventagli spagnoli, fogli di giornale, lembi di foulard. Le gocce di sudore imperlavano i volti sfatti e il rimmel colava a fiotti da occhi traslucidi.

Maryam aveva messo la sua discreta mole a sedere. Cominciò placidamente a pensare ai fatti suoi. Doveva comprare la cera di cupra da mandare a Nura. Si era raccomandata tanto la cugina, «Qui a Manchester vendono questo dannato petrolio che non cura la pelle. Ho bisogno della cera... per le rughe. Mandamela, quel rinnegato di Skandar adocchia troppe gonnelle, per i miei gusti». Maryam aveva promesso: «Sì, non mi dimenticherò della cera», ma una volta messa giù la cornetta aveva riso di gusto per quella vecchia bacucca di Nura, che a settant'anni suonati si preoccupava che il suo Skandar potesse inseguire le gonelle. «Ha ottant'anni!» avrebbe potuto dirle, ma era inutile, la gelosia era senza criterio. Soprattutto quella di Nura.

Fino all'ultimo Maryam aveva sperato di non dover andare alla stazione. Di potersi presentare direttamente all'ingresso di Prima Porta.

«Ma che sei matta, Mary? Per Howa dobbiamo leggere molte sure, e dobbiamo farlo tutte insieme, già sul pullmann».

«Da dove parte il pullmann, sorella?», chiese timidamente Maryam pur sapendo già la risposta.

«Scema, e da dove secondo te? Dalla *stascinka*, no?».

Lo immaginava. I somali si incontravano sempre alla *stascinka*. A Termini. Il centro di tutte le strade. Ci si vedeva al bar Amici magari o da Anna o al binario 7 o al ristorante somalo. C'erano molti posti dove incontrarsi alla stazione. Troppi.

«Se arrivi prima cerca la Fardosa, quella non rinuncia al suo cappuccino con la schiuma». E fu così che tra sure, caffè, ricordi, pensieri, aveva seppellito la sua migliore amica Howa Rosario.

Poi all'improvviso, in un baleno, Maryam riprecipitò nel suo presente. Lei sola a casa. Alla tv, le solite scemenze. Una noia irrequieta che le faceva battere forte il petto. In altre circostanze, avrebbe preso il telefono e dato un appuntamento a Howa. Insieme avrebbero parlato dei bei tempi quando Xamar, Mogadiscio, era fanatica, bella, sensuale. Della loro gioventù. Dei loro sogni. Avrebbero parlato anche dei tempi brutti, di quando Siad Barre si era preso il potere e aveva deciso, come in una malefica partita a scacchi, di sacrificare tutti i pedoni, tutti i somali. «Come si crepava male sotto Siad Barre, vero Howa?». Dopo Siad crepare era stato addirittura peggio. Ma Howa era morta. Quindi non c'era nessuno a cui volesse telefonare, con cui volesse veramente parlare. Anzi no, qualcuno c'era. Sua figlia. Zuhra. Ma era difficile raccontare le sue cose a Zuhra. Era difficile spiegarle tutti i suoi errori di mamma. Del gin. Della fuga. Di suo padre. Della paura che per anni l'aveva scorticata viva.

Era difficile parlare con Zuhra.

Ci era riuscita una volta sola, a gesti. Era il 20 Marzo 1994. Zuhra era tornata a casa con un pacco. «Me lo ha regalato Marco». Era un ragazzo che le piaceva, quel Marco. Uno con cui studiava. Maryam lo aveva intravisto una volta, quel Marco. A lei da ragazza non sarebbe mai piaciuto un tipo simile. Aveva tutti i capelli scomposti e il pizzetto. Un po' basso, camminava come un orango, ma (doveva riconoscerlo) aveva un certo fascino quando muoveva i bulbi oculari, nascosti da centimetri di pelle bianca. Marco aveva fatto un regalo a Zuhra. Lei, la mamma, se n'era scordata invece. I compleanni non erano roba per lei. In Somalia si festeggiavano solo quelli dei bambini, non degli adulti.

«Lo aprirò domani» disse la ragazza.

«Perché non ora?».

«Non voglio rimanerci male».

Maryam a volte non capiva la figlia. Un regalo va aperto subito. Non si deve resistere. Non si deve conservare. Si deve consumare. Assorbire. Ma Zuhra era una che ci pensava troppo alle cose, in questo era uguale identica a suo padre, a Elias, quel matto d'uomo che le mancava come l'aria.

«*Hooyo*, mi puoi dire una cosa?».

«Sì, amore?» la voce di Maryam tremò. Si sentiva in colpa per aver dimenticato il compleanno – quelle cose da *gaal*, da infedeli, la facevano andare al manicomio.

«Ti è mai piaciuto fare l'amore con gli uomini... con papà? Ti divertivi?».

Maryam sentì staccarsi un pezzo da sé. Quella domanda non se l'aspettava. Era senza parole. Anzi, ne aveva in mente una sola. Ma fu preceduta dalla figlia.

«Non dire *eeb*, non dire quella parola lì ti prego... non dirmi solo vergogna. Rispondimi e basta, mamma, ti prego, ne ho bisogno».

La mamma lo sapeva che la figlia ne aveva bisogno.

Era per Marco? No, non era per Marco. Era per qualcosa di cui avevano paura entrambe.

Stava per parlare quando dallo schermo della tv straripò sangue. Rosso. Caldo. Innocente.

Le due donne restarono ipnotizzate. Il sangue aveva sporcato tutto: la macchina, la gente intorno e il biondo dei capelli di una donna, di Ilaria... la loro Ilaria Alpi, che da mesi descriveva a loro somale la Somalia che si stava liquefacendo. Maryam e Zuhra guardarono fisso il piccolo schermo per capire quelle immagini concitate. Quel sangue riguardava anche loro, soprattutto loro. Ogni sospiro fu soffocato. Ogni parola interrotta. Ogni pensiero bloccato. C'era solo lo schermo pieno dei capelli insanguinati di Ilaria.

Era il 20 marzo 1994. Era il compleanno della figlia Zuhra. Lei aveva scordato di farle il regalo. I compleanni, cose da *gaal*. E sullo schermo una donna stava morendo. Zuhra aveva una coda di cavallo, bella, spumosa. Maryam la guardò. Le ricordava, chi sa perché, Sam Cooke e la sua aria di dolce alligatore. La coda e la sua bellezza la distrassero dalla scia di sangue che scorreva nello schermo. Confusione nello schermo. E tutto intorno. La figlia era nata sotto il segno dei Pesci, sarebbe stata una sognatrice, dicevano le statistiche astrologiche. Lei però, la sua Zuhra, sognava con i piedi per terra – figlia di sognatori guardinghi. La striscia di sangue sullo schermo stava diventando una pozza sconfinata.

Ilaria... una camicia squarciata... un corpo afflosciato su se stesso... un burattino senza fili.

Il burattino era lacerato come un quarto di bue. Intorno uomini nel loro *husgunti*, facce disperate, cosce tremolanti. Gli occhi di mamma e figlia incollati sul viso di quel bel burattino, sul viso di Ilaria che stava morendo. Avrebbero voluto correre da lei

e riannodare i fili, per farla di nuovo correre, di nuovo ridere.
«Ilaria, cosa sta succedendo a Ilaria?» chiese Maryam Laamane.
Zuhra si alzò e andò verso la madre. Un abbraccio intenso legò per un attimo le due donne.

Fu in quel momento che nella testa di Maryam risuonò Sam Cooke. Lei ed Elias l'avevano ballato in una di quelle sere in cui lui fingeva di corteggiarla. La verità era che lo corteggiava lei, ma era una Somalia antica la loro, erano quasi finiti gli anni sessanta e le donne dovevano condurre il gioco senza destare sospetti. Il suo Elias un po' assomigliava a Sam Cooke. Erano così simili, per via di quell'aria spaesata da bambino e quella brama da alligatore. Maryam era così presa dal suo passato, che quasi non si accorse che la stretta della figlia era sempre più disperata.

Maryam era ancora scioccata dalla domanda della figlia Zuhra. Cosa doveva dirle? Doveva spiegarle come viveva lei negli anni sessanta? Di come era bella la mamma Maryam negli anni sessanta? Erano gli anni in cui Kwame Nkrumah aveva detto *Africa must unite*, l'Africa dev'essere unita. Gli anni in cui tutti gli africani credevano veramente che tutto sarebbe stato possibile. Era così bella lei, Maryam Laamane, negli anni sessanta. Lo doveva dire a Zuhra questo? Subito? All'istante? Sì, all'istante, non doveva perdere tempo, ne aveva già perso tanto con quella sua ragazza triste.

Quando era rimasta incinta di lei, aveva sentito un campanello in testa. Un brivido sotto le ascelle, che sulle prime l'aveva spaventata. Elias le aveva accarezzato la guancia sinistra e le aveva bisbigliato: «È il sogno dentro la tua testa», e poi baciandola piano: «Ti sta abbracciando». Quando Elias entrava dentro di lei, le prime volte, sentiva male. Lui le aveva spiegato che «da noi si prende quel gioiello e lo si butta via». Lei non capiva. Poi lui le aveva detto che dentro ogni donna c'erano tanti gioielli, di diversa grandezza. Ma la gemma più bella, Dio l'aveva messa tra le cosce delle donne. «E noi, amica mia, sai cosa facciamo?». La risposta Maryam Laamane la sapeva già. L'avevano già tagliata sotto, l'avevano richiusa tutta, la prima pipì le aveva fatto molto male. In Occidente gli esperti la chiamavano mutilazione dei genitali femminili. Lei sapeva solo che faceva un gran male e che la sua clitoride non gliel'avrebbe ridata indietro nessuno. Sapeva che fine faceva quella gemma: sepolta o tra i rifiuti. Però la sera che Zuhra era diventata vera, attraverso Elias, Maryam sentì un prurito, qualcosa che le piaceva.

In realtà di Elias le piacevano un sacco di cose. Soprattutto l'odore. Aveva il gusto agrodolce del mango verde. Le andava di morderlo ovunque. Le andava di dormirci addosso. Quando entrava dentro di lei, sentiva il suo peso, lo vedeva contento. Ma lei non sapeva cosa fare. Doveva sorridere? Stringere i pugni? O piangere? Poi quella sera, le ascelle, la punta del pollice. Sembrava come in quella canzone di Sam Cooke quando dice *They're twistin', twistin', everybody's feelin' great*. Era il sogno che l'abbracciava. Quella ragazza che, quando era uscita fuori, non aveva saputo amare come meritava. Colpa del gin, di Siad Barre, della sua testa che non sapeva che direzione prendere. Ma quel giorno era diverso. Era già da un po' che era tornata da lì, forse guarita, aspettava solo che quel momento arrivasse. Ma Ilaria Alpi stava morendo. Maryam aveva deciso allora che alla domanda della figlia avrebbe risposto quando le cose si sarebbero calmate.

Ora però Howa Rosario era morta. Forse neppure a lei restava più molto tempo. Non poteva saperlo. Non voleva correre rischi. Per questo quel pomeriggio, Maryam Laamane si mise con cassette e registratore a incidere la sua storia e le sue risposte. La figlia Zuhra avrebbe apprezzato lo sforzo. E forse anche Howa Rosario. La storia dopotutto era anche sua.

Il padre

Sono stato concepito. E ho concepito. Sono figlio e padre. Ma sono anche un figlio mancato, un padre mancato. Mi hanno detto: «Devi raccontare la tua storia, per non perderla, per non perderti». È accaduto con una telefonata. Da un posto lontano, un posto che un tempo ho conosciuto. La voce mi parlava e io la sentivo appena. Sentivo altre cose. Una nota di ruggine impietosa in quella voce un tempo cristallina. Ho pensato che il tempo stava passando anche per lei. Io quella nota di ruggine non l'avevo vissuta, me n'ero andato via prima. Un fagotto, dei pensieri sparsi, una coscienza sporca, lurida. Non servivo più a niente, cosa dovevo fare? Rimanere e vivere un fallimento impossibile da arginare? Forse l'avrei dovuto fare, ma servono i coglioni per poter fallire, per poterlo sopportare. Invece io di coglioni non ne avevo abbastanza, nemmeno i due d'ordinanza. Perciò ho lasciato quella voce, ne ho lasciate tante dietro di me, in verità. «*Assalamu aleikum*, fratello» aveva tuonato la voce. O almeno a me era sembrato un tuono, perché è quel che ho sentito scoppiarmi dentro il petto. Però in realtà la voce era molto composta, come sempre.

Il mio numero lo aveva avuto da Hagi Nur, quello che commercia con i cinesi, che è diventato ricco e non sa che farsene di tutti quei soldi, e continua a vivere come un mendicante. Hagi Nur, un lestofante come tutti i commercianti. Ma mi piaceva quel suo stare sempre allo scherzo. E poi Hagi Nur viveva come me un po' nel passato. Insieme ricordavamo di come tutte le donne a Mogadiscio ci facessero gli occhi dolci e di quanto fossimo scattanti, giovani, tutti i muscoli al posto giusto. Un tempo era bello essere giovani a Mogadiscio. Sembrava che tutto fosse possibile. Che tutto sarebbe accaduto da un momento all'altro. Invece ora i giovani vogliono scappare via. Diciassette lunghi anni di guerra maledetta. Oh Allah misericordioso, salvaci. Questo incessante sparare ci sta divorando le viscere, siamo tutti come cadaveri imputriditi. Negli occhi delle ragazze non c'è più dolcezza. Hanno paura le ragazze, a Mogadiscio. Hanno paura anche a Kismaio, a Merca, a Brava.

I giovani sognano l'Occidente, i palazzi tirati a lucido, la folla, le opportunità. Non immaginano che la vita anche lì possa essere dura. Se li avverti, e gli dici: «Non è come pensi tu, figliolo» ti ridono in faccia. «Cos'ho da perdere, nonno?». E tu, nonno, non sai cosa replicare. Come replicare. Ti dicono: «Meglio tentare le vie del deserto piuttosto che marcire in piedi dal terrore». Vanno via Khartoum, via Nairobi, attraversano il Sahara e poi chi in Libia, chi in Tunisia a tentare la fortuna in una carretta che li porterà verso la Porta del sole. È Mahmud l'ingessato che la chiama così, *Bab-al-Shams*, Porta del sole. Per lui l'Occidente è la *hurra*, la libertà, il sole. Ha solo diciotto anni, vuole realizzare il suo sogno e diventare medico per curarsi, per curare. Lo sa che nel deserto si muore, si beve l'urina, si fanno i patti con *Sheitan*, il dannato diavolo rosso. Lo sa, ma vuole partire lo stesso, è un avventuriero lui, lo sono tutti. Io e Hagi Nur invece siamo della generazione fortunata, sì anche noi abbiamo avuto tanti dolori, tanti dispiaceri, siamo stati vigliacchi, siamo stati pessimi uomini, ma almeno possiamo dire che la nostra gioventù è stata dorata, scorrazzavamo ignari per le vie di Shabelle, i nostri occhi sognavano, assaporavamo la vita a gola piena.

La voce mi ha detto che mia figlia è una donna ormai. Ho due figlie. Dell'altra so solo il nome, ogni tanto le sogno insieme. La voce mi ha detto che devo raccontare la mia storia a queste figlie, soprattutto a quella che ho fatto con lei. E l'altra? Come la troverai? «Non preoccuparti di questo» mi ha detto. «Tu fallo e basta». Non la sentivo da quasi venticinque anni quella voce, o forse più. Ci volevamo bene, un tempo. Eravamo marito e moglie. Mi chiedevo se qualcosa si fosse conservato di quell'affetto. Volevo anche chiederglielo, ma la telefonata era un po' disturbata, c'erano fruscii ogni tanto, il tuono mi faceva via via più flebile. E poi, a dirla tutta, mi vergognavo. Non mi ero comportato bene con quella voce, quella donna. Le ho detto sì, che avrei raccontato la mia storia. Che l'avrei registrata come stava facendo lei. E che avrei parlato piano in somalo, perché nostra figlia – mi aveva avvertito – non lo capisce bene. «È ora che conosca suo padre» mi ha detto poi.

«È giunta l'ora», e io ho ripetuto mentalmente per un'eternità questa sua frase. Mi ha promesso che mi farà avere una foto di Zuhra. «È molto bella» mi ha detto Maryam Laamane «assomiglia alle foto di tua madre». È molto bella... mi ha detto. Lo ha anche ripetuto. Più e più volte. «Ma lei, Elias, non lo sa. Per questo devi raccontarle la tua storia, perché la bellezza senza storia è muta».

Ora sto qui. Davanti a un aggeggio cinese che mi ha procurato Hagi Nur. Un registratore rosso. È dell'ultimo tipo. Mi ha fatto vedere i pulsanti da toccare. E io ho imparato subito. Non sono ancora del tutto rimbambito. «All'inizio ti senti un idiota a parlare da solo, ma poi pensa che lo fai per lei. Questo ti aiuta». È vero, mi ha aiutato.

Ma come si comincia a raccontare una storia? Dall'inizio credo, dal protagonista. Ma sono io il protagonista? O sono solo l'ultimo anello di una catena di arzigogoli? E poi, qual è l'inizio di un individuo? Non mi è poi così chiaro. La sua nascita? O forse qualcosa che la precede? Hagi Nur ha una teoria, me l'ha detta mentre sorseggiavamo il nostro tè speziato l'altra sera da lui. «Il nostro inizio è l'inizio di altri prima di noi», ha detto, «di altri dopo di noi» ha aggiunto. Sentendo Hagi Nur ho capito che la vita è un cerchio, un continuo inizio e una continua fine. Non c'è un movimento preciso, non possiamo quantificare, definire, precisare. L'inizio è la somma di tutti i nostri inizi, è la sottrazione degli inizi passati. L'inizio è un gran casino, insomma. Quindi Zuhra mia, per facilità ti racconterò di come sono stato concepito. E poi, se un giorno dovessi incontrare tua sorella, dovrai raccontarlo anche a lei.

Ecco, Zuhra, sto iniziando la mia storia. Che è un po' la tua. Non sono stato un padre per te. Sono quasi un estraneo. Ma tu ascoltami lo stesso, d'accordo?

Anzi, visto che ci sono, ti racconterò tutto come se non fosse la mia storia, ma come se ti raccontassi la storia di un altro. In terza persona. Sentiremo meno dolore. O almeno mi illudo.

Sono pronto? Forse. Non credo... non so. E tu, figliola? Il concepimento avviene in testa o nel cuore, secondo te?

La madre di Elias aveva sognato il figlio all'età di dodici anni, ma poi aveva dovuto aspettarne sei, prima di partorirlo. E lo fece in un modo che non aveva mai immaginato.

Era nata da una famiglia di pescatori. Era nata in tempo di soprusi coloniali. Strana famiglia, la sua. Girava su se stessa in cerca di vita. Il mare era un giaciglio. Gli uomini partivano all'alba e le donne aspettavano a riva. A volte non si pescava nulla, neppure una misera acciuga, ma c'erano giorni che la pesca regalava grassi tonni. Ogni tonno una festa. Si dimenticavano le fatiche della pesca o dell'attesa. La gente nasce, muore, ma per chi pesca, a volte capita di restare in sospensione. Non si muore, non si vive. Si aspetta, cosa non si sa.

La madre che aveva il nome leggero di una libellula odiava il mare. La sua città, Brava, era in una piccola conca e tutto vi ruotava intorno – matrimoni, funerali, nascite, baruffe, il respiro stesso. Famey, così si chiamava la ragazza, voleva invece respirare i gas di scarico di quei macinini che chiamavano automobili. Voleva respirare a pieni polmoni, e diventare lei stessa un macinino. In realtà Famey aveva visto un'automobile una volta sola, c'erano dentro dei bianchi, quelli che si mormorava avessero il controllo del paese. Di macinini del genere era piena la grande città. Lei lo sapeva perché la cugina Ruqia si era sposata un soldato degli italiani, un *dubat*, e viveva da regina nella capitale Mogadiscio, la città rossa. Quando veniva a Brava, Ruqia sfoggiava abiti bellissimi e non faceva che elogiare il suo Omar, che «è stato premiato perché in Libia si è comportato da eroe». Libia? Ma cos'è la Libia, si chiedeva Famey. «Sarà un altro posto in cui la gente ha i macinini». Il solo accenno a quel posto lontano, a quella Libia misteriosa, gettava la ragazza in uno stato di ammirazione estatica per la cugina e il caro Omar. Ogni notte sognava i macinini. Ogni notte si vedeva come una gran signora in giro per la capitale Mogadiscio. E poi, spesso sognava la Libia. Le piaceva il suono di quel nome.

Lei a Brava si annoiava. La gente le sembrava felice non perché fortunata, ma perché stupida. «Ma che si ridono questi?» si chiedeva perplessa. «Non vedono che il mare ci sta mangiando vivi?». Il mare in effetti aveva un prezzo. In vite umane. Si era pappato tanti bravani nel corso del tempo. Alcuni letteralmente mangiati dai pescecani – quelli non avevano paura di nulla e l'odore del sangue vivo li spingeva con incoscienza verso la riva. Altri invece pagavano il loro triste tributo direttamente all'acqua – affogavano e basta. Però la gente era felice lo stesso. L'aria era mite, i pesci generosi, la sabbia pulita. Le donne cucinavano da mattina a sera. I tonni venivano serviti in zuppa o allo spiedo, il *mufo*, il pane, si accompagnava a salse multicolori e il *gallamuddo*, la pasta di Brava, faceva ruotare ellitticamente le lingue per puro piacere. Ma Famey odiava tutto questo. Si annoiava e voleva la vita che le raccontava la cugina Ruqia, quella sposata con il soldato. Sua mamma scuoteva la testa ogni volta che la sentiva sbuffare – «Questa finirà male. Forse è ora che le trovi un bel marito».

Famey, non te l'ho detto, era una bella figliola. Una stella marina dagli occhi verde intenso. A Brava poteva succedere. In quella piccola conca somala c'erano passati tutti. Egizi, qualche antico romano (naufragato con tanto di toga e *latinorum*), arabi, portoghesi, malesiani e infine gli italiani di Benito Mussolini. A Brava i colori erano la sfumatura di una storia, di un incontro. C'erano bravani bianchi, bravani neri, bravani crespi, bravani lisci, c'erano occhi color cobalto, color abete e color carbone. I nasi, poi, erano una fantasia di forme. Lunghi, corti, tozzi, grossi, strani, mozzi. Per tutti i gusti. Per distinguersi dai fratelli del Corno, i bravani si erano inventati un'altra lingua. Si parlava il somalo, si pregava in arabo, ma la lingua del cuore era una miscela esplosiva di swahili, portoghese, arabo. In bravano si facevano addormentare i bambini, in bravano si ricordava il *miraj* del Profeta, in bravano le donne scoprivano i segreti della prima notte di nozze.

Famey era bella e lo sapeva. E, come tutte le belle, un po' fanatica. Il padre, prima di finire in bocca a un pescecane, aveva fatto promettere alla moglie che non avrebbe mai imposto un marito a Famey. La madre era una donna d'onore e rispettava il marito più di se stessa. Disse «E sia», ma poi pensò «Ci sono altri trucchi per convincere una ragazza». Dopo tanto peregrinare di casa in casa, alla ricerca del genero ideale, la signora madre si era imbattuta in Abd-al-Majid. Un ragazzo forse un po' gracile, ma con un casco di capelli nerissimi in testa e una carnagione che ricordava quella di un tonno cucciolo.

L'idea della madre era di far innamorare Famey e Majid. Sarebbero poi venuti loro a chiederle in ginocchio di potersi sposare. Il risultato fu questo in effetti, ma non nel modo in cui la madre aveva immaginato. Un giorno, erano i palpitanti anni trenta, arrivò a Brava la notizia che una delle tante cugine emigrate nella grande città si sposava. La sposa si chiamava Nadifa. Tutti la conoscevano. Da piccola era stata una mocciosetta proprio cattiva. Una che faceva i dispetti a tutti i pescatori e ripeteva sempre una parola strana che nessuno capiva mai. La diceva e scappava via ridendo. I pescatori si erano interrogati a lungo su quella parola.

«È una parola che non esiste» diceva uno. «No, quella mocciosa ci sta insultando». «Secondo me è una parola del Corano». «No, impossibile. Sarà una parola di quei maledetti *gereer* testa crespa». Insomma, congetture. Poi Nadifa era partita con la famiglia per Mogadiscio e tutti si erano scordati di lei. Almeno fino all'annuncio del suo matrimonio con un ricco somalo, uno di quelli che lavoravano fianco a fianco con i nuovi padroni del paese. Stesso destino della cugina Ruqia. Spose di collaborazionisti.

La signora madre fece in modo che Famey e Majid partissero insieme per quelle nozze. E che restassero da soli. Lei finse un malore e i ragazzi presero la corriera. Avevano entrambi sedici anni.

Lo *shitaue*, la corriera che collegava Brava a Mogadiscio, non esisteva da tanto. Era invenzione di un tale dell'etnia *abgal* che l'aveva copiata dall'India. Non so come mai quel tipo fosse stato in India: i neri negri africani, a quei tempi, non potevano certo girare liberamente – come del resto nemmeno adesso, tant'è che oggi i neri negri africani vanno in giro da bravi avventurieri. In che modo fosse finito laggiù non so dire; anche all'epoca c'era chi aveva il viaggio nel sangue, e i somali, si sa, fiutavano il commercio ovunque. L'India poi stava a un tiro di schioppo, bastava l'oceano a unirla alla Somalia. Quel tale aveva messo in piedi tre linee: una da Brava a Mogadiscio, una da Merca a Mogadiscio e l'ultima da Galcayo a Mogadiscio. Tutto il ricavato andava in buona parte agli italiani, i padroni del paese.

Sullo *shitaue* quel giorno erano in tutto sei – due erano i cugini promessi a loro insaputa, poi c'era l'autista, che aveva il nome nazionale Mohamed, anche lui *abgal*, poi c'era Muqtar, un signore rubicondo che non la smetteva mai di parlare, e infine una coppia che si trasferiva a Mogadiscio per sempre, Jamila e Farah.

Insomma, quel giorno lo *shitaue* era mezzo vuoto. Non era un periodo buono per viaggiare. Il cielo minacciava tempesta e animi accesi. I nuovi padroni si credevano onnipotenti, avevano piegato l'Etiopia, proclamato l'impero, ed esibito le palle al vento. Gli italiani negli anni trenta si credevano dei. Ben presto si sarebbero svegliati dal loro sogno malato. Ma all'epoca, fuori da Mogadiscio era meglio non incontrarli – si dicevano cose orribili sulle loro scorribande.

«Balle» disse l'autista dal nome nazionale «io conosco il mio *shitaue*, facciamo questa rotta in lungo e largo, mai che mi fosse successo qualcosa. Vorrei proprio vedere...».

Fu accontentato. Due jeep cariche di ragazzetti bianchi fermarono la corriera inerme. Uno gridò: «Uhm, carne fresca, ragazzi!».

I sei furono fatti scendere dalla corriera. Vennero divisi, donne da una parte e uomini dall'altra. Poi un tizio alto, con la testa a cubo e le natiche pentagonali, li passò in rassegna. Famey pensò subito che doveva essere un tipo importante. L'uniforme era diversa. Era tutto squadrato, anche le mani erano prive di rotondità. Parlava quasi una lingua che non era italiano. Famey l'italiano non lo conosceva, ma quello non era italiano. Ci avrebbe giurato sulla vita. Era incosciente, la piccola Famey – gli altri se la facevano addosso per la paura, e lei si soffermava a guardare la sagoma di quel soldato d'alto grado. In effetti Famey era un'osservatrice attenta e il suo orecchio era molto portato per le lingue. Se qualcuno avesse speso un minimo per la sua formazione, sarebbe diventata di certo poliglotta.

Quello in effetti era un nobilastro della bassa Sassonia che si era trasformato in un gerarca delle SS. Lui e il colonnello Guglielmi della XX divisione, avevano fatto una scommessa dentro la jeep. Al primo somalo che avessero incontrato avrebbero chiesto chi gli incuteva più timore, se i tedeschi o gli italiani. Guglielmi, sicuro di sé, disse: «Questa è gente fedele. Hanno paura di noi perché siamo i loro padroni e signori. A voi manco vi conoscono». Il tedesco disse solo: «Ci conosceranno», e cinque minuti dopo incontrarono la corriera.

Il somalo a cui venne rivolta la domanda era Muqtar, il logorroico che non stava mai zitto. Era l'unico che parlasse italiano. A volte parlare troppo non giova. Non ha giovato a Muqtar e non giovò in generale alla compagnia. Alla domanda di Guglielmi, invece di rispondere tedeschi o italiani, egli disse: «Gli inglesi». Perché? Per levarsi d'impaccio. La paura era un sentimento negativo. «Quindi se me lo chiedono» si era detto tra sé e sé «sarà per sentirsi dire che loro sono buoni e bravi, mentre gli inglesi sono delle canaglie». Insomma volendo elogiare gli italiani e i tedeschi, finì per insultarli. In più, Muqtar era una radio. Non si limitò a dire «Gli inglesi», ma fece pure la descrizione della loro ferocia, di quanto fossero disumani con le belve, i bambini, le donne; ne descrisse il ghigno sanguinario, la bava di cattiveria. Risultato – Guglielmi gli sparò dritto in fronte.

Fu il finimondo. Tutti violentati, senza distinzione di sesso, picchiati, umiliati. A Farah, quello che viaggiava con la moglie, fu lo stesso gerarca tedesco a tagliare le palle – subito afferrate da due avvoltoi che si aggiravano attirati dal puzzo di morte.

Famey e il cugino subirono la stessa sorte. Lei fu presa da tre uomini diversi. Due italiani e un tedesco. Col primo si sgolò, scalciò, morse, cercando di divincolarsi. Col secondo non fece più nulla, perché atterrita dalle grida del cugino. Lei sapeva bene che quelle cose accadevano alle donne. Ma com'era possibile che succedessero anche ai maschi? Lei credeva che gli uomini potessero annichilirli con le pallottole, non con il cazzo. Chi poteva salvarla se anche a suo cugino facevano la stessa cosa? Quindi con il secondo e il terzo fu anche abbastanza collaborativa, tanto era inutile, nessuno l'avrebbe salvata da quell'incubo. Con la coda dell'occhio vide che era proprio Guglielmi a violentare Majid.

A Mogadiscio non dissero niente a nessuno. I festeggiamenti per Nadifa e il suo ricco sposo durarono quattro giorni. Al quinto, Majid e Famey annunciarono il loro fidanzamento.

DUE

La Nus-Nus

Si era infilata i pantaloni kaki dell'Aigle, quelli che Pati le aveva regalato a Natale. I suoi preferiti. Tascone davanti, con pratica zip superiore. Mar ci aveva ficcato dentro, quasi senza pensarci, un volumetto di poesie di suor Juana Inés de la Cruz e poi si era avviata lentamente verso Avenue de la Liberté.

«Non ti aspetto, *hija* mia» le aveva detto la genitrice mentre lei stava ancora abbarbicata al suo cuscino viola – non se ne separava mai, lo portava in ogni viaggio. «Io devo fare il test di ammissione. Vado prima». E poi: «Fortunata te, figlia mia, a non fare esami, vorrei cominciare anch'io dall'alfabeto. È proprio vero che la gioventù ha tutte le fortune».

Fortune? Di che andava cianciando quella? E di che razza di alfabeto parlava? Ah sì... sì, l'alfabeto arabo. Dimenticava, era a Tunisi, iscritta a forza a una scuola. Che c'entrava lei con quegli arzigogoli assurdi, quei segni dell'indecifrabile? Sua madre la stava costringendo a svelarli, ma lei lo voleva? No, certo che no! Che idea del cazzo andare in quella scuola di arabo. A lei degli arabi, dell'arabo, degli hezbollah e di Bin Laden non gliene fregava nulla. Tunisi, poi, le risultava indigesta come un piatto di calamari fritti male.

Mar sentì come un taglio netto dietro la giugulare. Una fitta. Nostalgia carogna. Rimpiangeva Villa Borghese. I celerini infami che le guardavano le chiappe. Il suo trascinarsi ansiogeno. Il pensiero incatenato a Patricia. Era lì, in quella città, solo da un giorno. E già Patricia l'ossessionava. Il tempo con lei. Il dolore per lei. La memoria senza tregua. Si sentiva una blatta. Orrida inutile blatta.

Era in ritardo. Sicuramente sarebbe arrivata a lezione già iniziata. Quindici minuti dopo, né uno di meno, né uno di più. Aveva fame. Era stanca. Voleva già tornare. In quel pensionato non c'era un servizio per la colazione, la gente si arrangiava da sé. La gente... quale gente? Era da un giorno a Tunisi e l'unica persona che aveva visto lì dentro, era la suora che aveva dato loro le chiavi. Com'è che si chiamava? Suor Meditación. Era argentina, come la mamma. L'ordine di appartenenza se l'era scordato, naturalmente. Però quelle suore erano riconoscibili, anche perché erano quasi le uniche sperdute in quella città finto mussulmana, finto occidentale, finto tutto. Vestivano di un bel blu intenso, come il cielo dei cartoni animati giapponesi. Suor Meditación aveva fatto fare a lei e alla madre un tour completo del pensionato. L'atrio, l'ascensore, lo stenditoio, la lavatrice, la cucina, il terrazzo, i salottini, la gigantografia di Wojtyła, una foto del papa (sempre Wojtyła, perché per molti era come se non fosse mai morto) con un Ben Ali che sembrava un travestito obeso di Pigalle. Poi per par condicio, anche una foto formato normale di sua eminenza HERR Ratzinger. Il tour si concludeva con le stanze. Lei e la genitrice stavano in due piani diversi, e quella per Mar sì che era una fortuna! Lei al terzo. Sua madre al primo. Quel piano di distanza significava molto.

Suor Meditación aveva un visino dolce, da adolescente. Era giovanissima. Guardandola, Mar pensò che la vera fede dava grande serenità. Lei non aveva fede in niente, sapeva che sarebbe stata dannata per sempre. Si era raccomandata, la suora:

«Niente estranei nel pensionato. È l'unica regola». Mar si chiese se si sarebbero accorte di Patricia. Lei stava sempre lì. Indossava quella maglietta a righe nere e quelle orride scarpe scure. Non si sapeva vestire. Era patetica. Appena la suora e la madre si erano allontanate Patricia aveva preso possesso del letto. «Levati di lì» le gridò dietro Mar. «Sei morta. Sono io che devo ancora dormire, ancora svegliarmi ogni mattina». Patricia si sistemò allora vicino all'unica finestra della stanza. Si rannicchiò per terra in posizione fetale. «Non mi fai pena. Il letto è mio!» gridò ancora Mar.

Poi stese una stuoia vicino alla finestra affinché la sua amica-amante ci si potesse sdraiare. Ma lei era già svanita. Mar si chiedeva se sarebbe tornata. Non aveva mai creduto ai fantasmi. Però Patricia non era un fantasma. Era parte di lei, era diverso. Se fosse stata un fantasma, avrebbe avuto schizzi di sangue e cervello dappertutto. L'orbita spaccata a metà. Il bulbo oculare penzolante. Se Patricia fosse stata un fantasma Mar avrebbe avuto paura di lei. Però non era un fantasma. Era una sua proiezione. Una fantasia macabra.

Chissà se suor Meditación se ne sarebbe accorta. Era dolce suor Meditación, tanto. Però su quel punto era stata inflessibile, categorica: «Niente estranei nella nostra *maison*». Patricia era un'estranea?

In cucina c'era anche una moka gigante. Avrebbe potuto usare quella per fare il caffè. La pigrizia si era ormai impossessata del suo essere. Poi non le andava di trafficare a quell'ora con una moka mai sperimentata. Preferiva dirigersi a un bar. Erano in centro, dopotutto. Una traversa di avenue Bourguiba, gli Champs-Élysées dei poveracci colonizzati, il salotto buono di Tunisi. La mamma le aveva detto che «la lavano ogni sera. Non fanno altro. Dappertutto immondizia, ma avenue Bourguiba invece deve brillare come uno specchio». Si diresse verso quel salotto, ciabattando. Fece un salto prima dal cambiavalute e poi si lasciò andare a peso morto in un bar affollato. Un uomo seduto lì accanto la guardò intrigato.

«*Are you American? Vous-êtes français?*».

Mar non gli rispose. Si accese una sigaretta. Ordinò un croissant e un tè alla menta. «*Chaud, s'il vous plaît*». Poi aspirò il fumo da quella malefica sigaretta. Doveva decidersi a smettere di fumare. Non le piaceva da tanto, ormai. Patricia la rimproverava sempre. E anche la mamma non mollava un attimo su quel vizio. «Vuoi ridurti i polmoni a un grumo di microbi? Vuoi che esplodano come una bomba atomica? Vuoi crepare dal dolore?».

Mar stava già crepando dal dolore. Aprì il volumetto di poesie di suor Juana. Lesse distrattamente dei versi. Erano parole piene di astio congelato. Non doveva essere facile stare intrappolata in un corpo di donna nel Seicento. In Messico come dovunque. Non lo era nemmeno nel XXI secolo. Il croissant era stucchevole, non le piaceva. Da piccola se ne sarebbe mangiati quindici di seguito, di quegli strani croissant burrosi. Le davano la dolcezza che sua madre non le sapeva dare. Sempre persa nei suoi reading, la mamma. Mar era ingrassata per farle vedere che anche lei, sua figlia, la figlia nera, occupava uno spazio... e che spazio. Era diventata tutta pieghe e rotoli ellittici. Mamma persa nei reading. Lei persa nel burro. La poesia persa nell'incomunicabilità.

Le poesie di sua madre la facevano cagare. Erano deliri narcisistici. Un continuo sputare sui falli, sul potere, sul compromesso. Erano poesie piene di contenuti, di valori, di lotta, di femminismo, di diritti. Si sentiva la tensione sociale. La carica dell'impegno. Il pugno chiuso. L'ideologia. C'erano Cuba, il Che, Salvador Allende, gli immancabili *desaparecidos*. Ci trovavi le contraddizioni dell'Urss. Politica. Anticapitalismo. Internazionale socialista. C'era anche Mao in una poesia. La Cina. Il proletariato. L'ideale distrutto dal nuovo corso di Deng Xiaoping. C'era l'ambiguità di Fidel. Le spaccature europee. Lei, sua figlia, quella troppo nera, non c'era mai.

«*Eres española?*». Il tipo non la mollava. «*Russian?*».

Delirava. Come lei al funerale di Patricia. Delirio puro. Il suo vestito rosa non era piaciuto a nessuno dei presenti. Neppure lei era piaciuta a nessuno. L'orrido vestito lo aveva comprato una settimana dopo l'aborto. E poi non lo aveva mai indossato. La commessa le aveva detto: «Carino. Le sta un amore». Le commesse a volte mentono per pietà. Lei voleva quel vestito, e niente e nessuno le avrebbe fatto cambiare idea. Le commesse conoscono sempre i loro polli.

Una volta a casa aveva fatto il suo piatto di polenta speciale. A Pati piaceva molto. Avevano mangiato. «*Me ha gustado mucho, nena. Como siempre*». Mar aveva rassettato. Lavato. Strofinato. Poi si erano messe vicine, lei e Patricia, a guardare un film in bianco e nero alla tv. Era un film strano, con una ragazza di ventidue anni che si fingeva un'adolescente. Era Ginger Rogers. In tutto quel bianco e nero, Mar aveva cercato invano un Fred Astaire. Sperava che i due facessero insieme un po' di tip tap. Voleva essere salvata dalle parole che stava per pronunciare. Solo Fred Astaire ci sarebbe riuscito. Ma lui in quel film non c'era. A metà film erano stufe entrambe. Un po' di zapping. L'una accanto all'altra, ormai distanti. Sullo schermo apparve una Loredana Bertè gonfia e con un vestito nero di lattice. Mar provò un vago senso di tristezza. La Bertè le aveva sempre ricordato le puttane tristi di Toulouse-Lautrec. Stava cantando un suo vecchio successo.

Non avendo pane e burro, tu potrai mangiare me
OH OH, OH OH OH

Mar cominciò a battere le mani e a ballare come una trottola impazzita.

«*Estás loca? La gente duerme*».

«*Qué se joda*. Si fottano tutti. E fottiti pure tu, Patricia Delgado Ruiz. Domani lasci questa casa per sempre».

E così fu.

Niente Patricia da un giorno all'altro. Niente profumo di papavero la mattina appena alzata, niente film di Fassbinder, niente libri di Hernández, niente stupide statuine di mucche sparse per tutta casa. Niente capelli sul lavandino immacolato, niente spazzolino scorticato. Le mancava anche quel suo shampo da quattro soldi e il balsamo all'uovo. E che dire di quei biscotti al cocco per cui andavano matte? Niente. Senza di lei avevano perso sapore.

Mar con lei non poteva più stare. Ogni volta che la guardava, pensava a quella disgustosa minestra di farro. Pensava a quel macchinario grigio sopra lei nera. Pensava al risucchio. Allo schifo che aveva provato quando quell'uomo l'aveva penetrata la prima volta. No, non poteva più stare con quella donna di papavero.

Il prete aveva esortato tutti quelli che potevano a partecipare all'eucarestia. Qualcuno piangeva. Tutto era in perfetto stile funerale. Le lacrime, i visi induriti, i fiori, la puzza di incenso, gli occhiali da sole, gli scialli neri. Si alzò anche Mar con il suo vestito rosa. La madre l'afferrò per un braccio.

«Che fai? *No puedes, hija*... non sei battezzata».

«Fottitti mamma» e si avviò verso la bara, sciogliendosi con fatica da quell'abbraccio molesto. Rapida. Disinvolta. Incauta.

Mar guardò gli altri. Le loro spalle, le acconciature, i movimenti rapidi degli occhi perplessi. La stavano analizzando, scrutando. Stavano cercando di capire che diavolo stesse succedendo e che diavolo sarebbe successo. Nessuno osava fermare il suo passo deciso. Anche i genitori della morta erano paralizzati nell'attesa. Mar accarezzò la bara, *el ataúd*. Poi con un balzo ci si sedette su. Il sedere batté sul legno ruvido della bara e per tutta la chiesa echeggiò uno STOMP che attanagliò i pensieri.

Anche la genitrice, la poetessa Miranda Ribero Martino Gonçalves, era paralizzata. Non era dolore il suo, né paura. Era solo assuefazione al travaglio. Quante volte ancora Mar voleva essere partorita? Miranda sapeva in cuor suo che Mar non le apparteneva, la sua vagina si rifiutava di riconoscerla. Miranda sapeva di essere una madre sbagliata. Sapeva di doversi aspettare il peggio, sempre, comunque.

Mar prese confidenza con il legno ruvido della bara. L'accarezzò con trasporto. Poi parlò.

«Peter Sellers in realtà non si chiamava Peter, ma Richard Henry Sellers» cominciò.

Babbei, solo sguardi babbei a fissarla intontiti. Continuò.

«Era il fratello a chiamarsi Peter. Era morto pochi giorni dopo il parto. I genitori non si erano mai rassegnati. Peter... anzi Richard Henry dirà in seguito che fin dall'inizio lo chiamarono Peter, anche se non sapeva dire bene perché. Era nato l'8 settembre 1925 a Southsea, nell'Hampshire inglese e morirà a Londra a soli cinquantaquattro anni, stroncato da un cuore malato e troppo logoro. Ha interpretato più di cinquanta film. Il mio preferito resta *Hollywood Party*, in cui interpreta una comparsa indiana, Hrundi V. Bakshi, un tipo che ne combina di tutti i colori. Ma prima di approdare al cinema, Peter si era fatto le ossa nei teatri di avanspettacolo. Ora vi dirò in ordine cronologico tutti i film girati da Sellers dal 1950 alla morte. Prendete nota. *The Black Rose* di Henry Hathaway, 1950 Gran Bretagna; *Penny Points to Paradise* di Tony Young, 1951 Gran Bretagna; *Let's Go Crazy* di Alan Cullimore, 1951 Gran Bretagna; *Down Among...*».

Fu interrotta. Due uomini, uno in abito scuro e l'altro in jeans. Li conosceva, non bene. Anche loro spagnoli. Anche loro giornalisti. Anche loro, forse, infelici. Mar si accorse di avere molta forza. Resistenza all'urto dei maschi. Quello in jeans cercò di neutralizzarla da dietro, il fighetto in abito scuro voleva invece placcarla davanti. Mar si divincolò. Lottò strenuamente. Senza smettere di declamare come una poesia la filmografia tragicomica di quello strambo, triste eroe dei nostri tempi.

Era arrivata a *What's New, Pussycat* di Clive Donner, 1965 Gran Bretagna, quando la sbatterono fuori dalla chiesa in malo modo. Si scrollò la polvere di dosso. L'abito rosa si era sporcato, il cappello volato via. Si era sbucciata un ginocchio. I polsi indolenziti.

Però era riuscita finalmente a dire a Patricia una cosa sua. Lei non la faceva mai parlare di sé. Peter Sellers era il suo lavoro di ricerca. Stava concludendo un dottorato su di lui. Patricia non le aveva mai chiesto nulla in proposito. Nulla che le interessasse, a meno di se stessa. Patricia era una donna molto egoista. In fondo Mar lo aveva sempre saputo. Non le aveva chiesto nemmeno della minestra di farro. Del macchinario grigio. Non le aveva chiesto come stava. Non le aveva confidato i suoi piani di suicidio. «Accidenti, Pati, potevo venire con te; che egoista che sei, una maledetta egoista».

«*Ok, now I understand, lovely lady... you're english*», sbottò a un tratto il giovanottone tunisino.

Mar non lo guardò nemmeno. Era un bel ragazzo? Non riusciva più a vedere la bellezza. Si alzò. Lascio dei dinari sul tavolo, forse troppi, e si diresse senza entusiasmo alla sua prima lezione di arabo. L'alfabeto. *Alif*, *ba*, *ta*...

La Negropolitana

«Allora che hai deciso, figlia mia? Cosa farai da grande?».

Il solito ritornello di mia madre. Me lo dice a intermittenza, un giorno sì e due no. Ogni volta che chiude una chiamata o un discorso con me, la sottoscritta, da lei partorita, mi fa questa dannata domanda. Ormai è un tic, è più forte di lei. Mamma a volte si dimentica che sono già grande, che sono più vicina alla menopausa che all'infanzia.

Ho appena chiuso una telefonata con lei. Sono a Paleeemmu città, da quattro giorni. Oggi ho il battello per Tunisi. Mi mancava la voce acidula di mamma, e un sms mi sembrava un modo incolore di comunicare. Mi sentivo tutta affetto e buoni sentimenti. Sentivo Judy Garland cantare *Somewhere Over the Rainbow*. Le rondini svolazzare nel cielo. I bambini correre felici in completo blue marine. Mi ero scordata di essere nella Palermo polverosa e infuocata di inizio estate. Nonostante il caldo afoso ero stranamente serena. Poi, peccato, la malaugurata idea di chiamare la genitrice. Sono andata in un call center sgangherato, vicino al mio bed & breakfast, ho schiacciato i tasti del suo numero di telefono e ho aspettato il TUU-TUUU che mi dava via libera.

Quando chiamo mamma sono sempre un po' agitata. È mia madre, ci conosciamo da trent'anni. Non ci sono grossi segreti tra noi (a parte l'identità di mio padre), e neppure grosse crisi in corso. Solo che ogni volta che la chiamo o le parlo o le propongo qualcosa, sento di non essere perfetta come mi vuole lei. Mi prende un'ansia pazzesca da prestazione. Al telefono poi, quest'ansia raggiunge il suo apice. Cambio, comincio a recitare. Metto le mani avanti. Le faccio la lista dei miei successi. Le dico che sono felice. Le dico che gli amici mi adorano. E poi sì, che un uomo fantastico lo troverò quando lo vorrò veramente... sì, in questo momento è più importante capire cosa voglio nella vita. E poi anche lui mi amerà di più vedendomi sicura di me. Non voglio sprecare la vita con perditempo. No, grazie. Sì, l'uomo arriverà. Sì, sono tutti sempre innamorati di me. Che bella ragazza, mi dicono. Che bel fisico. Che eleganza. Siamo somale, si sa che siamo belle! Elogio il mio collo. Le mie natiche. Il mio vitino da vespa. «No, mamma non sono magra. No, mangio abbastanza. Sì, ho smesso di fare quella cosa lì... lo sai», mamma mi ricorda sempre il mio passato da bulimica! Lei non si scorda di niente. Le leggo sempre il dolore in faccia. Mi nascondeva la Coca Cola. Avevo toccato gli ottanta chili. Ma ora ne peso cinquantotto, sto bene. Uffa, basta con questa storia, mamma. Sono cambiata. O almeno ci provo.

Non parliamo tanto io e lei. Non ci riusciamo. E dire che io sono una chiacchierona. Ma con lei non ci riesco. Le leggo il dolore in faccia. Il senso di colpa per avermi lasciato da piccola in quel collegio. È andata così, mamma, poteva anche andarmi peggio. Mi è successa una cosa orrenda, lì in collegio, ma ora basta, ti prego. Vorrei voltare pagina. Lei mi ha detto: «Ok amore, voltiamo pagina». Mi chiama sempre amore, mi fa strano. Vorrei che mi chiamasse di più per nome. Zuhra. Lo ha pronunciato sempre così poco.

Mamma pretende per me la felicità. Non la chiede, la pretende. Ecco perché le sue domande mi danno fastidio, ogni volta che me le pone, so che non soddisferò i suoi standard. So che non sarò mai felice come lei vorrebbe. E questo mi fa rabbia. Mi sento uno zero.

Poi la chiosa, l'apoteosi dell'inquietudine, quella dannata domanda a cui non sapevo rispondere. Perché non me l'ha risparmiata? Io lo so perché lo dice. Non approva quello che faccio. Mi voleva medico, lei. Voleva che facessi la ginecologa. «Mia sorella Fardosa è ostetrica» mi dice sempre. Io non insisto. Non voglio aprire una polemica. Però a volte mi tenta. «Tua sorella Fardosa – non riesco a chiamarla zia e chi l'ha mai vista? – è una macellaia. Toglie la clitoride alle fanciulle in fiore, le cuce e impedisce loro di farsi una bella scopata». Altro che medico! Io ci sputo sulla ginecologia! Cioè ci sputo su quella ginecologia macellaia! Niente sangue sul mio camice immacolato, *ya ummi*. Voglio rimanere pulita, io. Onesta nel limite del possibile.

Ma poi mamma, la mia *ya ummi*, si morde il labbro. Lo sa che la sorella Fardosa è una macellaia. E sa che grazie al cielo io non le assomiglio. Sono laureata in letteratura brasiliana, io. Mi piace il Brasile. Un giorno ci andrò a vivere. Quando avrò accumulato il gruzzolo necessario. Ho scelto anche il posto dove costruirò la mia casetta. Vicino a una spiaggia di fricchettoni nell'incantevole isola di Florianopolis. Ci sono stata tre anni fa. E mai in nessun luogo ho trovato tanta assenza di antagonismo. La gente vive e non pensa ad altro. Non pensa a romperti le palle o peggio a disintegrartele. E poi sorridono tutti. Starei lì a infilare perline per i turisti dalla mattina alla sera. Poi andrei a ballare in onore del mio *orixà*. Il mio è Iemanjá, la regina del mare. Sì, sono molto legata al mare.

Il problema è che mamma non sopporta il lavoro che faccio. Credo sia convinta che mi allontani da ogni standard di felicità. Io vendo cd in un megastore della cultura (si fa per dire). È un brutto lavoro, lo so. Non tanto perché sei un commesso, fin qui niente di male. Ma perché sei sfruttato. Ormai sì, siamo tutti carne da macello – non solo le clitoridi tagliate dalla zia Fardosa.

Tutti quelli che conosco, quando dico che lavoro faccio, mi dicono: «Oh, che bello, lavorare in un negozio di dischi! Chissà che pacchia!». Ecco, proprio no! Non li sopporto. Punto primo, non lavoro in un amabile negozietto di dischi, ma in un megastore. Punto secondo, non è una pacchia. La gente pensa ad *Alta fedeltà* di Nick Hornby. Tre sfigati che passano il tempo a frullare classifiche di dischi fai da te, seghe mentali e progetti fallimentari. Magari! Mi metterei ad ascoltare tutto il giorno i dischi di Caetano Veloso o della sacra sorella Maria Bethânia. Invece mi tocca sorbirmi stupide compilation e Britney Spears. Nel megastore la musica è sempre a palla. E di solito non è nemmeno musica, ma spazzatura. La gente che conosco, anche la mia amica Ombretta, non afferra il concetto. Il megastore è grande. Anzi no, è enorme, di solito su due piani. Quello dove lavoro io, poi, è su tre. La Libla è tedesca, si sta espandendo in tutta Europa. Ha negozi in tutta la Germania, dall'alta Sassonia alla Baviera, e si è diffusa bene in Francia, nel Benelux e in Portogallo. Stenta in Gran Bretagna e Spagna. Ora sta provando ad attecchire in Italia.

«La Libla» dice il nostro grande capo Augh «è nata per fare il culo a quei maledetti della Fnac, di Mondadori e di Feltrinelli». Che spauracchio, la concorrenza. Tanto che il grande capo Augh, tal Ottavio Cantoni, ha passato mesi a fotografare la gente che entrava e usciva da quegli altri megastore. Mesi e mesi appostato davanti alla Feltrinelli di largo Argentina e altri mesi e mesi appostato davanti alla Mondadori di Fontana di Trevi. Nelle foto compare sempre una signora dai capelli carota che fuma avida una sigaretta. Mi sono chiesta se qualcuno stesse fotografando lui, mentre fotografava gli altri. La tipa rossa è presente in tutte le foto. Mah! Lasciamo perdere le dietrologie. Però io non ho ancora capito se Cantoni è gay o no. Cioè a volte sembra di sì, con quel suo modo di sculettare obliquo, altre volte sembra incantato a guardare le tette delle clienti in carne. Non so, è strano. Se scopasse qualche volta, capo Cantoni starebbe meglio, questo è sicuro. Ha l'aria di uno in astinenza da millenni. Un po' come me, io sono in astinenza da una vita. Però almeno non sbrano il prossimo. Forse il Cantoni ci tratterebbe meglio se la sera facesse qualche attività motoria di tipo copulativo.

Di sicuro non sarebbe così ossessionato dagli orifizi. Orifizi, vuoti, buchi. Una regola importante di quando stai in un megastore è quella di non far mai vedere i buchi. Tutto dev'essere tappezzato di libri, dvd, cd, cazzattine varie, calendari, agendine, foto. Il megastore è grande, afferrato il concetto? Anzi no, grande è riduttivo. È una piazza enorme. Ma noi – e qui sta il bello – siamo pochi per fare tutto. E così capita che qualche volta un orifizio ci scappi. La parete espositiva così rimane parete, buco, nulla. Se capo Cantoni non se ne accorge, qualche collega magari viene a salvare la situazione. Ma i colleghi di solito sono strafatti di stanchezza e possono anche passare mille volte davanti al buco senza accorgersi di niente. Alla mille e una se ne accorge capo Cantoni. Ed è la fine.

Il primo mese di lavoro non immaginavo che un essere umano potesse avere una reazione così. Se mi avessero detto «Zuhra preparati», beh, mi sarei fatta una risata. Invece ho cominciato a cambiare colore, aspetto, sostanza. Tremavo. La paura mi stava devastando. Non grida capo Cantoni, ti fa sentire solo una merda secca. Ti porta davanti all'orifizio. Tu vedi la parete gialla. Lui indica l'orifizio puntando l'indice con fare minaccioso. Tu guardi ancora la parete gialla. Poi dice quella parola, «buco». Ma non dice buco come lo diremmo noi comuni mortali, no. La sua voce diviene metallica. Rimbalza. Le lettere si separano istantaneamente. La B sembra lontana anni luce dalla U e così anche la C dalla O. Quel suono sembra provenire direttamente dall'aldilà. Ti risucchia la vita e l'energia. Tu poi cerchi di rimediare, di schiaffare su quella paretaccia un disco vecchio di Mina o il cofanetto della serie *Six Feet Under*. Fai qualcosa, qualsiasi cosa. Non importa se il buco non è opera del tuo reparto, è lo stesso colpa tua. Passavi di là ed era tuo dovere vedere, coprire, rimediare.

I tre piani del megastore Libla sono divisi così. All'entrata c'è il reparto dischi. Ci trovi tutto, dalla salsa di Celia Cruz alle ballate degli Abba. Poi al piano inferiore sono piazzati i libri: narrativa, saggi, ricettari. All'ultimo piano i film. Tutti nel megastore hanno un reparto. Io no! Ecco, quando ho fatto il colloquio mi hanno chiesto: «Cosa le piace, signorina?». Mi ricordo della domanda, perché me l'ha fatta una tipa con naso a patata e occhiali tartaruga che sembrava avere urgente bisogno di una tiratina di coca. Io vado sempre in empatia con le persone, questo è il mio problema più grosso. Alla domanda ho risposto «libri». E lei, la tipa occhial-tartaruga, «E poi?», e io «Cinema?» – l'intonazione interrogativa mi è venuta quasi spontanea. Quella signora tartaruga mi faceva dubitare di me stessa. Naturalmente mi hanno messo nel reparto musica.

Ok, i dischi sono belli, brillano al sole, puoi usarli per pettinarti le sopracciglia, ma oltre questo a che servono? Io non ci capisco nulla. L'ho anche tentato di spiegare alla cocainomane. Ma sniff, era andata in shock overdosico. Musica, chi è costei? Per esempio che differenza c'è tra il jazz e il *nu* jazz? Che cazzo ne so! E il pop britannico in cosa si differenzia da quello svedese? Che cazzo ne so idem! E il *chorinho* brasiliano dalla bossa nova brasiliana? Boh?! E Mozart da Salieri? Questa la so. Salieri era una carogna! Insomma, la musica per venderla la devi conoscere bene. Cioè almeno così si usava. Ecco, io i libri li conoscevo bene. Lezioncina sul decadentismo? Certo! E sull'estetismo? Come no. La generazione del '27 spagnola? *Claro que sì*. O magari una lettura ragionata di *Allah non è mica obbligato* di Kourouma?

Perdincibacco, non aspetto altro! E anche sul cinema non scherzo. Cavolo, io ho visto Griffith prima che in Italia diventasse di moda e poi so tutto Fassbinder a memoria. Non scherzo... Ma la musica, cavolo, sono una principiante.

Però non sto sempre al reparto musica, per questo i colleghi non mi danno tanto retta. Mi considerano una sorta di prostituta. Una che va con tutti. Una che non è fedele al reparto e al prodotto. Rita, una ragazzona grossa come un carrarmato tedesco della grande guerra, un giorno mi ha detto: «Non meriti il nome di discaia, tu sei solo una tappabuchi». Erano sessanta giorni che lavoravo lì dentro, ed essere privata del titolo onorifico di discaia mi faceva male al cuore. La faccia di Rita, che in situazioni normali era liscia e levigata come il marmo, al pronunciare la parola tappabuchi si era quasi deformata. Le labbra all'improvviso erano diventate pendule, la pelle intorno al naso si era seccata e i capelli di solito ondulati si erano afflosciati come spaghetti giapponesi. Tappabuchi. Sì, alla Libla era una parola che creava repulsione. Noi tappabuchi eravamo trattati alla stregua di fuori casta indiani, qualcuno ci tollerava, altri dimostravano apertamente la loro ostilità.

Il grande capo non ci aveva mai dato l'investitura ufficiale di tappabuchi. Mai fatto un discorso ufficiale per dirci: «Da oggi siete investiti da Libla Spa nel ruolo ufficiale di...». No, Cantoni non fa discorsi. Cantoni agisce e lo fa da bulldozer. Se ne frega dei tuoi sentimenti. Io faccio la spola tra i dischi che considero il mio reparto, poi ogni tanto salgo al cinema e altre volte copro il settore ragazzi. Ed è un vero casino. Non so mai come spostano le cose nel settore ragazzi, e quando ci vado faccio delle figure barbine. I clienti si spazientiscono e mi trattano a male parole. Il che è fastidioso. Sono una che lavora bene, io. Le male parole non me le merito.

Mamma non sa questa faccenda del tappabuchi. Sennò chi la regge più. Già così mi crede infelice. La telefonata con lei mi ha lasciato l'amaro in bocca. Vado a mangiarmi un bel gelato alla cassata. Poi mi chiudo in quel cesso di stanza che ci hanno dato. Ho il test d'ingresso per la scuola di arabo. Devo assolutamente studiare. Mi sto già cagando in mano.

La Reaparecida

Ho mani molto grandi. La destra leggermente gonfia, anche. Sono sempre state così: poco femminili, esteticamente un pianto. Ho delle remore a parlare delle mie mani. Me ne sono sempre vergognata. Tanto. Erano davvero brutte. Dico «erano» perché un po' (non molto!) mi sono abituata alla loro presenza tozza. Ma prima, da ragazza, avrei voluto tagliarmele, quelle manacce orrende. Mi turbavano. Le sentivo come un corpo estraneo. Lontane anni luce da me, dai miei sogni.

Oggi sono adulta, no... che dico... sono già vecchia e, pensa, me ne vergogno ancora. Non mi è passata del tutto. Davvero ridicolo. Sono tutta in disfacimento ormai, non sono certo le mani grosse a dovermi preoccupare. Dovrebbero essere l'ultimo dei miei pensieri. Invece è ancora il primo. Gli anni passano, le priorità cambiano e ancora soffriamo per le cazzate dei quattordici anni. Prima delle mani non dovrebbero esserci le cosce flaccide? Il seno cadente? Ho solchi tutt'intorno alla bocca, la fronte così piena di rughe che sembra quasi un tappetino Ikea di strisce massificate. Le mani dovrebbero essere l'ultimo pensiero, *carajo*! Sto lì ogni mattina davanti allo specchio del bagno piccolo (quello che riflette la mia immagine migliore) a combattere con questo dannato tempo che passa. Mi riempio di creme, oli, elisir di finta lunga vita. Mi ungo come fossi una torta da infornare. Però sono ancora le mani a preoccuparmi. Solo le mani.

Forse è perché volevo diventare una pianista come Rosalyn Tureck. Non se la ricordano in molti, ma era una divina. Mi sarebbe piaciuto suonare il pianoforte come lei. Mi sarebbe piaciuto volare su quei tasti di avorio e ebano come un'equilibrista folle. Le mie dita avrebbero fatto una danza forsennata e forse ne sarebbe uscita una sinfonia o un motivetto popolare da canticchiare tra una faccenda e l'altra. Mi sognavo delicata, con unghie fini, dita oblunghe, da vampiressa. Una mano capace di accarezzare e di redimere. Una mano di fata. Di santa. Invece la vicenda è andata diversamente. Avevo mani da camionista. I miei genitori non avevano i soldi per pagare lezioni di pianoforte anche a me. Le prendeva già Ernesto, e poi mamma commentava: «Con quelle mani grosse non hai futuro», e non parlava solo del pianoforte. Per mamma io ero una persona inutile. Il mio sogno in frantumi. Addio Rosalyn Tureck.

Le dita erano tozze, quadrate, massicce. Mamma me lo faceva notare ogni giorno. Mi rimproverava le mie imperfezioni. Voleva una figlia che le assomigliasse in fascino, in malizia. Le son venuta fuori io. Non l'ha mai sopportato. Se non era mamma a farmi notare i difetti di quelle dita tozze, ci pensava qualche compagna particolarmente odiosa. Le unghie avevano uno spessore che dava l'idea della fatica, del lavoro manuale, della plebe. Non erano le mani di una nobile, le mie. Erano mani adatte al duro lavoro, mani da meridionale, come quelle dei miei. Erano molto grosse, ma la lunghezza non era straordinaria. Anzi se confrontate al resto del corpo, le mani erano di una misura ridicola. Però erano ampie. Adatte ad afferrare gli oggetti. Soprattutto quelli sferici.

Ernesto invece aveva delle mani bellissime. Il pianoforte lui lo sapeva suonare. Saltellava tra i tasti neri e bianchi come un grillo. Quando suonava era felice. Ernesto era felice sempre.

Non sono diventata una pianista. Non ho seguito le orme di Rosalyn Tureck, in realtà non ho seguito le orme di nessuno. Per un po' ho fatto il portiere di calcio. Non ridere, dico davvero. Il portiere come Zamora, Bacigalupo, Jašin, Zoff, Banks, *el pato* Fillol. Ero bravina. Se non avessi avuto l'ingombro della figa, avrei sollevato al cielo una coppa del mondo. Per giocare a calcio, e soprattutto farci dei soldi, ci vuole un pene. Lo trovo ingiusto. Pensa, oggi qualcuno avrebbe potuto avere il mio vecchio poster attaccato nel retrobottega. Io e Diego Armando. Invece niente pene. Niente poster. Solo una figa che mi ha portato tanti guai. E alla parete non io, ma Diego Armando, ancora magro con la maglia del Napoli.

Anche papà ne aveva uno di poster nel retrobottega. Naturalmente non era Diego Armando Maradona. Ai suoi tempi la gente stravedeva per Di Stefano, quel calciatore con la faccia da ragioniere triste. Uno dei più grandi, Di Stefano. E forse tra i più umili. Il signore del poster di papà era invece Amadeo Raúl Carrizo. Era del River. Un uomo che ha rivoluzionato il modo di stare in porta. Forse anche nel calcio si dovrebbe fare come nella storia occidentale – un a.C. e un d.C., ossia avanti Carrizo, dopo Carrizo. Prima di lui si parava a mani nude, ci si graffiava, la palla scivolava via come seta. Il rischio di fare seri danni alla propria squadra, facendosi scappare una palla goal, non era tanto remoto. Lui, Amadeo Raúl, indossò dei guanti, fu il primo. Idea geniale. Fu anche il primo in assoluto a lasciare la porta per difendere con i compagni il goal di vantaggio, nonché il primo a usare il calcio di rimessa come un'arma d'attacco. Fu anche compagno e amico di Di Stefano. Sì, di quel ragioniere triste che avrebbe fatto la gloria del Real Madrid in Europa.

Forse è a causa di quel poster che divenni anch'io del River Plate. Mamma naturalmente era del Boca Juniors. Ernesto pure. Mamma mi diceva «Il River è una squadra di snob, tu sei della pasta del popolaccio. Come il Boca». Era vero. Io lo negavo. Avevo manie di grandezza. Con un corpo aristocratico e mani da operaia. Mi vergognavo. Il River mi faceva sognare. Mi sentivo diversa, più pulita, tifando River. Mi dava l'illusione che nella vita sarei migliorata, che non sarei rimasta inchiodata per sempre ai bassifondi in cui mamma mi voleva veder sguazzare. Poi i colori di quella squadra mi piacevano troppo. Erano presi dalla bandiera di san Giorgio, croce rossa in campo bianco. Quel rosso era come sangue e quel bianco mi sembrava un latte dove poter nuotare, dove poter esistere (o resistere?). Era lo stemma di Genova, quello lì. Della città di papà. Molti fondatori del River erano originari della città del porto. Per questo oggi ascolto De André. Mi piace tutto quello che viene da lì. Papà parlava poco di Genova. Ma quando ne parlava si fantasticava. Ecco perché ero del River. Per papà e per Amadeo Raúl Carrizo. Però papà non era del River. Papà non tifava per nessuno. Era sempre stanco. Mi chiedo se Carrizo non ci sia finito per caso nel retrobottega del negozio.

Furono le mie mani a destare l'attenzione dei ragazzi del campetto Santiago. Era una giornata più umida del solito, a Buenos Aires. Il tasso di umidità era una cosa a cui i boarensi si abituavano già dalla culla. Qualcosa che andava oltre l'immaginazione umana, ti entrava dentro, quell'umidità bastarda. Fino al midollo. Bambini di cinque anni già con i reumatismi. I ragazzi del campetto Santiago mi chiesero di fare il portiere della loro squadra improvvisata. Mancava tal Ruiz Hernández Blasetti, aveva la varicella e quella era la sfida decisiva con i nerboruti dell'angolo Pepe Rinaldo. Non erano quartieri, ma cortili condominiali battezzati così a caso. Le sfide erano tra un angolo e l'altro dei cortili. Eri del Santiago e dopo due settimane diventavi del Pepe Rinaldo, poi dopo un mese si rimescolavano le carte e potevi finire nel Claudio Ramírez. Anche i nomi erano dati a caso. Ce n'erano di intramontabili che duravano per anni, altri che sparivano dopo un giorno. La mia prima squadra fu il Santiago e anche la mia ultima fu il Santiago.

Non si accorsero subito che ero femmina. Fu per le mani. Io stavo tornando a casa. Dovevo fare i compiti dalla mia amica Ana Franca. Ma le era venuta la febbre e Doña Rosalba, la mamma, mi diede un pezzo di crostata e mi disse: «Vai dritta a casa, *hija*, e non ti fermare per nessun motivo. Domani hai l'interrogazione di storia». Era per quella interrogazione che io e Ana Franca dovevamo studiare. A me la storia piaceva, non ero preoccupata. La crostata era buona. Soprattutto il bordo bruciacchiato. La mamma di Ana Franca ci sapeva fare con i dolci. Si mangiava molto bene a casa di quella mia compagna di scuola. Invece a casa mia, solo pesce sotto sale e pane. Uno schifo. Ogni tanto ci si sbizzarriva con gli *asados*, ma dolci niente. Nemmeno un misero biscotto secco. Mamma non era una gran cuoca. In generale non era un granché nemmeno nelle altre faccende domestiche. I nostri vestiti erano sempre un po' opachi, quasi spenti.

Io non ascoltai il consiglio di Doña Rosalba. Fu tutta colpa di Alfredo. Era un ragazzino con la faccia butterata e tronfia da topaccio. Però aveva un'anima buona, Alfredo. Era alto quasi quanto me, ma si sforzava di tirare su le spalle per superarmi di qualche centimetro. Il suo viso si contraeva nello sforzo. Digrignava i denti, quasi. Poi mi disse qualcosa tipo «Mi sa che saresti un bravo portiere» o «A noi manca un portiere». Non so bene la frase precisa, ma so solo che mi arruolarono. Non avevo mai giocato a calcio seriamente, prima di quella partita. Non so nemmeno perché accettai. Forse perché mi piacevano le sfide. Mi presentarono la squadra. C'erano Chico, el Brujo, Mono, Lorenzo García. Erano tutti ragazzi della mia età o più grandi. Quando mi chiesero il nome io dissi Ernesto. E giù, pacche sulle spalle. Alfredo, solo un buffetto sulla guancia. Erano ragazzi molto affettuosi. C'era spirito di corpo. Io non avevo esperienza. Un po' con Ernesto mi divertivo a fare dei cross, di quando in quando. Ma, cavolo, mai stata in porta. Avevo accettato così con una certa incoscienza, ma era più forte la voglia di appartenere a un gruppo che la paura di fare una figuraccia. Mi ero semplicemente buttata in una nuova avventura. Anche perché non avevo tanti amici. Giusto Ana Franca, ma poi quasi nulla. Ero timida e tutti mi prendevano in giro per le mani. Non lo sopportavo e mi chiudevo a riccio. Invece quei ragazzi mi volevano proprio per quelle mani. Giocai bene. Feci anche due parate niente male. Ho sempre avuto fortuna al gioco, qualsiasi gioco. Intuivo sempre le intenzioni del mio avversario quando entrava in area. Sapevo prevenire. Feci due parate. Mi sporcai molto. Tornata a casa, le presi di brutto da mamma. Non le dissi del calcio. Mi sgridò parecchio.

Durai per sei partite nel Santiago, poi fui smascherata. Tradita, dovrei dire. Da mamma. Mi aveva seguito. Si era insospettita per i vestiti sporchi. Io avevo preso l'abitudine di fregare i calzoncini a Ernesto. E poi li rimettevo ad arte tra i suoi panni sporchi. Ma lei aveva capito che Ernesto non poteva sporcare così i calzoncini. E poi tutto odorava di me. Di femmina. Di sangue mestruale.

Ero bella nella mia tenuta improvvisata di atleta. Avevo rimediato un paio di ginocchiere. Mi ero imbottita i fianchi di stracci per attutire le cadute e poi mi ero messa un berretto da vero professionista. In quella partita non feci molte parate. Eravamo superiori agli avversari. Incitavo i compagni. Poi, non so quando, apparve mamma. Si piazzò in mezzo al campo. Nessuno osò dirle nulla. Venne verso di me e, come nelle peggiori strisce a fumetti, mi prese per un orecchio. Mi tirò via e disse: «Non vi siete accorti che è una femmina?».

Peccato, mi piaceva fare il portiere. Sentire quel pallone tra le mani. Mi dava un senso di potere. E poi le mie mani erano belle con un pallone in mano.

Tutto il Santiago finì nell'Esma. Tutti, nessuno escluso. Pure Ana Franca fu sequestrata. Risulta ancora *desaparecida*. Però lei non fu portata all'Esma. Ignoro dove. Anni dopo rividi Alfredo Díaz, quello che mi aveva arruolato. Lo sguardo era perso nel vuoto.

Hai visto? Non riesco a essere organica. Cronologica. Ti dico le cose alla rinfusa, come capita. Non è quello che volevo. Ma sai, mi lascio prendere dall'ispirazione del momento. Sto qui, in questa spiaggia di Carthage Amilcar, e davanti a me stanno facendo una partitella. Mi sono ricordata di me, del poster di Carrizo, di Ana Franca e la mamma che faceva torte stupende, del Santiago. I ragazzi quando giocano sono belli, spensierati, felici. Chi poteva pensare all'Esma con un pallone tra le gambe?

Anche tuo zio Ernesto lo hanno messo nell'Esma. Su questo ci siamo. Te l'ho ripetuto miliardi di volte, già. Vorrei riannodare i fili dei discorsi... ecco perché mi ripeto. Ma vorrei anche perdermi, riannodare mi fa paura. Però devo farlo.

L'Esma. Vorrei che non dimenticassi questo nome. Scrivilo sull'agenda. Tatualo sul tuo corpo. Ripetilo decine di volte. Segnalo sui post-it intorno a te. Insegnalo agli amici più cari. Aggiungilo al promemoria del tuo cellulare. Non lo dimenticare. Tuo zio ci è finito dentro. Tutto il Santiago ci è finito dentro. Non lo puoi dimenticare. Sarebbe come farli morire di nuovo.

Io per un po' ho tentato di dimenticare quel nome maledetto. Ho tentato anche di dimenticare di aver avuto un fratello che si chiamava Ernesto. Però, la notte, sognavo che Gesù Cristo gli applicava la *picana*, quel maledetto arnese di tortura che in Argentina nessuno vorrebbe più sentire nominare. Mi viene da vomitare se ci penso.

Che era stato detenuto all'Esma, però l'ho saputo dopo. Molte cose si sono sapute dopo. Prima nessuno sapeva, sospettava. O meglio, facevamo tutti finta di non sapere. Ti sequestravano i vicini di casa, e tu ti tappavi le orecchie più forte che potevi. I militari alzavano il volume della radio. Non ti preoccupavi se un bel giorno non vedevi più Veronica che andava a comprare il pane per sua madre. Bel sorriso, diciotto anni, il pancione, tutta la vita davanti. E poi a un tratto, niente più Veronica, niente più pane per la mamma, e il suo bambino magari in adozione a degli assassini. Erano cose ricorrenti in Argentina. Non ci si preoccupava. Era un intero paese *desaparecido*. Tutti a far finta che tutto marciasse bene. Si faceva la spesa, si organizzavano feste, si guardavano i mondiali di calcio. Ma poi, quando qualcuno che si conosceva veniva risucchiato, *chupado*, come si diceva allora, si ringraziava il militare di turno che aveva alzato il volume della radio. Sentire un uomo che grida come un vitello scannato non fa piacere a nessuno, e poi rovinava la digestione.

Allora però non sapevo dell'Esma. Sapevamo altre cose di Ernesto. Come lo avevano preso, per esempio. Non molto di più. Io sapevo solo che era sparito. Solo mamma ha cercato di sapere di più. Era l'unica che non smetteva mai di sapere. Io non avevo cognizione di nulla. Dove, perché, cosa. Dove lo avessero portato, perché proprio lui, cosa avesse fatto. Mi chiedevo continuamente, perché? Per cosa? E soprattutto dove? Dove? Dove?

Non immaginavo che lo stessero torturando così vicino a casa nostra. Noi eravamo di Buenos Aires nord. E anche l'Esma era a nord. In una zona che si trova schiacciata da est a ovest da una miriade di strade e stradine. Avenida Comodoro, Avenida Rivadavia, Avenida Lugones, Avenida del Libertador, Avenida...

L'Esma ora è un museo della memoria. In quel putrido luogo di detenzione si celebra la meglio gioventù argentina sterminata dai militari negli anni settanta.

Mi chiedo se serva davvero un museo lì, ora, in quel modo. Ecco, io non dovrei proprio parlare. Sono l'ultima che può farlo. Non sono stata tanto meglio dei torturatori, in fin dei conti sono stata una volgare complice del sistema. Una parassita. Dicono che è per la memoria, che *nunca más* dovrà succedere, in nessuna parte del mondo. Però sappiamo che succede ancora, spesso. Succede a Guantánamo, succede ad Abu Ghraib.

Sono contenta che ora le scolaresche vadano in visita nelle stanze del dolore, vedano i luoghi dell'orrore, *capucha* e *capuchita*, e tutto l'armamentario che usavano per passare la *picana* sui genitali dei detenuti. Ma serve anche altro. Noi argentini non possiamo ancora gioire appieno, direi che noi esseri umani non possiamo gioire appieno. La memoria non può essere racchiusa in quattro pareti, anche se quelle pareti sono dell'Esma. La memoria non dev'essere politically correct, né tantomeno una meta per una vacanza umanitaria. Già lo vedo, il turista solidal-no-global che dopo il Chiapas, Cuba, lo stadio di Santiago, arriva a Buenos Aires al numero 8200 di Avenida del Libertador, all'Esma. Armato di buone intenzioni, nonché di una digitale, in cerca di facili emozioni. Lo vedo immortalare pose farsesche in quell'edificio. E poi lo vedo mesi dopo, nella sua tiepida e tranquilla casa nel Nord del mondo, a spiegare agli amici le sensazioni forti di quel tour nell'orrore. Buona fede del turista, belle fotografie, commenti entusiastici degli amici, qualcuno che pensa di andarci l'anno prossimo, ma mi chiedo, serve tutto questo all'Argentina?

Noi argentini sorridiamo sotto i baffi e pensiamo: «È fatta!». Siamo intimamente, sinceramente convinti che con il turismo umanitario e qualche cerimonia istituzionale ce la siamo cavata. Che quel periodo è chiuso per sempre. Che finalmente si può guardare avanti. Magari fosse così. Il museo ha senso solo se la memoria si fa carne, se la memoria è attiva. Che senso ha tutto questo, se i crimini restano impuniti? E se i criminali sono omaggiati? E le cause dello sterminio intatte? Che senso ha? Ora poi è anche peggio. Il paese vive un vuoto culturale, morale immenso. Ha dichiarato bancarotta. Hanno ucciso e poi hanno svenduto il paese. Le politiche neoliberiste ci hanno resi schiavi. Quando c'era Menem, tutti si rifacevano qualcosa. Il naso, le tette, un risucchio di grasso sulle natiche. Era il paese in cui i chirurghi plastici guadagnavano di più. E poi cos'è successo? L'illusione di essere ricchi e bianchi è finita. Si è tornati in seno al Terzo mondo. E le vecchie ferite del passato si sono riaperte, anzi non si erano mai chiuse.

Esma, Escuela de Mecánica de la Armada. Era grande. Tanti alberi. Come un parco giochi. Un parco di martiri. Anche tuo zio è stato torturato lì, prima di essere «trasferito», ucciso cioè. Non so quanto tempo lo hanno tenuto lì dentro. Forse sei mesi, magari un anno o due. Ma non tre. Era ancora vivo quando ci sono stati i mondiali. Me lo ha detto la sua donna. Probabilmente gli hanno fatto un'iniezione come a tutti e lo hanno buttato giù da un aereo. Si sarà sfracellato. Disperso, in brandelli, sciolto dai succhi gastrici di qualche mangiatore di carogne. Spero se lo siano mangiato subito. Non so, penso che la pancia di un animale sia una buona tomba, meglio che imputridire all'aria aperta.

Ma allora non sapevamo nulla. Si stava ad aspettare i cari «risucchiati». Soprattutto le mamme aspettavano. Tua nonna lo aspettava, le sue speranze non cessavano mai. Io non ho mai creduto che tornasse. Per questo mamma mi odiava. Mi sputava addosso e mi chiamava *traidora*. Aveva ragione. Lo ero, in un certo senso.

Era una donna particolare, tua nonna Renata. Aveva preso da parte di padre la grinta dei portoghesi e da parte di madre la testardaggine degli spagnoli. Sapeva cucinare il baccalà come poche al mondo. Però se le chiedevi di cucinare altro ti avvelenava. Non era una brava cuoca. Lavorava a maglia cantando il fado. Forse faceva anche l'amore, cantando il fado. Me li ricordo ancora tutti quei suoi fado inconsolabili. Ce n'era uno che mi piaceva molto. Parlava della paura dell'eternità. Mamma cantava quella malinconia che non turbava se si era in compagnia.

Noi facevamo tante feste. Ernesto era come mamma. Cantava. Ma lui era moderno. Gli piaceva Dylan. E poi anche i Beatles e i Rolling Stones. Non ci ha mai creduto alla rivalità tra le due band. Aveva ragione. Il fado però gli piaceva molto. A volte prendeva la sua chitarra e accompagnava mamma in qualche sua storia di tradimento, gelosia e morte. Al portoghese mischiava il lunfardo del tango. Mescolavano gli stili, mamma e mio fratello. Erano bravi. Ti tiravano fuori l'intestino dal sarcofago delle ossa. Avevo i brividi per settimane, quando ascoltavo quelle parole portoghesi che capivo a stento. Mi arrivavano dritte come un pugno.

«Sono l'erede di Maria Severa» diceva a tutti mamma. Nessuno a Buenos Aires conosceva questa Maria Severa. Mio padre, figlio di italiani, tutt'al più conosceva Caruso. Ma nessuno aveva mai sentito nominare questa Maria. Tra i vicini, una volta ho fatto anche un sondaggio. «*Loca*» mi fu risposto. Mamma si ergeva statuaria con il suo petto immenso e ripeteva all'infinito quel nome, Maria. Poi, solenne, pronunciava anche il cognome, Severa. Mio padre in quelle occasioni diventava piccolo come un cucciolo di bassotto. Solo i baffi rimanevano ritti sulla faccia che si faceva invisibile. Era chiaro che sarebbe morto presto. Quando Ernesto fu sequestrato, lui non c'era da più di tre anni. È stato un bene. Almeno ci crede felici.

Poi ho scoperto chi era quella Maria Severa – una prostituta. Cantava nei bassifondi di una Lisbona alcolica. Anche mamma veniva dai bassifondi. Metteva il pesce sotto sale la mattina e forse si concedeva la sera. Non ci ha mai raccontato nulla di lei, di prima, del Portogallo. Cantava, ma raccontare mai. Anche di come era venuta in Argentina non so nulla. Sembrava quasi che la sua vita fosse iniziata con l'amore per mio padre, per quell'oscuro italiano che puzzava di miseria e umorismo. Erano una bella coppia.

Lo stesso non potrei dire di me e Carlos. Io ero molto italiana. Avevo ereditato da papà l'ombrosità, la ruvidezza. Dei portoghesi non credo avessi ereditato niente. Altra ruvidezza, forse. Carlos invece era la perfezione. I suoi colori non hanno mai stonato. Era fatto di tonalità pastello. Penso sempre al primo gavettone dei veterani quando lui, con tutti i suoi colori pastello, era entrato alla scuola navale. Vedo quell'acqua che scivola delicata sul suo corpo di soldato. Non lo bagna, non sgualcisce la perfezione dei suoi colori militari. Carlos aveva studiato all'Esma. Era una scuola per davvero, l'Esma. Una scuola con banchi e lapis. Da una parte c'era chi studiava, i professori che davano lezioni, e dall'altra c'era la zona adibita alla tortura. Però Carlos c'era stato prima, all'Esma, ci aveva dato dentro con lo studio, come un mulo. Poi ci è tornato dopo. Applicava la *picana* sui testicoli. Ma queste cose all'inizio non me le raccontava, quando eravamo a letto insieme. Mi scopava spesso da dietro. Raramente gli ho visto gli occhi. Se lo avessi fatto, forse avrei visto la *capucha* della gente che gli passava per le mani. Applicava la *picana* sui testicoli. L'ho saputo dopo qualche tempo che stavamo insieme.

Anche mia madre l'ha saputo. Una sera mi ha dato uno schiaffo. E mi ha detto: «*No mereces que te llame puta*». Era uno schiaffo senza rabbia. Quasi una constatazione. Lei lo era stata una *puta*. Sapeva che tutte le puttane conservano un briciolo di dignità. Io me l'ero giocata quella dignità. Mi facevo scopare da dietro da uno che forse aveva torturato mio fratello.

Forse dovrei parlarti di Ernesto. Ma non so cosa dire. Era un fratello come ce ne sono tanti. Forse meglio di altri. Lui si spaccava la schiena alle *villas miserias*. Non era un politico, credeva solo che l'umanità dovesse darsi una mano. Lo hanno preso con la sua fidanzata. La chiamavamo la Flaca. Perché era scheletrica. Uno stelo. Il suo nome completo era Rosa Benassi. Padre italiano pure lei. Ma non era ruvida. Aveva un volto rinascimentale. Sembrava una Madonna di Leonardo. Senza nessuna floridezza, però. Era troppo magra.

La incontrai a Roma. Cinque giorni dopo aver conosciuto tuo padre.

Ecco, vorrei parlarti di lei. Per questo sto scrivendo.

Il fagotto era pronto. L'anno il 1975. La madre iniziò a raccontare alla figlia di quella sua prima partenza da Mogadiscio. Di quando lasciò tutto per seguire il suo uomo, il padre di lei. «La gente era venuta a salutarmi e tu eri così piccola, Zuhra mia», un singhiozzo cominciò a ostruirle la gola. Maryam Laamane si ritrovò a piangere. Era sempre stata una dalla lacrima facile. E al passato non sapeva resistere. Riavviò la registrazione più volte. Spinse STOP e poi RECORD e poi di nuovo STOP e poi indietro per risentirsi, avanti per superarsi, e poi di nuovo il pulsante di registrazione. Si stava divertendo in fondo, quei tasti bicolori le sembravano quelli di una pianola giocattolo, le risvegliavano il suo spirito da bambina mai del tutto sopito. Si divertiva con quei tasti. Erano una distrazione. La sua voce invece non la divertiva affatto. Era così seria. Così solenne. No, Maryam, che fai? Così non va. Troppo compassata. Non vorrai far morire di noia quella povera bambina? Certo Zuhra non era più una bambina, ma una bella ragazzona di trent'anni. Era una donna. Ma lei la vedeva bambina. Avrebbe tanto voluto riempirla di coccole e abbracci. Ma in Somalia non si usava, nessuno si toccava tanto. *Eeh*, vergogna. Perciò la gente cercava di volersi bene senza toccarsi troppo. E chi lo faceva si nascondeva dietro qualche muro.

Riavvolse il nastro, Maryam, e ricominciò a raccontare di quando nel 1975 aveva preparato il suo fagotto e preso un aereo per raggiungere il marito Elias nel suo esilio italiano. «Non so perché, comincio a raccontarti dal mezzo» disse la donna «ma non sono mai stata brava a rispettare l'ordine del tempo e delle parole. Howa Rosario se ne lamentava sempre. Diceva che con me le storie non hanno né capo né coda, che non si capisce niente, che è una fatica starmi dietro. Ma tu fallo, Zuzu, stai dietro a mamma, sto facendo uno sforzo per mettere tutti insieme questi frammenti di noi».

Nel mezzo del racconto di Maryam Laamane c'era il viaggio, quindi. E prima ancora, un'immagine nelle sue nostalgie: il suo quartiere, la sua tribù venuta a salutarla quel giorno del 1975. Maryam, la ragazza di allora, aveva il cuore pesante. Sapeva di non partire per una vacanza. Lo sapevano pure loro. Tutto il quartiere. Tutta la sua tribù. Tutti con mille richieste.

«Se vedi Nur, puoi portargli questo *otka* che ho fatto con le mie mani? A Nur piace tanto la carne... lo mescola al riso. Non ti dimenticare, Maryam. A Nur piace così tanto». E se non era l'*otka* per Nur, era qualche altra diavoleria da portare nella terra dei bianchi. Alla fine Maryam era piena di sacchetti. Saluti e sacchetti. Tanta gente che aveva altra gente oltremare.

«Non posso più portare nulla, mi dispiace. Massimo 20 chili di bagaglio, mi hanno detto. Sennò buttano via tutto», spiegava lei al quartiere. «Amici vi prego non si può...». Loro non ci restavano male. Alcuni però continuavano a insistere, perché non si sa mai. Magari alla dogana i poliziotti potevano chiudere un occhio, e poi Maryam era così bella, di certo si poteva aggiungere qualcosina. Alle belle ragazze i doganieri lasciavano sempre aggiungere qualcosina, si sapeva. Bastava provare. Rischiare. «Ma su, ragazza mia. Non ti pesa. È leggero, vedi, il mio pacchetto? Non ti costa nulla portarlo. Così fai felice Nur. Poverino, lui ha tanta nostalgia. Quando mi telefona mi parla sempre dei nostri pompelmi grossi e profumati. Chissà che darebbe per un bel succo di pompelmo dolce. Dove sta lui, e dove vai tu, ragazza mia, i pompelmi sono aspri. Fanno bruciare lo stomaco. Fanno piangere. Che Dio stramaledica Barre e la sua progenie.

Ah, i nostri figli se ne vanno tutti via. Al mio Nur volevano bruciare il culo, sai? Perché lui pensa, è uno che pensa tanto, Nur. Giorno e notte. Gli porteresti qualche pompelmo, al mio Nur? Non pesano molto, lo giuro! Li infili lì... ecco lì... di lato. Non ti tolgono spazio, vedi? È così facile. Il mio Nur pensa, ha bisogno dei pompelmi dolci per continuare a farlo».

La gente insisteva. Maryam, quella che stava partendo nell'anno 1975, si sentiva in colpa per non poter aiutare tutti. Erano anni brutti. Il 21 ottobre 1969 era venuto Barre al potere. Bruciava i culi. Con la scusa del comunismo diceva che si era tutti uguali, ma che lui era più uguale degli altri e gli spettava di più, perché il paese non poteva fare a meno di lui. Maryam si ricordava a memoria tutti i suoi discorsi. Studiava le sue parole per poterle usare un giorno nell'aula di un tribunale internazionale. Erano parole scritte con il sangue dei somali, di quelli che stavano all'opposizione, di quelli che sognavano una democrazia reale, di quelli che volevano vivere una vita dignitosa.

Anche la gente comune, quella più subalterna, non digeriva le menzogne di Siad. Sapevano tutti che lui non li avrebbe mai difesi, che quella storia, che raccontava sempre a ogni radiogiornale e a ogni discorso ufficiale, del nemico etiope ai confini era una truffa e che l'unico nemico della nazione era proprio lui – Siad. Così molti decidevano di andar via dalla Somalia, «per un po', finché quello là non tira le cuoia. Finché non torna la democrazia».

Erano gli anni settanta e la gente ancora credeva nel futuro. Nessuno però pensava allora che quella fuga si sarebbe tramutata in un destino eterno per i somali, in un karma ineluttabile. Nessuno immaginava che dopo vent'anni sarebbe scoppiata una guerra tra fratelli, tra somali, per spartirsi quel potere lordo di sangue che il tiranno Barre aveva lasciato. Emorragia di gente, senza freni, senza pudore, eterna. E così i somali cominciarono ad andar via negli anni settanta per la politica e continuarono negli anni ottanta per la fame. Negli anni novanta per la guerra civile. E così via, senza interruzione, nel 2000, 2001, 2002, 2003 e oggi, in questo stesso istante, in ogni tempo. Si scappa sempre, un destino infame e quasi inevitabile per i somali. Prima era stato Barre il comunista, a chiedere il bicchiere di sangue ogni mattina, poi negli anni ottanta fu Barre il capitalista a volere quel tributo, e intanto se ne andava a braccetto con gli americani e i ladroni del partito socialista italiano. Poi con la guerra è toccato ad altri, tutti con nomi strani e tutti con una sete da far paura.

«Porteresti qualche pompelmo al mio Nur? Allah ti ricompenserà. Allah ricompensa sempre i generosi».

Maryam stava per raggiungere il marito. Era il 1975. Si sentiva buona, perché presto avrebbe baciato in bocca Elias. Sognava ogni notte il respiro di Elias. Prese il sacco dei pompelmi. Li ficcò di lato nel suo fagotto. Li schiacciò anche un po'. «Nur abita a Milano» le avevano spiegato. Cos'era Milano? Si chiese Maryam Laamane in quel momento. Lei conosceva solo la stazione Termini. Le avevano detto di andare là e di non fare deviazioni. Perché era lì che si ricreavano i sogni. Era lì che si ritrovavano tutti i somali. Lo sapeva perché Elias stava alla stazione e glielo aveva scritto in una lettera. Cos'era Milano? Era lontana questa Milano? Si poteva raggiungere a piedi dalla stazione Termini? I pompelmi avrebbero resistito fino a lì?

Un bacio sulla guancia destra. Uno su quella sinistra. Il terzo sulla fronte. A tutti. Un abbraccio. Un altro abbraccio. A tutti. Una lacrima. Per lei. Maryam quasi non si accorse, indaffarata com'era con pacchi e pompelmi, dell'ombra della zia. L'ombra era parecchio minacciosa. Un po' perché la zia non abbracciava mai nessuno. Di solito, lo sapevano tutti, apriva bocca solo per rimproverare. A volte anche per consigliare, però questo succedeva solo davanti al suo *burgicco*, la cucina a carbone. Era una zia matura, un po' vecchia, poche soddisfazioni. Maryam tremò. Stava partendo, voleva solo abbracci. Niente tremori.

La zia si avvicinò a lei. E l'abbracciò. Maryam si sentì quasi soffocare, un po' morire. La zia non voleva far vedere a tutti che stava soffrendo per quella partenza, per questo nascose il viso nel petto ampio della nipote. Maryam si meravigliò molto. Nonostante desiderasse quel calore di vecchia, non se lo aspettava. Lo *shas* copriva appena la testa della zia. Sembrava una fanciulla anziana che non sa comportarsi in mezzo alla gente. Il foulard le scivolava indecentemente sulla nuca. Maryam cercava di riaggiustarlo un po', alla bell'e meglio. Pensò che sul cranio di quell'amata zia le cose non si appiccicavano bene. Impresa vana, la mano lenta, la caduta rapida. Peli al vento, la zia, come una vergine. Nessuno però notò quei peli. Nessuno ne fu in fondo scandalizzato. La nipote però li notò, eccome. Si accorse che la zia aveva in testa una bianca foresta intricata. E poi c'era quell'odore di zenzero, misto un po' a muffa. Era l'odore dell'esperienza, un buon odore, di chi conosce il mondo veramente.

Sua zia lo conosceva bene il mondo. Maryam questo lo aveva sempre saputo. Lo conosceva anche se non si era mai mossa dalla Somalia. «Tieni questi soldi» disse alla nipote «ti serviranno laggiù in Italia». Italia... ecco dove andava la ragazza. Italia. stazione Termini. Erano soldi grandi. Antichi. Maryam li guardò. Erano fuori corso. Non disse nulla. Accettò quel regalo. Piegò le enormi banconote e se le ficcò nel reggiseno, come se fossero davvero roba preziosa, come se qualcuno davvero li volesse rubare. Il fagotto era pronto. «Nipote, vai e scrivimi e dimmi se in Italia ci sono le donne con tre sise come mi hanno raccontato».

Sì, zia, te lo racconterò, pensava la nipote. Ti racconterò delle tre sise e delle cinque bocche e sì, ti racconterò dei buchi del Colosseo, ma lasciami andare ora, lasciami andare che ho un viaggio lungo da fare. La zia la tratteneva forte per un braccio.

«Ti mancherà questa terra, ragazza; ti mancherà, lo sai?».

Dopo di che le regalò, oltre ai soldi, un sacchetto con un po' di sabbia. «L'ho presa a *Seguunda Lido* stamattina presto. Odorala quando ti senti male».

Maryam Laamane mise in borsa il sacchetto. Peccato che il reggiseno era già occupato da quei contanti fuori misura. Il sacchetto conteneva veramente qualcosa di prezioso. L'avrebbe fatto odorare anche a Elias quel sacchetto, appena fosse arrivata a destinazione, accanto al suo cuore.

Zia Salado, così si chiamava la zia schiva, si diceva che fosse andata a letto con un italiano ai tempi in cui i fascisti erano padroni della Somalia.

Poi trattenne Maryam per un braccio. «Ricordarti di guardare bene le donne con le tre sise».

«Sì, zia Salado, ti racconterò delle donne con le tre sise e con le cinque bocche, ti racconterò dei buchi del Colosseo. Ti racconterò tutto. Lasciami andare ora. Perdo l'aereo sennò. Lasciami». La zia le lasciò il braccio a malincuore. Ultimo contatto di pelle fra di loro. Zia Salado, dimmi, eri innamorata dell'italiano che ti ha fatto sua?

«Peccato che non l'hai conosciuta, Zuhra mia, la zia Salado. Faceva *sanbusi* buonissimi». La registrazione di Maryam vagava per vie traverse. Era così quando si cominciava a raccontare una storia dal mezzo, tutto poteva sembrare lecito. Andare avanti, tornare indietro, fermarsi, perdersi. Maryam si ricordò di due giorni prima. Era a Termini, e quando stava per salire sul pullmann che l'avrebbe portata a Prima Porta a seppellire Howa Rosario, aveva incontrato per strada quello scimunito di Gor Gor. Quanto odiava quell'uomo. L'avvoltoio, lo chiamavano tutti. Un vecchio ubriacone somalo che chiedeva sempre spiccioli per potersi fare un bicchierino. E se non glieli davi erano guai. Grossi! Ti chiamava *shermutta* in tutte le lingue del mondo. Se non glieli davi eri subito una puttana, *shermutta*, *bitch*, *putain*, *puta*... A Maryam Laamane non piaceva proprio quello scimunito. In generale non le piacevano gli ubriaconi. Le ricordavano troppo lei stessa quando era una di loro, quando già dalla mattina presto si faceva sedurre dalle trasparenze del gin. Era stata come Gor Gor. Elemosinava spiccioli per poche gocce di gin e la gente, non solo i somali, le rideva dietro o provava ripugnanza per lei. Poi, quel Gor Gor lì era fissato con Mussolini. Si credeva fascista, lui. Era ridicolo, un fascista negro!

La mattina che era andata a seppellire Howa Rosario, Gor Gor stava declamando le parole del duce, annata '36, quella imperiale. Questo Maryam lo disse alla figlia nella registrazione. Sottolineò la parola imperiale con un tremito d'indignazione nella voce. D'imperiale quell'Italietta lì non aveva niente, era solo un cumulo di gente famelica, di gente che non sapeva chiedere scusa. Le parole di Gor Gor rimbalzavano boriose sui muri tutt'intorno. A Maryam, accucciata davanti al registratore nel mezzo del salotto di casa sua, quelle parole facevano ancora male. Erano state pronunciate due giorni prima, erano già passato, ma a lei facevano ancora male. Cercò di non farci caso. Ma erano appuntite come gli aculei di un istrice. Difficile non sentirle. Facevano male, non si moriva, ma se ne usciva comunque feriti a sangue. A Maryam non piaceva ricordare quell'anno. Il 1936. L'ira funesta si era abbattuta con violenza sulla sua famiglia. Era l'anno in cui era morto suo padre.

Era morto, le avevano detto, sul fronte Sud di Graziani. Lei non si ricordava molto di quel padre che era morto sul fronte Sud di Graziani. Non sapeva nulla di lui, tranne che aveva delle mani molto grandi e che era andato a conquistare l'impero per gli italiani. Era un po' rossiccio, questo se lo ricordava bene. La pelle del corpo, poi, era quasi diafana. Non bianco, ma quasi. C'era una fotografia che girava in famiglia, di suo padre. Il corpo avvolto in una stoffa bianca e un turbante. Suo papà era un *dubat* ed era andato a combattere gli etiopi in Abissinia, a invaderli, in un certo senso. Non era una bella cosa da fare. Ma fu costretto. Come tanti. Fu costretto a uccidere la gente. Lui non ce l'aveva particolarmente con i vicini etiopi. Erano dei *gaal*, però chi se ne frega. Se la sarebbero vista con Allah, quella cosa lì dell'infedeltà, non era compito suo convertirli. Anzi, a dirla tutta, non ci pensava proprio a loro. Ma successe che fu richiamato, lo presero per strada, lo costrinsero a lasciare il lavoro, gli fecero indossare due lembi di stoffa bianca e poi dritto dritto lo mandarono a far la festa ad altri neri come lui. Ad altri fratelli. Alla gente del Corno.

Ne aveva fatte tante di battaglie, suo papà. Però non era morto in battaglia. Era stato un italiano, teoricamente della sua stessa parte, ad ammazzarlo. Stava pulendo l'arma, l'italiano, quando inavvertitamente un colpo partì. Molti discutono ancora sull'«inavvertitamente». Alcuni compagni d'arme sostengono che l'italiano era una carogna patentata e che il padre di Maryam Laamane avesse detto una parola che alla carogna non piaceva affatto. Colpo partito. Padre andato. Verità incerta. Per il dolore, la madre morì poco dopo di crepacuore. Maryam aveva vissuto sempre con le zie e la nonna.

Era bello vivere con le zie. Anche con zia Salado, che era la più dura. Erano sempre molto buone con lei. Certo, le davano da sbrigare troppe faccende anche se era piccolina, mentre ai suoi fratelli niente, ma in compenso non la controllavano poi tanto. Così Maryam aveva un sacco di spazio per sé nella città.

Lo usava soprattutto per correre. Le piaceva seguire da terra il volo dei falchi. A Maryam sarebbe piaciuto tanto volare tutto il giorno e poi trovarsi un giaciglio sopra una stella. Correva Maryam Laamane. Correva felice. Il padre era morto sul fronte Sud di Graziani. La madre di crepacuore. Ma le zie la ricoprivano di parole dolci, per non farla pensare, per non farla piangere. Un giorno mentre correva, vide un gruppo di ragazzi, di maschi. Uno lo conosceva pure, faceva spesso a botte con i suoi fratelli. Li sorpassò in corsa.

«Ehi, ragazzina, io ti conosco, dove te ne vai così veloce?».

«Da nessuna parte».

«Tutti vanno da qualche parte. Non è possibile andare da nessuna parte».

La ragazzina ci pensò su. E non sapeva davvero dove fosse diretta. «Ma è la verità. Io non lo so dove sto andando».

«Io lo so invece» disse orgoglioso il ragazzo «presto andrò in Italia ... a trovare mio padre».

«Tuo padre vive così lontano?».

«Mio padre, ragazzina, è di così lontano. Lui è italiano. È bello come il sole, ha anche i capelli del sole e gli occhi di vetro. Quasi come i miei... i miei lo sono un po', ma i suoi sono vetro trasparente, ci vedi attraverso l'anima. Si chiama Alessandro, mio padre. E mi aspetta. Quando mi vedrà, mi coprirà di baci e regali. Io poi diventerò un uomo importante, sai? Lì si può. Non come qui. Qui non sei nulla. Rotoli sulla sabbia. Strisci. Io non voglio strisciare».

La ragazzina guardò il ragazzo, non sapeva il nome, sapeva solo che aveva fatto parecchie volte a botte con i suoi fratelli. In effetti notò che era chiaro. Forse era uno di quei *mission*, quei bastardi mezzosangue, di cui si mormorava di tanto in tanto. Brutta gente i *mission*, si diceva in giro, non c'era da fidarsi di loro, avevano dentro il sangue dell'invasore, erano pronti al tradimento. Per quello lo prendevano a botte i suoi fratelli, perché non c'era da fidarsi di un tipo simile, aveva il sangue di troppa gente miscelato in corpo. E le miscele, si sa, sono esplosive. Fanno danni. Però a Maryam il *mission*, il mezzosangue, stava simpatico. Parlava tutto veloce ed era buffo. Ogni tanto, tra una parola e l'altra ci metteva dentro strani suoni. Sembrava una specie di babbuino. Un babbuino tendente al bianco.

«A me gli italiani non piacciono» disse Maryam.

E raccontò la vicenda del padre, del fronte Sud di Graziani e del colpo partito per sbaglio.

«Gli italiani però a tuo padre hanno dato dei soldi. Dovresti essere grata a loro, per quello che avete ora. E poi non mi sembra che in famiglia tua siano contro gli italiani, mi pare che la tua zia Salado fosse innamorata di uno di loro».

Innamorata? La ragazzina ricominciò a correre. Lasciò il ragazzo senza dirgli nemmeno ciao. Innamorata? Di un italiano? La zia Salado? Ma gli italiani sapevano amare? Allora, se sapevano farlo, perché avevano permesso che il loro buon padre morisse in quel modo così stupido, sul fronte Sud di Graziani?

No, zia Salado era una zitella. Non poteva amare nessun italiano. Era zitella, zitella, zitella. Lo dicevano tutti di lei. Gli uomini non le piacevano proprio e si sapeva che preferiva aiutare le sorelle con figli. Innamorata di un italiano trasparente come il vetro? A Maryam gli italiani che vedeva per strada facevano parecchia paura. Erano sempre tutti rossi e grondavano liquidi. Però tutti dicevano che questi non erano come quelli di prima, non erano padroni, ma che li stavano aiutando a diventare liberi. Però non erano mica tutti d'accordo su questa cosa qua. Per esempio, la cugina Hibado non lo era affatto. Diceva che la Syl, la lega somala, li avrebbe liberati presto e che quegli sporchi italiani non avevano buone intenzioni. Diceva che l'Afis, l'amministrazione fiduciaria italiana, era una porcheria. A Maryam sembrava una gran stupidata questa degli italiani che li aiutavano a essere liberi. Era d'accordo con la cugina Hibado. Nessuno ti aiuta a diventare libero, o lo sei o non lo sei, certe cose mica si imparano, si sentono. Sta di fatto che i grandi a lei avevano detto così. Tranne Hibado che le aveva detto giusto il contrario. E lei doveva credere agli adulti perché era piccola e così le era stato insegnato. Ma quale adulto aveva ragione? Ecco, lì non ci si raccapezzava proprio più. Gli adulti dicevano troppe cose e tutte confuse. Si sentiva stordita. Non era ancora arrivata Howa Rosario a portare la luce nella sua vita, a spiegarle che spesso sono proprio i piccoli a capire veramente le cose nel mondo. Non aveva ancora la sua amica specialissima. Era ancora un po' sola e correva dietro ai falchi cacciatori. Erano gli anni cinquanta. Presto sarebbero stati liberi.

La pentola sul fuoco ribolliva, olio nella padella, stava friggendo. La zia Salado davanti al *burgicco*, come un capitano al suo timone di comando. Era molto svelta, zia Salado, al *burgicco*. Piroettava come una lucciola. Il risultato spandeva tutto intorno un profumino a cui non si poteva rimanere indifferenti.

Caos nel centro-est, guerriglia alla frontiera. Guerriglia di idee, caos di emozioni. Zia Salado tranquilla davanti al *burgicco*, avvolta nei suoi odori. Maryam Laamane con il fiatone, era faticoso correre dietro ai falchi.

«Zia, *habaryar*, c'è un ragazzo che dice che tu eri innamorata di un italiano». Appena detto, Maryam si morse la lingua. Prima doveva salutarla, ambientarsi. Maryam sentiva di aver fatto un grosso errore, forse prima doveva aspettare di mangiare – quel profumo era così buono, accidenti! E ora rischiava di perderselo. Zia Salado aveva fatto la carne e il riso. Il profumo si sentiva da lontano. Ogni giovedì sera faceva la carne e il riso – si stava sempre tutti insieme, perché il giorno dopo era il venerdì del Signore, ed era giusto ricordarsi del venerdì con un po' di letizia. Sentiva anche l'odore delle patate e le carote. Poi a parte, distante, ma potente, un *bis bas* verde al cocco. Uh, il cocco, che paradiso! Le piaceva quel retrogusto di cristallo e sabbia, così dolce. Ecco, si sarebbe persa il cocco per l'irriverenza della sua lingua. Zia Salado sicuramente si sarebbe arrabbiata e le avrebbe detto che non stava bene per le bambine parlare di quelle cose da grandi. Che gli angeli di Dio, quelli che ognuno ha sulle spalle, quelli che scrivono i nostri peccati, le avrebbero cucito la bocca, perché lei, Maryam Laamane, era una bambina cattiva. Che gli angeli le cucissero la bocca non le importava poi tanto, ma di perdersi quella cena così buona sì. Le sarebbe dispiaciuto. Soprattutto per il cocco. «Ah, maledetta boccaccia» piagnucolò in silenzio la bambina. E fece subito la faccia contrita, per impietosire quella parente dura come il marmo.

Zia Salado da parte sua la guardò. Non fece altro per un po'. Non commentò quella frase. La guardò e basta. Il suo viso non tradiva nessuna emozione. Ma durò un attimo. Poi tornò al cibo che stava soffriggendo sul fuoco. Non doveva bruciarlo. Allora la bambina si sedette su un *gember*, ad aspettare la punizione. Non se ne poteva andare come se niente fosse. Doveva aspettare che la zia si arrabbiasse e le dicesse con tono deciso, «Niente cena. Vai a letto». *Gember*, attesa. Per la noia, Maryam cominciò a giocare con i pollici. Poi presto si stufò dei suoi pollici e si mise a guardare il soffitto scrostato. C'erano una lucertola e una farfalla tutta arancio. Danzavano. La lucertola girava attorno alla farfalla. E quest'ultima non aveva paura. Ruotava su se stessa. Sfidando la lucertola. Che però non voleva farle del male. Maryam si chiese se si sarebbero sposati dopo quella danza.

«Ehi, bambina, che guardi?».

«Non trovi zia, che quella lucertola sia bellissima?».

«Sì, hai ragione. Credo sia perché cerca qualcuno che le riscaldi le viscere».

«Perché, è fredda?».

«Sì, i rettili sono tutti freddi. Come noi, amore. L'uomo e la donna, siamo anche noi freddi, se non troviamo calore da qualche parte».

«E la lucertola lo cerca nella farfalla, questo calore?».

«Adesso sì, amore, lo vedi come le gira intorno?».

«Ed è lì che lo troverà?» chiese dubbiosa la bambina.

«No. È dentro la sua pancia. La farfalla non ha calore da darle, morirà tra poche ore. Quando la lucertola saprà scaldarsi da sola... ecco, allora saprà anche amare. E non danzerà più quella danza di dolore».

La bambina guardò la zia. Era altissima, la sua zietta. Aveva uno *shas* in testa, come le spose, anche se non lo era mai stata. Le stava tutto sbilenco e pericolante. Dal *burgicco* saliva un profumo di spezie che stordiva. Dentro la pancia della lucertola faceva tanto freddo. E dentro la pancia della zia?

Maryam bambina posò l'orecchio sul ventre della zia. Si bruciò. La zia era calda, bollente.

Giorni dopo la cugina Hibado trascinò la bambina e la vecchia per le strade della città. «Non potete stare a casa a guardare. Dovete entrare anche voi nella storia».

Maryam trovava la cugina Hibado un po' curiosa. Con i suoi vestiti bianchi e quelle cinturone nere. E poi quella politica sempre in testa.

«Ci libereremo. Vedrete. Ci libereremo. Anche se questi filoitaliani vogliono ancora essere schiavi, il popolo non sta più con loro. Ormai crede in noi della Lega».

In famiglia si aveva soggezione di quella ragazzina così entusiasta. Si metteva in piedi sul tavolo e declamava versi alla patria di là da venire, alla Somalia unita e libera.

Erano anni di passaggio, quelli. Dopo la guerra che aveva coinvolto il mondo per le ragioni del Nord grasso, il Sud aveva deciso che non era più il tempo della schiavitù e che si poteva vivere diversamente. Certo, c'è anche da dire che il Nord grasso si era stufato di quel colonialismo, che ormai non gli conveniva più avere quelle terre da sostenere direttamente, che c'erano modi più economici per controllare i popoli e sfruttarli. Quindi dopo quella grande guerra, la seconda, il Nord grasso aveva detto al Sud povero fa' pure quello che vuoi, io non ti ostacolerò. Però non era proprio così. Erano ancora loro a decidere chi doveva essere liberato, in che tempi e con quali modalità. La Somalia sotto tutela. Era stato deciso. Ma i somali non erano tutti d'accordo. C'era la Lega. C'era gente come la cugina Hibado.

«Dove ci trascini, Hibado? Dove ci porti? Dove stai portando la bambina e la vecchia?».

«A manifestare. A manifestare per la nostra libertà. Per i diritti dei corpi e delle anime. Ecco dove sto portando la bambina e la vecchia».

La strada piena di gente. Tutti ai bordi. Come stoccafissi. Scolaresche. Lavoratrici, lavoratori. Il popolo. Si erano messi ai bordi della strada. Ad aspettare. Cosa? L'amministratore fiduciario italiano. Era quello che li doveva comandare per dieci anni. Quello che doveva insegnare la democrazia a loro somali ignoranti. Così era stato decretato in un paese lontano. A New York. In un palazzo tutto di vetro.

Stavano tutti ai bordi della strada. In piedi. L'amministratore italiano stava per arrivare. Bisognava accoglierlo. L'amministratore arrivò in auto e guardò fuori dai finestrini. Non vide altro che il didietro della gente. Culi e schiene, nuche e capelli. Vide solo il dietro, mai il davanti. Al suo passaggio la gente si era voltata tutta dall'altra parte. Lo stava rifiutando.

Hibado stringeva la mano della bambina e della vecchia. Maryam capì che quello non era un gioco, ma una cosa da grandi. Che forse era la storia di cui parlava sempre Hibado.

Sulla via di casa, la zia le raccontò dell'italiano. Non era una bella storia. Perché l'italiano non l'aveva mai fatta ridere.

«Elias mi ha fatto molto ridere» disse Maryam alla figlia, ignara di essere la futura proprietaria di quelle cassette. Detto questo, la donna spinse il tasto STOP. Per quel giorno poteva bastare.

Il padre

La pioggia era tanto che non batteva così.

Il mio vecchio campo di calcio si è coperto di verde. Il mio vecchio campo, quanti goal ho fatto lì. La madre di tua sorella da piccola aveva fatto il portiere. Anche lei giocava in un campo come questo. Era di Buenos Aires. Era bella, molto bella, ma non sapeva di esserlo. Le volevo bene. Ci tenevamo compagnia in un periodo piuttosto brutto. Spero tanto che tua sorella le somigli almeno un po', nella grinta se non altro. E tu, Zuhra, somigli a Maryam Laamane? Lei non amava il calcio, a Maryam piaceva andare al cinema. Ne andava pazza. Era proprio una ragazzina, quando l'ho sposata. Ore e ore a parlarmi di cowboy e indiani dalle lunghe trecce. Gli indiani che adorava e che in Somalia non ho mai capito perché chiamavamo *alibesten.* Ora il mio ex campo di calcio è pieno di ragazzini con il kalashnikov e con la guancia gonfia di quell'allucinogeno per ruminanti, di quel dannato *qad*. Quando ci giocavo io, era diverso. Noi eravamo pieni di spensieratezza. Ora i ragazzi hanno lo sguardo perso. Ogni tanto però, quando la guerra da un po' di tregua, raramente, qualcuno porta una vecchia palla sgonfia. E li vedo fare qualche tiro. A volte sono anche belli.

Il mondo ha voltato le spalle a questi ragazzi, ma dietro le spalle del mondo loro giocano, ignari di essere già diventati grandi.

Chissà se sognano di sollevare al cielo una coppa del mondo e fare un goal come quello di Maradona ai mondiali di Messico '86. Undici tocchi di pallone. Undici magici tocchi, partendo da metà campo e dritto fino in porta. I bambini già adulti ci provano, undici tocchi non sono poi tanti. Gli avversari cadono come birilli. La coppa è vicina, la povertà lontana.

Dietro le spalle del mondo si sogna. Forse anch'io, vecchio, malandato, sogno.

I campi si sono coperti di verde e si aspetta un carnevale che non verrà. Magari venisse e ci portasse via con i suoi baccanali. Nel quartiere fa buio presto. Gli anziani cantano una vecchia nenia. E io mi accingo di nuovo a ripercorrere il nostro passato.

Elias era nato a Mogadiscio, o Xamar come preferiscono chiamarla i somali. È un nome arabo Xamar, deriva da *ahmar*, significa la rossa.

Il nome è stato una casualità. Sua madre, Famey, non è riuscita neppure a dargli il nome. Non lo ha visto. È morta prima di sentirlo emettere il primo vagito. Morte celebrale. Corpo intatto, cervello morto. Il nome, hanno detto le zie, glielo ha messo suo padre. Il giorno della sua nascita, hanno raccontato le zie. Nessuno si ricorda però che cavolo di tempo facesse. Zia Nadifa sosteneva che c'era un vento forte, zia Zahra gli aveva sempre parlato di una pioggia battente, zia Mariam invece serbava il ricordo di un caldo insopportabile. Solo zia Binti scrollava le spalle e diceva: «Ma non ho tempo io, per ricordarmi di una cosa così stupida!».

Majid non ha assistito al parto. Tutti dicevano che era cambiato, con il matrimonio. Tutti avevano notato la piega strana intorno alla bocca e gli occhi perennemente altrove.

«Ah, il matrimonio cambia gli spiriti. Guardate Majid com'è diventato serio. No, non è più un ragazzo ormai».

I commenti erano tutti dello stesso tenore. Le parole che venivano pronunciate di più erano responsabile, saggio, coscienzioso, adulto. Per tutti Majid non era più un ragazzo. Addio agli schiamazzi, alle gioie, alle battute, alle risate. Tutti si erano accorti che Majid non rideva più. A stento piegava la bocca, raramente mostrava i denti. E quelle poche volte era solo Famey a farlo ridere.

Famey… lei non aveva perso la voglia di vivere. Quando le truppe italo-tedesche li avevano lasciati su quella sabbia sofferenti e umiliati, lei gli aveva preso le mani tra le sue. Poi le aveva appoggiate sulle sue vesti sanguinanti. Lui non riusciva a guardarla in faccia.

«Cugina, non sono più un uomo».

«Sarai il mio uomo se lo vorrai… se mi vorrai».

E così lei gli insegnò ad amarla giorno per giorno, senza chiedergli niente in cambio. Qualche sorriso ogni tanto.

Famey sentiva un dolore acuto nel basso ventre. Di notte vedeva gli occhi di quegli uomini bianchi. «L'ultimo era così piccolo». Il piccolo violentatore vomitava latte sopra di lei. Ogni volta si svegliava sudata. Poi guardava Majid e ogni notte si ricordava che era lei quella forte. Lui non sapeva dei suoi incubi, non avrebbe potuto consolarla del resto. Si sentiva ferito nella sua umanità e nella sua dignità. Forse avrebbe potuto passarle una mano sulla testa, come a un capretto. Ma no… Majid non riusciva a fare nemmeno quello. Dopo due anni di matrimonio in bianco, Famey una notte gli disse «Dobbiamo». Lui capì e fecero l'amore come se fosse la tortura peggiore del mondo. La pioggia aveva deciso di visitare Mogadiscio e i gufi tormentavano la notte con i loro versi insonni. Lui non immaginava neppure come avvicinare quel corpo generoso di donna. Vi salì sopra perché gli sembrò naturale. Faticò. Si aggrappò ai seni e le fece male. Lei non si inumidiva e lui non aveva nessuna erezione. Smisero. Lei gli accarezzò la fronte. «Ci riproveremo domani». Ogni sera lui si aggrappava ai suoi seni e ogni sera le faceva male. Niente umidità, niente erezione. Famey era esausta. Dovevano fare un bambino e non ne avevano la forza. Dovevano, per non far nascere chiacchiere. Il passo sbilenco di suo marito si era notato. Doveva generare un bambino. Dovevano farlo insieme. «Un giorno guariremo...» diceva a se stessa Famey.

Un giorno. Le sembrava tanto lontano però.

A Mogadiscio in quei due anni aveva imparato a fare la sarta, e il marito aveva trovato un lavoro da cuoco in una casa di italiani. Era diventato duro per loro vedere uomini con quel colore della pelle. Ogni volta, il viso si screpolava dalla paura. Le mani tremavano e l'orrore riaffiorava. Famey sentiva il suo ventre ingrossarsi e riempirsi di gas. Per giorni poi, non riusciva a mangiare nulla. Poi capirono che non tutti gli uomini di quel colore erano pericolosi.

A Mogadiscio, Famey rivide anche i macinini tanto amati. All'inizio le fecero molta impressione, soprattutto il fumo e il clacson. Poi cominciò ad abituarsi e non le sembrò più una cosa così tanto straordinaria.

Invece trovava straordinari i colori di Mogadiscio. La città era affogata nel bianco. Una distesa immensa di palazzi candidi come la neve, che Famey non aveva mai visto. Il bianco serviva a non far entrare il calore del sole nelle case, le avevano spiegato. Era una sorta di protezione dal tremendo caldo equatoriale. Così diversi dalle capanne marroni che nella boscaglia venivano portate in groppa. I nomadi non avevano mai avuto una casa. Nella boscaglia si aveva uno spazio provvisorio. Per un po' quello spazio era la casa. Si tirava su la capanna, si pregava Dio, si mangiava quello che c'era. Poi di nuovo siccità e un posto da cercare, da esplorare. Così diversa anche dalla sua città di pescatori, fatta di un bianco più sporco. A Brava erano le onde a insudiciare tutto con il loro movimento. Invece nella grande città era tutto fisso, fermo. Le case si trovavano in posti precisi e non si trasportavano.

Nella grande città lei e il marito vivevano con una zia e una moltitudine di gente del loro *qabil*. Avevano avuto una bella stanza, lei ci aveva messo dentro una stuoia e due sedie. Poi il marito, un giorno, aveva portato una rete e un materasso. «Mi ha detto Lugale che su questi ci si dorme. Lugale dice che non dobbiamo più dormire come dei boscagliosi di mare, siamo gente di città ora». A lei il letto non piaceva molto, la stuoia con la sua durezza le sembrava più reale. Invece in quella cosa chiamata materasso ballonzolava come la lingua penzoloni di un dromedario. Si sentiva strana, sopra quella cosa. Però il colore del letto le piaceva. Era rosso fuoco. A Mogadiscio la gente amava molto i colori, forse perché vivevano perennemente in case bianche. Donne e uomini si attorniavano di verde, di azzurro, di rosa, di fucsia. Lei stessa si era comprata uno *shas* variopinto per essere a tono con la moltitudine.

Poi finalmente, un giorno rimase incinta. Il sangue non le scendeva da tre mesi, quando lo disse al marito. Disse solo «Aspetto». Lui non reagì. Ci rimase male, Famey, non era ciò che avevano aspettato insieme per tutto quel tempo? Non era la fine dei loro incubi? Majid era diventato catatonico. Non parlava quasi con nessuno. Diceva solo le parole essenziali. Buongiorno, buonasera. Cosa devo cucinare oggi? Hai comprato la carne? Ci vediamo domani. Come stai? Buonanotte. Dalla sua bocca uscivano solo le parole utili. Niente di superfluo. Niente sprechi.

La sera a casa, si sedeva sulla stuoia dopo la preghiera e sgranava un rosario che portava appeso alla futa. Ogni tanto, quando non era troppo stanco cucinava pure per gli altri. La zia che li ospitava era scandalizzata di vederlo al *burgicco* come una donna. Era scandalizzata di vederlo affettare le zucchine, pelare le patate, soppesare il riso. Era scandalizzata di vederlo sbucciare, nettare, ripulire. Era scandalizzata di vederlo bollire, friggere, rosolare. Era scandalizzata quando lo vedeva preparare, decorare, impreziosire. Era scandalizzata quando lei stessa metteva in bocca quel cibo e lo trovava meraviglioso. Nonostante il rosario, le cinque preghiere, il silenzio figlio della modestia, la zia considerava quel nipote il diavolo incarnato. Iblis in persona. Era troppo donna per essere veramente puro.

Famey lo sapeva che era stata quella zia a mettere in giro le brutte voci sul conto di suo marito. Il passo effeminato non si sarebbe notato se non fosse stata lei a mettere la pulce nell'orecchio degli stolti. Quel bambino che portava in grembo era necessario. Per lui, soprattutto per lui. Allora perché non ci metteva entusiasmo? Perché il suo atteggiamento non denotava il minimo interesse? Lo stava facendo per lui, accidenti! Solo per lui. A lei non importava di avere figli o di non averli. Ormai si sentiva svuotata, voleva solo esaurire le energie, le poche che le erano rimaste... Famey se lo sentiva da quel giorno, che sarebbe morta presto. Forse lo era già, ma rifiutava di ammetterlo a se stessa. «Sciocco, non lo vedi che lo sto facendo per te?», lo rimproverava con gli occhi. Ma lui non la guardava più ormai, come se la faccenda non lo riguardasse affatto.

Quando ebbe le doglie, Famey capì che non sarebbe sopravvissuta a quel dolore. Era immersa nel suo sangue. Affogata nel suo sangue. La levatrice esausta e le zie intorno addolorate. Fu un attimo. L'attimo dopo, Famey era già sparita.

Nessuno badò al bambino. Nessuno guardò nella direzione del fagotto che era Elias. Credevano fosse morto. Già carne putrida. Majid entrò di soppiatto nel luogo del calvario della sua sposa. Dicono che guardò nella direzione della mamma e capì. Poi guardò lui, il fagotto buttato lì con noncuranza. Si avvicinò, gli mise una mano sulla fronte. Dicono che una persona non si ricordi nulla della propria nascita. Però io so che Elias si ricorda della mano di suo padre. Sulla sua piccola fronte. Una mano minuscola, con dita affusolate, sarebbero state pronte ad afferrare la vita se… sì, se non gli fosse stata spezzata la dignità senza preavviso.

Quella mano era calda. Della stessa temperatura del cuore di Elias, che era l'unica cosa viva in quel bambino. La mano scaldò il resto del corpo. Elias ebbe un brivido fulminante. Il corpo si accese di una luce strana, quella che chiamiamo vita. Emise un vagito lungo e profondo. Le zie si scossero dal dolore e accorsero da Elias che non era più un fagotto.

Majid lo guardò e disse: «Lo chiameremo Elias Hayat».

Hayat, il suo secondo nome, un nome da donna.

Hayat, Vita.

TRE

La Nus-Nus

«Perché la tua mamma è bianca?».

Era la domanda che tutti prima o poi rivolgevano a Mar. Da sempre, ovunque. Era il La di ogni conversazione. Agli altri chiedevano il nome, a lei chiedevano del colore. Bianco. Un colore che odiava. Un colore da cui dipendeva. Un colore che cercava sempre come una pazza. Mamma era bianca. Patricia era al di là del bianco.

La prima volta fu Antonio Lorenzetti. La prima volta non si scorda mai. Era in terza elementare. Prima con la mamma erano state a Londra. Lei stava in fissa con Virginia Woolf e per un po' avevano ripercorso le sue orme intorno a Bloomsbury. Ogni giorno sua madre si trasformava in Mrs. Dalloway e si scordava di avere una figlia. Poi di nuovo in Italia e lì la terza elementare... e Antonio Lorenzetti.

«Perché sei nera, se tua mamma è bianca?».

«Ecco sì, perché sono nera?».

«No, me lo devi dire tu. Perché?».

«Non lo so».

«Ma il colore di tua madre non è passato per niente?».

«No, per niente».

«E poi quei capelli sono brutti, sai?».

«Dici?».

«Bruttissimi, Mar. Brutti come la cacca».
«Dici che sono una cacca?».
«Tu sei nera. Negra come gli africani».
«Cosa sono gli africani?».
«Sono dei poveri. Non hanno neppure le scarpe ai piedi».
«Ma io ce le ho le scarpe. E ho anche le calze».
«Ma quando tua madre ti ha trovato non ce l'avevi... eri nuda. Tua madre è bianca, ha i soldi, ti ha comprato le scarpe. E anche le calze ti ha comprato».
«Dici?».
«E poi gli africani muoiono tutti di fame, hanno le ossa di fuori, sono magri magri. Fanno un po' schifo. Sì, tanto schifo. Perché poi puzzano, puzzano tanto. Si lavano solo una volta ogni tanto».
«Perché?».
«Perché la saponetta costa tanto. E l'africano non ha i soldi nemmeno per il pane. Per fortuna qualche volta si arrampica sugli alberi e mangia qualche banana. Gli africani sono come le scimmie, mangiano tante banane».
«Sono buone le banane. A me piacciono».
«Perché tu sei una scimmia. Non vedi che sei uguale alle scimmie?».
«Dici?».
«Sì, sicuro. Se io fossi stata la tua mamma ti avrei messo in lavatrice. Poi avrei usato la candeggina di quella nonna che nella pubblicità dice sempre "Senza STRAAPPP". Così anche gli occhi ti diventavano bianchi».
«Ma gli occhi bianchi non sono belli. Non voglio gli occhi bianchi, io. Farei paura alla gente».
«Guarda che così fai ancora più paura. Io ormai lo so che sei una bambina piccola, ma fuori non lo sanno. E così quando ti

vedono si mettono tutti a gridare. Il nero non piace a nessuno. È come il buio. Io ho paura del buio».

«A me piace».

«Ci credo, tu sei come il buio. Ma la tua mamma non è dispiaciuta che sei uscita fuori negra? Non ha chiesto alla cicogna di riportarti indietro? O almeno di tingerti?».

«No... perché?».

Mar si era sempre chiesta che fine avesse fatto quella canaglia di Antonio Lorenzetti, «Forse si sarà iscritto a Forza nuova».

Mar si guardò intorno. La prof di arabo era una signora grassa con il viso dolce. Ogni volta che segnava una lettera alla lavagna, il suo sedere dondolava materno. Aveva uno di quei baschetti che andavano di moda nel '68. Aveva i capelli di una rivoluzionaria chic. A Mar piaceva il suo modo di ruotare la mano quando scriveva una lettera. Vera arte. Lei dipingeva, non scriveva. Avevano già fatto molte lettere. La *alif*, la *ba*, la *ta*. Le piaceva molto il modo di pennellare la *sad*. Era una bella lettera, la *sad*. Mar si sentiva Michelangelo. Guardò i suoi compagni. Tutti Rembrandt, Raffaello, Picasso, Dalí. Tutti artisti. Tutti presi.

Mar distolse per un attimo lo sguardo dalla lavagna. Fece una circumnavigazione visiva della classe. Interi continenti. In una sola stanza c'era l'Asia, l'America, l'Europa, l'Oceania e sì, l'Africa. Nessuno lì le avrebbe chiesto: «Perché tua mamma è bianca?».

Ritornò al suo foglio. Mimò il gesto della professoressa. Si sentì Leonardo da Vinci in persona. Guardò la *sad* che aveva tracciato sul quaderno. Sì, era proprio bella. Una vera Monna Lisa. Mar sorrise. Per un istante Patricia le aveva dato tregua.

Othman Al Bahri. Sembra il nome di uno di tanto tempo fa. Uno al passato remoto. Sono invece passate solo sei ore dal nostro primo incontro con lui. Solo sei ore, cronometrate, vissute. Però Othman Al Bahri è inesorabilmente già passato per me. Il mio presente è costituito al momento da questa tazza verde scheggiata piena di brodaglia – non riesco a chiamarla caffè, sembra più cacarella – e da uno scarafaggio peloso.

Othman Al Bahri. Nome altisonante. Pomposo. Fastidioso. Di una persona importante, senza dubbio. Mi sta sul cazzo. Ora quasi più di ieri sera. Othman Al Bahri chi sei?

«Io lo so» ci ha detto Malick. Ci ha sorriso con un certo fascino stile Dolce&Gabbana. Un sorriso ambiguo che ha convinto sia me che Lucy. Gli abbiamo creduto subito, anche se lei un'oncia di più. Il sorriso era irresistibile e come tutte le cose irresistibili molto traditore. Malick ha mostrato i suoi denti bianchi alla luna, ha allungato le labbra alla massima estensione possibile e noi siamo caracollate letteralmente ai suoi piedi. Non so se definirlo un sorriso, in verità. Mi è sembrata piuttosto una smorfia indefinita, la sua. Comunque a noi è bastato. Lo abbiamo guardato e abbiamo ripetuto quel suo stesso modo di estendere le labbra. Tutto per dimostrare amicizia. Lo sforzo mi ha causato una paresi facciale. Lucy invece era a suo agio. Però rimane il fatto che Malick ci ha mentito, non lo conosceva questo tal Othman. Dopo ore infatti, di Othman Al Bahri nemmeno l'ombra.

Othman Al Bahri chi è costui? E soprattutto chi diavolo è Malick?

Nel frattempo mi trovo faccia a faccia con lo scarafaggio più grosso che abbia mai visto in vita mia. Stranamente non sto gridando. Non sto dando in escandescenza. Non sto facendo nulla di quello che mi sarei aspettata. Forse sono meno femminuccia di quanto credessi. Lo guardo. Mi schifo. Sorseggio la strana bevanda che ho nella tazza e che non oso chiamare caffè. Poi alzo i tacchi. Con grazia. Il mio pensiero è ancora completamente assorbito da Othman Al Bahri e da ieri sera.

Othman chi sei? Un fottuto condottiero, uno scellerato pazzo, un religioso cagacazzi, un pirata fascinoso o un caso? Sei alto? Grasso? Butterato? E gli occhi come ce li hai, Othman Al Bahri? E il naso? E il resto? Esisti? Sei esistito? Perché ti hanno intitolato questa stradaccia immonda? Nessuno la conosce, sai? Abbiamo faticato a trovarla. Ore. Mi è sembrata un'eternità... un'eternità spicciola, a buon mercato. Forse non dovevi valere un granché, Othman Al Bahri.

Malick ci ha sorriso ieri sera. In realtà ha sorriso a Lucy e ha detto: «Ci penso io», e poi ha aggiunto la frase che nessun essere umano, dotato di cellule allo stato minimo, dovrebbe pronunciare: «Non dovete preoccuparvi di nulla».

In realtà io dovevo cominciare a preoccuparmi quando questo tipo, questo Malick, ha adocchiato Lucy. Eravamo in nave. Che brutta idea andare a Tunisi in nave! Lucy mi aveva detto che ci saremmo divertite, invece ho scoperto che soffro il mare. Ma di brutto, anche! Cioè, mi viene da vomitare, ma trattengo qualsiasi cosa si agiti dentro di me. Una ex bulimica si farebbe conficcare i chiodi nel ventre pur di non vomitare di nuovo. Cioè, piuttosto sto male da cani, ma il cesso non avrà più la soddisfazione di vedere il mio cibo maciullato dai succhi gastrici. Non voglio più sentire quel bruciore che mi taglia in due il petto. No, mai più!

Le onde ballano un frenetico tip tap con le mie budella. Sudo freddo e tremo. Ma non era meglio prendere un trabiccolo volante, Lucy mia? Invece tu hai voluto deviare su Palermo.

«È una bella città» chiusa la conversazione. Prendere o lasciare. Ho preso, amica mia. Ah Lucy, che specialista. La mia amica è una vera campionessa di deviazioni. Un po' come Maryam Laamane. Solo che Maryam ha sempre deviato per schivare l'amore. Quello per me, per mio padre, per Howa Rosario. A un certo punto della vita, chissà quando, ha cominciato a pensare che l'amore fosse una roba sconveniente e non andava mostrato alla luce del sole. Quindi deviava. Prendeva sempre la direzione opposta al sentimento che la coglieva, la direzione opposta a me. Mamma Maryam è sempre stata un'anguilla, inafferrabile, o meglio, ha sempre finto di essere un'anguilla. Perché la sua natura, lo so, è un'altra, lo intuisco dai suoi mezzi sorrisi, dalla sua pelle liscia, dai suoi occhi dolci, dal suo odore di papaia matura.

Lucy non schiva l'amore, di quello si bea. Lei schiva il tempo, lo vorrebbe fermare. Quindi gira su se stessa per non pensarci. Per non guardare allo specchio le rughe che le solcano gli angoli della bocca. Se deve salutare la zia nella casella A, Lucy prima sicuramente finisce in A1 da X e in A2 da Y, se non addirittura in C3 da qualche algebrico sconosciuto. Con Lucy salti le caselle, gli orari, le persone, gli incontri. Salti il prestabilito, il non prestabilito, il certo, l'incerto.

Però non ci si annoia mai con Lucy. Proprio mai, *abadan* (che in arabo è sempre mai). È il suo modo di frullare le cose che è meraviglioso. Ne esce sempre a testa alta. Sempre con delle scarpe nuove ai piedi. Un po' come Carrie Bradshaw in *Sex and the city* – «Mai senza le mie Manolo Blahnik». Quanti cofanetti di *Sex and the City* abbiamo venduto alla Libla! Le donne tutte impazzite per quelle quattro sgallettate americane che scopano dalla mattina alla sera. Ma dove sono finiti quei bei telefilm di una volta, coi sani principi, la famiglia, la vita coniugale, l'animale domestico e la costituzione americana? Aridatece *Vita da strega*. In ogni caso la mia preferita è Samantha, quella che scopa come un uomo.

Comunque sia, all'arrivo a Tunisi ho subito lo shock di un'attesa snervante. Due ore di fila al controllo passaporti. Io odio le file! Mi hanno contagiata i clienti della Libla, che diventano furie se qualcuno non li serve subito. Invece nel porto tunisino tutto era lento. Eravamo in Africa dopotutto, la vita aveva un altro significato. Perché correre, perché accelerare la morte? Mi son detta: «Niente scenate, prendi confidenza con il tempo». Ci ho provato, ma alla seconda ora agognavo ardentemente la Svizzera. Che idea studiare arabo classico! Malsana. Ficcarsi tra arabi perditempo. Agognavo la cioccolata, gli orologi, le banche, l'efficienza. Certo in Svizzera gli immigrati non se la passano bene, ti considerano un parassita, ma la mattina nessuno ti leva un bel *guten Morgen*. Invece a Tunisi, e questo è chiaro appena metti piede sulla banchina, gli uomini ti fanno la radiografia *total body*. Non lo reggo il loro sguardo. Ti spogliano con gli occhi e qualcuno si spinge persino a fare l'amore con la tua pupilla. Non mi piace questo gioco di sguardi. Ho il terrore dell'osceno.

Ora sono qui davanti a una tazza e a uno scarafaggio. Fra un po' ho il test di livello alla scuola. Non voglio finire tra i principianti, ho il mio onore da salvaguardare. Ieri ho provato a ripassare i verbi di media debole, in nave... Brutta idea. Alla fine non capivo se era il mare a farmi stare da cani o quei verbi arabi dalla coniugazione assurda. Poi ho chiuso il libro e ho gridato «Sadici!». Mi sono alzata e mi sono diretta in qualche punto non identificato di quella carretta, smadonnando contro quei pervertiti dei grammatici del periodo classico.

Ho già il test d'ingresso, possibile? Mi sembra solo ieri di essere partita da Roma. Solo ieri. E io che credevo di aver passato un'eternità nel mio letto. Ma in realtà sono rimasta accucciata solo sei ore. Lucy dorme ancora. La sveglierò tra una ventina di minuti. Anzi no, trenta. Dorme così bene la mia stella, sembra una bambina.

Malick ha i baffi. Assomiglia all'Omar Sharif di *Funny Lady*, forse meno elegante e più secco. Ha uno sguardo penetrante. Lucy lo ha accalappiato quasi senza fatica. Ha appiccicato il suo occhio destro a quello di lui e idem con il sinistro. Dopo di che, non si è scollata più. È rimasta lì a spassarsela. Lucy col campionato mondiale di sguardi ci va a nozze. Ci sa fare. Ha presa sugli uomini. Il pupo tunisino non ha potuto far altro che offrirci i suoi servigi di accompagnatore. Era già sotto incantesimo.

«Ma non lo conosciamo, Lucy, e se poi gli salta in mente qualcosa?».

«Nun te preoccupa'. È 'na creatura, che ce po fa'? Lo spezziamo in due, si ce prova».

In realtà 'sto Malick è stata una salvezza. Una vera salvezza. Ci siamo anche perse con lui. Ma è stato un conforto che lui sapesse la lingua. Non che abbia fatto molto, ma almeno era un volto quasi amico. Molto distratto però, il ragazzo. Abbiamo fatto due ore di fila al controllo passaporti. Due ore, manco dovessimo entrare in Israele con la valigia di un kamikaze. In quelle due ore ho pregato qualsiasi cosa per avere un letto. Ero sfatta. Il vomito si agitava dentro di me, il mare non mi lasciava nemmeno sulla terraferma.

Anche Malick sembrava sfatto. Quanti anni potrà avere? Aveva ragione Lucy: è 'na creatura. Avrà al massimo ventidue anni. Lucy se lo stava studiando. Uno sguardo poco materno. Molto porco. Ma... ma... Lucy non puoi! Non te lo puoi certo sposa'. Sì, capisco, è simpatico... e sì, lo so, è proprio bono...

guarda che belle chiappe! Che ben di Dio... sì, ma... non è etico, Lucy, non si fa! Questo è un paese povero, noi veniamo dall'Occidente ricco (pure io che so' negra, qui so' Occidente ricco!) e loro sono comunque Africa. No, ma che dici?! Certo che non sono razzista. Scusa sono *coloured* pure io, ma ammetterai che c'è una disparità economica. Cioè, tu ti compri le Manolo Blahnik, e lui? Ma lo hai visto er pischelletto com'è vestito? Cioè, ha la maglietta di due mondiali fa, è ridicolo quasi. Non sta bene, ragazza mia. Chi l'ha detto? Beh, tutti. Guarda, Lucy, tu ora quanti anni hai? Trentacinque?! Cioè, fammi capire, tu hai sempre trentacinque anni? Nun te movi? Non eri già agli *anta*? No? Mi sbaglio? Certo, che anche tu hai diritto a una dose di felicità. E poi dici che lui non è povero? Mah, sarà...

Il pupo nel frattempo ha fermato un taxi. Ha contrattato sul prezzo. Mi è parso anche di aver capito *kamsa*, cinque... o forse era *kamsin*, cinquanta. Malick nella contrattazione faceva impressione, aveva addirittura cambiato pelle. Era diventato viola. Si era gonfiato, gli si erano rizzati pure i peli dei baffi. Mi ha fatto quasi paura. Poi siamo montate su. Sfatte di stanchezza. I sedili erano tutti bucherellati. Anche a Mogadiscio i taxi erano così mal messi una volta, mi hanno detto. Ora non ci sono più i taxi. Non c'è più nemmeno Mogadiscio.

Malick guarda il tassista e gli ripete il nome della via, la nostra meta, il traguardo, il letto agognato. Othman Al Bahri. Sì, proprio lui, il famigerato. Il taxi ha cominciato a fare giri su stesso. Uno. Due. Tre. Nonostante non capissimo una parola della conversazione tra il pupo e il tassista, è subito apparso chiaro a me e a Lucy che la via non si trovava. Non era il solito trucchetto per far salire il tassametro, anche perché avevamo già contrattato il prezzo e su quella vettura il tassametro non c'era. Era solo la banale tragedia di una via che non si trovava. Mi veniva da piangere. Il mio letto, il mio riposo si stavano allontanando.

Malick ha cominciato a spazientirsi. Da viola è diventato giallo. Ha detto qualcosa di forte al tassista – era pieno di *'ayn*, la famigerata lettera araba che tutti gli studenti odiano. Ho intuito anche qualche *al*, qualche *bi*, qualche *'ala*. «Sto a cavallo» ho pensato «riconosco una preposizione ogni secolo, mi metteranno al primo livello sottoterra con i bambini, gli asini e i cavalli». Nonostante la stanchezza, l'idea del test di ingresso alla scuola mi preoccupava più della via che non si trovava. Forse era meglio andare a fare arabo a Centocelle, allora, anche lì è zeppo di tunisini. È per via della moschea. Mi sarei risparmiata il mal di mare, i soldi del biglietto e il panico. Il prossimo mese libero che mi danno alla Libla mi piazzo a Centocelle, grande villeggiatura!

Era buio pesto. Quasi non mi vedevo le mani. Il taxi era entrato in un quartiere industriale. Tutto chiuso. Un mortorio! «Non può essere questa la zona» dicevo tra me e me. Ho anche guardato Lucy accorata. Ma lei era distratta. Stava appoggiando la mano alla spalla del pupo. Gli stava sussurrando all'orecchio una poesia di Nizar Qabbani, il poeta delle donne. No! Ci siamo perse e quella che fa? Declama poesie all'orecchio di un estraneo. Lucy, svegliati, siamo finite con due sconosciuti in un plesso industriale! Mi sembra quel film sul Circeo, *Il branco*. Ci ficcheranno dentro il portabagagli. Ho paura.

Invece il nostro tassista, che poi era un tipo con una faccia molto buona, ha messo in moto le rotelline del cervello. Ha avuto un'illuminazione. Un suo zio, sposato con un'algerina, viveva nei paraggi. «Lui lo sa!» e ha aggiunto: «Mi pare proprio che abiti in una certa via Othman». Ci siamo fidati (avevamo scelta?). In effetti lo zio viveva in una via Othman, ma non era l'Othman che cercavamo noi. Però anche lo zio ha avuto un'illuminazione. Mi sono preoccupata. E la storia si è prolungata ancora parecchio. Forse un'ora.

Dopo eterno girovagare, abbiamo avuto un miraggio. Una ragazza bionda con una gonna corta. «È un angelo» ho detto a me stessa ormai affranta «e forse ci indicherà la via del paradiso!». Era una norvegese, dopo ho scoperto che si chiamava Michi. Ce l'ha indicata – eravamo a via Othman Al Bahri da ore! Avevamo solo girato in tondo.

Quando ho visto la casupola destinata a diventare la nostra residenza per un mese, mi sono preoccupata. Ma non doveva esserci una camera tipo albergo? Io e Lucy avevamo chiesto una singola ciascuno. Appena entrate, dei volti esterrefatti ci hanno guardato con curiosità. Erano tutti seduti intorno a un tavolo come nell'ultima cena di Leonardo. C'era persino uno che assomigliava a Gesù Cristo. E tra le donne, parecchie potevano farc la parte della Maria Maddalena. Cazzo, Dan Brown. Il Santo Graal. Il femminile sacro. Stavo delirando. Cazzo datemi un letto. Uno qualsiasi. Sono sfatta. Distrutta... puzzo pure. Mi sento una cacca di topo. Aiuto. Help!

Ci è venuta incontro una stanga biondina. Un'aria da russa. Ci ha detto qualcosa in arabo, poi è passata subito all'inglese. Sembrava uscita da Oxford. Un accento limpido, quasi nobile. Mi ha messo in soggezione. Per qualche secondo i miei sensi si sono ripresi, ma la stanchezza era più forte. Mi sono persa in tutto quel biondo made in Serbia. La stanga ci ha accompagnato in camera (doveva essere singola ed era una tripla) e cercava di spiegarci qualcosa. Chi la capiva? Ci ha prestato delle saponette e ci ha mandato a nanna. Nella camera c'era una tipa che ronfava di gusto. Ronfava a tutto volume, accidenti a lei!

Ora mi sono svegliata. Caffè, scarafaggio e rincoglionimento generale. Fra un po' andrò a fare il test di livello.

Ahlan Wa sahlan, salve bambina, questa è Tunisi. *Welcome to an unknown place*.

La Reaparecida

Il passaporto per uscire dall'Argentina me lo aveva dato Enrico Calamai in mezz'ora... minuto più, minuto meno. Ero andata al consolato italiano di Buenos Aires con un'amica di mio fratello Ernesto. Si chiamava Clara. Era una bella ragazza. Di quelle meravigliosamente pure, giuste da sposare. Il viso di Clara era pieno di lentiggini e gli occhi molto grandi. In quegli occhi c'era tutta la sua paura. Anche Clara era un'attivista politica. Come mio fratello, come la Flaca e tanti altri, si spaccava la schiena nelle *villas miserias* delle periferie. La politica consisteva nel dare un sorriso di speranza a chi aveva di meno nella vita. Non era argentina, Clara. Era uruguayana. Era facile accorgersene, era più pragmatica e sensata di noi argentini. Calcolava l'incalcolabile, noi questo non lo abbiamo mai saputo fare. Le cose ci succedono e ci travolgono quasi senza preavviso. Noi argentini abbiamo sempre una certa smorfia di stupore dipinta in volto, come neonati andiamo a tentoni nel buio della vita. Era venuta a Buenos Aires per amore, Clara, e per un po' le era andata anche bene. Una storia edificante, la sua. Che si addiceva alla biografia di una santa martire della causa. Il suo uomo, Miguel, lo aveva conosciuto in un *Cantegril* vicino a Montevideo. Erano stati felici. Avevano fatto progetti. Volevano aprire una scuola per indigenti, lei si stava laureando in filosofia. Solo che non era tempo di progetti quello. Né di filosofia.

Miguel fu preso subito. Risulta tuttora *desaparecido*. Clara non stava con lui quando il suo uomo fu caricato in una Ford Falcon senza targa. Fu avvertita, l'avvisarono – «non tornare a casa se ci tieni al collo». Per mesi visse in clandestinità. Poi per caso la incontrai in una stradina del quartiere Boca. Mi ricordo che era una di quelle strade con i sampietrini. Erano stati gli italiani a imporre quei sampietrini lì. Ora in molte zone sono stati tolti, ma se un giorno ti capita di andarci, *hija*, potrai forse vederne qualcuno anche a San Telmo e a Barracas.

Non la riconobbi subito. Era molto dimagrita. Vaneggiava. Puzzava di sangue mestruale. Era ridotta una larva. Cosa potevo fare? Era uno strano periodo per me, quello. Avevo lasciato Carlos appena sei giorni prima. Gli avevo sputato in faccia, gli avevo urlato la mia frustrazione, il mio odio per lui, per il suo odore, per la sua divisa. Gli avevo urlato quello che per tre anni non ero riuscita a dire, gli avevo detto l'innominabile e avevo goduto del suo orgoglio ferito. Sputai e gridai per ore. Lui immobile, con la sua divisa, indifferente, gelido. Ero interdetta da tutta quella freddezza. Ero stata la sua amante per tre anni. Mi aveva infilato quel pene storto in ogni orifizio, si era appoggiato al mio seno chissà quante volte, e ora non mi diceva nemmeno una parola?

Oh *hija*, quanto vorrei dirti che il mio comportamento, la decisione di lasciare Carlos, di insultarlo persino, era dovuto a una metamorfosi, a un'onestà ritrovata, a un mio percorso politico, a una presa di coscienza della terribile situazione argentina. Oh, quanto vorrei dirti che finalmente il mio orgoglio di sorella, cittadina, figlia, donna, si stava ribellando al sistema. Vorrei dirti che finalmente avevo capito che quell'uomo era marcio, che era un assassino, che era solo un'infame carogna. Vorrei dirti tante cose *hija*, ma purtroppo non posso. Non sarebbe la verità. Mi vergogno a confessarti i reali motivi della separazione da Carlos. Mi vergogno. Ancora oggi, dopo tanti anni, mi sento molto sporca. Sì, Carlos era così che mi faceva sentire: sporca. Mi trovavo a mio agio in quella melma. Temo che mi piacesse anche.

Era stata la gelosia il vero motivo. Lui tradiva la moglie con me e me con svariate donne. Sapevo di non avere l'esclusiva sul corpo di Carlos, non ero l'unica a solleticargli i genitali, a sprofondare nei suoi liquidi. Non ero l'unica. A Buenos Aires c'era una lunga lista di pollastrelle con cui lui si intratteneva. Poi certo lo dividevo con le torture. Infliggere torture ai *montoneros* era in assoluto l'attività motoria che lo eccitava di più. Me lo aveva confessato una sera. Adorava passare la *picana* ai sequestrati, sentiva le sue parti intime farsi vulcano ogni volta che quei poveri corpi friggevano. Provava una sensazione che andava oltre il semplice orgasmo. Provava estasi e furore.

«Torturare» mi disse una notte «mi fa sentire Dio». Da quella notte, dopo il sesso si accendeva sempre una sigaretta come nei peggiori B-movie. Poi mi raccontava della sua giornata all'Esma. Era strano sentirlo parlare delle torture, aveva lo stesso tono bonario che usano le massaie quando preparano ad alta voce la lista della spesa. Mi sono chiesta come mai mi raccontasse quelle sue imprese. C'era il divieto militare. Niente doveva trapelare. Invece lui mi raccontava per filo e per segno ogni suo secondo in quella casa degli orrori. Sapevo com'era fatto l'edificio, i nomi dei «verdi», i militari, chi avevano catturato. Mi diceva tanti nomi. Io cercavo inconsciamente Ernesto. Volevo aiutarlo davvero mio fratello, ma non so perché mi facevo ancora prendere da dietro come una mula. Ero stregata. Non so se chiamarlo amore. Carlos dopotutto non era degno nemmeno di vivere. Figurarsi di essere amato. Mi sentivo squallida accanto a lui.

Però in quei primi sei giorni di separazione sentii la sua mancanza come l'ossigeno. Sentivo anche la mancanza della sua voce che cantava come un ossesso *Oh juremos con gloria morir*, quando mi faceva sua. Per non pensare camminavo, Buenos Aires era una città morta dentro, ma mi confortava lo stesso. La sua bellezza sedava le raffiche del mio cuore ribelle. Fu in quei miei pellegrinaggi boarensi che incontrai Clara. Non la potevo portare a casa, era troppo pericoloso. Le consigliai di nascondersi. Le avrei portato qualcosa da mangiare più tardi. Mi strinse il braccio. Mi impressionai, ricordo. Aveva meno forza di un bambino. Tra sotterfugi e cambiamenti repentini di programma, riuscimmo a sfangarla per un po'. Non sarebbe durata a lungo, lo sapevo. C'era l'Esma dietro l'angolo e se non era l'Esma, era El Banco, oppure Olimpo – centri di tortura disseminati per tutto il paese. A volte sognavo di finirci dentro. Avrei riabbracciato Ernesto e poi avrei sfidato Carlos alla *picana*. Lui mi avrebbe torturata, forse uccisa. Ma ne sarei uscita pura. Mi sentivo sporca, mi sentivo male, mi mancava Carlos. Mi vergognavo di non pensare a Ernesto. Aveva ragione mia madre, quando mi diceva «*No mereces que te llame puta*». Ero senza dignità e una buona puttana almeno quella la conserva. Io cosa conservavo?

Calamai fu la soluzione perfetta. Era un bell'uomo il viceconsole italiano. Aveva un certo fascino mediterraneo che lo rendeva appetibile per un fine serata galante. Doveva essere molto signorile con le donne. Nonostante la sua timidezza, era chiaro che ne aveva avute molte. Per un istante, quel giovanotto sui trent'anni mi fece dimenticare la mela marcia con cui ero andata a letto per tre anni. Quella timidezza, quell'eleganza nei gesti, mi fece intravedere per la prima volta un mondo diverso. Io fino a quel momento ruotavo intorno a Carlos. Dopo quel giorno al consolato, capii che dovevo ruotare intorno a me. Fu una folgorazione. Era bastato guardare una persona pulita dritto negli occhi. Fu come farsi un'iniezione. In poco più di mezz'ora avevamo i nostri bei passaporti italiani.

Del viaggio non ricordo nulla. Ricordo solo la fine. Io e Clara che ci salutiamo con calore all'aeroporto Leonardo da Vinci. Non la vidi mai più. Mi chiedo se ora è felice.

A Roma andai ad abitare dalla famiglia Martino Brezzi. Erano cugini alla lontana di mio padre. Mi accolsero come una figlia. Sapevano di Ernesto. Temevano per me. Mia madre non mi aveva insozzato con gli altri e invece sai, avrebbe dovuto farlo. Quando mi ricordo dei Martino Brezzi mi fa male il pancreas, non solo il cuore. Erano veri comunisti i Martino Brezzi. Credevano nei diritti umani, erano contro le ingiustizie. Erano in sei, Leonardo il capo famiglia, la moglie Marta e i figli Liliana, Luciana e Lorenzo. Tutti piccoli i figli. Io dormivo con Liliana, un'adolescente molto coscienziosa. La notte facevo degli incubi bruttissimi, avevo paura di contaminare quella quindicenne innocente con la malvagità in cui ero avvolta.

Vivevano in un quartiere popolare di Roma i Martino Brezzi, San Lorenzo. Io per non pensare a *mí pesadillas*, i miei dannati incubi, andavo a passeggiare al Verano. Quel cimitero monumentale è stata la mia salvezza in quei primi mesi a Roma. Non volevo vedere la gloria e i fasti della città. Niente Foro, niente piazza Navona, niente Colosseo. Il fasto mi ricordava Videla. Anche quando ci passavo davanti, chiudevo gli occhi. Piazza Venezia poi, la percorrevo come bendata. Da quel balcone aveva parlato Benito Mussolini, non lo potevo sopportare. Pensavo a Carlos, al suo marciume, a Ernesto, alla sua purezza. Solo in quel cimitero riuscivo ad essere me stessa. Sceglievo una tomba a caso. Poi cominciavo a gridare come un'invasata. Gridavo, piangevo, mi dimenavo. Nessuno faceva caso a me, lì. Era un cimitero. Era giusto che la gente si disperasse. Poi ringraziavo il defunto nella tomba che avevo preso a prestito. Mi aveva aiutato come nessun altro.

San Lorenzo è stata fondamentale alla mia sopravvivenza. Fu in una strada di quel quartiere che l'Argentina tornò da me in maniera inaspettata. Lì incrociai Pablo Santana. Era uno del gruppo di Ernesto. Erano andati a scuola insieme, lavorato nelle *villas miserias* insieme, lottato per le stesse cose insieme. Non so perché, ma avevo dato per scontato il suo sequestro. Mai e poi mai avrei immaginato di incontrarlo a via dei Sabelli con una busta della spesa. Il mio *hola* fu sussurrato. Era quasi un lamento. Lui gettò la busta per terra e mi stritolò in un abbraccio che era immenso come quello del Cristo del Corcovado. Mi strinse forte. Un paio di persone pensarono che io e lui fossimo innamorati, pazzi l'uno dell'altra. Era solo il dolore di essere argentini a unirci in quel momento. In via dei Sabelli mi diede le coordinate della sua nuova vita. Mi spiegò che anche lui era uscito grazie a Calamai e mi disse: «Per poco non mi beccavano. Non so ancora come sono riuscito a scappare da quella Ford Falcon parcheggiata lì per me». Poi ogni tanto si astraeva. In quei momenti di penombra si ricordava di Ernesto e di tutti quelli che non c'erano più. «Pilar non sono riuscito a salvarla. L'hanno presa a casa di un'amica. Era incinta di quattro mesi. Nostro figlio ormai sarà nato». Quando parlava di Pilar non voleva pensarla morta. Io dissi poco o nulla. Feci parlare lui. Mi diede appuntamento per il giorno dopo al Cafra, via dei Serpenti. «Ho una sorpresa per te» aggiunse.

Da allora, sono tornata a via dei Serpenti solo pochi mesi fa. A Roma a fine anni settanta era stata la mia base. Stavo sempre lì. Poi dopo ho cercato di ignorare quella via. Troppi dolori stratificati. Sono tornata lì per una cena col mio editore, qualche mese fa. Forse ti ho anche invitata a venire con me. Non ricordo. C'è un buon ristorante indiano. Le *samosa* sono spettacolari.

Invece a fine anni settanta via dei Serpenti era il luogo d'incontro degli esuli argentini. Eravamo tutti fantasmi tristi. C'era il Cafra lì. Il centro argentino antifascista. Da lì si denunciavano i crimini di Videla e dei suoi bastardi scagnozzi. Era da lì che gli esuli cercavano di far sapere al mondo e soprattutto all'Italia quello che stava succedendo. Era un universo variegato. C'erano intellettuali, persone dei movimenti, studenti. Videla lo avrebbe classificato come covo di sovversivi. E forse qualche partito italiano cercò di farci apparire proprio così. Però eravamo compatti. C'erano anche delle riviste che circolavano in quel periodo. A me piaceva molto «El debate», una rivista d'ispirazione marxista.

Strani sovversivi eravamo. Dal nostro aspetto nessuno ci avrebbe classificato marxisti, comunisti. In Italia erano gli anni di piombo. Chi contestava il sistema contestava anche l'abbigliamento borghese. Abiti strappati, capelli lunghi esagerati, barba e baffi da record, corpi di donna in mostra. Noi in Argentina eravamo diversi. Sobri. Casti. Niente eskimo. Niente polacchine. Niente frange. Niente minigonne. Eravamo gentiluomini e gentildonne. Cravatte, giacche, qualche papillon, gonne sotto il ginocchio, capelli corti. Ernesto era così. Mai un capello fuori posto. Lui aveva persino una ventiquattrore, lo faceva sembrare una persona seria, un uomo d'affari. «Che figurino» gli fischiavo io dietro con ironia e aggiungevo: «Sembri uno che va a Wall Street, invece che dai barboni». Lui mi sorrideva con gli occhi. Poi diceva: «È proprio questo che voglio, sembrare uno di Wall Street». Erano in molti a pensarla come Ernesto. L'opposizione non era un abito da indossare, ma un modo di essere. Ernesto voleva farla, non mostrarla.

Anche in esilio nessuno perse quest'abitudine. Erano tutti esageratamente sobri a via dei Serpenti. Niente eccessi. Niente colore. Niente pazzie. Entrando in quel bugigattolo a via dei Serpenti, mi resi conto di quanta sofferenza era stata causata da quei militari pieni di medaglie. Tutti avevano visi tesi, lunghi, stanchi.

Quel primo giorno non vidi Pablo. Lo cercai. Chiesi sue notizie a chiunque. Fu un ragazzo di ventidue anni a dirmi dove lo avrei potuto trovare. Era un bel ragazzo. Anche lui la ruga di ordinanza sulla fronte. Era teso come gli altri. Stava in un angolo con una chitarra. Aveva i capelli molto corti e già si intuiva una futura calvizie. Nessuno dei due si soffermò sui convenevoli. Lui non mi chiese nome e cognome. Io feci altrettanto. Mi mostrò una fotografia, però. C'era lui, un po' più piccolo, sui quindici anni, e poi altre quattro persone. Una ragazza e tre ragazzi. Di loro sì, mi disse i nomi. Me li ricordo ancora. Osvaldo, Roberto, Raúl e Sofia. Non sapeva più nulla di loro. Erano i suoi fratelli. Non mi disse altro, solo quell'odiata parola *chupados*, risucchiati. Osvaldo, Roberto, Raúl e Sofia, scomparsi, probabilmente morti, senza sepoltura, senza una tomba, senza un ultimo saluto. Mi mostrò la foto, poi si mise a cantare. Era tipico di quegli anni mostrare le foto. Succedeva sempre. A ogni incontro, a ogni festa, a ogni iniziativa, ai funerali, ai battesimi, ai matrimoni, ai compleanni, alle pagelle dei figli a scuola, al ritiro del permesso di soggiorno. Ognuno andava in giro con un pacco di foto da mostrare agli altri esuli. Si guardavano vecchi visi in bianco e nero e si singhiozzava in silenzio. A qualcuno ricordo di aver detto delle mie passeggiate al Verano. Un paio di ragazze mi hanno anche imitato. Le incrociavo ogni mercoledì pomeriggio. Ogni volta che ci sfioravamo, ci stringevamo le mani. Erano sempre gelate, anche ad agosto.

Però il primo giorno a via dei Serpenti ricordo che cantai Bob Dylan insieme a quel ragazzo triste. Avevamo fatto un *pastiche* di più canzoni e questo ci alleviò il cuore. Da quel giorno sono diventata una seguace del vecchio Bob.

Io ho sempre amato il tango, però. Gardel era l'unico padrone del mio cuore. Mi piaceva la sua discrezione. A Buenos Aires si diceva che lui non si vantasse mai delle sue conquiste, che non violasse l'intimità delle persone. Un vero uomo, una brava persona. A mamma invece piaceva Ignacio Corsini. Era la stessa storia del River e del Boca. Lei era del Boca per reazione a me, che ero del River. E lo stesso per Corsini, lo cantava mischiandolo al suo fado per fare dispetto a me che amavo tanto Gardel. Però Corsini è stato un grande anche lui. Ma non come Gardel. Ho sempre trovato nella voce di Corsini limiti umani che il grande Carlos non aveva. Era anche un uomo pieno di personalità, Corsini, di pathos. Mi dispiace pensare di aver gettato tanto fango su quella voce melodiosa. Era mamma che mi faceva uscire fuori dai gangheri. Non avrebbe mai ammesso che io, sua figlia, avessi buon gusto. Quando credeva di non essere ascoltata la sentivo canticchiare *Cuesta abajo* di Gardel. Con me lei era sempre così, si metteva una maschera di durezza.

Il tango è stato il mio primo amore. Ma non l'unico. In via dei Serpenti fui iniziata a Dylan. Ancora non lo sapevo che sarebbe stato il tormentone di una vita. Lo avrei scoperto il giorno dopo quella visita a via dei Serpenti.

E sai, la Flaca c'entra.

Sul finire degli anni sessanta Dylan aveva preso una brutta sbornia di country. I suoi sostenitori non ce la facevano più a seguirlo. Era diventato melenso. Aveva fatto degli album che non lasciavano traccia e anche un po' datati. I fan volevano la grinta dei primi anni. Quell'asprezza. Il suo essere scostante con il potere. Ma nessuno aveva il coraggio di chiederglielo. Incuteva timore Dylan, con quella faccia sempre un po' imbronciata. Voleva suonare il suo country. Se ne fregava dei sostenitori. Mollatemi se volete, per me non fa differenza. Era testardo il ragazzo.

Lo è sempre stato. Mi è capitato di sentirlo a Milano tempo fa. Non riconoscevo più le canzoni. Dylan era qualcosa che faceva parte di me. Con quelle canzoni ero diventata onesta. Le volevo cantare. Ricordare la mia voce di allora. Purificarla nuovamente, forse. Ma Robert Allen Zimmerman faceva sempre di testa sua. Non per niente è diventato Bob Dylan. Un ragazzetto di una ventina d'anni mi ha guardata ironico, avrà forse notato la mia faccia sconsolata, chissà. «Bob non le fa mai uguali» mi ha detto «lui cambia tutto dal vivo. Non ripete la lezioncina come le mezzeseghe. Ogni concerto è un evento. Diverso e uguale a se stesso. Coerenza pura, cazzo!». Il ventenne era esaltato. Aveva gli occhi rossi da attesa snervante. Era come un mistico al suo primo sacramento.

Poi la sbornia country finì con gli anni sessanta. Era logico. Tutto è una parentesi nella vita. Robert Allen Zimmerman ricominciò a frequentare il Greenwich Villagge. Si accorse lì che era la Grande Mela, quella città fumosa, la sua vera ispirazione.

Anche a te piace Dylan. Da piccola ti ho cullato sulle note di *Mr. Tambourine Man*. Da mamma ho ereditato una bella voce. Certo non canto il fado, ma forse non mi sono discostata molto. Attingo da fonti antiche pure io. De Gregori (un altro che ti piace tanto) dice che Dylan raggiunge col suo canto latitudini omeriche. Io volevo solo che raggiungesse te.

E sai, la Flaca c'entrava.

La Flaca, la fidanzata di mio fratello Ernesto, la ragazza perfetta, la donna che mia madre adorava più di me. La Flaca. Rosa Benassi. Figlia di italiani. La vidi giorni dopo quel primo incontro romano con Pablo Santana. La vidi in un'anonima strada romana. Stava cantando *Hurricane*. Una canzone di Dylan. Album *Desire*, 1976.

Poi ho scoperto che Ernesto le aveva regalato quell'album per il compleanno. Ma non poterono ascoltarlo insieme. Furono sequestrati prima di scartarlo.

A lei piaceva Dylan. Le piacevano pure Mercedes Sosa e la Baez.

E sai Mar, lei ci danzava sopra.

Howa Rosario da ragazza aveva una lunga luminosa treccia nera. Era forse il primo ricordo che Maryam possedeva dell'amica. Una treccia luminosa. Il secondo ricordo era il naso. Ben strano orifizio nasale quello di Howa Rosario. Dominava la scena come una vecchia étoile della Scala di Milano. Un viso fine quello di Howa. Occhietti da gazzella, bocca da puledra e in mezzo a quelle perfezioni assortite un enorme, mastodontico vortice a spirale. Si faceva quasi fatica a identificarlo come naso. Sembrava quasi un'architettura barocca. A tal punto che Maryam, anni dopo, vedendo a Roma la cupola di Sant'Ivo del Borromini disse *Wa assaga*! È lui. Intendendo il naso di Howa. Quella cupola attorcigliata su se stessa aveva la medesima purezza del naso dell'amica. Lo stesso candore virginale. Maryam ne fu commossa.

I più, però, consideravano quella stramberia in mezzo alla faccia di Howa una disgrazia. Ma era strano, non tutti se ne accorgevano subito. In principio le persone guardavano ammirate Howa. Con la bocca aperta ci si beava delle mille perfezioni di cui Allah l'aveva dotata. In quegli sguardi puro ardore ascetico. Poi irrimediabilmente, quella fede veniva meno. La causa era proprio quel naso ferito. La fissavano per pochi istanti, ma tanto bastava per far loro scuotere la testa e bisbigliare *Kasaro, kasaro*, tragedia, tragedia. A volte alcuni le gridavano *kasaro* solo per condividere una pena segreta.

La causa di quell'orifizio nasale per così dire originale fu un incidente. Di che natura se ne discute ancora. Pareri discordanti sul quando. Avrà avuto sei anni? O forse dieci? Non più di dodici comunque. Però quasi tutti all'unanimità erano sicuri del come. La ragazza aveva affrontato un *ginn* con il rosario, diceva il popolo. Il *ginn* la voleva disonorare, aggiungeva il popolo. E lei si era difesa. A colpi di rosario. A colpi di *Acuudu billahi mina sheydhani rajiimi*, vade retro Satana. Quello era un *ginn* cattivo, cattivissimo, libidinoso e senza scrupoli. Non avendo potuto assaporare la sua innocenza, decise di deturparla per sempre. Per sfizio o per crudeltà. Fu così che la morse sul naso. Affondò i suoi sporchi canini da mostro su quel bel nasino delicato, per il quale la sua famiglia riceveva tanti complimenti. Fu un attimo. E la sua bellezza sparì per sempre senza lasciare traccia, senza nessuna memoria. Un bel trattamento le aveva fatto il *ginn*, e per tutta la vita poi. «E ora voglio vedere se troverai marito con quella proboscide lì». E se ne corse via, pelacci al vento, ridendo a crepapelle. Un *ginn* veramente sadico. «Per questo ha sempre il rosario in mano, come le vecchie» diceva di lei la gente, volevano tutti trovare una spiegazione a quella insolita devozione giovanile. Per questo la storia del *ginn* sembrò plausibile ai più, sennò come spiegare quel rosario? Quell'attenzione alla religione? Ai profeti? Alle preghiere? «Ma divertiti» gli gridava il mondo. Invece lei stringeva al petto il rosario come un'ancora di salvezza. Maryam aveva sempre avuto dei seri dubbi su questa storia del *ginn*. Il naso di Howa certo era molto brutto, orrendo a dirla tutta. Ma il *ginn* le sembrava davvero troppo. «Secondo me è solo caduta da un albero».

Si conoscevano di vista da tanto tempo prima di diventare vere amiche. Erano di Skuraran entrambe e le case affacciavano sullo stesso spiazzo libero. Si dicevano più volte al giorno cerimoniosi *Assalamu aleikum* e se non era la pace sia con te, era un *Wanagsan* qualcosa, buon qualcosa. Buona giornata, buona sera, buona vita. *Wanagsan* sempre, a ogni ora del giorno. Era una cantilena. Quasi non si guardavano, nel pronunciare quella parola colma di cortesia. Erano come macchine già tarate. Automatismi rodati. Howa faceva dondolare il rosario, Maryam invece agitava la mano. Erano amiche e nemmeno lo sapevano.

Skuraran era così lontano. Un tempo troppo remoto, rasentava la leggenda. Skuraran, il loro quartiere. Fu tra i primi a sparire. Ma non fu la guerra civile dei *warlords* a renderlo un cumulo di macerie, fu molto tempo prima la brama di potere di un militare. Era stato proprio il caudillo Siad Barre a raderlo al suolo, con un solo gesto fece sparire Skuraran. Il gesto era lo stesso di Mussolini quando ordinò di distruggere Borgo per fare spazio all'anonima via della Conciliazione. A Skuraran c'erano passaggi segreti, balconi, pozzi, cunicoli, vicoli, archi, nascondigli. Era tutto come le striature sul corpo di un rettile, confuso ed elegante. Skuraran, quante corse si era fatta là Maryam Laamane.

Ma ormai non correva più la gazzella Maryam, ormai era una signora e ora se ne stava seduta nel suo salotto romano intenta a registrare la propria vita. O almeno ci provava. La sua postura davanti al registratore era diventata meno sbilenca, il suo asse era eretto e la testa non ciondolava frenetica da un punto cardinale all'altro. Era più tranquilla Maryam, le mani non sudavano più. Si stava abituando a districare matasse. Le sue e quelle disordinate della storia.

Howa la sua amica di tutta una vita le mancava moltissimo. Ormai anche lei era come il loro quartiere di Skuraran: lontana, fredda, trapassata. Un passato remoto che rasentava la leggenda. «Che Dio abbia pietà di lei e di tutti noi» sussurrò piano Maryam al registratore. Howa Rosario morta. Niente più rosario che penzola al suo fianco, niente più risate, niente nostalgie.

Ora lei, Maryam Laamane era sola. Lo era davvero? No, non lo era. C'era Zuhra. Sì, grazie a Dio c'era Zuhra.

Lei e Howa erano ritratte in poche foto, ma quelle poche erano significative. La preferita di Maryam era quella in cui stava con Howa Rosario e Zuhra piccola davanti all'Hotel Archimede, vicino alla stazione Termini. Erano appoggiate mollemente a un maggiolino color terra. La bambina aveva i capelli ricci scompigliati, le braccia conserte e un vestitino che la trasformava in un'ape operaia, un trionfo di giallo e nero, opera di quel matto di suo padre. La foto all'Hotel Archimede le piaceva. Era stata scattata il giorno in cui aveva ritrovato Howa Rosario. Era per colpa del regime di Siad Barre se si erano perse di vista. Nella foto Howa non aveva più la treccia nera. Era coperta da un foulard blu mare. Era bella. Anche il naso a spirale riluceva come una lampadina al neon.

«Che bel vestito hai!» le disse prima ancora di riabbracciarla.

«Lo ha fatto tuo marito».

Lo sapeva già. Riconosceva lo stile surreale del marito sarto. Forse aveva visto quel vestito già familiare, prima della proboscide di Howa.

Si erano ritrovate a via dei Mille. Ed è da lì, anni dopo, che era ripartito il suo corteo funebre.

Era bella Howa Rosario. Quasi non si notava il naso a spirale.

Skuraran, un'epoca ormai già finita. Si erano parlate per la prima volta nel 1960. Erano diventate amiche in quei nove anni gloriosi di democrazia. Poi si erano perse. La vita, le difficoltà. Ritrovate solo nel 1978. E nel 2006 l'aveva seppellita.

In quel giorno del 1960 non sospettava che il loro sodalizio sarebbe durato così a lungo.

Zia Ruqia, in quel giorno del 1960, le aveva ordinato: «Vai a prendere un po' di *aggin* da *hajiedda* Saida». L'*aggin*, quel lievito burroso che puzzava di chiuso.

Era un giorno di preparativi. Giorno di matrimonio. Chi si sposava? Ma la Somalia intera. Era il giorno dell'indipendenza tanto agognata. L'indomani, 1° luglio 1960, sarebbero stati un paese libero e indipendente. Un paese che poteva dire la sua alla pari degli altri. Niente più padroni. Niente più italiani. Niente più inglesi. Niente più cani a insozzare le loro case. Sarebbero stati liberi. Finalmente. Avrebbero gridato al mondo la loro gioia. E avrebbero issato al vento e al sole la loro bandiera. Che bella bandiera. Uno sfondo blu e una stella. Il cielo. Quello stesso cielo che la rendeva felice ogni sera.

Erano giorni che la città era in piena fibrillazione. Si preparavano discorsi, danze, canzoni. Le donne cucinavano piatti fragranti. Tutti, in quella strana vigilia, sognavano la festa con cui la Somalia si sarebbe sposata con la libertà. Le cinque punte della stella bianca. I cinque territori che componevano quel territorio di aromi e bellezze. Però all'appello mancavano Gibuti, l'Nfd e l'Ogaden. Non sapevano ancora che la riunificazione totale non ci sarebbe mai stata, ma che anzi il territorio sarebbe stato venduto a pezzi al miglior offerente. Però nel 1960 la gente era piena di speranze. Era l'anno della Somalia e dell'Africa intera.

Maryam non pensava ai problemi di frontiera in quel momento. In testa aveva solo la festa dell'indomani. Si incamminò verso la casa di *hajiedda* Saida. Era sempre così, alla fine mandavano sempre lei da questa *hajiedda* Saida. «Sei la più piccola. L'*aggin* è compito tuo». Quella pasta compatta di lievito puzzava; certo, più puzzava, più il composto dell'*ingeera* diventava buono. L'*ingeera* sarebbe venuta magnifica con la dose giusta di *aggin* puzzolente. Ma perché doveva essere proprio lei a sorbirsi per metri infiniti quel nauseabondo odoraccio? Poi la casa di *hajiedda* Saida era triste. Prima c'era quel nerboruto del secondo marito che sbraitava da mattina a sera. Un essere brutto a vedersi. Non le piaceva come la guardava con gli occhi a palla, come se non avesse mai visto una bambina. Però c'era anche la treccia di Howa Rosario e lei si rassicurava subito. In realtà le trecce in quella casa erano molte. Ma solo Howa Rosario l'aveva così bella. Poi il nerboruto morì, da un giorno all'altro, e gli dispiacque meno andare in quella casa. Anche se a dir la verità *hajiedda* Saida era parecchio inquietante pure lei.

Tutti la chiamavano *hajiedda* perché era andata alla Mecca, era una persona da rispettare quindi. Da ossequiare. Non erano tante le donne all'epoca che si potevano permettere un pellegrinaggio nella Città Santa. I più non avevano i quattrini per compierlo. *Hajiedda* Saida era stata ricca con il primo marito. Era un *dubat* il suo primo marito. Anche il padre di Maryam lo era stato. Uno che aveva combattuto con gli italiani. Aveva tagliato la testa a molti, il marito della *hajiedda*. Ogni tanto Maryam si chiedeva se anche suo padre avesse compiuto dei massacri. Si era guadagnato ogni sudato quattrino. Era giusto, nell'ottica di *hajiedda* Saida, fare buon uso di tutto quel sudore. E cosa c'era di meglio se non un bel viaggetto alla Mecca? Qualcuno timidamente faceva notare alla gran signora che quelli erano soldi sporchi. «Ma tuo marito ha ucciso innocenti e poi lo ha fatto per i bianchi...». Lei sputando in terra con disprezzo diceva: «Ha ucciso degli infedeli, dei *gaal*». A quel punto era inutile parlarle, era inutile dirle che non tutti gli etiopi erano *gaal* e che sicuramente i libici non lo erano. «Comunque *hajiedda*, erano esseri umani, no?». Era inutile parlarle, anche perché incuteva un timore reverenziale che ti faceva cagare acqua sporca.

Quello che spaventava Maryam però non era la mole o la sua rispettabilità di pellegrina della Mecca, ma il suo occhio fisso. Era grassa oltre ogni decenza e aveva degli occhi che non si muovevano nell'orbita oculare. Erano di una fissità minacciosa.

Se non ci fosse stata tutta quella carne di donna a testimoniarlo, Maryam avrebbe scambiato la *hajïedda* per una gallina. Stesso occhio fisso. Stessa minaccia. Maryam non le sopportava le galline. Le mettevano angoscia, si sentiva caricata di tutte le ansie del mondo. E forse qualcuna di più. Zia Ruqia la prendeva in giro per quella paura: «Ma guardala così grande e grossa e ha paura di un animale stupido».

«Non è stupido *habaryar*, si vede l'inferno dentro quegli occhi».

«Ma va, che dici! È creatura di Allah come le altre, anzi no... un po' più stupida, però è buona Maryam. È proprio buona da mangiare, anche».

Maryam non mangiava le galline. E cercava di non incrociare mai il loro cammino. Tantomeno lo sguardo. Anzi quello lo evitava come la peste. Avevano un piccolo pollaio nella casa, ma cercava di ignorarlo. Come cercava di ignorare il giorno in cui la zia decideva di tirare il collo a una delle stupide creature e cucinarla per cena. Era anche peggio vederle assassinate. Il corpo si muoveva anche privo di testa. Correva delirante come se senza testa si potesse avere ancora una pallida illusione di vita. Una volta sola aveva visto sua zia tirare il collo a una gallina. Atroce. Mai più, *abadan*! Il corpo del pollo gareggiava per i cento metri piani, veloce come un fulmine. Mentre la testa era bloccata in una smorfia di dolore contratto. L'occhio invece era fisso come in vita. Forse già in vita era cadavere. Ne fu terrorizzata. Non mangiò più le galline.

Oltrepassò la porta di legno: «*Hoodi*! *Hoodi*! C'è nessuno?».

Vide trecce disposte intorno a una cassa e più in alto un Budda nero con un foulard marrone in testa. Il Budda era quasi immobile. Le trecce invece vibravano insieme alle onde sonore provenienti dalla casseruola nera nascosta dai loro corpi. Stavano ascoltando il Corano. Era quasi l'ora della preghiera della sera. Le famiglie si accingevano a mangiare e molti erano persi nei preparativi per la festa dell'indomani. «Si sposa la Somalia. Oh amici cari, si sposa Mogadiscio e la nazione, si sposano con la libertà. Indipendenza! Indipendenza!».

Le sembrava lontano quel primo luglio. Prima c'era l'*aggin* da prendere e poi sì, quella donna grossa da affrontare.

Ciaf, ciaf, ciaf. I suoi piedi minuscoli strascicavano il terreno. Ciaf, ciaf, ciaf. Una percussione gentile.

«Buonasera a te *hajiedda* Saida, mia zia vorrebbe un po' di *aggin* per domani».

«Howa porta un po' di *aggin* a questa signorina» – signorina lo disse in italiano.

«Si fa festa» disse «festa grande suppongo. E tu sai perché?».

Ecco, aveva ragione ad aver paura. L'occhio cadavere da gallina morta le si appiccicò addosso e non la mollò nemmeno per un microsecondo. L'occhio e la mole intera di quella donna esigevano una risposta. Maryam si sentiva persa. Voleva scappare. Volatilizzarsi. Voleva diventare invisibile. Notò che il suo desiderio era di difficile attuazione. Aveva gambe piuttosto lunghe. Un mento importante. Una fronte ampia. Capelli ribelli. Le labbra, poi, incatenavano al suolo, il seno alla sua femminilità esibita.

«Sai perché, bella signorina?» disse il Budda nero in italiano.

Maryam si sentì un fuoco. Bolliva di paura. Sudava anche dai capelli. Nella sua mente quel perché, detto da quella voce di donna, risuonava quasi come una bestemmia. Una cosa che non si doveva chiedere. Era chiaro a tutti il motivo di quella festa, non c'era bisogno di spiegazioni. Erano tutti felici, no? Quel perché fu una crepa. Maryam sentì in un colpo solo sgretolare certezze dentro di lei. «Possibile che questa donna non sia felice?». Non capiva. «Non sei somala? Allora devi essere felice oggi. È il nostro giorno». Voleva dirle questo o almeno qualcosa di simile. Voleva disegnare la forma della loro terra a punta, ballare per renderla partecipe dell'evento e magari abbracciarla per farla sentire tra amici. «Non si chiede il perché di un diritto» le voleva dire. Ma poi non le disse nulla. Anzi non le venne in mente nulla. Al perché bisbigliato con scontentezza, lei contrappose una spiegazione banale, di ordine pratico. Un'evidenza.

Il Budda nero la guardò con sufficienza dopo questa spiegazione. Non era soddisfatta. Lo si notava dal modo in cui le guance si muovevano aritmicamente per il disappunto. Era indignato Budda. E lo faceva notare. A Maryam sembrò quasi che la mole della donna si fosse triplicata. Il suo sé occupava tutti i dintorni.

Maryam si sentì soffocata. Una sensazione assurda di morte.

Il donnone prese la mano della ragazza tra le sue. Maryam notò che aveva una mano gelida. Le fece impressione, quasi quanto l'occhio fisso della gallina. Rimasero così per un po', quasi piaceva a Maryam quella frescura inaspettata nel calore sovrabbondante di Mogadiscio. Poi però il donnone parlò e a Maryam tornò in circolo tutta la paura che sembrava averla abbandonata per un istante. Ogni cosa le faceva paura di quella donna. La mole, lo sguardo, il modo gentile in cui disse: «Vi state ingannando. Tu, quelli che stanno in questa casa, quegli impomatati dei nostri politici, il mondo intero». E poi aggiunse in un sogghigno di maleficio: «Noi siamo buoni solo a obbedire. Ad altro non serviamo».

Poi il donnone cominciò a cantare un vecchio inno di guerra fascista. Maryam non sapeva ripetere le parole, però il ritmo aveva un andamento battagliero che quasi le piaceva. Un due, un due, un due.

Il Budda nero proiettò fasci di luce. Era in piena esaltazione.

Fu in quel momento che apparve Howa. Colpì la madre con il suo immancabile rosario stretto nella mano destra. La colpì mormorando un esorcismo.

«Taci, sciagurata. *Na ga amus*. Taci. Taci» gridò la ragazza con il naso a proboscide.

La donna Budda rimaneva seduta sulla stuoia. Sogghignava. Ad ogni *Audubillai*, antisatana, della figlia, sogghignava con maggiore crudeltà.

Poi di colpo afferrò il rosario della ragazza. E con forza inaudita attirò quel corpo giovane a sé.

La guardò con un certo disprezzo. «Non riesci nemmeno a difenderti da una vecchia come me. Non vali niente» e poi «questa collanina non ti è mai servita a niente. Non ti ha mai salvata».

La ragazza si scrollò di dosso la mole del Budda. Come se fosse un cumulo di formiche moleste.

«Domani è giorno di indipendenza, cara piccola amica» disse Howa Rosario con un sorriso a Maryam. Quest'ultima era interdetta. Non aveva capito che cosa fosse successo tra le due donne, ma trovò tutto molto strano. Howa sorrideva. «Ci vediamo domani» le disse e così fu.

Majid sapeva dove trovarla. Davanti al teatro. Si era fatto accompagnare lì dall'autista della famiglia bianca, un giovane *geerer*, testa crespa, di nome Hussein.

I bianchi erano andati a fare caccia grossa al Nord, sarebbero tornati solo dopo cinque giorni. Mogadiscio era immersa in un pulviscolo rosa che prometteva alle donne fecondità e agli uomini sollazzo serale.

«Quando arriverà volete restare soli?» chiese il *geerer* con aria complice.

«Se non ti dispiace» disse Majid.

Facevano una commedia spassosa al teatro. Il titolo era già tutto un programma, *Sirrey*, ingannatrice. Storia convenzionale: madre che truffa un povero commerciante facendogli sposare la più brutta delle figlie. Le risate del pubblico si sentivano già da fuori e Hussein, pur non afferrando nessuna parola nitidamente, partecipò dello spasso generale agitandosi e ridendo come un pazzo. Majid invece non rideva. Lui non rideva mai.

«Dove si portano le donne oggigiorno?» chiese.

«Mai portato fuori una?».

«No, mia moglie, che Dio abbia pietà della sua anima, era mia amica da bambina».

«Le donne qui si portano da Ferzal, l'indiano. Quello con il turbante in testa, il sik. Lui non fa caso a chi entra. Non fa domande. Anche gli italiani portano là le loro *shermutte*».

«Ma lei non è una *shermutta*, anche se...».

«Anche se?».

«Niente! Non è una puttana. Punto e basta».

La gente cominciò a uscire. Tutti avevano un'aria spensierata. Per un po' la *ruvaiad* e le peripezie della mamma e della figlia brutta avevano preso il sopravvento sulla realtà. La vita era difficile, ma quella finzione rendeva tutto più sopportabile.

«Che fesso quel Murid» diceva una ragazza.

«Sì, proprio un gran fesso» faceva eco un'altra. «È da stupidi farsi infinocchiare in quel modo. Una vita con quella racchia di Faduma... lo compiango quasi».

«Oh povero, imbecille Murid» ridacchiava un ragazzetto dallo sguardo miope.

Era tutto un chiacchiericcio, tutto uno sparlare. Si rideva di Murid, della mamma e della ragazza brutta. Ma la *ruvaiad* si trasformava poi in una realtà quotidiana. La madre prendeva le forme di una madre reale, quella grossa che aveva il banchetto del pesce a Xamarweyne. «Dai, quella lì che sputa ogni volta che pronuncia la parola mare. Dai, come non ti ricordi? Quella che ha la figlia dai denti grossi e sgraziati». La commedia si trasformava così in vita e il chiacchiericcio in pettegolezzo.

Majid fu colpito dai profumi che emanavano quelle persone. Un misto di gelsomino, sudore e cipolle crude. Era gente che aveva faticato e che probabilmente sarebbe tornata a faticare a breve. Quell'odore era un po' anche il suo. Nella cucina dei bianchi anche lui era un po' gelsomino, un po' sudore e un po' cipolle crude. Però era anche frattaglie, melanzane, mango, caffè tostato, mandorle. A volte sapeva di aglio e altre di pomodorini freschi. Nella cucina dei bianchi il suo odore era forte, assoluto. Nella cucina lui si amalgamava all'aria e la vinceva. Invece davanti a quel teatro di quartiere, il suo odore era un nulla che si perdeva in quel paradiso olfattivo.

Poi sentì un effluvio mai notato.

«Mi sembra latte» disse tra sé Majid. Ne fu contento. E sorrise sotto i baffi. Solo in quel punto a volte riusciva a ridere. Forse perché il sole non lo guardava in faccia.

Non era latte comunque, era Bushra. Bushra, sua cognata, o come veniva chiamata dai più, *Ebleey*, la licenziosa. Era bella Bushra. Indossava un saio verde che non rendeva giustizia alle sue forme e anche il suo passo era senza pretese, quasi nascosto. La gente procedeva spedita accanto a lei, tutti avevano fretta di ritirarsi, di scomparire. Invece lei indugiava sulle sensazioni che le aveva lasciato la commedia. Era l'unica che non rideva. Il suo sguardo era perso in un universo remoto. Quasi finto.

Il cielo era limpido a Mogadiscio, la notte calda e le stelle grandi come cocomeri. Il rosa ammantava di fasci abbaglianti il blu terso della città equatoriale.

«Allora vado» comunicò Hussein, l'autista «torno tra mezzora. Ti basta mezzora?».

«Me la farò bastare. Ora va… sbrigati, sta arrivando».

Hussein si dileguò senza farselo dire due volte. La sua ombra scomparve repentinamente dietro la direzione della luna.

Majid restò solo con i suoi pensieri. Tra un minuto lei sarebbe stata parallela alla sua anca. Tra un minuto. No tra cinquantanove secondi già. Cinquantotto. Cinquantasette. Era poco il tempo che lo separava da lei. Era venuto lì con un proposito. La doveva fermare e poi? Poi cosa? Si era scordato già tutto. Aveva un piano prima di uscire dalla casa dei bianchi. Un disegno preciso, senza scuse, niente tentennamenti. Aveva anche le scene in mente. Sapeva come l'avrebbe fermata. La sua mano avrebbe solcato delicatamente l'aria, niente oltraggio quindi, niente volgari pacche sulle spalle. Non voleva toccarla, mancarle di rispetto, violarla. Voleva solo fermarla, destare la sua attenzione, parlarle. Questo suo gesto avrebbe spostato l'aria, quel poco che bastava a farle venire un po' di pelle d'oca alle braccia. Brividi e poi quella testa rialzata di donna. Il suo sguardo di gazzella che incontrava il suo di uomo. E poi lui le avrebbe fatto il discorso che si era preparato da più di dieci giorni. Le avrebbe chiesto la sua mano e lei avrebbe pianto dalla gioia. Bushra sarebbe stata sua. Tutto secondo programma.

Era facile, doveva solo fare i gesti giusti, dire le parole giuste. Il resto sarebbe venuto da solo. Il resto erano le lacrime di Bushra, la felicità di Bushra, la gratitudine di Bushra.

Il resto era lui che si gonfiava di orgoglio. Si sarebbe sentito un po' uomo quella sera e sì, forse avrebbe dormito un po'. Dormiva sempre così poco e quel poco era funestato dagli incubi. In tutti i suoi deliri notturni vedeva la faccia di quel fascista che lo aveva spezzato. Sentiva quella sensazione di bollore che gli aveva trapassato l'ano. Sentiva sempre quel caldo orrendo. Quel bagnato. Quella schiuma dentro di sé. Sentiva il battere ritmico del pene del fascista dentro di lui. Poi sentiva la vergogna. Sentiva tutta la sua virilità perdersi nell'oscenità di quel momento. Vedeva poi i suoi sfortunati compagni di viaggio. Soprattutto vedeva il cadavere di quel disgraziato che era stato ucciso. Mentre il fascista lo traforava, Majid pensava: «Come avrei preferito essere lui, il morto».

Però in quel momento l'idea di fare una dichiarazione di matrimonio lo rendeva l'uomo più felice della terra. Con Famey non c'era stato bisogno di una dichiarazione. Erano ormai uniti da quel dolore indicibile. Era logico unirsi. Lei non avrebbe avuto pretese e lui nemmeno. Avrebbero potuto continuare quel matrimonio in bianco tutta la vita, a lui non mancava nulla. Lavorava e aveva la compagna di sventure accanto a sé. Era difficile andare avanti a volte, ma la cucina gli placava i ricordi funesti. E Famey con il calore del suo abbraccio pure. Lui invece non era altrettanto affettuoso con lei. Non riusciva ad abbracciarla, non riusciva a baciarla, non riusciva nemmeno a parlarle. Non gli andava più di parlare, in realtà. Prima di quella corriera maledetta era stato un chiacchierone, divertente, irriverente quasi. Invece dopo, niente era stato più lo stesso. Non c'era più niente per cui valesse la pena di vivere e quindi ridere. Era diventato serio, spento, un vegetale catatonico.

Però ora c'era il bambino. Non voleva saperne all'inizio di quel bambino. «Non è roba mia» diceva tra sé. Certo aveva infilato una parte del suo corpo in quello della moglie, ma lui non c'era. Era solo il suo organo a muoversi, non la sua volontà. Non si era nemmeno tanto mosso dentro di lei. Aveva fatto qualche piccolo movimento circolare e poi era venuto subito. Era già stato difficile drizzare quella sua appendice di mascolinità, ma chiedere pure di godere era davvero troppo. Anche alla moglie del resto non era piaciuto tanto quel dovere coniugale. Lo avevano fatto un po' di volte e poi lei finalmente era rimasta incinta.

«Non è roba mia» disse a se stesso fino al giorno del parto.

Majid non lo voleva. Non era cattivo, ma era un uomo distrutto, ferito quasi mortalmente. Era deciso ad esaurire la sua vita, non aveva una gran voglia di vivere. Stranamente non aveva nemmeno tanta voglia di morire. Quando vide il figlioletto immerso in quel sangue di donna e gli sfiorò la pelle, fu immediato capire che la sua vita aveva ancora un po' di senso, perché di fatto quel bambino era roba totalmente sua.

Era per il bambino che stava lì a quindici secondi da Bushra. Era per il bambino se aveva ripassato a memoria il discorso per chiedere la mano di Bushra. Era per Elias che lo faceva, Zuhra mia. Lo amava molto quel figlio non voluto. Voleva per il figlio una vita liscia, senza ostacoli, senza umiliazioni.

Non voleva che Elias, suo figlio, potesse diventare oggetto sessuale nelle mani di un bianco sadico. Per questo gli insegnò dall'inizio che «difendersi è la prima cosa». Voleva per Elias autonomia e forza. Era suo figlio, non lo poteva ignorare, non lo voleva ignorare.

Ma un bambino piccolo ha bisogno di una madre, si disse un giorno. Di madri aveva solo l'imbarazzo della scelta. Erano tutte pronte a prendersi cura del figlio della povera, giovane e sfortunata sorella Famey. Tutte pronte a dimostrare a Majid che il bell'Elias sarebbe stato più felice con loro piuttosto che con le altre. Le donne cominciarono ad accapigliarsi, a minacciarsi quasi. Volavano insulti, e tra Binti e Zahra volò anche qualche pugno sotto la cintura. Invece zia Bushra non entrava in quelle dispute. Aveva detto: «Io no, ne resto fuori». È proprio per questo che a Majid sembrò lei la più adatta.

Era una vedova, Bushra. Si era sposata e dopo due mesi il marito Hakim aveva tirato le cuoia, tranciato di netto da uno dei macinini che piacevano tanto a Famey. I pezzi del suo corpo furono raccolti tutt'intorno. Le braccia erano decollate in due direzioni diverse. Il torace era rimasto schiacciato nella sabbia e la testa finì in uno di quei ristoranti per soli bianchi di cui era pieno il centro di Mogadiscio. A Hakim piacevano molto le donne, secondo tua zia non è un caso se lo raccolsero in grembo a una *gaal* bionda dal petto generoso. La testa di tuo zio finì proprio nel solco del seno della donna. Riuscì anche a sentirne l'odore: Ater Nuura, il profumo più comprato dalle donne di Mogadiscio. Zia Bushra sosteneva di aver intravisto un mezzo sorriso malandrino sul volto del marito morto. Anche il fatto che il pene fosse in erezione non era certo un particolare trascurabile per tua zia. Fedifrago, traditore, lo era sempre stato. Si cercò di rimettere insieme i pezzi alla bell'e meglio. Qualche parte mancò all'appello. Forse era stata già digerita dai vermi o brucata per errore dalle capre. Per esempio fu vana la ricerca del naso. E dell'orecchio destro. Però l'essenziale fu ricomposto. La testa malandrina, il torace, il bacino, le gambe, il collo, le braccia, il cazzo in erezione. Fu lavato, accudito, profumato. Fu avvolto nel sudario. Seppellito con l'onore decretato alla sua simpatia. Era molto simpatico, zio Hakim, raccontava certe storielle che ti avrebbero sicuramente fatto sorridere per la loro arguzia, Zuhra mia. Tutti piansero al funerale. Era tutto un frignare e un battersi il petto. Una parata del dolore. Erano venuti anche dalla boscaglia per piangerlo. Tante donne soprattutto. Donne a cui tuo zio si era concesso interamente nel corso della sua breve vita. C'erano anche un paio di *gaal*, cosa che sorprese quasi tutti i presenti. Piansero tutti, in varie forme. Pianto sostenuto, pianto inconsolabile, malinconico, commosso, isterico, nostalgico. Solo tua zia non pianse. Non versò nemmeno una lacrima. Si dice invece che rise molto. A crepapelle. A onor del vero due lacrimucce le spuntarono, ma era perché non riusciva più a trattenere la forza di quella risata. Ancora adesso la gente si chiede perché tua zia si comportò così. Non era decoroso per una vedova. «Poverina» disse qualcuno «il dolore le ha dato alla testa», e fu giustificata. Si racconta nel rione che la zia rise ininterrottamente per un mese e mezzo. Poi smise e non rise più. Il che per gli abitanti del rione fu ancora più sconcertante. Si erano abituati ormai a quella cascata cristallina che scendeva dalla gola di quella donna particolare. Poi era così bella quando rideva, così leggiadra.

Fu al quarto mese di gravidanza che il rione seppe la notizia. Bushra era incinta. Fu al quinto mese che Bushra si rese conto di avere in grembo un cadavere. Quando nacque gli diede il nome del marito. Il gesto fu apprezzato. Il bambino però era nato con una malformazione grave. Fu portato da sciamani e persino da un dottore per bianchi. Nessuno ci capiva nulla. Bushra si rassegnò a veder morire la creatura. Gli accarezzava la testa e gli sussurrava parole che erano otri pieni di dolcezza. Quando il bambino morì era piena di latte. Le colava a litri dal seno, come nel mese delle piogge torrenziali.

Era quel latte di donna che aveva stimolato le appendici nasali di Majid. Quel latte sarebbe servito al suo piccolo Elias. Tra cinque secondi le loro due anche sarebbero state parallele. Voleva quel latte Majid per suo figlio. Era disposto a sposare quella donna. Non ne aveva paura, era così bella, così soave. «Non ti far ingannare, Majid» lo consigliò suo cugino Warsama «quella ha cinquecento vite. Si può trasformare in donna, ma la notte, ricordati, è uno scorpione che rende inattiva la nostra forza, il nostro pene. Stai attento, Majid. Lei è una strega. Ti taglierà le palle e le riverserà in qualche immonda mistura. Vuole rubarti l'anima Majid, stai alla larga da lei, che Dio la stramaledica».

Il cielo si stava annuvolando. Forse la prima pioggia della stagione avrebbe allietato presto tutti loro con gocce solide e abbondanti. Era passato il minuto. Le loro anche erano parallele. Doveva parlarle subito, rompere ogni indugio. Era il vuoto intorno a loro. Il pubblico della commedia si era ormai diradato. Erano soli lui e lei. Un uomo e una donna. In mezzo, una dichiarazione. Un bambino.

Doveva rompere gli indugi, doveva farlo per il bambino.

«Mi vuoi sposare Bushra?».

Non la salutò nemmeno. Non le disse ciao, buongiorno, buonasera, come stai. Saltò i convenevoli e ogni minima regola di decenza. Non le diede il tempo nemmeno per respirare. Per pensare.

«Ci hai pensato bene?» chiese stupita la donna.

«Sì» disse con tutta la forza che aveva in se «è l'unica soluzione».

«Ma lo sai che dicono di me?».

«Sì lo so» disse lui senza titubanza.

«E tu ci credi?».

«E tu?».

«Io?» fu sconcertata da quella strana domanda. «Io cosa cugino?».

«Credi alle voci su di te?».

«Non essere ridicolo».

«Ecco hai rispoto tu. Non essere ridicolo».

«Mi chiamano *Falley*, la strega. Dicono che ho ucciso mio figlio. Ti rendi conto? Dicono che era un mostro perché io non ho giaciuto con mio marito Hakim, ma con un demonio. Era lui ad andare con altre donne, sempre, anche con due *gaal*. E ora sono io l'adultera. Mi condannano di una *Zina*, di aver avuto rapporti sessuali fuori dal matrimonio, che non ho nemmeno solo pensato. Lapidatemi, ho detto al mercato, se siete sicuri che io sia andata a letto con un demonio... dimostratemelo. Sono rimasti tutti zitti. Ma le loro parole continuano a uccidermi. Non si fermeranno mai. Se mi sposi diranno peste e corna anche di te. Reggerai?».

«Sì, voglio una mamma per il mio bambino e voglio serenità».

«D'accordo cugino».

Fu così, Zuhra mia, che Bushra divenne la mia nuova mamma.

QUATTRO

La Nus-Nus

Il fumo gorgogliava dentro l'arghilè di ferro. Mar tirò a sé il lungo bocchino e aspirò avidamente. Il sapore di tabacco misto all'aroma di mela la faceva sdilinquire. Si sentiva soffice e morbida. Trasportata in una dimensione parallela. Peccato non avere della buona erba, fumata in quel modo doveva avere un effetto mille volte più potente.

I suoi compagni di fumo erano molto simpatici. Era stato uno svizzero di nome Thomas a proporre quella gita estemporanea. Avevano preso la Tgm, lo storico trenino di Tunisi, e si erano recati a Sidi Bou Said. «C'è una terrazza splendida!» aveva detto lo svizzero. «E poi la *chicha* va fumata in un bel posto». Ne sapeva di cose, quel biondo. Era stato un anno e mezzo in Egitto, ne aveva tante. Mar lo trovava buffo. Era un ragazzo molto bello, quasi da innamorarsi. Se non fosse stato per il chiodo di Pati, forse chissà, avrebbe pure potuto lasciarsi andare. Era da poco in quello strano paese e già sentiva tutti i suoi sensi sciogliersi. Thomas lo trovava bello. Era già qualcosa. Era tanto tempo che non trovava bella la gente. Poi la faceva ridere. Buffo. Soprattutto quando parlava dell'Egitto. Ogni volta che pronunciava la parola Egitto il corpo dello svizzero assumeva una posizione solenne. Il petto si ergeva, le sopracciglia si alzavano, la voce diventava più profonda. Sembrava l'inizio di una leggenda: «Una volta in Egitto un'iguana...». E se non era un'iguana, era un commerciante grasso, una prostituta pura, una sposa indecisa. Persone che diventavano improvvisamente icone, cariche di un significato grandioso. Oltre a Thomas, c'era una ragazza tedesca dai capelli di uno strano colore verde acqua, un paio di norvegesi, un nutrito gruppo di italiani del Nord. Molti di loro vivevano nel suo pensionato, per questo avevano fatto amicizia. Della sua classe c'era solo una signora inglese mezza pazza, che pretendeva di studiare in quella giornata così bella. Quanto ad arabo stavano tutti messi meglio di lei, ma non le importava. Anzi, avrebbero fatto loro le ordinazioni.

Aveva chiesto una *citronade*. Qualcuno le aveva detto che faceva bene allo stomaco. Che arginava le diarree che di sicuro sarebbero arrivate. Era un brutto momento per pensare alle diarree. Era un così bel posto. C'era il mare, la terrazza bianca, la gente seduta a squadrarsi. Non so, era un pensiero molesto quello dello stomaco, una cosa a cui non voleva certo pensare in quel momento. Era Patricia quella legata al corpo, alle sue funzioni fisiologiche. Era capace di parlare ore di come la sua cacca galleggiava nel water. Disgustoso!

Ogni tanto Mar si sforzava di ricordare perché quella donna le piacesse tanto. Patricia non era bella. Vestiva pure male. Portava sempre jeans e maglietta. Strane scarpe scure e usava un profumo al papavero che lei mal tollerava. I capelli erano degli spaghetti dritti senza spessore. La frangia sporgente in avanti la faceva sembrare un manichino in rottamazione. Certo aveva quella pelle così bianca, così simile a quella di sua madre.

Mamma, dov'era finita mamma? L'aveva intravista al caffè al mattino, in compagnia di una ragazza nera come lei, smunta e altissima. Capelli corti, aveva notato, e una certa eleganza nei movimenti. Le faceva strano vedere sua mamma in compagnia di un'altra negra. Sembrava quasi che stesse con lei, ma con qualche differenza sostanziale. Sua madre rideva, era rilassata e anche la ragazza nera rideva spensierata. Quando Mar stava con sua madre non rideva mai e di certo neppure lei.

Tutti le dicevano che era una fortuna avere una madre così. «Che bello Mar, avere una mamma che scrive, non sei orgogliosa di lei?». Orgogliosa? Non aveva mai capito la funzione di quella strana parola. Cosa significava? Cosa doveva rappresentare nella geopolitica del suo essere?

Per capire sua madre doveva leggerla. E anche così, non la capiva un granché. Aveva letto il suo primo libro, *Calle corrientes*, per cogliere qualcosa del suo passato in Argentina, ma niente, anche in quelle poesie non c'era scritto niente in fondo, solo immagini astratte di un dolore che non voleva condividere. Per anni aveva cercato in quelle poesie date, amori, dolori, paure, incubi. Si trovava invece davanti a un quadro surrealista di Dalí, tutto andava interpretato e forse niente capito. Non aveva mai provato a chiedere qualcosa, nemmeno da adolescente. Sapeva dello zio *desaparecido*. Sapeva che erano venuti a prenderselo con una Ford. I militari avevano avuto in dotazione dal potente zio Sam quelle macchine e una montagna di armi. Mamma non le parlava delle sue amiche di allora, della musica che ascoltava, dei film che vedeva. Non le parlava di cosa faceva per divertirsi, di quali vestiti indossava. Non le parlava mai dei suoi nonni. Il nonno era morto prima che lo zio fosse caricato in una Ford, mentre la nonna era morta dopo. Lei aveva sedici anni, quando qualcuno telefonò a casa per comunicarlo a sua madre. Lei le disse solo: «*La abuela se murió*», l'espressione del viso non cambiò mai. Le fece impressione. Chiuso il caso della nonna. Nessuno ne parlò più. Mar si ricordava solo una foto della sua *abuela*, aveva un naso importante e delle sopracciglia distanti. Non sapeva più niente di sua nonna. Tutto un fottuto mistero, come il resto della congrega. Odiava quella parola abusata da tutti: famiglia. Che senso aveva per lei? La sua famiglia era sua madre. Il confine, il suo viso di donna. Per un breve periodo la sua famiglia era stata anche Patricia. Il padre era un dongiovanni scomparso chissà dove, lo zio uno torturato dai militari e la nonna aveva sopracciglia distanti. Non era molto per formare una famiglia. Non molto.

Mar cominciò a guardarsi intorno. Era strano quel bar. La gente era sistemata in modo che gli sguardi andassero a sbattere l'uno contro l'altro. Quella terrazza era un posto dove la gente guardava e si lasciava guardare. Era un gioco condito di *chicha* e tè alla menta. C'erano coppie regolari, giovani tornati dalla Francia (o dall'Italia?), ragazze da marito accompagnate dai fratelli maggiori, turisti in divise sgargianti, uomini d'affari di qualche altro paese arabo, qualche africano delle ambasciate. Tutti guardavano al di là dello spazio concesso. Chi aveva un marito guardava gli altri uomini, chi aveva una moglie pure. Si scherzava con il fuoco senza bruciarsi. C'era il perbenismo dei vestiti costosi, dei veli merlettati, delle scarpe *made in Italy*. Poi quegli sguardi desiderosi di trasgressione a buon mercato. Gli uomini si lanciavano sulle turiste non accompagnate. Erano sfacciati, quasi osceni. Le turiste compiaciute. Non era un bar, era un palcoscenico. Oggi si recita a soggetto.

Sorseggiò la *citronade*. Attimo di assenza di angoscia. Quasi felicità.

Poi arrivarono quei tre ragazzi. C'era anche Patricia con loro. Una Patricia in carne, ossa, sangue e materia cerebrale. Una

Patricia bianca come la panna. Il suo nome era Katrina, come l'uragano che aveva spazzato via New Orleans. Il nome faceva rima con latrina.

La vacanza cambiò il suo corso.

La Negropolitana

Oggi ho conosciuto Miranda. Donna supermegaultraiperstrepitosa... straordinaria... clamorosa!

Ok... Ok... ho il fiatone, sono emozionata. Finisce che mi torna su tutto il kebab che ho mangiato a pranzo. E ancora non mi rendo bene conto di tutto quello che mi è successo. La giornata intera è stata fuori dal comune. Di solito non mi capita di incontrare gente così alla Libla. Neppure nella vita fuori della Libla, in realtà, capita spesso di imbattersi in una Miranda. Questo essere meraviglioso vive nella mia città. Nella Roma capitale d'Italia e mai che io l'abbia incontrata o solo sfiorata. Dire solo Miranda non le rende giustizia. Anche quella sgallettata rossa di *Sex and the City* si chiama Miranda, ma questa è tutta diversa. Una seria, una vera donna. Basta dire il suo nome per intero. Miranda Ribero Martino Gonçalves. Mica robetta. Mi ha guardata con quei suoi occhi verdi e mi ha detto: «Chiamami Miranda, *nena*». La sua voce è come il miele, una cantilena dolce. Culla per chi l'ascolta. Un po' dipende dal fatto che è argentina, di Buenos Aires. Gli argentini a me sembrano tutti cantanti. Non parlano, saltellano tra le note. Simpatici, gli argentini.

Era seduta vicino a me al test di selezione.

Gran casino questa Bourguiba School. E gran casino il test di selezione. La gente sembrava impazzita. Chi si cercava, chi si agitava, chi si perdeva in mezzo a tutta quella epidermide in mostra. Io ho salutato Lucy all'ingresso. Lei aveva il suo test al primo piano, io invece al terzo, aula 19. Mi sono avvicinata alla scalinata. Sembrava la processione di una Madonna del Sud, tipo quella del Carmine. Andavamo tutti a passo di lumaca. Ci ho messo un'eternità a fare tre rampe di scale. E che scale, mortacci! Tutte storte e sbilenche. Di uno scivoloso, poi! Se non ci fosse stata tutta quella gente a farmi da cuscinetto, sicuro sarei caduta come al mio solito.

Entrata nell'aula 19 ho notato subito le facce preoccupate. Anch'io ho assunto un'aria preoccupata. Anche lievemente corrucciata. Dopotutto dovevo fare un esame, no? Agli esami mi sono sempre cagata sotto. Nel vero senso della parola. Mi ricordo che la più grossa me la sono fatta per glottologia, non c'ho mai capito niente di Saussure e avevo anche un maledetto corso monografico sul dialetto della Basilicata. Una tortura da inquisizione spagnola. Avevo una confusione in mente e la pancia non era da meno. Ho fatto un macello nel cesso. Alla fine ho preso 30 a quell'esame, ma di Saussure continuo a non capirci niente.

Mi sono buttata come una zavorra su una sedia malridotta e ho aspettato che succedesse qualcosa. Mi sentivo un po' sola in quell'aula. Nessuno con cui parlare. Ovunque giapponesi che trafficavano con il palmare e gente ficcata col naso tra i libri. Mi sono sentita tanto donna della preistoria: avevo solo una biro e un misero blocco. Libro di grammatica araba, nemmeno l'ombra. Preistorica e anche un po' somara. Mi avrebbero rimandata a studiare l'alfabeto, me lo sentivo, con i bambini e i principianti.

Poi è entrata lei. Una gonna zingaresca bordeaux e una canottierina bianca con al centro brillantini rossi. Essenziale. Ho notato subito i suoi capelli non tinti. Ho pensato: «Che figata! Non ha paura della sua età». Mia madre, Maryam Laamane, si tinge continuamente i capelli. «Ma mettiti il velo Ma', perché ti torturi?». Mamma mi guarda sempre come se fossi matta da legare e mi snobba, quando le tocco i capelli. Sono sacri. Lesa maestà, solo fare un commento negativo. Mamma non ha fiducia in me in fatto di estetica. «Ti faresti crescere i capelli, se ci tenessi al tuo essere donna». Mamma non sopporta i miei capelli perennemente corti. «Ci sto comoda, Ma'» le dico. Lei scuote la testa. Non ci crede, non ci credo nemmeno io. Mamma mi conosce bene, sa che con i capelli lunghi sarei più felice. È che mamma sa che ho paura di essere donna, a volte. È per quello che mi è successo al collegio da piccola. Mi hanno fatto sentire sporca, in quel collegio maledetto. Mamma lo sa, per questo vorrebbe che mi facessi crescere i capelli. Per tornare a credere nella donna che ho dentro. Anche il dottor Ross è d'accordo con mamma sui capelli. Dice che sotto, però, c'è una bambina che soffoca la donna che sono diventata. La bambina desidera amore, ma io lo impedisco. Di quanti esseri sono fatta? Molti, dice il dottor Ross. Ci devo credere.

I capelli di Miranda sono molto lunghi, invece. Lisci, qualcuno arruffato. Quelli fuori posto le danno carattere, si vede che è una ribelle. Mi si è seduta accanto, mi ha guardata e mi ha detto: «*Sḅa el kir, Buongiorno*», io non ho detto A, non le ho risposto. Ho solo fatto una bocca a O. Stupore. Certo, avrei dovuto dire qualcosa. Lo so, lo so. Almeno tentare di rispondere. Mi sono detta: «Ora penserà che sono stupida», invece era solo il mio cuore che batteva a tremila. Io quella donna con i capelli lisci, questa Miranda Ribero Martino Gonçalves, la conoscevo bene. La conoscevo prima che lei aprisse bocca o mi guardasse. Certo, la foto che c'è sui suoi libri la ritrae giovane, bella, atletica. Ma l'originale che avevo davanti non si discostava poi molto. Io a casa, a Roma, avevo tutti i suoi cinque libri di poesia.

So a memoria la sua *Calle corrientes*, la mia preferita.

È brava in arabo Miranda. Sa benissimo tutte le dieci forme derivate del verbo, io a malapena ne so cinque. Credo che la metteranno al terzo livello. Io non so dove mi metteranno. Spero non con i giapponesi che parlano solo con il loro palmare. Niente contro i giapponesi, in generale. Gran persone! Adoro Haruki Murakami. Massimo rispetto. Ma questi che avevo in classe mi sembravano una massa di alienati. Non voglio diventare così. Miranda dice che sono solo timidi. Forse ha ragione lei. Sono una capra! Capra! Capra! Mi faranno ricominciare dall'alfabeto, sicuro. L'arabo è un gran mal di testa, maledettissimo il giorno che mi sono decisa a studiarlo. Mi piace, ma mi destabilizza. Non ho più certezze, la grammatica mi sembra fatta da un sadico. Certe cose proprio non mi entrano in testa. Mi sembrano autentiche torture. Invece di parole ne so tante. Vabbè lo so, non vale, il somalo ha molte parole arabe, ma cavolo, servirà pur a qualcosa 'sto somalo, no? Cioè, non lo parla nessuno al mondo, non ci farò mai niente, almeno mi servisse a carpire qualche parolina araba, magari qualche parolaccia. Qui ho la vaga sensazione che ce le sussurrino per strada, le parolacce. Si è avvicinato uno, prima. Mi ha sussurrato un geroglifico all'orecchio. Mi avrà dato della puttana? Gli uomini mi sembrano affamati di donne. Ti guardano, ti spogliano, ti seducono. Mi fa paura. Non mi piace. Non mi è mai piaciuto essere guardata dagli uomini come un bignè. Non mi piace l'idea che dopo loro possano mangiarmi.

Miranda e io dopo il test siamo andate da un kebabaro. Ne abbiamo trovato uno vicino la sinagoga, in avenue de la Liberté. In un angolo funestato dal traffico. L'avevo visto la mattina passando e mi ero detta: «Qui mai». In realtà Miranda mi ha spiegato che il lurido del locale non significa niente. «Qui è tutto un po' zozzo. Però è buono, vedrai». Mi sono avvicinata al tizio delle ordinazioni. Gli ho detto «*Shawarma*, per favore», non sapevo dire molto altro. Avevo la lingua bloccata. Lui mi ha messo tutto quello che poteva ficcare in quella focaccia. Verdura, cipolle, salse gialle, salse piccanti, salse con coloranti, carne e dulcis in fundo, patatine fritte. Mi stavo sentendo male, «Non posso mangiare quel coso pieno di grassi e fritti. Mi si piazzerà dritto dritto sul sedere. Aiuto!». Ho pensato alle mie natiche grosse e tonde da africanotta, «Non voglio peggiorare la situazione». La mia espressione era lugubre. «Che faccio? Gli dico no grazie, non lo voglio, o pago lo stesso e poi lo butto?». Dietro di me si era formata una fila di gente piuttosto affamata. Il kebabaro mi ha guardato storto. Io, paurosa, ho tirato fuori il borsellino. Ho cercato freneticamente delle monete. Le ho anche guardate. Problema: non sono riuscita a riconoscerle. Le ho guardate di nuovo. Niente. E poi non capivo cosa volesse da me, che cavolo dovevo dargli. Ha balbettato qualcosa in arabo. Poi qualcosa in francese. Non so quale lingua sia peggio. Gli ho dato una banconota qualsiasi per disperazione. Una ragazza con un *hijab* viola e gli occhi disegnati dal kohl, mi ha guardata e ha sghignazzato. Forse gli ho dato un fracco di soldi. Ma che cavolo ha detto? Non l'ho capito. In realtà non capivo nemmeno quello che stavo per mangiare da lì a un istante.

Poi è arrivato il turno di Miranda. E ho preso appunti. Miranda sta a Tunisi da cinque giorni. È arrivata un po' prima, per fare qualche giorno al mare. È stata già a Marsa e alla terrazza di Sidi Bou Said. «Ci dobbiamo andare insieme» mi ha avvertito con tono leggermente minaccioso. L'ho guardata e ho annotato, annotato, annotato: imparavo l'arte, io vile discepola. Miranda ha fissato Mr. Kebab negli occhi senza paura, *sin miedo*. Poi gli ha detto la parola magica, *bila*. L'ho ripetuta dentro di me come un mantra. *Bila*, *bila*, *bila*. È una parolina araba che qui in Tunisia è fondamentale per sopravvivere. Significa «senza». Miranda lo guarda e indica il cibo. Dice *bila basal*, senza cipolle, *bila sauce*, senza salse, *bila fil fil*, senza peperoni, *bila fried*, senza fritto. Il suo kebab alla fine non era obeso come il mio. Era quasi genuino. C'era dentro *kudrauat*, verdurine e carne. Tutto qui! Il necessario per un pasto equilibrato. Poi siamo ritornate alla

Bourguiba. Miranda mi ha convinto a seguire le lezioni pomeridiane di dialetto tunisino. Sono stanca, ma ho accettato. Mi sono appena pappata il mio kebab oversize. Naturalmente il mio stomaco non lo regge. Sono seduta qui a questa lezione, piena di gas fuori ordinanza.

Non abbiamo trovato posto vicine, io e Miranda. Lei si è seduta accanto a un tedescone dagli occhi annacquati. Io invece vicino a una ragazza tutta boccoli. Si chiama Agata. Sembra molto diligente. Ha già comprato il libro di dialetto. Lo sta sfogliando. Ha un pantalone con fiori rossi e una canotta arancione. I suoi boccoli li trovo ribelli e accoglienti. Mi sorride. Intravedo qualche linea sulla fronte, quel sorriso è frutto di lavoro. «Sono di Padova sai?» dice quasi giustificandosi. «Lassù abbiamo molto il senso del dovere. Forse ne abbiamo troppo». Sembra Heidi, ma mi ha raccontato che un tempo era una testa calda. «Ricordami di dirti del Chiapas». Heidi con il subcomandante Marcos? Sono curiosa. Vorrei trascinarla via da quest'aula afosa e portarla in un caffè a prendere un tè alla menta con pinoli. Il tè di questo paese è perfetto per oziare e fare due chiacchiere. «Agata scappiamo. Questa lezione non è ancora cominciata e già mi sembra pallosa».

Non faccio in tempo a dirglielo. Una tipa dai colori sgargianti si siede e comincia a recitare una litania.

Siamo diciotto in classe. Ci sono un po' di giapponesi, qualche spagnolo e tante altre nazionalità. Ci sono gli italiani, naturalmente. È strano che si dica che l'Italia è a nascita zero. Ovunque nel mondo trovi italiani… tutti con l'Invicta, un cellulare in mano e quell'aria da «Sto morendo, datemi un caffè», piazzata tra la radice dei capelli e il naso.

«*Sba el kir*», buongiorno, ci dice la tipa. Sono in seconda fila. Noto che ha dei begli occhi.

«*Sba el kir*» ripete. Poi indica una persona davanti a lei. Scuote la testa la prof. La scuote più forte, quasi violenta. La persona davanti a lei è una vecchietta francese. Lo vedo dall'acconciatura alla Jeanne Moreau. Quanti anni avrà? Settanta? Di più? È incartapecorita. Magra, collo lungo lungo. Cazzo, che brava a metterti a studiare arabo alla tua età. La francese capisce che deve ripetere le parole della prof. Così, uno a uno ripetiamo quel *Sba el kir*. Che bello, mi dico. Mi sento all'asilo. Ripetiamo il buongiorno. Poi ci farà ripetere buonasera. Poi, come stai? Poi, sto bene grazie. E poi, come sta la famiglia? E così chiediamo pure come sta la zia, la cugina Berta che filava, Lassie che torna a casa, e perché no, il criceto di Oum Kalthoum... Oum Kalthoum è una delle ragioni per cui studio arabo. La sua voce ti entra dentro e ti lapida il cuore. Mi fa piangere. Lei sembra Roy Orbison con un casco da Moira Orfei, ma la voce cazzo è paradiso, Jenna al 100%.

Mi sembra una lezione da trogloditi del pleistocene. Nessuno dei diciotto in sala è interessato a quella mera ripetizione dell'ovvio. Agata ci mette passione nella ripetizione. Io mi sono già stufata al come sta la Berta che filava.

Ricreazione. Mi sento bambina. Schizzo via dall'aula. Mi piazzo in piedi da sola in un angolo. La padovana rimane in classe a studiare. Si sta avvicinando qualcuno – è un ragazzo con un accenno di baffi. È carino.

«*Soy Luis*» mi dice. «*Soy cubano... he oido que hablas español*».

Modestamente. Io parlo tutto, fratello latinoamericano. Lui allora mi parla di Cuba. Mi dimentico della Tunisia.

«*Mañana si quieres vamos a la playa*», e quasi parto con i Rigeira, ma mi trattengo.

Che faccio, gli dico di sì? Mi sembra strana questa scuola. Tutti ti invitano. Tutti fanno amicizia. Gli dico di sì. Incassa con un bel sorriso. È bello, il cubano. Ha una pelle ambrata, gli occhi grandi, i capelli ricci, alto. Sarebbe bello innamorasi di uno così. Sarebbe sano. Ma io non mi innamoro mai in modo sano. Di solito mi incateno al dilemma degli altri. I sorrisi mi spaventano, so che dopo potrebbe esserci qualcosa dietro. Forse la felicità. O solo una sporca serenità. Invece i musi mi attirano per la loro cripticità. So che con i musi, i muri, i muli non potrò mai cambiare nulla. Sono sicuro. Niente sesso, interdetta. Ho trent'anni e ho ancora paura del sesso. Non mi guardo la figa da tempo… forse ci sono le ragnatele.

Cerco Miranda. «Andiamo al mare domani». Non è una domanda. Lei non risponde. Sente quasi che è un ordine. Mi dice solo: «Spero ci venga anche mia figlia». Ha una figlia? Che invidia mi fa.

Tra i diciotto della lezione di arabo tunisino c'è un ragazzo strano. Ha un muso lungo lungo. Una muraglia cinese tutt'intorno al cuore. Ha bisogno di aiuto, lo sento. Mi fa subito tenerezza. Il cubano, la sua positività, il suo sorriso… spazzato via. Mi perdo in quel gorgo. Stasera lo sognerò. Lui che mi succhia la mammella. Io la sua mamma. Cerco Miranda, vorrei essere salvata da quell'innamoramento molesto. Cerco Miranda. Voglio dimenticarmi di lui che mi succhia la mammella.

Poi cerco Lucy. Ho bisogno di essere salvata. Non voglio che quel ragazzo mi succhi la mammella. Devo innamorarmi del cubano o di qualunque altro. Lo so come va a finire, se poi mi appiccico a questi tipi problematici. Va a finire che soffro, che sto male, che mi sento un cesso. Che soffoco la bambina dentro di me che non riesce a diventare donna.

Lucy, amica mia, dove sei?

La vedo immersa in un gruppo di parruccone bionde, la mia Lucy. La pesco e la trascino via. Devo farglielo vedere il ragazzo che mi ha raggelato il cuore con il suo muso lungo.

«Dove mi trascini, madonna santa! Piano, mi stropicci il vestito… c'è Malick fuori, sai? Mi aspetta. Dice che mi dà ripetizioni di tunisino».

Ancora Malick? Ma è 'na creatura! Non lo dico. Dico solo: «Non ti stropiccio, ma sai che…» e non finisco la frase. Mi ha letto negli occhi.

«Oh, bambinello der Divino Amore: ti sei innamorata di nuovo! Fa', te prego, che non sia pure questo 'na maledetta checca!».

«Checca? Basta co' 'sta storia, Lucy…».

«Basta? Ma te lo sei scordato il tuo grande amore Leonardo Pietrosi? O come si fa chiamare adesso, Priscilla la neve del deserto?».

«In realtà lui fa Cher».

«Se proprio mi devi stropicciare il vestito, almeno fammi vedere un bello spettacolo, 'n omo vero. Te prego, lo sai che me n'è bastata una de checca maledetta, dai!».

Non mi piace quando Lucy chiama Leonardo… checca maledetta. Cioè, è stata dura con lui. E lei me lo ricorda di continuo che il grande amore della vita mia è diventato un gay. Lo so, ho sbagliato, ma lui all'inizio mi aveva fatto capire che… certo, potevo notare l'andatura sbilenca, ma gli faceva sempre male la gamba, faceva ballo latinoamericano la sera. Usava troppo profumo alla violetta, non discuto, ma anche i puri *celoduro* in salsa tunisina usano una marea di profumi, eppure le donne mi sembra che a loro piacciano parecchio. Certo, poteva dirmelo subito. Potevo risparmiarmi un anno di vita appresso a lui. Quanti cd gli ho doppiato! Lui mi scriveva mail. Siamo usciti così poco. Poi mi ha confessato di aver conosciuto un certo Rodolfo. Nome da checca Rodolfo, dovevo capirlo subito che non era un collega.

No, non è una checca Lucy. Ti prego vieni a dargli un'occhiata. Solo una. E poi Lucy, domani vado al mare con un cubano e un'argentina. Praticamente sto in una botte di ferro. Credimi, Lucy. Buttaci un occhio, non è una checca… solo un muro. Non voglio fargli da mamma… Non voglio proteggerlo… non voglio farmi del male. Non voglio soffocare di nuovo la bambina dentro di me con un amore malato.

Voglio sentirmi protetta, Lucy!

Aiutami a non soffocare la bambina. Lucy, ti prego, aiutami a salvarla.

La Reaparecida

Gli anni che vanno da quei dannati mondiali fino alla guerra alle Malvinas, li ho vissuti come paralizzata. Mi ero appoggiata a Pablo Santana. Provavo un amore per lui che non aveva estremità. Cavaliere Pablo. Estraneo amico. Mi pungeva con il suo disprezzo.

Non abbiamo mai fatto l'amore. Lui una sera mi disse il motivo: «Sei contaminata». Fu quella sera che capii che sapeva di Carlos. Però quando lo vidi a via dei Sabelli, con la busta della spesa, ero solo la sorella di Ernesto, di un *compañero.* Una *compañera* anch'io.

Non lo vidi al Cafra. Ci incontrammo in una strada di Prati. Tutti gli edifici di quel quartiere davano le spalle al Vaticano. Lo avevano costruito i piemontesi all'indomani del 1870. Doveva essere un quartiere residenziale per la nuova nomenclatura statale della capitale. Però doveva essere anche uno schiaffo al papa. Mi chiedo se Pablo la sapesse questa storia.

Lui e la Flaca vendevano le loro papere di legno in quel quartiere. Il simbolo della lotta per la libertà, una papera. Forse era solo un simbolo di miseria. Vidi prima la papera. Poi il vestito della Flaca.

Anni dopo, quasi dieci, ero sola a casa. Era l'8 luglio 1989. Tu, Mar, eri piccola, vivevamo ancora insieme. Non ricordo dove fossi. Forse da un'amichetta. Stavamo lì da un anno. Non mi piaceva il quartiere, era pieno di fasci, ma la casa era piena di luce. «È il prezzo della luce», pensavo, il prezzo per essere inondate. Qualche amico me l'ero pure fatto, nel quartiere. Ma quel maledetto 8 luglio me lo ricordo. Menem si insediò alla presidenza dell'Argentina. Alfonsín si era accordato con lui, il paese doveva andare avanti. Io ebbi una stretta al cuore. Il notiziario di Radio Uno era stato un pugnale in pieno petto. Sapevo che il paese era sconquassato, era arrivato al capolinea. Si doveva cambiare, me ne rendevo conto. Ma quello mi sembrava un passo indietro. Ventimila passi indietro. Quell'uomo aveva *una sonrisa Norteamericana que no me gustaba carajo*. Era finto, e con quel dannato sorriso di merda piantato in mezzo al viso. Non avrebbe fatto niente di buono per la mia amata Argentina. Niente di buono per me. Ormai ero un'intellettuale, qualcuno sarebbe venuto a chiedermi un parere. Io volevo solo piangere. Mi sentivo impotente. Se almeno fossi stata lì a Buenos Aires, avrei manifestato con *las madres y las abuelitas de Plaza de Mayo*. Sapevo di quell'appuntamento, il giovedì alle 15.30 intorno all'obelisco, con il fazzoletto bianco in testa, legate l'una all'altra, abbracciate. Sì, sarei stata lì, viva, e non avrei pianto con una bottiglia di whisky doppio malto mezza vuota davanti. Ne tracannai due, di bottiglie di whisky doppio malto. Credo di essermi spappolata il fegato, quella sera. Poi ho chiamato Pablo. Non so se ha capito le mie parole biascicanti di dolore sommerso. So solo che dopo mezz'ora era sotto casa mia. Suonò il citofono con forza. Io arrivai dopo svariati minuti. Strisciavo per terra, troppo ubriaca per camminare. Troppo ubriaca per avere una dignità.

Quando aprii la porta riuscii solo a urlare «Mierda!». Fu l'unica volta che mi abbracciò dopo quella del nostro incontro a via dei Sabelli.

Io, Pablo, le madri di Plaza de Mayo, tutti gli argentini dotati di cellule grigie e cuore, capimmo che farsa ci stava preparando quell'uomo. Nei mesi successivi di quel disgraziato 1989, fu tutto tremendamente chiaro. Menem concesse l'indulto a centinaia di ufficiali. Tutti processati per violazione dei diritti umani. Tra loro c'erano anche i famigerati *carapintadas* che avevano reso la vita dura ad Alfonsín, e i responsabili della sconfitta delle Malvinas. Il peggio doveva ancora venire. Arrivò con il Natale del Cristo. Fu concesso l'indulto a Videla, Viola, Massera, Suárez Masón, Camps. Quel giorno fu Pablo a chiamarmi. Mi disse solo. «Ci sono riusciti, *hijos de puta*».

Persone che si erano insozzate le mani con il sangue dei nostri figli, delle nostre figlie, dei nostri amori, dei nostri legami... ecco ora quella gente è libera, pensavo allora. Non festeggiai il Natale. Non ti dissi niente Mar. Avrei dovuto dirti qualcosa dall'inizio, riepilogare, catalogare tutti i miei errori, tutte le mie stranezze. Non ero ancora pronta.

Perdonami, non riesco a riannodare i fili della mia strana vita in ordine cronologico. Ho qualche difficoltà con il tempo. Sarà per l'abitudine a raggomitolare la lana del tempo, sfilare la tela, ritesserla, trovare i nodi, scucire di nuovo, eliminare i nodi. Non volevo imperfezioni. Però nel mio caso è impossibile. Solo non voglio che un giorno, quando non ci sarò più, tu scopra delle cose di me che non ti piacciono. Non voglio che pensi che tua madre fosse una carogna *mentirosa*. Carogna lo sono stata, non voglio giustificarmi, lo so di essere stata una *chica mala*. Ma bugiarda mai, non con te. Non ti ho raccontato, questo sì, ma non ti ho detto bugie, mai.

Il giorno che incontrai Pablo e la Flaca, non so perché camminavo per Prati. Probabilmente avevo fatto un colloquio. Quella era la mia attività principale, in quel periodo. Volevo rendermi indipendente, riprendere gli studi in sociologia e lasciare i Martino Brezzi. Mi sentivo così a disagio a casa loro. Erano puri. Avevo paura di attaccare a quella gente tanto retta il mio morbo di traditrice. Con Liliana avevo legato molto. Era una bella testa, Liliana. Aveva dei sogni. Non sembrava avesse quindici anni, era molto matura. Leggeva ogni sera le *Lettere dal car-*

cere di Gramsci. Piangeva. Una sera mi disse: «È stato molto amato». Però io volevo lasciarli lo stesso. Liliana mi piaceva e anche il resto della famiglia. Ma io volevo creare in quella città gigantesca una nuova Miranda. Volevo rinascere, come Venere dalla spuma del mare.

Erano strani, Pablo e la Flaca. Vidi prima la papera. Poi quel vestito bianco. La papera era grassa. Sembrava avesse fatto indigestione di *dulce de leche*. Però la faccia era simpatica. Il becco sembrava quello del *pato* Donald, Paperino, in miniatura. Mi aveva colpito quella grassezza materna. Mi ricordò mia madre. Era un pensiero fisso in quegli anni. Me n'ero andata e non l'avevo nemmeno salutata. Non volevo che mi sputasse in faccia. Non sopportavo che mi dicesse *«No mereces que te llame puta»*. Era la verità. Ma non la sopportavo. Lo negavo.

Angoscia mi aveva accompagnato, angoscia era anche il mio presente. Però quella papera era quasi felice. Non so, c'era un luccichio nei suoi occhi disegnati. Poi notai che il luccichio non veniva dalla papera, ma dal bianco sullo sfondo. Alzai gli occhi lentamente. Il tutto mi si rivelò con lentezza. Il bianco era una tela, la tela un vestito, il vestito una donna, la donna Marilyn Monroe. Era una Marilyn senza tette, il vestito di *Quando la moglie è in vacanza*, i capelli biondi, forse una parrucca. Il trucco era pacchiano, pesante, laborioso. Un trionfo di polveri arcobaleno che non aveva un senso preciso. Sembrava un quadro di Picasso. Mi faceva pena. Allo stesso tempo ero estasiata da quel riassunto di donna in brutta copia. «Perché si è conciata così?» pensai. Finii appena di formulare il pensiero, che sentii una voce di uomo dirmi in spagnolo: *«Hay que quitarse el sombrero delante de ella»*. Mi toccai la testa. Avevo un basco. Automaticamente me lo tolsi. La Marilyn picassiana fece una smorfia, una mossa di ballo jazz che forse era solo uno sculettare maldestro. Pensai: «Forse mi sta ringraziando» e chinai il capo per ricambiare. Mi sentivo molto stupida su quel palcoscenico romano. La voce allora intervenne: «Possibile che non l'hai riconosciuta? Possibile Miranda, che non ti ricordi più di lei?».

La guardai meglio. Poi una fugace occhiata alla papera. Non so, speravo in un suggerimento. Non sapevo chi fosse quella donna ridicola. Mi voltai verso la voce, vidi che era Pablo Santana. Fu lui a dirmi che quella donna ridicola era la Flaca, al secolo Rosa Benassi, figlia di italiani. Rosa era ridotta una sbavatura. Piansi. Negli anni settanta non sapevo fare altro.

Cosa facevo esattamente in quegli anni? Non so dirlo con precisione. Transitavo in una città chiamata Buenos Aires. In una città che ha ancora lo stesso nome, ma non credo sia più la stessa. Il prima è un momento in cui ancora l'irreparabile non era successo. Dove ancora non si era persa l'anima. Io lo so di averla persa, ma non sono la sola. Sono stati in tanti a far finta che tutto procedesse come sempre. La parola d'ordine era *No te metas*, non immischiarti. Così ci mettevamo i tappi alle orecchie. E se non bastava, attingevamo al nostro lato oscuro. Un pensiero a quella frase odiosa: «Ci sarà una buona ragione, se è sparito». Una buona ragione? Quale? Dannazione! Ditemi quale! Coscienza al rovescio. Persone al rovescio. La nostra coscienza era acqua sporca. Canaglie! Tutte canaglie... Io, noi, tutti. Non abbiamo mosso un dito. Tutti a guardare il *Videla horror show*. Pop corn e prime file colme di sorrisi ebeti.

È stato negli anni settanta che hanno preso Ernesto. Ma era verso la fine. All'inizio invece, in giro c'era un'effervescenza. Prima c'erano stati anni di dittature delle banane. Anni in cui gente piccina piccina aveva preso il potere e si era messa a logorare il paese come una termite logora il legno. Noi giovani aspettavamo Perón. Anche i vecchi aspettavano Perón. C'eravamo tutti illusi che quell'uomo che aveva entusiasmato con la sua flemma e la sua bella moglie – la prima, Evita, l'unica considerata dagli argentini – potesse risolverci tutti i problemi. Credevamo che fosse Dio, invece era un uomo. Forse una larva. Però in quell'inizio di decennio credevamo in lui.

Io persi le speranze solo dopo. Il giorno del suo primo discorso alla Casa Rosada. Sì, dal suo primo atto politico dopo diciotto anni di esilio. Fu eletto presidente con il 62% dei voti. Il suo più grande trionfo elettorale. Si presentò a quel balcone con quella sgualdrina isterica da quattro soldi, Isabel Martínez, il cui vero nome era María Estela. La stupida era stata nominata vicepresidente. La vedevi scimmiottare Evita ad ogni respiro di quei suoi sudici polmoni. Quella donna non meritava tanto lustro. Perché si era sposato una donna tanto mediocre, dopo aver avuto Evita? Mi ricordo di quel discorso. Ero andata a sentirlo. C'ero andata con Ernesto. Una delle poche cose che avevamo fatto insieme. Era vestito a festa in alta uniforme, Perón, sembrava anche più giovane. O almeno questa era la sensazione da lontano. Ricordo che cercavo di ascoltare le parole del *viejo*, ma non capivo nulla. Poi qualcuno mi allungò un volantino. Lo lessi, non capii neppure quello. Fu Ernesto a spiegarmi che in quel volantino era annunciato che le Far di Perón e i Montoneros si erano fusi.

Io ricordo che fui allarmata da quel vetro antiproiettile che Perón aveva messo come barriera tra noi e lui. Non era più lo stesso di prima, anche il *viejo* si era venduto al potere. Ebbi una fitta all'imboccatura dello stomaco. Non ero molto ferrata in fatto di politica, a me piacevano il tango e il calcio. La politica la trovavo complicata, troppe sigle, cambiamenti che non capivo.

Però quel giorno quel vetro l'ho capito. Aveva un significato che nessun argentino poteva ignorare. Il leader tanto amato aveva una paura fottuta dei movimenti. In quel settembre, la paura di Perón si manifestò in quel vetro antiproiettile, per difendersi dalla gente... la sua gente. Nel '74 si trasformò invece in una rabbia che faceva fatica a controllare.

Fu il primo maggio 1974 che io e la Flaca ci ritrovammo a Plaza de Mayo. Ernesto e mamma non erano in città. Erano andati in Patagonia, a fare qualcosa che ora davvero non ricordo. Qualcosa che aveva a che fare con la casa di nonno Alfio. Un giorno te la farò vedere la casa di nonno Alfio, ti farò vedere tutta la Patagonia. Sembra un inferno, *hija* mia, ma invece è il paradiso. Non è solo il silenzio, è che sembra quasi che la vita decida di dare finalmente una tregua. Quella sospensione di dolore mi ha sempre riempito di gioia. Lo so, ti sembra incomprensibile, non è facile da immaginare se non lo provi, però giuro figlia mia, è così che ti fa sentire quella terra.

Loro erano via. Io sola. Ancora non conoscevo Carlos. Lo avrei conosciuto di lì a poco. Però quel primo maggio ero ancora pura e vergine.

La Flaca aveva un jeans attillato, i capelli in una coda di cavallo, una mano piena di anelli di metallo grigio. Era trendy forse, ma quella coda era talmente fuori moda. Sembrava la nonna di mio nonno. Mi era venuta a trovare a casa. Ero sola, te l'ho detto. Avevo un libro da leggere. Un libro importante. Era di Jean-Paul Sartre. Lo avevo trovato in biblioteca. Si intitolava semplicemente *L'antisemitismo*. Se ci penso ora mi sento morire. Forse quel libro mi voleva avvertire del futuro, ma io non sono mai stata brava a leggere i segni. Quindi posai il libro e andai ad aprire. Era lei, Rosa, con la sua coda di cavallo fuori moda.

«Vieni con me a Plaza de Mayo?» disse dondolando la testa. Vidi la coda fare un giro vorticoso su se stessa. Le dissi di sì. Era difficile dire di no a quella ragazza. Era così bella. Così pura.

A Plaza de Mayo era un delirio di gente. Molti erano giovani. Li guardai, mi parvero tutti molto belli. Erano anni in cui i miei ormoni andavano a mille. Avevo voglia di sudare addosso a un altro essere umano. Volevo un po' di saliva nei miei interstizi. Era la *saudade* della nascita, non lo sapevo ancora. Mi sentivo incompleta. Da sola non mi bastavo più. Volevo entrare in circolo con lo spirito universale. Dare. Ricevere. Spartire. Ricoprire. Stavo per diventare pazza... sì, pazza, pazza, pazza d'amare a fondo. Amare tutto. Solo che, stupida come sono, ho scordato d'amare me. Non mi volevo molto bene, mi sentivo una blatta. O chissà, peggio.

La Flaca invece mi voleva bene. Mi leggeva dentro, sai?

«Ehi, piccola» mi disse «siamo venuti qui per Perón, non per i ragazzi carini. Ricordi?».

Smorfia mia di finto orrore. Risate. La mia bocca che si allarga. La sua ancora di più. Mi guardavo intorno. I ragazzi erano davvero belli. Lo erano anche le ragazze. Una bella generazione. Erano anni strani politicamente quelli, ma ricchi. Si facevano dibattiti su qualsiasi cosa, dai film agli spettacoli. La città era un tripudio di cineclub, teatri, spettacoli off-broadway. Anni alternativi. Avanguardie e follie. Una bella generazione. Sensibile, benefica, altruista. Una generazione di sognatori. Non ci posso pensare che sia stata spezzata. Chi non è morto in quei campi di concentramento – 230 in tutta l'Argentina – si è consumato nella paura e nella vigliaccheria. Molti hanno lasciato l'Argentina, ma non si sono mai più ritrovati davvero. In Argentina oggi sono tutti terapeuti o in terapia. Facci caso. Ci siamo persi. E la colpa è di quelle belve infami.

Che angoscia, che dolori vecchi sto tirando fuori. Ma te lo devo, figlia mia. Ti ho tenuto all'oscuro da sempre. Non ne vado orgogliosa. Ma non ce la facevo, lo capisci questo? Forse no. Però ora è cambiato qualcosa dentro di me. Sarà questa città mediterranea? Credo di sì. La dittatura di questa città africana mi toglie il fiato. Mi ha reso inquieta. Mi ha fatto uscire il dolore. Non ricordo quello che disse Perón. Nemmeno quella volta lo capii. Le sue parole che un tempo avevano infiammato gli animi, a me suonavano false e ipocrite. E non solo a me. Fu in quel momento che mi tornò in mente Gardel. I suoi capelli impomatati, il cappello floscio, lo sguardo franco. Non so perché cantai. Era assurdo, quasi un'irriverenza.

Así aprendí que hay qué fingir
para vivir decentemente.
Que amor y fe mentiras son,
y del dolor se ríe la gente.

«Lo hai capito anche tu vero?» mi disse la Flaca.

Dopo pochi istanti tutti facevano rumore. Nessuno ascoltava più *el viejo*. Poi quel coro che perforava le orecchie. «Com'è, com'è, com'è, generale, che il governo del popolo è pieno di criminali?». Era la verità. L'evidenza mi annientò. Non fu la sola a Plaza de Mayo. Prima che Perón potesse mettere un punto finale al suo discorso noi e tutti gli altri lasciammo la piazza. Era un discorso inutile, forse malevolo. Non valeva la pena ascoltarlo. Quando Perón arrivò alla fine, in Plaza de Mayo non era rimasta anima viva. E quelle morte erano disgustate.

Io e la Flaca ci infilammo in un cineclub. Facevano un vecchio film con Marilyn Monroe. Era proprio *Quando la moglie è in vacanza* di Billy Wilder. La Flaca sapeva tutte le battute a memoria. Quando il vestito di Marilyn si sollevò nell'aria della metropolitana, coronando il sogno erotico del maschio medio americano, la Flaca riuscì solo a dire «Povera Norma Jeane». Non so perché. Ma la baciai sulla bocca.

Ci stava prendendo gusto Maryam, a registrare la sua voce. Si sentiva uno speaker radiofonico, uno di quelli bravi, che facevano sussultare i cuori incerti della gente. Ora non spingeva più i tasti con ansia. Non riavvolgeva più il nastro. I suoi gesti erano diventati sicuri. La mano ferma. Nemmeno la voce tremava più.

«Sai Zuhra, a volte ho la sensazione che Howa sia seduta accanto a me. Questo pensiero mi aiuta molto. Perché io ho la memoria ballerina, non ricordo mai tutte le cose, era lei che tesseva le trame del tempo per entrambe. Era lei che teneva a mente tutte le genealogie. Ma ora, davanti a questo registratore mi è tutto così chiaro, sì, chiaro come il sole a mezzogiorno. Secondo me è lei che mi sta soffiando il passato sulla testa».

Il pensiero di Maryam vagò ancora una volta verso la stazione Termini e il funerale di Howa. Era lì che tutti quanti si erano dati appuntamento per andare a Prima Porta – quel luogo ai margini della città dove Howa avrebbe riposato per la sua eternità. Erano naturalmente tutti in ritardo. Tipico dei somali. L'unica svizzera, precisa al secondo, era lei, Maryam Laamane. Le toccò aspettare. Non così tanto, rispetto alla media dei ritardi somali. Lo sguardo di Maryam nell'attesa si mise ad analizzare i dintorni. I muri di Termini – notò – erano pieni di carta. Annunci di tutte le dimensioni, alcuni molto grandi, altri molto piccoli. Appiccicati in tutti i versi possibili. Tutti urlati. Tutti urgenti. Si pubblicizzavano serate, ristoranti, pullman per l'Est Europa, parrucchieri afro, centri di accoglienza, scuole di italiano. Quei muri intorno alla stazione della capitale erano così diversi dai muri della borgata dove abitava lei, Maryam Laamane.

La donna pensò alla sua Primavalle e ai suoi infiniti tragitti murari. Che cosa urla Primavalle? Si chiese. Realizzò con un certo sconcerto che Primavalle era percorsa quasi esclusivamente da annunci immobiliari. Non c'era quella fantasia di articoli che invadeva la vita di Termini.

I muri di Termini si concedevano osceni anche alle volgarità. Donnine in pose equivoche richiamavano l'attenzione del passante maschio bianco impataccato di soldi, su un numero da chiamare, un numero sempre in fucsia. Ogni annuncio era scritto almeno in due lingue, italiano e inglese o italiano e terzomondese. Maryam, anche per ammazzare il tempo, fece il censimento delle lingue usate nei volantini appiccicati malamente sui muri. Più di cinquanta, sentenziò al nulla orgogliosa.

I somali ancora non arrivavano. Nemmeno quelli che dovevano venire presto. Non c'era nessuno. Possibile avesse sbagliato giorno? «Magari sì» pensò la donna tutta contenta. «Magari Howa Rosario non è morta e tu sei venuta qui per sbaglio». Per un po' Maryam si cullò in quella illusione folle. Ma il buonsenso non ammetteva sogni a occhi aperti. Howa Rosario era morta, stecchita, finita. Howa Rosario era tra le braccia degli angeli. Howa era in viaggio, lo capiva questo Maryam?

Sì, Maryam lo capiva.

Per distrarsi da quel nuovo dolore sintonizzò tutto il suo essere sui muri. Li guardava come i bambini guardano i regali a Natale. Con curiosità sospetta. Lesse gli annunci, li commentò, di alcuni rise. Poi in mezzo a quel marasma di parole al vento e di immagini subliminali, vide lei: Norma Jeane Baker. Rimase colpita. Era una foto di inizio carriera. Una foto in cui la trasformazione da Norma Jeane a Marilyn Monroe non era del tutto avvenuta. Il viso era dolce e la sensualità non malevola. Norma-Marilyn era come una neonata, piena di paure. A Maryam,

Norma ricordava la panna sopra il gelato. Abbondante, spumosa, leggera. Era così buona che dovevi mangiarla subito. In un sol boccone. La panna non era destinata a durare. Puro consumo. Puro appagamento. Anche Norma era stata consumata. La prima volta ci aveva pensato Marilyn Monroe a consumarla, nascondendola. Poi era toccato allo star system. Maryam si chiese cosa ne sarebbe stato di Norma Jeane se Gladys Pearl Monroe, la madre, l'avesse abbracciata da piccola. A volte Maryam Laamane pensava di essere come Gladys. Non era sicura di aver assolto il suo compito di madre nel migliore dei modi.

«Zuhra mia, dovevo abbracciarti di più. Ma le trasparenze dei *ginn* alcolici dentro il vetro chiaro hanno avuto la meglio sulla mia volontà». Maryam Lamane aveva una teoria sulla sua patologia alcolica. «È colpa dei *ginn*, figlia mia, se mi sono ridotta così, se non sono stata la mamma che volevo essere». I *ginn*, piccoli demoni racchiusi in quella bottiglia dal sapore di ciliegia. Quei *ginn* l'avevano fregata.

Maryam non si meravigliò di vedere Norma Jeane a Termini. «Era quasi scontato vederla appiccicata lì» disse a Zuhra e al suo registratore. Norma sbucava nella sua vita in momenti inaspettati e in modo del tutto arbitrario. Come la prima volta, in quel primo luglio 1960.

Si erano alzati all'alba, quel giorno. C'erano da fare i preparativi per la festa. Si doveva preparare da mangiare per tutti, per quelli che avevano lottato in passato e per quelli che di lì a poco si sarebbero riversati di casa in casa, quindi anche da loro. Era così che andavano le cose nel 1960 a Mogadiscio. Le case erano aperte, spalancate. L'intimità un concetto alieno. I vicini, tutti membri di una stessa grande comunità, la stessa *umma*. Si era tutti una famiglia. Si condivideva in letizia. Soprattutto quel giorno. Era un dare e ricevere senza sosta. Ci si riempiva la bocca di *halua*, fagottini caldi, *ingeera* fragranti, spezzatino, riso speziato. Tutto annaffiato di *shai* e caffè con zenzero. C'erano anche bibite colorate che passavano di mano in mano e i bambini si litigavano un po' di *bur* zuccherato.

Ovunque andasse, Maryam si rimpinzava. Quel giorno aveva mangiato cinque volte. Era così magra che tutto le scivolava addosso senza conseguenze. Fu molto dopo la preghiera del pomeriggio che sua zia la chiamò presso di sé. «Porta questi dolcetti a *hajiedda* Saida».

L'annuncio non piacque molto alla bambina. «Mandaci Leila ti prego. Io ci sono stata ieri e...».

La zia non volle nemmeno sentirla: «Maryam non fare la solita. Non voglio punirti oggi, è festa, la festa della Somalia. Non mi costringere. Obbedisci e torna presto». Detto questo, la zia le pose in grembo il fagotto con i dolciumi.

Maryam ne fu atterrita. Fino a quel momento era stato tutto perfetto. I dolci, le risate con le amiche, l'aria di festa e felicità. Poi quella commissione, l'ultima che avrebbe voluto compiere. La sera prima le sembrava già passata da cent'anni, Maryam desiderava frapporre una distanza psicologica. Non aveva capito nulla di quello che era successo tra *hajiedda* Saida e sua figlia, ma intuiva che doveva essere qualcosa di molto grave. E poi quella donna la terrorizzava. Pensò con un brivido al suo occhio da gallina morta.

Però se non ci andava sarebbe stata punita. E non se lo poteva proprio permettere. Si sarebbe pentita per tutta la vita di aver mancato quella festa che era dell'intero paese. Maryam non sapeva dire perché, ma l'assenza sarebbe stata una colpa insostenibile. Non era sicura che nel futuro ci sarebbe stato niente di simile in quel Corno che Allah aveva dato all'Africa.

Entrò nella casa di *hajiedda* Saida. Il donnone non c'era. La stuoia su cui quell'enorme ammasso di donna stava seduta la sera prima, era ripiegata. Affinché *ginn* e demoni non insozzassero quella stoffa di preghiera con i loro piedi sporchi. La casa sembrava abbandonata. Era spettrale.

«*Hodi*! *Hodi*!» disse la ragazza «C'è nessuno?».

Ripeté *hodi*, *hodi* per un po'. Poi, stanca di quell'attesa che metteva a dura prova i suoi nervi di mocciosa, decise di andarsene. Fu in quel momento che apparve Howa Rosario, con la sua treccia nera.

«Sono andati tutti a rimpinzarsi di dolci. Ci sono solo io qua» disse Howa.

«Oh sì, ciao».

Howa Rosario rise. Era quella ragazzina tremante davanti a lei a farla ridere.

«Eravamo d'accordo di vederci alla festa, ricordi? Ma vedo dalle patacche che hai addosso che hai deciso di non aspettarmi».

Maryam si sentì molto in imbarazzo. Era vero, aveva promesso a quella bella ragazza con il naso a spirale di aspettarla, di fare il giro delle case con lei, di gustare tutto quel ben di Dio insieme a lei. Ma Maryam non era brava con le promesse, quando c'era di mezzo il cibo.

«Sì, scusa. Ho assaggiato un po'... ma ora ti ci accompagno. Ti ho portato questo», e le allungò il fagotto preparato dalla zia.

«No Maryam non ti preoccupare, andremo in giro lo stesso e magari poi andiamo anche al cinema. Chiederò io il permesso a tua zia».

La notizia fece fare un balzo all'esile corpo della golosa Maryam. Di entusiasmo infantile.

«Però Maryam, prima devo fare la preghiera del tramonto. Non sta bene saltare la preghiera del tramonto. È il momento in cui gli angeli si scambiano di posto».

«Si scambiano di posto?».

«Sì, cara. Gli angeli non stanno mai fermi».

Maryam pensò agli angeli. Le sembrò una bella cosa che gli angeli non stessero mai fermi. Anche lei non stava mai ferma.

«Howa, mi insegneresti a pregare?» chiese la bambina timidamente.

Howa Rosario sorrise: «Volentieri. La sai recitare la *Fatiha*?».

«Sì» disse orgogliosa Maryam Laamane.

«Allora amica mia, sai già pregare».

Il film che aveva visto con Howa Rosario quel 1° luglio 1960 era *A qualcuno piace caldo*.

Avevano riso tanto con Howa, quella sera. Howa aveva denti bianchissi e dritti, come disegnati. Ma prima di Marilyn, prima di quella strana storia di uomini che si vestono da donna, le due ragazze avevano rischiato di piangere ed essere malmenate.

Avevano detto la preghiera del tramonto, poi le *dua'a* di rito, un pensiero per chi non c'era più e un altro a chi c'era ma stava messo male. Dodici volte avevano recitato la sura del culto sincero e poi altre dodici la *Fatiha*, la sura aprente. Le mani a conca sul viso, per filtrare le impurità del pensiero. Erano pronte. Avevano tributato ad Allah, il Misericordioso, il Clemente, le lodi e i ringraziamenti. Avevano fatto il dovere dei buoni fedeli. Ora, dopo il tempo della preghiera, era il tempo del convivio. Le due ragazze, Howa con la sua treccia e Maryam con la sua allegria, erano pronte per conquistare Mogadiscio.

Quella sera la città non avrebbe dormito. C'erano feste ovunque. Fuochi pirotecnici solcavano il cielo equatoriale e anche gli animali strepitavano di gioia in versi criptici. Maryam avrebbe dato la vita (o magari metà) per avere le doti di re Salomone e capire gli animali della terra. Le sarebbe piaciuto più di ogni cosa saper decifrare il canto degli uccelli. Però era una bambina e non il re Salomone. Una bambina felice di avere un'amica così speciale e dalla treccia così luminosa. A Mogadiscio c'erano film, commedie teatrali, balli tradizionali, canti patriottici. L'élite del paese era stata chiamata a raccolta al Teatro Nazionale, per uno spettacolo dal titolo *Tradizione e folklore*. Danze e coreografie avrebbero ripercorso la storia patria. L'élite era avvolta nelle migliori stoffe del paese e i sarti avevano lavorato settimane per creare quel tripudio di colori. Ma loro due erano solo una bambina e una ragazza. Una vestita di rosso e l'altra di azzurro. Erano i loro abiti migliori. Ed erano felici così.

«Andiamo al cinema Sciabelle, mi hanno detto che fanno un bel film con gli inseguimenti».

A Maryam andava tutto bene. Non era mai andata al cinema. Disse di sì con entusiasmo alla proposta dell'amica.

«Ma prima, cara mia, dirò a tua zia che tu resterai con me stasera».

La zia diede il via libera. Conosceva Howa. E poi quella treccia nera stregava.

«Ti farà impazzire quella bambina» disse la zia a Howa «ti autorizzo a schiaffeggiarla».

Per un attimo Maryam Laamane ebbe paura.

«Non ce ne sarà bisogno, signora» replicò Howa Rosario. «Maryam è dolce».

Gli occhi di Maryam si riempirono di lacrime. Era la gratitudine per Allah *Karim* che le aveva fatto incontrare quell'amica specialissima.

Fu a metà del tragitto che le ragazze incontrarono Fauzia Ahmed e il suo gruppo di cinque ragazze.

«Dove credete di andare, eh?» le apostrofò Fauzia.

«Al cinema» rispose senza timore Howa Rosario.

«Avete sentito sorelle? Questa qua crede di poter andare al cinema» disse con rabbia Fauzia e poi le sputò in piena faccia.

Howa prese un fazzolettino che aveva nella gonna, si pulì per bene, poi afferrò la bambina e fece per andarsene.

«E ora cocca, dove credi di andare?» chiese con ancora più rabbia Fauzia.

«Al cinema» rispose nuovamente Howa Rosario.

«Sei una vigliacca, come tuo padre. Ti ho sputato in faccia, se non te ne fossi accorta. Devi pur fare qualcosa» disse stizzita Fauzia.

«Sì, devi fare qualcosa» fecero eco le cinque scagnozze.

«Appunto, vado al cinema» e con questo Howa Rosario sperava di chiudere la faccenda.

Maryam Laamane non poteva sopportare la lingua biforcuta di quella donna impossibile che insultava la sua amica specialissima.

«Zitta, scema» le disse. Le parole sgorgarono in lei con un'insolita naturalezza.

«Ti sei portata dietro una piccola peste, vedo?» fece Fauzia.

«Non sono una piccola peste. Sono Maryam Laamane Abdi. E tu non hai il permesso di insultare la mia amica Howa, capito?».

Howa tentò di stringere la mano di Maryam. Sperava di farla stare zitta. Invano. Maryam continuava a parlare.

«Avete sentito, amiche?» disse Fauzia Ahmed. « Un'altra traditrice». E poi rivolgendosi a Maryam: «Tu non hai il permesso di festeggiare, questa festa è per noi che ce la siamo guadagnata. Tu sei una traditrice, come quell'essere dal naso a patata. Tuo padre e il suo sono stati soldati degli italiani, hanno ucciso, hanno fatto i gradassi, e si sono arricchiti alle spalle dei somali onesti».

«Zitta, scema» questa volta fu Howa a parlare «lascia stare la bambina».

«Zitta a me non lo dici, puttana che non sei altro».

Si fece silenzio intorno. L'aria piacevole di quella prima sera divenne immediatamente tesa e gelida. Gli alberi minacciosi e gli animali nervosi. Le cinque compagne di Fauzia con il fiato sospeso e Maryam Laamane nel panico più profondo.

Howa aveva i nervi saldi. Non voleva battersi con quella scema di Fauzia Ahmed proprio quella sera di festa, ma sapeva di non avere altra scelta.

Fauzia rincarò la dose: «Ma guardatela, una puttanella da quattro soldi...».

Il sorriso dipinto sulla faccia di Fauzia era un ghigno malefico, la voce tre toni più in alto. Un gruppo di gente cominciò a fare quadrato intorno a loro, le contendenti. Anni dopo, quando Mohamed Ali andò in Africa a combattere la rivincita delle rivincite, Maryam si sarebbe ricordata di Fauzia e Howa Rosario, e di quell'insensato combattimento.

Fauzia delirava ingiurie. Spargeva fango, non sapeva perché. Sorrideva anche, voleva che quel pubblico intorno facesse il tifo per lei. Voleva ingraziarsi la giuria. Ripeté la parola puttana infinite volte. Fu al limite dell'infinito che Howa Rosario non resistette più e le mollò un severo ceffone. Suonò come una bomba.

«Tua madre doveva batterti più spesso, scema».

La gente aspettava spasmodicamente la reazione di Fauzia Ahmed. La folla intorno era aumentata. A dismisura. Per un momento quella rissa tra ragazze aveva preso il posto dell'indipendenza tanto agognata.

Non ci fu reazione da parte di Fauzia. Solo parole di ghiaccio.

«La verità ti brucia, eh? Se te la prendi tanto vuol dire che sei veramente una puttana... sennò non avresti reagito così».

Fauzia aveva segnato un punto. Howa ne fu scossa. Quella scema la stava costringendo a quel che lei non voleva. Doveva difendere la sua reputazione, ora non poteva semplicemente ignorare e andarsene. Doveva dimostrare agli altri che quello non era vero, che lei non era una puttana. Una fanciulla intatta, cucita, come Dio l'aveva concepita.

«Maledetta Fauzia Ahmed, ti odio, ti odio» disse tra sé Howa Rosario.

La tradizione voleva che in caso di dubbia reputazione, l'interessata dovesse sfidare chi l'aveva insultata in una prova di verginità. Bisognava difendere l'onore mostrando la vagina a un gruppo di altre donne volontarie. Queste giudici imparziali avrebbero decretato la verità dei fatti. Howa era stata tentata di non scendere a quel basso compromesso. Lei era devota ad Allah, faceva le cinque preghiere, il ramadan – perché doveva sottoporsi a quel rito che con l'Islam non aveva niente a che fare? A lei lo aveva spiegato il dottor Jumaale. Un bell'uomo, il dottor Jumaale. Le aveva detto tante cose. Le aveva spiegato come cucinare in modo sano, le aveva consigliato di mangiare la papaia quando la pancia si rifiutava di fare il suo dovere e le aveva detto anche che «il *gudnisho* era una cosa non scritta sul Corano». Ecco, quello le dispiaceva. Le aveva fatto un male cane quella dannata infibulazione. Se la ricordava ancora. L'avevano presa in quattro donne e la quinta le aveva tagliato il lembo di pelle che pendeva dalla vagina. In realtà non avevano tagliato solo quello, ma parecchia roba intorno. Ma di questo se n'era accorta solo dopo. Poi si ricordava il sangue sulle cosce, l'ago che penetrava la pelle. E la sua prima pipì, un dolore che non si poteva spiegare. «Ad averti conosciuto prima, dottor Jumaale, non mi sarei lasciata fare una cosa così dolorosa, che Dio non ci ha ordinato di fare». Il dottor Jumaale era proprio un bell'uomo.

Però quella gente tutt'attorno era feroce, l'avrebbero massacrata con le loro ingiurie. Lei aveva fatto dei piani, voleva lavorare, essere indipendente, lasciare quel mostro di grasso che era sua madre. Invece ora era perduta. Tutti si sarebbero accorti che...

Doveva lanciare la sfida. Non aveva alternative. Maledetta Fauzia Ahmed, maledetto il giorno in cui sei venuta al mondo, che l'ira di Allah possa abbattersi su di te, figlia di Iblis.

«Ti sfido» disse, quasi senza paura Howa.

Maryam Laamane intanto tremava. Aveva paura per la sua nuova amica.

Una donna propose: «Venite a casa mia, è qui che sarete esaminate».

Molte donne accompagnarono le ragazze, erano le volontarie della giuria popolare. Sarebbero state loro a ispezionare le fighe.

Howa pregò nel silenzio della sua mente.

«Howa sei stata offesa per prima. Perciò devi spogliarti per prima» disse la padrona di casa indicando una stuoia che giaceva accanto a lei.

Howa Rosario obbedì senza proteste. Che altro poteva fare?

Si sdraiò sulla stuoia, braccia incrociate sotto la testa, gli occhi puntati al soffitto. Poi automaticamente allargò le gambe, tenendo le ginocchia in su e i piedi che quasi toccavano la testa. Le cosce erano spalancate, quasi in offerta. Gli organi genitali dovevano essere in bella mostra, visibili a tutte le donne. Qualcuno portò una lampada a olio per illuminare meglio. Le donne si avvicinarono, curiose e un po' a disagio. Una folla si fece presto intorno a quella ragazza con le ginocchia all'insù.

«Ma cos'è questo?», gridò stupita una delle donne del gruppo.

«È bianco» disse un'altra.

«Molto bianco» fece eco una terza.

«Ma che stoffa sarà?» chiesero un paio in coro, molto curiose.

«Resistente, pare» disse una con un foulard sbilenco in testa.

«Lo vogliamo anche noi» gridarono all'unisono le donne che dovevano fare da giuria.

Howa non capiva. Sentiva solo quella stuoia gelata che le tormentava le costole.

Si rialzò in un moto di stupore, ma con la dignità che l'ha contraddistinta sempre.

«Scusate signore, ma cosa sta succedendo?».

Fu Maryam Laamane a spiegarle il mistero. Nessuna di quelle donne aveva visto in vita sua una mutanda. Howa Rosario benedì la sua distrazione. Si era dimenticata di toglierle. E ringraziò anche la sarta Bushra che le aveva insegnato quel segreto. «Non prendi più spifferi e sabbia con queste addosso», ed era effettivamente così. L'indomani sarebbe andata a ringraziarla. Anche se a ben vedere, la cosa le pesava un po'. Con Bushra c'era una faccenda in sospeso.

Il padre

Prima che ci fossero i gioielli di Mickael Kra, il maculato di Marianne Fassler, i profumi griffati di Alphadi, le camicie sgargianti di Pathé O. Prima di tutti loro, grandi pionieri dell'african style, stilisti immensi, cara Zhura, in Africa ci sono stato io. Prima che i *sapeur* subsahariani si atteggiassero a divi, prima che Papa Wemba vestisse Ferré, prima che Mobutu costringesse tutti all'*abacost* maoista. Prima di questo e altro, ecco prima di tutto e tutti, ci sono stato io. Ero uno dei più famosi sarti africani. Ero ricercato. I miei modelli indossati ovunque. Per me era arte, ma anche quotidianità. C'era la signora Zeinab Moallim che mi chiedeva un abito tradizionale *garees*, a forma di luna perché non voleva sentirsi sola dopo che il marito aveva sposato un'altra donna. C'era Shukri che cresceva e cambiava colori, o il signor Omar Tenenti che partiva per un viaggio d'affari in Mauritania.

Strano, figlia mia, non ho mai pensato di farci dei soldi. Per me bastava rendere belle le persone, essere pagato il giusto. E chi ci pensava a una boutique davanti al Ritz? Per me il Ritz, Parigi, gli Champs-Élysées erano fantascienza. Anche Roma era fantascienza. In quella Roma dove vivi tu adesso. In quella Roma che ci ha colonizzati e che ci ha scordati. Anche Roma era fantascienza. L'unica realtà era l'Africa. L'unica che potesse contenermi. Sono stato tra i più grandi, dicono. Hagi Nur mi ha fatto vedere una mia foto in un libro, un giorno. Una bella foto. Ero accanto a Sékou Touré. Gli avevo fatto una bella *mise*. Non era ancora morto Kwame Nkrumah, Nixon e il sir inglese non si erano ancora giocati a poker la sua vita. E Sékou Touré voleva un vestito per accogliere l'amico di tante battaglie. Facevo i vestiti alle persone importanti, quelle che si vedono nei libri di storia. Ma sai, senza Bushra non sarei stato niente. È lei che mi ha insegnato. Che mi ha plasmato. Per me è stata più di una madre. L'essenza stessa dell'essere.

Ma dove ero rimasto? Ecco sì, a quando Bushra era diventata la mia nuova mamma. La mamma del piccolo Elias Majid. Era un bambino buono Elias. Un bambino avvolto nel bene. Stretto in un abbraccio di mille mani. Non erano solo le zie a volergli bene. Ma i vicini, i gatti, gli sconosciuti. Ogni canzone era per Elias, ogni parola, ogni pensiero. Ma tutti cercavano in lui un altrove impossibile. La verità era che in trasparenza tutti cercavano Famey. Il bambino era solo la sua emanazione. S'illudevano tutti che la morte non si fosse innamorata di quell'esile e forte ragazza, che la morte non se la fosse portata via in un bagno di sangue e placenta. Il bambino era la copia in miniatura di quella mamma piccola con gli stessi grandi occhi, la stessa allegria infantile, la stessa perfetta gentilezza. Amando Elias, si rendeva il giusto tributo alla sorella, alla vicina, alla padrona, alla sconosciuta. Majid era rispettato da tutti. La gente sapeva che per fare quel cucciolo di umano era stato necessario il suo liquido, la sua collaborazione; ma la gente tendeva spesso a ignorarlo. Era solo la madre che contava per il mondo. La sua placenta riversa, il suo sangue disperso, le sue urla nel momento estremo della morte. Si era sacrificata per quel bambino. Ora era giusto considerarlo solo suo.

In realtà il sacrificio era stato più grande. La gente non immaginava neppure. L'urlo di Famey morente, era anche l'urlo di Famey stuprata. Era l'eco di Majid stuprato. Era la dignità calpestata. Il loro orgoglio sfregiato. L'amore abbattuto. Era lei. Era lui. Lei che si raccoglieva le vesti intrise di sangue e sperma. Che le strizzava rabbiosa. Che ci buttava addosso la sabbia della boscaglia. E lui che si alzava. Che ricadeva. E lei che gli andava incontro, che gli strofinava la sabbia sul culo. Che lo massaggiava. Lei che sussurrava all'orecchio di lui le parole di una ninna nanna sfumata. Lui che le fermava la mano. Lui che provava a massaggiarsi l'orgoglio. Il sesso. E lui che tirava su le sue brache calate. Lui che piangeva. Lei che non riusciva ad abbracciarlo.

Majid era rispettato. Era lo sposo degno di Famey. Troppo ombroso forse, per i gusti della gente. Neppure i *ginn*, si mormorava, lo tentavano con le loro grasse spiritosaggini. Era quasi immune alla gioia. Una maschera. I bambini avevano paura di lui, però era considerato un uomo degno della fiducia dei più.

L'unica sbavatura, quasi un peccato, fu considerato quel suo matrimonio affrettato con Bushra. Le tue zie (e non solo loro) rimasero molto male della scelta di Majid:

«Perché proprio lei?» si chiese zia Ruqia.

«Perché la strega?» le fecero eco le altre.

Se Majid avesse sposato un *ginn* non sarebbero rimaste così sconvolte. Dopotutto di uomini che si sposano *ginn* era piena la Somalia, ma di uomini che si sposano streghe villane, ecco di questo c'era da discutere.

Ma l'eco pettegola del matrimonio di Majid non si arrestò nel vociare domestico. Tutti i vicini, i conoscenti, i gatti, gli sconosciuti, tutti volevano dire la loro. Si scatenarono le comari briose, le zitelle in fiore, gli scapoli dei vicoli, i lustrascarpe furbi, i commercianti al dettaglio, le venditrici di *qad*, gli indovini fascinosi, le benpensanti, le malpensanti. Si parlava e si sparlava di quei due, come fossero l'unico argomento degno di conversazione dell'intero pianeta terra.

La domanda che ricorreva ossessiva sulle fauci di tutti era: perché proprio lei, con tutte le donne che ci sono nella gloriosa terra di Punt?

Sì, è bella, ma poi? Va bene è pure intelligente, ma poi, dimmi, poi? Certo sa mandare avanti la casa come nessuna, ma poi, dimmi, poi? A letto dicono che... ma poi, scusa, poi?

Era come se Bushra dovesse dimostrare di essere senza difetti, immacolata. Strano destino il suo, dover dimostrare di essere se stessa.

Le donne la invidiavano apertamente. La consideravano una villana, arrivista e anche un po' puttana. Gli uomini la dileggiavano in pubblico, per poterla meglio sognare la sera. I suoi occhi di gazzella campeggiavano nell'immaginario del quartiere. E si dice che la sua fama avesse raggiunto lande lontane, dove glorioso era stato solo il nome di Bilqis, la regina di Saba. In quelle lande la si paragonava alla regina, per bellezza.

Il primo mese la coppia non ebbe tregua. Parole, parole, parole.

«Te lo fa diventare storto» sosteneva Omar, il venditore di *zeituna* e frutti assortiti.

«Storto che poi non ci capisci nulla e non lo puoi più usare bene con le donne. Così storto che quasi non entra in quella fessura cucita. Che quasi diventi una donna».

«Un po' donna lo sembra quel Majid, non vi pare compari?» rilanciava la palla Muqtar.

«Taci, compare. Non sono belle parole per ornarsi la bocca. Sei un credente e non sta bene offendere il prossimo. Anche se ti do ragione, il passo è dalla morte di Famey che oscilla sbilenco» ammoniva e malignava Yousuf.

«Zitte, lingue biforcute. Majid è un bravo compare, timorato di Dio e con un bel figlio. Oscilla per il dolore. E poi la sua virilità è ampiamente dimostrata dalle parole della sua compianta moglie. Le femmine chiacchierano tra loro e Famey diceva alla mia donna che lui non la faceva mai riposare, mai. Eh sì, quell'uomo ha certi appetiti da soddisfare, non so se mi spiego».

«Ora allora avrà trovato pane per i suoi denti, il buon Majid. Dicono che quella donna, Bushra, quella strega sia molto affamata» urlava quasi Ahmed in stato di eccitazione.

«Sì, è proprio quel che si racconta in giro, proprio così» facevano tutti in coro.

«In effetti», rincarava la dose Hamid, il cameriere personale della signora Ferrarotti, «ho sentito dire che stordisce gli uomini con delle pozioni che...».

«Che??» gridava Mahmoud sospeso tra una curiosità libidinosa e un disgusto controllato.

Il «che» puntualmente non veniva mai soddisfatto. L'apoteosi si raggiungeva però solo con la rivelazione finale.

«Ho sentito dire dalla mia seconda moglie» segnalava Libaan «che la strega ha carne pendula fra le gambe. Che lei non è cucita come le nostre donne».

«Che dici mai?» domandava inorridito il coro.

«Dico» ripeteva Libaan «quello che ho appena detto. Che ha carne pendula tra le gambe. Che c'ha ancora quella cosa lì che va tagliata. Oh labbra, non costringetemi a dire quella parola dannata».

«Parola dannata?» disse subito Othman «non dirmi che...».

«Sì, invece...» fu la risposta laconica di Libaan.

«Povero Majid. Dicono che quella carne pendula nella figa delle donne può uccidere la nostra virilità. Com'è potuto succedere?» si chiese sgomento Othman.

«Io non lo so» si difese quasi Libaan «però so che gli arabi e gli italiani che abitano le nostre terre dicono che non hanno paura della carne pendula, che anzi è meglio. Ma come può essere? Se uccide la nostra virilità come può essere meglio?».

«Chiedete a me, amici, chiedete a me, al vostro piccolo compare» era uno sconosciuto che nessuno aveva mai visto prima nel quartiere.

«E tu chi saresti?» chiese il coro stizzito da quell'intrusione.

«Io sono io. E vi basti. Sono uno che ha viaggiato. E con donne con le carni pendule ci sono stato. C'è un'isola a infinite leghe da qui, in cui le donne indossano abiti colorati e ti massaggiano i piedi. Donne che profumano di cocco e incenso. Donne che sembrano il sole del tramonto. Dopo averti offerto i frutti del mare e del sudore, offrono all'ospite se stesse. Si stendono nude e tu ti stendi su di loro. Tutte hanno il loro *khinthir* e tutte ne sono felici».

Gli uomini curiosi avrebbero voluto domandare, ma erano troppo intimiditi per chiedere «E poi?».

Ma lo sconosciuto continuò il suo racconto: «Sospirano sotto il peso dell'uomo, si agitano e godono come noi. A volte anche di più».

«Godere, una donna?» si chiese uno del coro: «Non è contro natura?».

Lo sconosciuto scosse la testa. «Il vostro compare Majid è fortunato. Gusterà un piatto che voi neppure vi sognate, stolti babbei che non siete altro. Tagliare quella splendida appendice alla donna è un danno incredibile per noi stessi, oltre che per loro. Oh, se penso che non vedrò più le mie belle dame sole del tramonto! Qui in questa terra arida, la vostra paura ha reso aride anche le vostre donne. Che danno irreparabile!» lo sconosciuto si diede mille botte in testa in segno di dolore.

«Ah, tu sei forestiero» disse un altro del coro, uno che lavorava alla dogana di Mogadiscio. «Cosa vuoi capire delle nostre donne? Quella Bushra è una strega. E la sua fame è da strega. E la sua carne pendula è da strega. Forse è figlia della figlia di Iblis».

Bushra si divertiva. I primi trenta giorni di matrimonio si divertì a raccogliere in gito le voci. C'era sempre qualcuno che non la conosceva e andava a riferire proprio a lei l'ultima su Bushra la strega e quel fessacchiotto di Majid. Se avesse saputo l'alfabeto e la magia della scrittura, la bella Bushra avrebbe tenuto un diario. Però non sapeva scrivere. E quando aveva qualche idea per la testa, la riversava nelle stoffe. Fu così che in quei tessuti c'era scritta la verità di tutto quel primo mese. La gente faceva la fila per poter avere un vestito *bulgi* o un *dirah* da cerimonia fatto dalla sarta maga Bushra. Lei, conscia del suo successo, aumentò un po' i prezzi. Fece buoni affari, nonostante dovesse prendersi cura del piccolo.

In quelle tele la gente lesse di lussuria e perdizione. In quelle stoffe c'erano solo un amore frustrato e un amore ricompensato. Il matrimonio era stato un contratto, niente di più. Majid, come nella migliore tradizione musulmana, si faceva carico della nuova moglie, del suo sostentamento e della sua buona condotta. Lei invece, come da accordi prematrimoniali, si sarebbe occupata interamente del piccolo. Gli avrebbe dato il suo latte e il suo amore.

Il matrimonio fu una formalità. Non fecero feste, non chiamarono amici, non mangiarono leccornie scelte. Dopo il contratto, Majid andò a lavorare. E lei semplicemente a cucire. Solo che da quel momento Bushra aveva una appendice. Un batuffolo tenero di bimbo.

Elias aveva lo sguardo intelligente di chi nasce già preparato alle durezze di questa nostra effimera esistenza. Muoveva vorticosamente le mani e i piedini, come se avesse fretta di alzarsi, camminare e andare in giro per le arterie del mondo. Piangeva il necessario e sapeva rispettare i tempi della sua nuova mamma. Lei lo cullava tra le sue mani salmodiando le poesie tradizionali di sua nonna Medina. Erano canti di lode alla pioggia, alla natura, alla purezza semplice del vivere nomade. Nella voce di Bushra si intuiva la granulosità della sabbia, la dolcezza dei nobili dromedari, la cattiveria senza pari delle iene razziatrici, il tumulto infinito di un amore eterno. Erano poesie piene di consapevolezza amorosa, il cuore era in esse bagnato di sangue e amore.

La prima notte Majid arrivò stanco. Lei gli fece un massaggio. Lui si addormentò cercando di mantenere una certa distanza dal corpo della moglie.

«Vorrà preservarsi per quando avrà le forze» disse a se stessa la donna ignara.

La seconda notte Majid arrivò ancora più stanco. Le occhiaie avevano scavato il viso oltre l'osso. Era quasi uno spettro. Da avere paura. Ma Bushra lo desiderava. Gli fece un massaggio più vigoroso. «Devo ridare forza a questa muscolatura consumata». Gli passò l'olio su ogni lembo di pelle. Piedi, polpacci, cosce. Notò con orgoglio che il suo sposo non ancora conosciuto aveva una bella schiena e delle natiche promettenti. Cominciò a frizionarle energicamente. Il letto (lo stesso che Majid aveva diviso con Famey, che Allah possa avere pietà della sua povera anima tormentata) traballava come una gru cieca sotto la foga di quella donna innamorata. E sì, Bushra era davvero innamorata di Majid. Lo aveva sempre rispettato, era stata sua cognata e solo per questo si era tolta certi cattivi pensieri. E poi lei stessa era sposata con un uomo che, nonostante le pene da misera fanciulla vergine, l'aveva trasformata in una donna con tutti i requisiti. Il rispetto della prima ora si trasformò dunque, dopo la contenuta dichiarazione matrimoniale di Majid, in gratitudine.

«Lui non ha paura di me» disse Bushra all'altra Bushra, quella timorosa, piccola, che viveva dentro di lei, che il popolo chiamava *nafs*, ossia anima.

«Non mi considera una strega, né tantomeno la figlia della figlia di Iblis».

La gratitudine fa presto a diventare amore, fa presto a confondere le acque. Bushra si cucì un bellissimo vestito per il matrimonio solitario. Aveva trovato una stoffa arancio con cui si avvolse tutta come una perla. Però lui era troppo stanco per potersi accorgere dei suoi sforzi.

La prima settimana passò quasi senza sospiri. Bushra era fiduciosa, innamorata. Massaggiava il suo uomo sconosciuto e di nascosto massaggiava pure se stessa. Voleva offrirsi con cosce pronte, sode. Poi massaggiava i seni che erano come papaie piene di polpa. E massaggiava il sesso e quella carne pendula che era stata la sua perdizione. Si erano scordati di tagliarla come alle altre sorelle.

Era successo per caso. Nessuno si era accorto che lei, Bushra, non era presente all'infibulazione insieme alle altre. Erano tante quel giorno, la gente era anche stanca. C'erano appena state le inondazioni. Morti da seppellire, bestiame da riorganizzare, piani da rivedere. Era tutto molto caotico e imprevisto. Sta di fatto che si erano scordati di lei. E fu così che la carne le ciondolava ancora dalla vagina. Lei poi fu brava a nasconderlo alle sorelle. Non si denudava mai davanti a loro. Non si faceva mai vedere la vagina. Bushra aveva visto in che stato tornavano a casa le sue sorelle. Dolore immenso, pipì feroce, paura. E poi Amina era morta per quella operazione. A Bushra sembrava tutto un po' assurdo. Perché fare una cosa che Dio non voleva? Lo aveva detto un imam giovane, un giorno. La gente lo aveva preso a sassate, lo aveva insultato. Ma l'imam giovane aveva detto: «Siete degli stolti a tagliare ciò che Allah ha creato». Quelle parole Bushra se l'era tatuate sul petto e non permise più a nessuno di toccarla. Anche il suo primo marito fu subito zittito. Provò a ribellarsi, a far vedere che era lui il padrone. Lei disse solo: «Provami così e poi mi dirai». Si dice che il suo primo marito non si lamentò mai della carne pendula. Anzi...

Ma quella è una leggenda popolare e ora, Zuhra mia, non ho tempo per divagazioni. Voglio parlare di Bushra e Majid davanti al loro talamo.

Fu venti giorni dopo il contratto matrimoniale che Bushra fu messa al corrente di come si sarebbe svolto quel matrimonio. Majid tornò prima del solito. Era presto. Sul fuoco quasi niente. Lei stava allattando al seno Elias quando il marito entrò.

«Succhia bene il nostro Elias», era un'affermazione o una domanda? Bushra non lo capì. Stava per posare il bambino per fargli una tazza di tè, sebbene lui non le avesse chiesto niente.

«Finisci con Elias» aggiunse «deve crescere e diventare il sostegno del suo genitore. Nutrilo. Farò io la cena».

Faceva il cuoco il marito, presso dei ricchi bianchi. Si diceva che era il più bravo, che meglio di lui nel *burgicco* non ci fosse nessuno. Che le carni si ammorbidivano al suo tocco e che il riso non scuoceva mai. Si dicevano meraviglie. Ma fino a quel momento, Bushra non aveva assaggiato niente di cucinato dal suo sposo, nemmeno l'acqua bollita.

Lo sentì trafficare con le vettovaglie, il *burgicco* risuonava come un tamburo di vacca. Aveva un ritmo. Il bambino rideva. Lei pure. L'odore era buono. Fu tutto pronto dopo la preghiera del tramonto. Pregarono insieme. E poi mangiarono. Il piatto era grande. Era uno di quelli più comodi. Aveva un fiore al centro. Il riso era disposto in mezzo. Quasi una montagna bianca, attorniata da collinette di bontà. Verdure verdi, cipolle bianche, carne rossa, banane gialle. Un po' di uva sultanina per dare sapore. In un bicchiere al centro, una salsa verde di cocco e peperoncino. Il riso non era quello che lei usava sempre. Aveva chicchi lunghi e profumava. E la carne? Era tenera, si univa alla saliva come vi fosse destinata da tutta una vita. Un pezzo di pane soffice per aumentare la goduria. Tè dolce alla cannella per annaffiare.

Bushra appallottolò un po' di riso e carne nella mano destra. La gente usava tre dita per sollevare il cibo. Lei ne usava sempre quattro. Per la meraviglia di tutto quel ben di dio rischiò di mordersi il quarto dito. Prese una manciata piccola, all'inizio. Poi ci prese gusto e la piccola quantità divenne media e infine grande. Majid non toccò nulla. Bushra finì l'intero piatto. Tutto il riso, tutta la carne, tutta la verdura andarono a fare compagnia ai succhi gastrici dello stomaco. Tutti dentro di lei. E anche la caraffa di tè dolce fu finito da lei. Ne rimase meravigliata. Era così sorprendente. Non aveva mai mangiato così tanto in vita sua. Mai così tanto. Sarebbe morta? Si chiese. Si sentiva stranamente leggera. Avrebbe ricominciato volentieri a mangiare di nuovo, da capo fino alla fine dei suoi giorni.

La donna ruttò. Poi si accorse che Majid, quel suo sposo, quel Majid per cui ogni sera si massaggiava le cosce, quel Majid che desiderava più di se stessa, ecco, si accorse che quel Majid la stava guardando. «Chissà cosa penserà di me, ora il mio sposo», e cominciò a piangere. Aveva mangiato tutto senza ordine, criterio, misura. Lui l'avrebbe insultata di certo e magari ripudiata. E tutti avrebbero detto: «La strega si è giocata un matrimonio per un rutto e un pugno di riso». Majid la guardava. E lei leggeva rimprovero nel suo viso. «Ma come ho potuto essere così ingenua? Dovevo dire no, cucino io marito mio. Mi ha messo alla prova e ho fallito».

«Perché piangi, Bushra?» chiese Majid stupito.

«Era tutto talmente buono e io l'ho finito» era la cronaca dell'accaduto, si sentiva così stupida di aver detto l'ovvio.

«Ne sono contento» disse solamente.

«Contento?» si stupì la donna.

«Si, stai nutrendo nostro figlio».

Nostro. Aveva detto nostro?

«E se vuoi preparerò per te ogni sera. Ma tu non chiedermi altro, intesi?».

Bushra si affrettò a dire sì. Quella sera lo massaggiò per bene. Lo sgrullò come una stoffa impolverata. «Non chiedermi altro, intesi?». Aveva detto di sì. Purtroppo. Majid si addormentò mantenendo le distanze dal corpo della moglie, come al suo solito. Bushra sognò di essere sua. Nei sogni poteva trasgredire la sua promessa. Era chiaro ormai che non avrebbero mai fatto l'amore.

CINQUE

La Nus-Nus

La campanella trillava isterica. Un trillo lungo, due brevi. Era la ricreazione. Mar notò come lo studio dell'arabo classico facesse ritornare bambini. Erano quasi due ore che tutti agognavano quel trillo liberatorio. L'isterismo forse era dovuto proprio a quell'attesa quasi estenuante. Studiare arabo richiedeva sforzo. L'alzataccia la mattina e poi quella *full immersion* in una lingua che era altro che più altro non si può, almeno per lei. A ogni livello si sgobbava sodo. Chi sull'alfabeto, chi sui verbi irregolari, chi su complessi trattati medievali. Si usciva dalle aule con i vestiti zuppi e la testa fumante. Lo studente di arabo lo riconoscevi da quel codazzo di scarabocchi alfabetici che gli uscivano dalle orecchie. Il trillo rendeva felici. Tornava quella sensazione di benessere che si provava alle elementari. Era l'aritmetica a stancare allora o le sillabe. Poi il trillo e l'unico pensiero, il sogno segreto: la merendina al cioccolato che la mamma ti aveva messo nel cestino. Mar però in quel momento non sognava il cioccolato, ma solo le sue Camel light posizionate strategicamente nel taschino destro della sua sahariana. Non era più una bambina, dopotutto. E non lo erano nemmeno gli altri studenti della scuola. Niente merendine (magari un caffè), solo Camel. In quella scuola c'era di tutto. C'erano ventenni universitari, uomini d'affari quarantenni, zitelle cinquantenni, professori in pensione ultrasessantenni e poi sì, c'erano i trentenni e quasi come lei. Si stava lì per la speranza di un lavoro in qualche azienda, per il sogno di una cattedra universitaria o quantomeno una pubblicazione, molti per un'insensata passione. Lei era l'unica che stava lì per imposizione. Era quasi un dettato divino, che in quell'agosto 2006 l'aveva portata in quel lembo di Nord Africa.

I minuti a disposizione per la pausa erano venticinque. Molti a prima vista, pochi dopo un attento esame della situazione. Cinque se ne partivano con la discesa delle scale. Non era una discesa, ma una vera processione degna della Semana Santa di Siviglia. La gente stava in fila appiccicata, fremente di sigarette e dolciumi. I piani erano due, le aule colme, gli spazi ristretti. L'atrio si riempiva. Tutti si davano appuntamento nell'atrio, e nessuno si ritrovava.

Anche Mar aveva un appuntamento. Non nell'atrio. Lei e il suo appuntamento con Camel e dolciumi si erano accordati per un punto alternativo, l'entrata del caffè di fronte la scuola. Il suo appuntamento si chiamava Elisa Mercadante. Era italiana come lei. Giornalista. Sembrava la sorella gemella di Björk. Si erano conosciute nei corridoi della scuola, il secondo giorno. Elisa era una che l'arabo lo conosceva abbastanza bene. Aveva scritto anche un libro sulle giornaliste arabe dei canali satellitari. Aveva agganci ovunque, Elisa Mercadante. Ogni tanto la sua firma illuminava la rivista «Alias», l'allegato del sabato del «manifesto». Se Mar avesse letto il suo curriculum vitae forse l'avrebbe detestata, laurea, master, esperienze a livello planetario, pubblicazioni. Avrebbe pensato: «Ecco una che se la tira». L'avrebbe immaginata come la classica donna in carriera. Completino Gucci, una ventiquattrore, filo di perle nere, un Rolex al polso e un cellulare *pure black* nella borsetta ipergriffata. Se avesse letto il suo curriculum vitae, Mar si sarebbe immaginata una cipolla in testa con ciocche rosse che incorniciano l'ovale, occhi piccoli, bocca ingrandita da un rosetto rosso fuoco Yves Saint Laurent. Avrebbe immaginato una donna che legge riviste finanziarie e per distrarsi va in palestra a fare pilates. Poi avrebbe immaginato i dischi *chillout* disposti ordinatamente sullo scaffale dello studio. Mar per fortuna non lesse mai il curriculum vitae di Elisa Mercadante, non ebbe il tempo di farsi un'idea sbagliata. Era stata una Camel light a farle incontrare. Mar si era dimenticata il suo pacchetto dalle suore. Era venuta a scuola senza. Alla ricreazione era già in astinenza piena. Elisa stava davanti a lei e le fu naturale allungarsi verso quell'altro essere umano e chiedergli la cosa più importante per lei dopo l'ossigeno.

Mar trovava simpatica Elisa. Una ragazza semplice. Molto diversa da quelle che conosceva lei. Molto diversa da Pati, molto diversa da mamma Miranda. Elisa portava i jeans strappati, capelli neri a caschetto e maglietta svasata coloratissima. Sembrava la cameriera di un drive-in, non una seria professionista del giornalismo internazionale. Però lo era. E tutti potevano accorgersi di questo, dopo cinque parole scambiate con lei. Sapeva di tutte le crisi del mondo globalizzato. Ti anticipava le tendenze, le vertenze, le malevolenze e le cazzate. Sapeva sei lingue e ora voleva aggiungere al curriculum, quello che Mar per fortuna non aveva letto, l'arabo standard.

«Non voglio imparare a parlare l'arabo, nessuno può veramente parlare bene l'arabo classico, nemmeno gli arabi di nascita. A me basta capire Al Jazeera». Era quello il suo obiettivo, capire Al Jazeera e magari perché no, un paio di dialetti, il siriano e l'egiziano, i più conosciuti del mondo arabo. E lei, Mar Ribero Martino Gonçalves, aveva obiettivi? Probabilmente no. Voleva solo superare l'estate. Poi tutto sarebbe stato ridiscusso.

«Ho fatto tardi, scusa. Ma c'era gente ovunque» disse Mar giustificandosi come sempre.

«Tranquilla sorella, qui ancora non sono calate le orde barbare. Ci mettiamo in fila e, ti dirò, ci scappa pure un bel tè sedute».

Mar non ordinò il tè, ordinò un caffellatte, tanto per cambiare. E dietro suggerimento di Elisa Mercadante, prese una sfoglia.

«Sono buone, qui».

Diede un morso Mar, in attesa che il cameriere si rivolgesse a loro e servisse la bevanda calda. Al primo morso non capì un granché. Al secondo trovò quel dolce troppo zuccherato. Non le piacevano gli alimenti esageratamente dolci. In quello era uguale identica a sua madre.

Il cameriere si rivolse a loro. Aveva una maglietta bianca. Due baffi che ricordavano i briganti dell'Ottocento. Non era un ragazzo, piuttosto un uomo maturo. Le guardò entrambe. Uno sguardo che a Mar cominciava a dare fastidio. In quel paese tutti gli uomini le guardavano così. Un misto di oscenità e innocenza. Poi aprì la bocca. «*Anti arusa*» disse e poi «*anti gemilan giddan ya hubbi*».

A Mar venne spontaneo un «Ehhh?», mentre Elisa Mercadante sghignazzava di gusto.

«Che mi ha detto? Che mi ha detto? Dai Elisa non ridere... dimmelo...».

«Ti ha detto» la voce proveniva da dietro «che sembri una sposa e sei molto bella, amore mio».

Mar si voltò lentamente. La voce gli era sembrata calda e accogliente. Una coperta di Linus nella quale avvolgersi e morire. Non le succedeva spesso con la voce dei maschi, di solito le creavano disgusto. Quella però, era molto calda. Si voltò per scoprirne l'identità. Si meravigliò alquanto, quando vide che il padrone della voce era un allampanato cinese di non più di venticinque anni.

«Mi chiamo Guu Chang Yang, potete chiamarmi JK però... è il mio soprannome».

Fu così che lei, Elisa Mercadante e JK fecero colazione insieme.

JK era uno studente di filologia semitica alla Sapienza di Roma, aveva ventitre anni e sperava un giorno di poter continuare a studiare ciò per cui era stato concepito, «Scriverò un volume che rivoluzionerà la semitistica». Però prima si doveva laureare. Gli mancava poco alla specialistica. Dopo sarebbe stato libero di essere quello che voleva. Per campare lavorava nel ristorante dei genitori. Non ci andava d'accordo. Loro volevano che continuasse la via del commercio, dei conti da pareggiare, dei clienti da servire: «Se non ti piace il ristorante, potresti provare con l'abbigliamento», e se non era l'abbigliamento era qualche altra diavoleria. Era stufo di quella vita lì. I cinesi non erano solo quello, non solo commercio o guadagno. Erano persone dotate di sensibilità e di estro. Fini scultori, splendidi pittori, pregiati filosofi, insigni poeti. La Cina era stata un impero millenario. Non solo armi e soldi, ma anche cultura. Ma sembrava che il mondo se ne fosse dimenticato. Di come in un paese così grande non c'erano solo tante persone, ma anche tante idee.

Mar sorseggiava piano il suo caffelatte freddo. La ripugnava bere quella brodaglia insipida, ma aveva bisogno di caffè per reggere altre due ore di lezione. Però la bella voce del loro nuovo amico JK l'avvolgeva tutta in una spirale di gioia. Guardò Elisa Mercadante e intuì che anche lei si stava beando di JK Yang.

Fu Elisa a lanciare la proposta: «Andiamo alla Medina dopo la scuola? Mangiamo un kebab e poi ci immergiamo in quel casino di patacche assortite. Vi va?».

Mar e JK risposero entusiasti di sì. Nessuno ancora aveva avuto tempo di andarci. Concordarono di vedersi davanti a quel bar alla fine delle lezioni.

«Quasi quasi lo dico alla mamma» pensò Mar in un impeto d'affetto.

Si accomiatò dai suoi amici e andò alla ricerca della genitrice. Si infilò nei bagni, nella sua aula, nello studio dei professori, nel giardinetto. Di mamma Miranda nessuna treccia. Mar era delusa. Avrebbe tanto voluto dirlo alla madre. La campanella trillò di nuovo. Meno isterica, quasi rinfrancata. Nelle due ore successive, Mar pensò a come sarebbe stata felice con quei due amici. «Se solo vedessi mamma prima», e il pensiero di non averla ritrovata la rannuvolò per un istante.

Quando la campanella, sazia, trillò la fine delle lezioni, Mar schizzò via dalla classe come una bambina discola. Fu in quel momento che incrociò la madre. Quella mattina non si erano viste. Lei aveva indugiato nel letto, mentre la madre probabilmente era già seduta nel suo banchetto in prima fila, da alunna diligente.

«*Buenas tardes*, mamma. ¿*Qué tal*? Stai bene?».

Mar aveva usato un tono accogliente, un tono che non usava mai negli scambi linguistici con Miranda. La donna ne fu meravigliata. Ne fu anche felice. Poi Mar lanciò la sua proposta. «Tanto non accetterà mai, mamma da me non accetta niente». Invece le previsioni di Mar risultarono errate. Miranda accettò con gioia. E per sottolinearle quella gioia l'abbracciò. Mar pensò che la Tunisia stava facendo un gran bene a sua madre. Lei rispose all'abbraccio stringendola ancora di più. Anche a Mar la Tunisia stava facendo un gran bene.

«Conosco io un posto mega. Vi fidate?».

Le teste si mossero ritmicamente in verticale. Era un annuire. Si era raggiunto il quorum. La spinta propulsiva di Elisa Mercadante, premiata.

«Bravi, vi leccherete i baffi per quanto è buono».

Era un kebabaro come ce n'erano a migliaia in quella città del Maghreb. Però quello aveva di speciale il pane. Era un *chapati* indiano, morbido e fatto lì per lì davanti agli occhi attoniti del cliente. Il contorno era come dovunque, ma quel pane rendeva tutto più morbido, più friabile.

Presero i loro *chapati* imbottiti e si piazzarono come quattro adolescenti al piano alto del locale.

«Ragazzi sapete?» disse Elisa. «Io sto in astinenza».

Miranda sorrise. Mar invece si stava preoccupando.

«Anch'io» commentò JK.

Miranda morse il suo *chapati*.

Mar continuava a non capire. Bevve un sorso d'acqua. Poi vide il dito di Elisa che la puntava. Era minaccioso, nevrotico. Mar ne ebbe paura. Non voleva fare la figura della scema, aspettò che la sua amica nuova di zecca aggiungesse qualcosa a quelle vaghe minacce.

«Mar non dici nulla? A te non manca l'alcol?».

Ah, allora era di quello che si parlava. Di alcolici. Ne fu rasserenata.

«No» rispose «io sono astemia come te, non ricordi?».

«Da quando?» chiese sbigottita la madre.

«Lo sai da quando, mamma» disse secca la ragazza.

Miranda pensò di troncare sul nascere quella conversazione che le avrebbe portate a un inevitabile scontro. Spostò l'asse delle parole.

«Ho sentito» quasi fosse un annuncio pubblicitario «che qui si può bere negli hotel».

«Sì» confermò JK «negli hotel puoi trovare di tutto. E invece se sei cittadino straniero puoi comprarlo al supermercato, ma non ricordo bene, c'è una restrizione».

«Sì, sì» gridò quasi Elisa Mercadante «chiedete a me, so tutto sull'argomento. Ci sono giorni in cui non puoi comprare, il venerdì e il giovedì sera. Agli hotel mi hanno detto che ti fanno pagare una cifra, ma cazzo, io stasera ci vado, ho bisogno di una dannata birra».

«Buono questo *chapati*, brava Elisa» si complimentò Miranda.

Parlarono di varie cose. Della situazione politica del Medio Oriente, delle tendenze di moda a New York, di quando tutti i cinesi avrebbero avuto un'auto, dei mondiali di calcio appena trascorsi.

«Dove l'avete vista la partita?» chiese curiosa Elisa Mercadante.

«Io da amici» rispose JK.

«Io al Circo Massimo. Quando Cannavaro ha alzato la coppa è successo il finimondo. È stato divertente» disse Miranda.

«Io non l'ho vista invece, non mi piace il calcio. In famiglia è mamma l'esperta di calcio, non facevi il portiere da piccola?», era una delle poche cose che mamma le aveva raccontato dell'Argentina. Non riusciva a immaginare mamma portiere. In realtà non riusciva a immaginare sua madre in Argentina. Non c'era una scena che avesse in mente dell'Argentina.

«Sì… ma era tanto tempo fa» fece Miranda scuotendo la testa.

«Dai, forte! Non ci tenere all'oscuro».

«Facevo il portiere in una squadra di quartiere. Si chiamava Santiago. Ero brava. Però gli altri non sapevano che ero una femmina. Ci ho fatto sei partite» ricordò con un sorriso a mezza bocca Miranda.

«Qualcuno del Santiago poi è diventato professionista? Magari hai giocato con qualcuno forte?» esclamò entusiasta Elisa Mercadante.

Miranda cambiò espressione. Posò il *chapati* nel piatto.

«Non ti va più, mamma?» chiese preoccupata Mar.

«No, adesso riprendo... è che stomaca dopo un po', tutto questo pane».

«Parole sacrosante» approvò Elisa Mercadante. «Ricordo il giorno in cui mia nonna Rita...».

Persi dietro l'aneddoto di nonna Rita, nessuno si ricordò poi di riformulare la domanda sul Santiago. A Miranda tornò l'appetito. Il pane non la stomacava affatto, erano solo i ricordi ad essere indigesti.

Spartire, litigare, spintonare, ammiccare, contrattare. Questa è la Medina. Il suq. Mercato di sogni.

Io vile commerciante già ti amo. Incrocio i tuoi occhi e già ti amo.

Permette, señorita? Vendo gingilli per la sera e la mattina. Permette? Le mostro? Ecco le bellezze della terra africana. Amache, lampioni, arghilè, finti tappeti veri persiani, essenze, mirra, incenso, birra (di contrabbando), posacenere, mani di Fatima.

Permette? Che lingua parla? Dal suo portamento direi che lei è...? Sì lei è...? Ci siamo capiti señorita, eh? Le ho fatto l'occhiolino? Non credo, non mi permetterei mai, señorita, sono un gentiluomo. Sono arabo e nobile. Un commerciante. Non mi ricacci con quel gesto brusco. La sua mano non è adatta a queste pacchianerie da turista. Lei è figlia dei figli dei nobili del mondo. Lei è degna di zaffiri e diamanti. Ah, se fossi suo marito la ricoprirei di smeraldi. La porterei in groppa al mio cammello e poi in una tenda la profumerei di essenze. Poi mi farei suo... sì, suo, completamente suo. Schiavo, suo devoto amante. Ci ameremmo e vi-

vremmo in gioia e prosperità. Con l'aiuto di Allah, artefice dell'uomo e del creato. Però siamo nati in due continenti. In due mondi. In due contrapposte idee. Di mezzo c'è un mare. Lei è occupata. Io pure. L'amore non è fatto per ferire. Ringrazio il Clemente e il Misericordioso di aver permesso a un povero peccatore di poggiare gli occhi su cotanta bellezza. E come dice il poeta:

Benigno il pomeriggio in cui nascesti amica.
Benigno il giorno in cui diventasti donna.
Benigno il minuto in cui la tua luce mi sfiorò.
Ebbro di te morirò contento.

Ora tra me e te, perla del mio cuore, c'è questa merce. Il vile denaro. Setaccia. Guarda, sconquassa, tocca. Dopo, in solitudine sentirò il tuo odore. Ed ebbro sognerò le Uri del Signore. Oh, fossi tu una di quelle.

Prendi quello che vuoi. Te lo farò pagare poco. Non posso regalartelo. Ti offenderei. Dovrai contrattare. Non voglio che lingue biforcute minaccino la tua purezza.

Tu donna, cliente, e io mercante. Questo solo devono sapere i molti. Né ginn, né uomo deve sapere del nostro amore detto solo dagli occhi.

Era un delirio la Medina. Se non potevano fregarti con la merce, i commercianti ti fregavano con le promesse d'amore. Tutto, pur di vendere anche un misero accendino.

«È pazzesco, qui mi sparano il prezzo declamando Nizar Qabbani» disse sconcertata Elisa Mercadante.

«Chi è Nizar Qabbani?» chiese vergognandosi della sua ignoranza Mar.

«*Hija*, è il poeta delle donne. Me lo ha recitato poco fa pure un tizio con la barba rossa di henné».

«Non si scampa neppure ai vecchi. Marpioni, questi tunisini» affermò Elisa Mercadante.

«Io direi solo bravi commercianti».

Erano andati lì per fare una banale passeggiata ed erano già piene di buste e ninnoli. Mar non voleva comprare. Ma tutto quel colore, quella riverenza, ebbero la meglio su di lei. Si era caricata di portachiavi, vasi, essenze. Sorrideva e sembrava un'ebete.

Anche la compagnia le sembrava sublime. Elisa e JK erano pieni di vita, la mamma poi, era rifiorita. Era la prima volta da anni che passavano un momento insieme senza azzannarsi al collo.

E poi, quella confusione stava ricacciando indietro Pati. Era riuscita a ricacciare la sua amante nel girone dei dannati, in cui si era volontariamente messa con quel colpo di pistola in bocca. Poi anche quella sosia di Patricia, quella ragazza che agli occhi di Mar assomigliava troppo alla sua defunta amante, era scomparsa. Forse era stata un'allucinazione da troppa *chicha*. Mar si sentiva finalmente unita, una ragazza con sangue del Sud e del Nord insieme. Per la prima volta non ci trovava niente di male. In un attimo quella sensazione di pace le ricordò di quando sua madre le cantava *Alfonsina y el mar* di Víctor Jara. Era la sua preferita. Mamma Miranda aveva una voce piena di dolori. Sembrava come l'Alfonsina della canzone, vestita di Mare. Le sue braccia erano onde. Una voce antica *de viento y sal*.

Non la cantava spesso per lei. Preferiva Dylan, era più facile. Ma ogni volta lei faceva i capricci e gridava «Alfonsina!». Batteva i pugni per terra. Lei cedeva. A volte prendeva la chitarra. La sua voce era bella, *de viento y sal*.

«Mamma perché non mi dici cosa è successo in Argentina?».

Fu mentre si era persa in quei pensieri, che vide la ragazza che assomigliava a Patricia come una goccia dello stesso stagno. Stessa pelle bianca. Stesso sguardo perso. Mar si accomiatò velocemente dai suoi amici e dalla madre. Decise di seguire quella ragazza che assorbiva i suoi pensieri. Voleva andare fino in fondo. Stranamente, fu proprio in quel momento che la ragazza decise di correre. Era sola. I capelli a spaghetto ondeggiarono tra la moltitudine di sciacalli del commercio. Mar le fu dietro. Ringraziò il cielo di essersi messa le scarpe da ginnastica quella mattina.

La Negropolitana

Voglio l'uomo nero. Sì, lo voglio, lo voglio, lo voglio, finché morte non ci separi e oltre.

Voglio innamorarmi di un uomo con il colore della mia pelle. Voglio i suoi muscoli, la sua gioia, la sua intelligenza. Mi amerebbe per qualche istante. Ma almeno mi amerebbe. Non mi farebbe sentire inadeguata. No, non mi farebbe sentire la solita scema. Lui il mio uomo nero, unico, imprescindibile. Io la sua donna nera, unica, imprescindibile. Uniti nella melanina per sempre.

Basta con questi *gaal,* non voglio più saperne di questa congrega di lattei pupattoli. Il bianco *no pasará, nunca pasará*, mai e poi mai passerà. Basta con i latticini e suoi derivati. Vade retro eburnea creatura. Vade retro bianco profittatore. Hai spogliato la mia terra, non spoglierai mai me. Voglio concedermi solo a chi mi è fratello di epidermide. A chi sa che il mio PH naturale non è da scansare. Sono sorella di Cam, in Cam, per Cam. Mi riempio di orgoglio black e così sia.

Bel discorso. Denso di significato. Di orgoglio black. Di promesse black. Parole calibrate, a effetto. Eburnea creatura... mamma mia, come suona aulico! Lo ripeto un paio di volte. Assaporo il suono. Mi sballa! Che parola meravigliosa! Di sicuro l'avrà usata anche Dante. Sono estasiata dal mio genio.

Ripeto tutto il discorso. Lo ripeto infinite volte. Dalla stazione di Tunisi Bahria fino a quella di Carthage Amilcar. Lo devo interiorizzare e magari cominciare un po' anche a crederci. Non posso finire innamorata di un uomo bianco un'altra volta. Non voglio. I bianchi non fanno per me. O mi prendono in giro, o pensano che io sia chissà quale animale esotico, o sono maledette checche come l'ultimo. Ecco, non posso. Io devo stare alla larga dall'uomo bianco. Non mi va di soffrire. E poi mi ci devo specchiare nell'uomo che amo. Il bianco mi acceca, non mi ci posso specchiare.

E comunque i bianchi c'hanno la fissa di farci del male a noi neri. Certo Lucy è bianca, ma lei non scassa, è una donna, un'eccezione. Ma giuro, di solito scassano – devi avere cento occhi. Difenderti. Me lo devo ficcare nella capoccia, questi c'hanno er vizietto del colonialismo. E poi so' pure capaci di dirti «L'avemo fatto pe' civilizzavve».

Ripeto dunque il mio discorso. Devo tatuarmelo nella memoria. Uno, due, tre, *reapeat please*. Ho un po' di tempo. Sono sul trenino che collega Tunisi città ai suoi dintorni marittimi. Sono insieme a delle amiche. Il trenino è uguale uguale a quello di Ostia Lido. Anche la gente dentro. Forse i ragazzi sono un po' più irrequieti. Aprono le porte del treno in corsa, questi. Per fare i gradassi, per contrastare il sistema. Miranda sa il francese. Scambia qualche parola con loro. Ridacchiano. La prendono anche un po' in giro. Le dicono che presto l'andranno a trovare, per darle «le carezze e i bacini che tuo marito non ti dà più». Poi fanno la mappa delle loro diramazioni. I tunisini hanno filiali in tutto il mondo: in Italia, Francia, Spagna. Anche noi somali, mille filiali, dappertutto. I ragazzi dicono a Miranda che presto raggiungeranno i parenti nelle altre filiali. «Farò un mucchio di soldi», ci dice un ragazzo di nome Yousef. Indica con entrambe le mani l'abbondanza futura: «Un mucchio grande così», apre le braccia, massima estensione. «Poi tornerò qui e mi sposerò Uarda. Lei lo sa, mi aspetta». Sogni, tanti sogni. Non hanno altro. Un paese che si finge ricco, ma è estremamente povero. Ora capisco perché i ragazzi aprono le porte del treno. Forse, per qualche secondo, buttarsi da quel treno in corsa è l'unica possibilità.

Ma è un momento, poi prevale la voglia di giocare. L'idea di buttarsi si allontana.

Uomo nero... ti voglio... Uomo nero... ho bisogno di te... Uomo nero... dove sei?

Vorrei che l'uomo nero mi salvasse dai miei errori.

Forse tu, Uomo nero, mi avresti salvata dallo stupro.

Un uomo bianco mi ha stuprato nel bagno del collegio. Un uomo grande. Le mie mutande da bambina macchiate di disonore. Dov'eri uomo nero? Perché non mi hai salvata?

Ogni tanto vorrei chiedere a Maryam Laamane il nome di mio padre. Se lo avessi avuto con me, forse lui ti avrebbe impedito di portarmi in collegio. Maryam ti voglio bene, ma perché mi hai messa in quel collegio? Mamma perché?

Arriviamo in spiaggia.

Vedo lui. L'uomo nero non appare e io sto per perdermi di nuovo nel latte. L'uomo nero non c'è e mi sento triste. Sento che sarà un errore anche questa volta. Il mio orgoglio black si trasforma in una farsa. Sono una traditrice?

Eccolo, lo riconosco. Sì, lui, lui, luiiiiiiii. Quello che mi attizzava di brutto l'altro ieri, davanti alla Bourguiba School, quello che aveva quel muso lungo lungo. Sì quel bell'ometto che sta nella mia stessa classe di dialetto tunisino. Wow, sembra fico! Forse non lo è veramente. Quelli che mi piacciono hanno la scorza di quelli che tutte le donne vorrebbero, poi risultano sempre depressi. Mai spensierati. E Dio solo sa, quanto bisogno ho di spensieratezza. Mi vien voglia di fargli una dichiarazione d'amore in diretta. Non so manco come ti chiami, uomo bianco, ma che importa? Mi sbudelli amico. Sicuro mi farai soffrire. Ti vedo strano. Carne rosa confetto, levigato come un maiale, pettinato come un tacchino, un tantino paffutello, depilato, deodorato. Occhi bassi. Sorriso ambiguo. Ironia o vergogna? Non hai i boxer da spiaggia come tutti qui, ma un paio di slip blu da bulletto anni cinquanta.

Porti gli slip, ma chiudi le cosce come le educande. Stai seduto su un asciugamano con la faccia di Paperino in salsa Andy Warhol. Mi sbudella pure la pop art, *gringo*. Lo dobbiamo esporre al Guggenheim di Bilbao il tuo asciugamano. È una reliquia. E se esponessimo direttamente te, *gringo*? Saresti perfetto in una teca di museo. Distante e assoluto. Serri ancora di più le cosce, baby. Il panico ti assorbe. Non avere paura di noi, siamo solo quattro leggiadre fanciulle. Valeria, Manuela, Miranda e io appunto, che fra le quattro, giuro sono la più innocua. Stiamo tutte dello stesso pensionato, tutte e quattro nello stesso *mabit*. Abbiamo raggiunto altri del *mabit*... voi appunto. Non conosco quasi nessuno. Nemmeno te conosco. Però significa che abiti dove sto io. Non ci credo... è *maktoub*, *maktoub*, già scritto, il cazzuto destino, cioè. C'è anche il cubano, lui lo conosco. Peccato che non mi attizzi più. Sento che sarebbe più sano avere una storia con lui. Molti ragazzi, qualche sparuta ragazza. Intravedo anche un cinese. Tu domini su tutti, tu *gaal haluf*, miscredente maialino dalle cosce serrate. Tu uomo confetto, sento che sarai una delle mie perdizioni peggiori. Cazzo... mica sarai una maledetta checca anche tu? Io adoro i gay. Ho amici gay, ma cavolo non vorresti mai che il tuo uomo è una maledetta checca, ti pare?

«Si spella» penso «ora si spella! Ci si squaglia davanti». Non ho mai visto nessuno così rosa in vita mia. Fa un po' impressione. Ci sono persone molto pallide, molto bianche, molto evanescenti anche. Ma rosa confetto non mi è capitato mai. Ma da dove è uscito, questo qui? Da un manga giapponese? Ha pure gli occhi da manga giapponese. Occhi grandi a palla color lago sporco. Si intravedono anche le stelline. Forse è il gemello di Candy Candy. Ha capelli strani, lisci, un po' bianchi, un po' gialli. Incuria pura. Però fanno molto intellettuale impegnato. Probabilmente è un topo di biblioteca. Sicuro lo è. Li riconosco i topi, io. Quelli da biblioteca poi, sono la mia specialità. Ci scommetto è uno che va alla Libla della sua città.

Perché non c'è un bel senegalese da queste parti? Quelli con le ossa lunghe, lo sguardo franco, la parlantina temeraria. Sicuro che con uno di loro sarei felice. Non mi metterei troppe maschere. Mi direbbero *sister* e io direi *brother*. Dammi un cinque e *black power*. Potrei arrischiarmi a stonare *Redemption song*, farei finta di essere una *griot*. Lo sarei per il mio *brother* senegalese. L'epidermide ci unirebbe e anche Bob Marley, il Profeta, che la gloria sia con lui.

Invece con questo *haluf* viso pallido? Cos'ho da spartire? Sono interdetta. Il mio cuore non vuole affrontare se stesso. Lo odio quando decide consapevolmente di andare a sbattere contro i muri.

Gli uomini che mi sono scelta finora sono sempre stati muri. Il dottor Ross dice che è la paura del pene. Non lo voglio dentro di me. Dice che non faccio entrare nessuno. Nella mia cerchia solo persone innocue, con problemi. Con cui non posso costruire niente. Nessuna relazione con i muri, per questo li scelgo, per questo continuo a scontrarmi con loro. Dice che i muri rappresentano la paura della violenza. La paura che mi succeda di nuovo. Ma il dottor Ross dice anche che ho paura di costruire una relazione con un uomo. Dice che ho paura di fidarmi di nuovo. Il male non è stato fatto solo al corpo, dice lei, ma anche all'anima. La mia anima è tessuto poroso di dolore. Assorbe, trattiene, non sempre fa uscire.

Ma come faccio a venirne fuori? Non ne posso più di vivere così. Voglio che qualcuno mi riporti indietro tutti i sogni rubati. Ne avevo tanti prima. Avevo i colori. Ora non so più dove stanno. Rivoglio indietro tutti i miei colori, capito? Tutti i sogni. Nessuno escluso. Chiudo gli occhi. Quando li riapro è ancora troppo buio.

«Ciao» la parola è pronunciata da un coro di noi leggiadre fanciulle.

Sono le mie amiche. E io sono con loro in una spiaggia a pochi chilometri da Tunisi città. Ciao è l'unica parola italiana che si dice anche in arabo.

Qualcuno ci risponde alla tunisina, «*Sba el kir*», mangiandosi tutte le vocali dell'arabo classico.

Io e le ragazze ci spogliamo. Ecco lo sapevo... lo intiuivo... cazzo, cazzo. Ci stanno guardando tutti.

Non mi piace essere guardata, non mi piace in generale e così mi sembra addirittura un incubo. Mi fanno sentire davvero molto puttana, questi tunisini. Cioè, ci stiamo solo togliendo i jeans, ragazzi, per rimanere in costume e pareo. Non mi dovrei meravigliare proprio io, no? Dopotutto siamo della stessa parrocchia, cioè moschea, o quasi. In realtà qui in Tunisia va forte la scuola malikita, i somali sono shafiiti. Mai capita la differenza. Ma mia madre a malapena mi ha insegnato la *Fatiha*. Sto cercando di riguadagnare il tempo perduto, ho imparato anche a pregare, da poco. Mamma me la mena sulla religione, ma cazzo, prima me la dovevi insegnare, no? Però sono brava, ho messo i pantaloncini io, mica un perizoma. Anche a Roma uso i pantaloncini in spiaggia. Mi guardano lo stesso, però meno delle altre. Sono in tenuta da spiaggia tunisina, come le vostre giovani. Smettetela subito di guardare. Forse non ti guardano solo per il corpo esposto (il mio poi proprio poco), ma perché sei altro. Strano.

Tutti i tunisini di sesso maschile della spiaggia però hanno un che di osceno nello sguardo. Dai cinquantenni ai ragazzini con i denti da latte. Tutti. Anche il sesso femminile non è da meno, sembrano discrete le donne all'apparenza. Ci analizzano da lontano. Miseriaccia boia è proprio imbarazzante! Intravedo nei loro sguardi alcove, peli pubici, sudate, eiaculazioni. Se mi avessero detto che qui i maschi ti spogliano con uno sguardo e le donne ti ficcano in una fialetta da laboratorio per analizzarti al microscopio, be' sarei risalita di corsa sulla nave direzione Roma Caput Mundi.

A Lucy piace un casino questa cosa. «Non ti senti più donna qui? Almeno apprezzano la mercanzia, non come i nostri uomini senza palle». Non so, non mi sento una mercanzia. Non ci tengo davvero, ad essere merce esposta. «Bigotta» mi dice e ride. Che bel sorriso che ha. Dopo scuola l'ho invitata al mare, mi ha detto: «No, grazie, vado con Malick, andiamo ad Hammamet», e poi ha aggiunto quasi per consolarmi: «Domani però sono tutta tua, andiamo a fare shopping alla Medina». Ah, cavolo, lo shopping, speravo se ne fosse dimenticata. Cioè è una minaccia che mi pende sul capo da Palermo. Mi farà comprare orribili scarpe scomode con il tacco, me lo sento. E poi vestiti da battona. No, non voglio soccombere allo shopping. Amo le mie tute, i miei jeans, i pantaloni larghi grigio perla. Magari però Malick le propone qualcos'altro. Speriamo.

Questi mica guardano solo però. Non sarei così sconvolta se fosse così. Alle occhiate osè sono abituata... a Roma succede, eccome. No, sono sconvolta perché questi vanno oltre l'epidermide, fanno direttamente un RX torace, gambe, schiena. Ti contano le vertebre, vedono fluire il sangue nelle arterie, ti palpano la milza con occhi vogliosi. No, non ci sto. La milza è mia e me la gestisco io... Guardali 'sti impuniti come studiano la tetta sinistra della Valeria. Per non parlare del culo della Manuela. È vero che è imponente, però poverina c'ha pure un mutandone da suora, cazzo un po' di rispetto!

Certo che il nostro gruppo qui sembra sceso direttamente da Marte. Non è una spiaggia per turisti, lo so. C'è solo gente del posto. Non me la devo prendere se ci guardano, è normale. Mi ci abituerò. E poi noi schiamazziamo. Un chiasso della Madonna, stiamo facendo. Parliamo mille lingue, ci infiliamo in mezzo parole arabe, ridiamo, cantiamo. Attiriamo gli sguardi come la calamita il ferro. Siamo strani. *Haluf* che parlano arabo. Alcuni del gruppo lo parlano proprio.

Però vedo che è un fatto reciproco, questa curiosità. Valeria e Manuela sgranano gli occhi: «Ma che, entrano davvero in spiaggia tutte vestite 'ste donne?». Hanno vestiti, gonne, scialli e tutto. Alcune entrano in acqua anche con gli occhiali da sole e la borsetta finto Vuitton portata dal fratello emigrato in Altitalia. Dentro l'acqua si banchetta, si beve il tè. E dentro l'acqua uomini e donne fanno conoscenza, amoreggiano, si nascondono. L'acqua è l'unico posto dove i ragazzi e le ragazze possono approcciare. L'unico posto, oltre al cinema, dove nasce un amore.

Mia madre dice che in Somalia anche lei entrava in mare vestita. «Non è scomodo?», le ho chiesto una volta e mamma: «Dipende» mi ha detto. Lei trovava più scomode le radiografie degli uomini al suo sedere. «E poi io non entravo con le palandrane in mare. Mica giacca e capotto. No, io avevo un pantaloncino corto». Bella idea mamma! Infatti l'ho copiata subito. Anch'io mi sono messa un pantaloncino corto per venire qui. E poi intorno ai fianchi un pareo. Infatti mi guardano, ma non mi contano le vertebre e soprattutto non mi fissano il culo come alla povera Manuela.

È strano essere improvvisamente guardate. Alla Libla non mi guarda mai nessuno. Per i clienti sono una creatura invisibile, quasi eterea come un elfo.

C'è da dire che alla Libla mi scambiano sempre per la donna delle pulizie. Ecco perché sono eterea. Nessuno chiede informazioni alla donna delle pulizie. Mai, *abadan*. È quasi come se non esistesse, la donna delle pulizie. L'equazione era nera uguale sguattera, mai nera uguale commessa. Almeno per certe persone. Ma che, nun ce vedete? Non lo vedete 'sto cartellino giallo fosforescente con tanto di nome, cognome e numero di matricola? Secondo voi perché ce l'ho? No, non c'entra nulla il permesso di soggiorno. Risposta errata! No, vi sembrerà strano ma io sono cittadina della Repubblica, questa repubblica, e credo nella Costituzione del '48, nei suoi valori (sì, lo so per certi dementi è fuori moda). E 'sta felpa orrenda? Che sembro 'na mongolfiera in monopattino? Perché cavolo credete che me la so' messa? Il colore poi, è disgustoso, verde cacarella. Cioè, pensate davvero che abbia un così cattivo gusto? Renditi conto, cliente Libla, che volente o nolente, la città eterna te sta a cambia' intorno. Che ci siamo pure noi. Io ce sto da più de 'na ventina d'anni, mica bruscolini. E c'è gente anche più vecchia di me. Il tuo panico è tardivo, cliente, te dovevi caga' in mano trent'anni fa, mo' è tardi.

A quante scene penose ho assistito! A volte li vedevo vagare ansiosi, i clienti della Libla. Cercavano il commesso. Ossia un uomo o una donna bianchi che li potesse rassicurare. Che potesse indicargli lo scaffale dei dischi di De André o il cofanetto della Deutsche Grammophon con le arie del divino Mozart. Mi circumnavigavano anche, ero invisibile con tanto di cartellino e felpa. Poi, dopo aver perso ogni speranza di trovare pelle pallida in giro, attaccavano indignati: «Ma insomma, dove sono finiti i commessi? È una vergogna!». Al che, in qualcuno nasceva il sospetto. I primi tempi brandivo il divino Mozart come un'arma per far capire che ero io la commessa. Poi mi sono stufata e ora mi limito a lanciare occhiatacce all'insulso cliente. Le loro facce sono sempre eloquenti. «Ma che ci fa Mozart in mano a 'sta zulù?».

Però negli orari strani c'è solo la zulù! Sono una tappabuchi e in quanto tale quella dagli orari più sfigati. Il sabato e la domenica di solito mi becco dei turni fino alle ventitre. Il che mi porta ad avere una vita sociale pari a zero. I miei amici di fuori mi dicono sempre «Beata te che vivi a Roma». Certo, i miei amici vanno tutti al cinema, seguono Ascanio Celestini, roba forte, qualche concerto jazz, e poi cavolo, le conferenze, le mostre, i festival. Insomma a Roma ci si diverte. Si fanno i soldi. Vengono i turisti. La metro cade a pezzi, ma alla fine il bilancio è positivo. Il Colosseo non è stato costruito per caso, dopotutto. È una città che ha fame di gloria, e sì, di glorificazioni. Peccato esserne fuori. Con i miei orari a volte nemmeno un cinemino ci scappa. Di tutti questi eventi mediatici, nemmeno uno sono riuscita a beccarne.

Invece qui a Tunisi la mia vita sociale mi sembra una visione onirica. Tutti mi cercano, mi vogliono. Non ho quasi tempo per studiare. Quasi. Ora sto tentando di recuperare il tempo perduto qui in spiaggia. Sto sdraiata tentando di leggere in arabo una favoletta per bambini. Ogni sei parole apro il vocabolario. Ogni sei parole, un verbo ostico. È una storiella carina, racconta di un imperatore cinese, di un usignolo e di una ragazza, una *bint jamila*... una bella ragazza. Mi sento tanto una lettrice Harmony. Cosa succederà? L'imperatore impataccato di soldi sposerà la povera piccola bella ragazza? Chissà, al ritmo di sei parole-vocabolario, lo saprò tra cent'anni. Però mi calma tutta questa lentezza. Medito sui miei processi intellettivi.

Per fortuna che c'è Miranda con me. Che bella nel suo costume intero. Si è legata un pareo ai fianchi. I ragazzi tunisini le lanciano occhiate eloquenti. Sono tutti spiaccicati al sole, compressi da una voglia di oro sulla pelle. Solo io e Miranda siamo sotto l'ombrellone. Lei perché troppo bianca, «Poi mi scortico» dice, e io da brava nera non ho voglia di diventare un carbone. Annuncio al pianeta: anche i negri, saraceni e non, si abbronzano. Sì, il noir, nero, black diventa più noir, nero, black. Tant'è che, per contrasto, hanno pure inventato quella robaccia sbiancante. In questo, io e la mamma andiamo d'accordo. La classifichiamo come robaccia. Però Fardosa, la mia cuginona che vive a Manchester, ne fa un uso massiccio. Si impomata come un ossessa di quella crema. Aspetta una trentina di minuti. Poi da negra saracena si trasforma in saracena quasi bianca. Fa impressione! Quella roba – l'ho letto da qualche parte – fa venire il cancro alla pelle. Ma Fardosa non mi vuole credere. Cazzi suoi.

Che bella voce ha Miranda. Del gruppo sono solo io a sapere che lei è una celebrità. Ha vinto premi in tutto il mondo. Scrive in tutte le lingue. Lo spagnolo natio è mischiato con tutte le sue altre appartenenze. Ci trovi echi di catalano, italiano, portoghese, inglese, francese. Ma ci sono anche parole arabe e stranamente c'è il somalo. Io l'ho conosciuta proprio per questo. Perché una sua poesia si intitola *Ritorno a Mogadiscio*. Mi aveva colpito come un macigno quella poesia. Ora che ce l'ho davanti mi vergogno di parlare delle sue poesie. Magari le scoccia. Non voglio annoiarla, ora che cominciamo ad essere amiche.

Mi sarebbe piaciuta una zia così. La sua pelle sembra accarezzare la sabbia come un petalo di un fiore. Una notte mi porterebbe in un bel posto vicino al mare. Mi offrirebbe un po' di *mate* e mi racconterebbe della sua Argentina. Si vede che ha la tempra di un'eroina. Forse lo è.

Haluf l'uomo rosa è entrato in acqua. Non mi ha ancora rivolto la parola. La sua pelle mi fa impressione. No, non me lo so immaginare uno così che mi prende la mano, che mi bacia, che mi abbraccia. La sua pelle un po' la trovo repellente. Mi sembra davvero la pelle di un maiale. Mi chiedo se anche di lui non si butti via niente. Pelle confetto, sarà utile per le bomboniere. È entrato in acqua venti minuti fa, forse fra un po' esce. Che aria dolente aveva quando l'acqua è entrata a contatto con la sua pelle di maiale. Mi fa paura. Ho paura per lui. Non so come si chiama, ma ho già paura per lui. Invece dovrei solo aver paura per me. Dovrei aver cura di me. Non l'ho saputo mai fare.

La Reaparecida

Io sono sempre stata una che si fa abbindolare dalle apparenze. Ci casco dentro nelle apparenze. Sono proprio scema. Scema cor botto, direbbe il mio macellaio. Si chiama Davide, un tipo simpatico, secco, nato proprio qua, al Pigneto. In realtà ora è là il Pigneto, al di là del Mediterraneo. Mi scordo a volte di stare nella spiaggia affollata di un altro paese, con un taccuino e una manciata di pensieri dispersi nel caos cronologico. Però sai, Mar, quando penso al Pigneto, penso al mio appartamento di luce appena comprato, ai rumori dei vicini, e il pensiero mi rende felice. Mi sento a casa. Ho fatto bene a traslocare. È un po' come San Lorenzo il Pigneto, la storia si nasconde in anfratti singolari. Dice Davide che quando era piccolo la madre lo portava a piazza Vittorio a vedere Roma. Per Davide, Roma cominciava là in quello strano crocevia che per molti oggi vuol dire futuro, degrado, scontro di civiltà... troppa roba per una piazza sola. Dipende dai punti di vista. La città per Davide cominciava tra i falsi porticati piemontesi di una piazza rustica romana. «Signo' ar Pigneto so' morti tutti de eroina» mi dice e poi aggiunge sempre: «Scemi cor botto tutti. Se semo giocati la vita, signo'». Suo fratello Giorgio, più grande di lui di tre anni, lo ha ritrovato in bagno con la siringa ancora nel braccio e la bocca che schiumava saliva bollita. Non aveva ancora vent'anni, mi ha detto.

Mi dà sempre della buona carne Davide, non mi frega mai sul prezzo. Non credo sia onesto come macellaio, ma chi lo è con l'euro? Chi si può permettere oggi di essere onesto? Ma so che Davide non mi frega, credo abbia avuto una soffiata sulle mie origini. Che sono argentina e che con la carne ho una certa dimestichezza. Nonostante mia madre salasse il pesce, devo dire che me la cavo bene con i tagli della carne. Peccato che tu sei vegetariana, sennò ti facevo la mia specialità, il fegato alla veneziana. Papà ne andava matto e ce lo faceva sempre. Sua madre, sai, era di Venezia. Ah Mar, quante città contieni dentro di te. Contieni Venezia e poi Genova, Lisbona, Buenos Aires, Mogadiscio, Roma. E chissà quante altre, *hija* mia! Che viaggi assurdi avranno fatto gli antenati per poter creare te, stella del mio cielo. Forse anche Davide il macellaio non è solo del Pigneto. Però lui dice a tutti di essere verace, di queste parti, ci tiene moltissimo: «So' der Pigneto. Veramente de qua. Non come questi damerini ripuliti, 'sti artisti istruiti che so venuti mo' a popola' er quartiere. Questi, signo', so' solo apparenza».

Anch'io sono apparenza al Pigneto. Lo sono ovunque. Sono attratta dalle apparenze, ogni scintillio mi seduce. Basta poco per infinocchiarmi. Una bella cravatta, un passo deciso, un profumo raffinato, scarpe italiane. Da giovane poi, non ne parliamo, ero totalmente succube, una larva. Una schiava delle apparenze senza ritegno. Per questo tifavo River Plate, quando stavo in Argentina, era tutta apparenza quella squadra di calcio. Dava l'impressione della ricchezza, pur essendo nata da emigranti poveri in canna. Il Boca era più carnale, più vero, vivo, ma a me piacevano le cravatte, le mani levigate, gli sguardi traditori. Mi piacevano i salmoni, il caviale, le corse la sera in macchine sfreccianti. Per questo mi facevo prendere per il culo da Carlos. La sua divisa mi incantava, anche i suoi modi autoritari. Lo sentivo uomo dentro di me, invece, ora lo so, era solo un coniglio surgelato.

Carlos nella mia mente era proprio come il tipo della pubblicità del profumo, l'uomo che non deve chiedere mai. Mi prendeva senza preavviso, senza chiedermelo, senza un preliminare romantico. Infilava il suo pene dove voleva lui, come aveva deciso lui, nei tempi che aveva stabilito lui. Usciva e entrava a suo piacimento. Mi schizzava tutta di sperma. Sempre. Me lo faceva ingoiare a forza, a volte. Poi si metteva a fianco in silenzio o se era di fretta si metteva di corsa i pantaloni. Di lui ricordo il senso di appiccicaticcio che mi lasciava. Il suo sperma di solito me lo innaffiava sulla faccia. Non so perché lo eccitava da morire. Anche impedirmi di sputare la sua roba era un'altra cosa che gli risvegliava i sensi. La sua roba era tipo colla, di quella che appiccica anche l'impossibile. Con nessun altro uomo ho sentito questo senso di appiccicaticcio. I suoi liquidi mi colavano sulla pelle. Mi facevano sentire unta.

Non mi divertivo mai con lui. Era tutto un obbedire, un signorsì perpetuo. Con Carlos mai avuto un orgasmo. Con Elias, tuo padre, sì. La prima e unica volta. Elias era gentile. Sapeva dove toccarmi, cosa fare, cosa dire. Era così insolito per me essere trattata come una persona, che per la felicità ebbi una serie di orgasmi multipli. Non so perché mi facevo fare quelle cose da Carlos. Dopo aver fatto l'amore con tuo padre ho capito che un'altra Miranda era possibile. Che un altro modo era lecito. Carlos non aveva nemmeno una bella conversazione a pensarci, sì era bello… molto bello… ma mi bastava? Colori tenui, diversi dai miei. Carlos era pastello. Non color oliva come me. Lui era l'apparenza che cercavo. L'apparenza che in un certo senso volevo copiare. Quando si rivestiva lo guardavo per minuti interi. Era meticoloso, lento, quasi tartarughesco. Ogni indumento un rituale. Nel privato ti schizzava tutta, ma il pubblico lo doveva vedere integerrimo, un uomo retto, senza perversioni. Per quelle c'ero io con il mio culo scemo e i *desaparecidos* che gli procuravano piacere soffrendo abbrustoliti dalla *picana*. Io e i *desaparecidos*, complementari, interscambiabili.

Carlos è morto, mi hanno detto. Banalmente anche. Un incidente. Una macchina gli ha tagliato la strada, dicono sia morto sul colpo. Non ha sofferto. Non c'è stata giustizia. La notizia mi ha lasciata indifferente.

Lui dopotutto non mi guardava negli occhi quando mi infilava tra le natiche quel suo pene grosso.

Invece la Flaca era una che ti guardava negli occhi. Ti conosceva ancor prima di odorarti. Ti amava ancor prima che tu la cercassi. Io l'amavo. Come una sorella. Come un'amica. Come una donna. Come un'amante. Non eravamo amanti. Le avevo dato solo un bacio al cinema. Lei aveva risposto aprendo la bocca e tirando fuori la lingua. Era buio. Nessuno ci aveva visto. Erano più interessati alle tette della fu Marilyn Monroe. Mi chiedo ancora perché abbia risposto a quel bacio. Non ne parlammo mai. Due giorni dopo Ernesto ci chiese: «E allora, cosa avete combinato birbantelle?». La Flaca gli strinse le mani teneramente e poi disse: «Ci siamo date un bacio». A me si gelò il sangue. Invece Ernesto rise di gusto. «Diventerete buone amiche» disse solo.

La Flaca non sapeva mentire. Ernesto invece raramente capiva i colpi bassi. Era troppo puro per pensare che sua sorella si fosse innamorata della donna che lui aveva intenzione di sposare. Non gli passava per l'anticamera del cervello che le donne potessero amare altre donne. Io però non amavo tutte le donne, solo la Flaca. Lei era ed è il mio unico grande amore. Sì, l'unico che io abbia mai avuto veramente. L'unico che Ernesto abbia avuto veramente.

Come era buffo mio fratello, da quando amava quella ragazza rosa. Era strano in un modo armonico, con dissonanze che rientravano nella logica. Arrossiva, tremava, tartagliava. Perfetto innamorato con sintomi chiari e inequivocabili. Era delicato con lei, troppo delicato a volte. Ernesto aveva sempre paura di romperla, la sua Flaca. La vedeva eterea, incorporea, poco umana. La toccava piano, con prudenza. Lei era la corda più importante della sua chitarra, la corda che teneva in piedi l'intera melodia del vivere. La sua Flaca, *su mujer... ahi, qué lindo vivir junto a ella*. La sua fragile, piccola, piccolissima essenza. Un lampo di luce nei suoi occhi belli di ragazzo.

Quanto mi piaceva guardarli quei due, mi davano speranza. Innamorati, felici, incoscienti. Facevano l'amore in anfratti sinuosi. I loro sospiri si mischiavano a quelli dei gatti e delle lumache. Ernesto grande, gigante, muscoloso; la Flaca, minuscola, delicata, impalpabile. Ma lei, quella cosa minuta, fragile, piccolissima, alla fine non è morta all'Esma, come quel suo uomo così muscoloso. È sopravvissuta alle torture lei... a tutto. Alla *picana*, agli insulti, alle umiliazioni, alle botte, agli sputi, alle minacce, all'angoscia. Lei piccolissima e fragile ce l'aveva fatta, era una reduce, una libellula sospesa nel suo dolore. Ah, se fosse stato così anche per Ernesto. Però lui era troppo buono per sopravvivere, troppo signore per far prendere il suo posto ad altri meno fortunati.

Muoio io al vostro posto, compagni, io amici. Voi continuate la vita, vi prego... ridete, mangiate, divertitivi, fate l'amore, prendo io il posto vostro sul carro della morte, sono stanco, stanco di sorridere mentre mi bruciano i testicoli. Stanco di resistere. Non voglio che queste carogne mi vedano piangere, penso a mia madre, a quando cantava mentre tentava di lavare i panni. Ah madre, tu non sei stata mai buona a lavare niente. Non eri tagliata per fare la massaia. Hai sempre avuto capricci da diva, tu. E poi mamma, hai delle belle mani, non si vede che hai salato il pesce per metà della tua vita. Avresti dovuto cantare i tuoi fado in un locale fumoso, nella tua Lisbona adorata, non lavare le nostre mutande macchiate. Peccato non averla mai vista Lisbona, mamma. Ogni tanto in questa prigionia sogno Lisbona.

Mi piaceva sentirti cantare, mamma. Ti accompagnavo goffo con note che non mi so spiegare. Ma sai qui nessuno canta, mamma, qui si piange solo, si sospira, il più delle volte si sta muti. Mamma...

Lui no, Mar... lui non ce l'ha fatta, è stato spezzato, offeso, oltraggiato. È morto non so dove. Senza sepoltura, senza il conforto di una visita... la tua, la mia.

Desaparecido, uno dei tanti. Un numero. Non un addio.

La fine era solo un diversivo per lui. L'iniezione di sonnifero e il volo giù verso il Rio de la Plata, forse il sollievo che non sperava. Non mi so immaginare mio fratello lì dentro, non so immaginare nessuno lì dentro. Ho letto tanti libri nel corso degli anni. Testimonianze, fiction, ricostruzioni. Ho letto i dettagli scabrosi, i dettagli quotidiani, i dettagli dei dettagli. Ho letto, ho cercato di capire, ho cercato di mettermi nei panni di quella gente, sono impazzita nel tentativo. Ho scritto, poi. Ma sai Mar, non ho capito ancora niente, ti possono raccontare le cose, tante cose, una montagna di cose. Però non si capisce fino in fondo. Come si fa a concepire tanto orrore? A entrare in un dolore? Non ci entri, puoi fare qualsiasi cosa, tentare qualsiasi strada, ma la verità è che non ci entri. Non puoi. La strada è sbarrata. Chiusa. Ma ti puoi avvicinare se vuoi, conoscere, far conoscere. Non possiamo capire il dolore dei *desaparecidos*, non possiamo capire il dolore di nessuno, ma possiamo non dimenticare. Per questo scrivo. O almeno tento.

Allora, in quella Roma balorda di fine anni settanta non avevo memoria. Non la cercavo nemmeno. Vivevo solo il presente con interferenze moleste del passato. Ritrovare la Flaca mi aveva riscaldato il cuore. Ero contenta di vederla, contenta di poter chiacchierare con Pablo, rivivere la Buenos Aires di quando era ancora pura. Ma la Flaca portava i segni sul corpo di qualcosa su cui non volevo soffermarmi. Era pazza. Non c'erano più quei suoi ragionamenti di un tempo. Niente ironia, niente giochi di parole, niente. Vuoto. Non abbandonava mai quel vestito bianco di Marlyn Monroe. Non c'era verso di farglielo togliere. Si lavava e se lo rimetteva. A volte per togliere un po' di tanfo, ci sfregava sopra del sapone a secco. Puzzava la Flaca. Puzzava di ricordi, paure e cavolfiori. Lei puzzava e io piangevo.

Un giorno arrivai in quella stanzetta di San Lorenzo con un piano in testa. Volevo smuoverla. Volevo riavere indietro l'amica di un tempo.

«Vai a lavarti Rosa, usciamo».

Lei già non parlava più in quel periodo. Pablo mi aveva spiegato che quando era stata rilasciata qualche parolina ancora la diceva, poche, ma le diceva. Il mutismo era cominciato in Europa.

«Ad ogni peregrinazione, una parola in meno».

A Roma Rosa aveva esaurito le scorte di parole. Però cantava, anche se sempre quell'unica canzone di Dylan. Andò a lavarsi. E io sostituii il vestito. Avevo trovato nei pressi di piazza Cavour un rivenditore di costumi teatrali e ne aveva parecchi di Marilyn Monroe. Il proprietario era un signore paffuto molto ciarliero e a modo. Mi fece un prezzo onesto, ma mi svenai, ero talmente povera in quei giorni! Mi svenai. Ma era per la Flaca, un sacrificio che facevo volentieri. Mi sarei anche prostituita per lei. Qualsiasi cosa per lei.

Il gocciare della doccia mi diede tempo per aggiornare Pablo sui miei piani.

«La voglio vedere danzare... ancora una volta».

Pablo scosse la testa. «Non accetterà» disse solo.

Non me lo perdonerò mai di averla portata in quel posto quel dannato pomeriggio, a quale destino orribile l'ho portata! Ma come ho potuto... come...? Volevo farle del bene, darle una scossa, solo una scossa. Mi ero scordata che all'Esma di scosse ne aveva avute a sufficienza. Sono stata una scema a cercare una facile emozione.

Ero piena di idee in quel periodo. Effervescenza pura. Forse eri tu Mar, a trasmettermi tanto entusiasmo nella vita? Ero già andata a letto con tuo padre. Ero già rimasta incinta. Era successo tutto molto in fretta. Il nostro rivedersi, il nostro amarci distratto, il nostro ricomporci. Avevo bisogno di calore e anche lui. Tuo padre era molto stanco, un uomo in esilio, voleva sentirsi persona. E anch'io volevo sentirmi persona. Ci siamo abbracciati, uno scherzo, una divagazione.

Quando portai la Flaca in quel posto, nessuno sapeva della mia gravidanza, tranne me e te naturalmente, figlia mia. E sì, anche Elias lo sapeva, a lui non sono mai riuscita a nascondere le cose. Lo rispettavo. E lui idem, mi rispettava. Forse è stato il rapporto più stabile che ho avuto nella vita. Gli uomini mi hanno sempre usata, *hija* mia. Sempre presa in giro.

Ero ossessionata dalla danza, in quei giorni e dalle danzatrici soprattutto. Ero ossessionata dalla Flaca, dalla sua danza perduta. Era una grande ballerina, lo sai? Una promessa per l'Argentina. E loro sai cos'hanno fatto? Le hanno spezzato le punte. La picchiavano sempre lì, quei bastardi, sulle gambe, sul suo futuro. Le schiacciavano i piedi. Una sua compagna di prigionia mi aveva confessato, molto anni dopo, quando già la Flaca non c'era più, che un «verde», un militare di nome Ruiz, le tirava sempre l'alluce fino a farla sanguinare. Godeva vedendo il suo sangue.

Volevo fare qualcosa per lei, Mar, una cosa per l'unica donna che mi è stata amica, che amavo più di una sorella, più di mia madre. Volevo solo vederla danzare... capisci? Era bello quando danzava, tutto sembrava possibile, l'universo intero era sostenibile. Non volevo farle del male, non immaginavo che quel destino...

Io pensavo a lei. A Buenos Aires… sì, Buenos Aires era per me Rosa che ballava allegra non quel cimitero in cui l'avevano trasformata i militari. Rosa che ballava. La volevo vedere ballare anche a Roma. Solo questo, non volevo fare l'egoista.

Sto saltando gli argomenti, i personaggi, le vite. Ti dovrei dire prima chi era Rosa a Buenos Aires, ma non ce la faccio. Non so, era bella Rosa a Buenos Aires. Non so dirti di più. Non era come i ballerini di adesso che ballano per gli applausi e per la gloria. Lei ballava per la danza, per la musica. La seguiva e si emozionava. Non ci teneva a dimostrare al mondo di essere la più brava, la Flaca ballava perché non aveva altra scelta, perché ballare era come respirare. «Voglio essere musica» mi diceva «voglio trasformarmi in nota», e quando si librava in cielo ci credevi che lei era una nota, che era musica. Era anche una che lavorava sodo, Rosa. Ah, quanto si lamentava Ernesto di quella sua pignoleria, di quello stacanovismo. «A me non pensi mai», era idiota come tutti i maschi Ernesto, in questo sì. Lei accennava un passo e tutti si stava zitti. Anche lui, che adorava vederla ballare. Era molto tecnica in allenamento, Rosa, tecnica fino allo sfinimento, provava e riprovava, riprovava e provava. Sudava come un montone, ma poi era felice di aver fatto il passo esattamente nel modo che aveva costruito nella sua mente. «Solo così mi potrò liberare». Era la sua frase preferita, la ripeteva spesso. Il suo maestro, tale Igor Ivanovič, uno che aveva allenato i più grandi, l'aveva istruita a dovere su questo. Lei voleva sapere a memoria la tecnica, i passi, per poi scordarseli nel momento in cui la danza cominciava sul serio, voleva giocare con la danza, improvvisare, scoprirsi. Interpretava tutte, tutte noi donne. Con i suoi passi era una regina e una puttana, una santa e una peccatrice, una malata e una in catene, era Carmen, Odette, Giulietta, Manon. Era Rosa. Era Buenos Aires. Era la me che non sapevo di essere.

Quel giorno a Roma ogni suo movimento era rituale. Indossò il suo vestito bianco quel pomeriggio, lo indossò con sacralità, come si indossa la tunica per un rito segreto. Era la vestale di Norma Jeane Baker, la sacerdotessa di una memoria perduta. Io invece avevo un vestito marrone, che avevo comprato la settimana prima a Porta Portese. Parlavo a raffica. Di qualsiasi cosa. Sembravo una radio fuori di senno. Lei muta accanto a me. Eravamo una strana coppia.

La scuola di danza era nel centro della città. In via dei Giubbonari, in un condominio costruito prima del ventennio. L'intonaco cadeva a pezzi, era tutto scrostato. Entrai un po' diffidente. Non sapevo cosa mi si sarebbe parato davanti. Mi venne incontro una donna dalle guance incavate. Mi fecero impressione. Si vedeva in quelle guance lo sforzo di essere qualcuno che non si è. Ci aprì la porta e ci disse: «Buonasera compagne argentine». *Una sonrisa norteamericana que no me gustaba carajo*. Sorrideva troppo quella donna e con troppa forza.

«Chi di voi è Rosa?».

La Flaca fece un passo avanti. Era un passo di danza, una raffinatezza, quasi un regalo. La donna dalle guance incavate la guardò con odio. Non me ne accorsi subito, pensai fosse ammirazione. Invece era puro odio, bieca invidia.

«Non si balla qui signorina, ci farà vedere dopo in palestra. Non le hanno mai insegnato la disciplina?».

Quella parola mi fece rabbrividire.

L'avevo forse riportata all'Esma, la mia Flaca? Al posto di Videla e degli sgherri cosa c'era, adesso? Una brutta donna ecco cosa c'era. Una brutta donna in fuseaux e guance incavate.

Avrei voluto portarla via di lì, la mia Rosa, ma qualcosa mi tratteneva. Una carica nell'aria credo. Una carica che poi ebbe un volto, un nome, Elsa. Per lei valeva la pena di resistere… respirare.

Una donna formato mignon. Una donna perfetta. Fascio di muscoli ed efficienza.

«Non fate caso a Barbara. Ha un temperamento geloso. Non digerisce il talento degli altri» ci disse.

La donna dalla *sonrisa norteamericana* si ritirò con la coda tra le gambe. Quasi vomitandosi addosso.

«È una perfezionista Barbara. Non fateci caso».

«E lo sa?» chiesi stupidamente.

«Certo che lo sa, sennò non verrebbe qui a farsi insultare da me. A farmi da assistente. È sadica e pensa che questo la fortifichi... io più che dirlo che posso fare?».

Elsa era ungherese, era stata deportata ad Auschwitz, non aveva più peli sulla lingua ormai. Barbara comunque non tornerà più in questa nostra storia. Era simpatica, nonostante tutto. Soprattutto quando parlava della sua Cinquecento. Ma mi fa tristezza pensarci. Non aveva niente di veramente suo, oltre il perfezionismo.

Invece devi ricordarti di un altro nome. Alberto Tatti. Un uomo incontrato sulla rampa delle scale. Uno che lavorava in una radio locale. Il destino credo. Ah, perché l'ho portata in quel posto?

La Somalia ora è solo la sua guerra.

«La gente non sa altro, Zuhra mia. Sa che si crepa male a Mogadiscio, ma poi in verità non sa molto altro. Non sa nemmeno dove siamo messi sulla mappa geografica. Una volta, una signora mi ha chiesto se Fidel Castro era il capo della Somalia. Mi sono messa a ridere, ma forse, Zuhra mia, dovevo piangere. È colpa di questi italiani se oggi stiamo messi male e questi non sanno nemmeno indicarci sulla loro lurida cartina».

Per Maryam Laamane la Somalia non era solo guerra, anzi era la pace più bella. Questo perché lei si ricordava del prima. Dell'indipendenza. Di quando nel Corno avevano speranze e bei sogni.

1° luglio 1960. Era l'anno dell'Africa il 1960. Ci credevano tutti che era l'anno dell'Africa e non solo per l'indipendenza. Ci credevano soprattutto gli africani. Tutti gli africani. Quelli del Nord. Quelli del Sud. Quelli dell'Est. Quelli dell'Ovest. Quelli delle isole.

Ci credevano i musulmani. Ci credevano i cristiani. E con loro gli ebrei. Con loro gli animisti. Con loro gli atei. E tutti i comunisti. Anche qualche anarchico ci credeva. E persino quelli che non credevano a niente avevano cominciato a crederci.

Era per la forza dei sogni. Per la volontà. Si faceva il tifo per chi ancora non era libero. Come per l'Algeria due anni dopo. Era un tifo sfrenato, quasi osceno. Si gridava quel nome, Algeria, si alzavano le braccia al cielo. Per pregare. Per combattere. Per gioire. Per sperare. Si alzavano le braccia. E si gridava Algeria. In realtà era Africa che si gridava. Era l'Africa intera che si sollevava. Era una grande partita. L'oppresso e l'oppressore.

Era l'anno dell'Africa, il 1960. Era per i sogni della gente. Per il battito dei loro cuori. Per i loro cervelli in movimento. Per la pancia, che non elemosinava. Era un bell'anno.

Maryam Laamane si ricordò che era giovane e la sua pelle tenera. Un vitellino che cresceva.

1° luglio 1960. Poi l'anno passò. Dopo ci furono errori. Ci furono tanti incubi. Delusioni. Cattiverie. Insensatezze. Molti si accorsero che niente era cambiato. Si era diventati Terzo mondo. Ma era un po' come essere colonia. Si dipendeva ancora. I capi, i paladini delle libertà, risultarono corrotti. Chi non lo era fu assassinato. Poteri militari. Poteri sacrali. Poteri burocratici. Poteri marci. Tutti i poteri alla ribalta, tranne uno. Quello del popolo.

L'anno passò. Il 1960. L'anno del popolo. Durò un attimo. Fu molto bello.

Maryam Laamane si ricordò che era giovane nel 1960. Era giovane e tenera come un vitello.

«Sì, Zuhra mia, proprio un bel vitello».

Quel primo luglio la gente non si rese conto di niente. Certo tutti avevano capito che era una giornata importante. Ma nessuno ancora immaginava quanto. La gente sapeva poco. Sapeva solo che era una giornata di festa e che era libera e che aveva finalmente anche una bandiera. Una gran bella bandiera. Però non aveva capito altro.

Nemmeno Maryam aveva capito altro. Non capiva molto le cose del mondo, allora. Erano giornate in cui sognava e camminava per strada senza pensieri. Certo non era una scema. Lo sapeva che era una giornata speciale. Una giornata che si sarebbe ricordata poi, in futuro. Però in quel suo presente di allora non ci fece tanto caso. Maryam era sempre stata distratta. Quella, per lei rimase la giornata in cui era diventata amica di Howa Rosario.

Erano andate al cinema. A vedere Marilyn Monroe. Una bianca un po' grassa, con un grande petto, capelli chiari, bocca piena e buffe smorfie. Lei ci rimase un po' male quando vide il cartellone del film fuori dal cinema.

«Ma ci sono gli indiani con le penne, gli *alibesten*, in questo film?» chiese alla sua nuova amica.

«Non credo» rispose Howa, che era una che risparmiava sempre sulle parole.

«Che peccato. Mi piacciono gli *alibesten*. Io faccio sempre il tifo per loro. I cowboy non mi piacciono. Hanno sempre quei vestiti blu che sono proprio brutti. E quei cappellacci. Invece gli *alibesten* hanno lunghi capelli neri e si fanno le trecce. Sono proprio belli. Bellissimi».

«Allora ragazzina, mi hai detto una bugia?» disse Howa con tono da falso rimprovero.

«Io non dico bugie» affermò indignata Maryam.

«Ma se mi hai detto che non ci sei mai andata al cinema! E ora scopro che sai tutto di *alibesten* e cowboys».

«No Howa, ti ho detto la verità» piagnucolò la ragazza.

«Dai, non piangere» fece infastidita Howa Rosario «non mi piace vedere le persone piangere. Smettila».

Maryam Laamane fu spaventata dal tono della sua nuova amica. La voce dolce di un attimo prima si era arrotolata in una voce severa e poco piacevole.

«È stata la mia cugina Jamila a raccontarmi tutto. Sai è una furbona lei. Dice alla madre che va a fare delle commissioni, le fa davvero sai? Ma le fa veloci e ogni giorno riesce a vedersi dieci minuti di film».

«E come fa la tua cugina a pagare il biglietto?».

«Ecco» balbettò un po' la ragazzina «ecco, dice che se lo fa pagare dagli uomini, che le basta sorridere un po' e loro le pagano tutto. Cioè...».

«Non fare mai come lei. Finirà male» fece imperiosa Howa Rosario.

Per la seconda volta in pochi minuti Maryam ne ebbe paura. Disse subito: «Obbedisco». Non tentò nemmeno di salvare l'onore della cugina. La ragazzina capì che era una battaglia persa.

La gente intorno a loro rumoreggiava. Alcuni chiacchieravano tranquillamente dei fatti loro. Quelli che invece sapevano l'italiano del film, cercavano di mettere al corrente gli ignari. Maryam Laamane guardava per la prima volta le immagini in movimento. Era così strano vedere quelle persone muoversi sulla tela bianca.

«Howa, senti, ma poi escono dalla tela? Ci vengono a salutare?» chiese ingenua.

«Sei proprio tonta. Questo è il cinematografo, mica una di quelle commedie teatrali, quelle *ruvaiad*».

«C'è differenza?» chiese con un'ingenuità ancora maggiore Maryam.

«C'è molta differenza. Con il cinematografo gli attori possono essere dovunque in qualsiasi momento».

«La donna col petto grosso sta dovunque?» chiese sempre più sbigottita Maryam. «Non era Dio a stare dovunque?».

«Sei tonta Maryam Laamane, proprio tonta. Che c'entra Dio?». Howa rise, sciogliendo per la prima volta la sua durezza.

«Non so, Dio c'entra sempre» disse titubante la ragazza.

Maryam Laamane smise di fare domande. E si concentrò su quegli uomini che scappavano vestiti da donna. Erano buffi con le gonne e i tacchi. Era buffa pure la donna col petto grosso, con le sue smorfie da bambina. Però peccato che non ci fossero *alibesten* in quel film lì.

«Ma non entrano proprio per niente gli *alibesten*? Nemmeno uno per sbaglio?» chiese Maryam a Howa.

«No, qui ci sono solo ladri e poi c'è Marilyn» precisò Howa con una flemma quasi britannica.

«Marycosa??» gridò Maryam.

«Marilyn Monroe, quella donna bionda che ora sta cantando» disse una voce da dietro.

Le ragazze si voltarono spaventate da quel tono autoritario e senza repliche. Una voce ruvida come la buccia di un frutto acerbo. Una voce che agli angoli mostrava spiragli di dolcezza. Maryam rabbrividì. Non era paura. Solo deferenza. Quasi devozione. Maryam ebbe un pensiero blasfemo. Pensò che la voce appartenesse a Dio in persona. Forse la voleva punire perché era stata cattiva nominandolo invano un attimo prima. Forse era per quello che si era palesato alle loro orecchie prima che agli occhi. Voleva coglierla di sorpresa. Maryam si voltò con gli occhi chiusi. Troppa paura per la punizione. Sapeva che era Iblis in persona a occuparsi delle ragazze sceme come lei. Le dispiaceva non aver salutato nessuno, visto che sarebbe morta tra un istante. Almeno avrebbe salutato la sua nuova amica Howa. Le strinse improvvisamente la mano. Quando riaprì gli occhi vide che per fortuna Dio aveva deciso di perdonarla. Al suo posto c'era solo una donna con uno *shas* rosso e un'espressione tesa in volto. Era tutta tirata come la corda del bucato.

«Maryam questa è Bushra, la sarta».

«Piacere signora» disse e aggiunse: «Ma è proprio lei? Quella che ti ha cucito...» non riuscì a finire la frase. Non riuscì ad aggiungere la parola mutande. Howa Rosario (ancor prima che lei avesse solo pensato quella parola) le aveva assestato un bel destro sulla coscia. Risuonò per il cinema l'urlo da bestia di una bambina, un dolore che bruciava come peperoncino. Bushra non rise.

«Cara signora noi dobbiamo andare, la bambina vuole vedere un film di *alibesten*».

Maryam Laamane fu sollevata di peso dalla sua nuova amica. Sollevata e poi trascinata via alla velocità della luce. Non ebbe neppure il tempo di fiatare, lamentarsi, chiedere, negoziare, capire. Solo quando furono molto lontane dal cinema, Howa fece un tentativo di spiegare.

«Scusami Maryam, ma sai, quella donna mi vuole far sposare suo figlio. E io non voglio».

Maryam non sapeva cosa dire. Le faceva male il braccio a cui Howa si era aggrappata per tirarla. Le doleva tutto. Poi non capiva perché Howa non volesse sposarsi. Tutte le donne volevano.

Howa cominciò a correre e a gridare. «Non voglio, non voglio, non voglio».

La gente la scambiò per pazza. Corse via da lei, da tutti. Andò lontano. Tornò dopo una manciata di minuti. Howa aveva pianto. Però Maryam notò con piacere che l'espressione era tornata placida.

«Se corriamo» disse Howa «riusciamo ad arrivare al cinema Missione. Lì e all'Elgab, so per certo che fanno sempre film di cowboys e indiani. Non è come qui al Shabelle che fanno solo cose d'amore». La bambina sentì crescere dentro di sé la speranza di vedere gli *alibesten*. Ma non disse nemmeno una parola all'amica, si limitò ad aspettare la spiegazione. Che puntualmente Howa le diede: «Lo spettacolo al Missione è lo stesso del cinema Elgab, ma comincia dopo. Quando finisce il primo tempo a Elgab portano la pizza del film a Missione. Lo so perché lo fa un mio cugino, lui ha la bici e corre veloce».

«Più di noi?».

«No, non più di noi» disse entusiasta Howa.

Arrivarono al cinema Missione stremate. Maryam fu molto contenta. Facevano un bel film con gli *alibesten*. Nel cinema era l'unica a fare il tifo per loro. Alla fine del film, Maryam

Laamane promise alla sua amica specialissima che quel figlio di sarta lo avrebbe sposato lei al suo posto. Maryam Laamane mise la mano sul cuore e giurò. A Howa Rosario spuntarono strane lacrime al bordo degli occhi. Accarezzò la testa della sua piccola amica. Per la prima volta la ragazza dal naso a spirale si sentì amata.

Il padre

Ti dovrei parlare di me, di cosa facevo, cosa sognavo. È tanto che parlo ormai. Ma Majid e Bushra, ecco, secondo me devi prima sapere di loro. Di quanto hanno sofferto e di quanto nonostante le apparenze si sono amati.

Il matrimonio, lo dicevano in molti, aveva raddolcito Bushra. Era più rotonda, più sorridente, più spensierata, anche. Aveva una parola buona per tutti, anche per chi in passato l'aveva attaccata e insultata ferocemente. Non aveva rancore lei, per nessuno, nemmeno per i peggiori. Sorrideva. E il mondo attorno rispondeva al suo sorriso di pace. La gente mormorava però. Soprattutto i signori uomini.

«Eh, quel Majid, chissà che gli fa lui alle donne...», e si davano robuste gomitate d'intesa.

La verità era ben diversa. Bushra e Majid, ormai lo sai, avevano un matrimonio in bianco. Lei si cospargeva di unguenti per sedurlo e lui si voltava dall'altra parte ignorandola ogni sera. Molte notti nemmeno rientrava, Majid, restava a dormire nella casa dei padroni bianchi.

Le giornate scorrevano senza un perché, nella città di Mogadiscio. Erano anni di transizione quelli, anni in cui si aspettava un futuro radicalmente opposto al passato. Erano stati sconfitti dei padroni, al loro posto ne erano arrivati altri, nuova lingua, nuove divise, nuove pratiche. La gente non rimpianse molto quelli di prima, gli italiani pallidi, e cominciarono a masticare contenti l'inglese. Durò poco la tutela inglese. Qualcuno decise in alto loco, in un palazzo tutto di vetro in una città al di là del mare, di far tornare i padroni di prima, gli italiani.

Quel palazzo di vetro era imbottito di donne e uomini originali. Si fingeva di contenere il mondo. Si sorrideva con labbra di diversa grandezza. Spesso i sorrisi erano posticci, ogni persona ne aveva una manciata nel taschino, da attaccarsi sul grugno ad ogni buona occasione. Erano sorrisi eleganti, fini, da gente perbene. Niente era eccessivo al palazzo di vetro, solo le decisioni. Sì quelle, oltre che eccessive, erano ingombranti e a volte del tutto idiote.

Fu così che alcune delle tante persone originali del palazzo decisero che in Somalia dovevano tornare gli italiani.

«Fortunati» mormorò qualcuno.

«Sì, fortunatissimi» disse qualcun altro.

Forse pensavano ai maccheroni pomodori e basilico. I somali invece odiavano la pasta. Profondamente. Odiavano anche la pizza. Il loro sogno era una focaccia intinta in un sugo di carne, magari accompagnato con una banana dolce e uno *shay* zuccheratissimo. Molto *bis bas* naturalmente. Il cibo se non era piccante non aveva senso per la gente del Corno. I somali odiavano la pasta. Non potevi metterci il *bis bas*. Era troppo dura per amalgamarsi con le loro papille agrodolci. Odiavano anche gli italiani. Erano stati vessati per anni da loro. Il colonialismo gli era uscito dalle orecchie. Era comprensibile tutto quell'odio. Legittimo.

«Perché devono tornare?» gridava il popolo.

«Perché non siete pronti» rispondevano (sempre molto perbene) dal palazzo di vetro.

«Non siamo pronti? A cosa? Spiegatecelo e vedrete che saremmo pronti» sosteneva con forza il popolo.

Dal palazzo di vetro arrivava allora una tossetta imbarazzata. Sapevano bene che i somali erano pronti da tempo alla loro indipendenza. Ma sapevano altrettanto bene che dovevano accontentare quei pastasciuttari degli italiani. C'era quell'Alcide De Gasperi che gridava come un dannato.

E dietro De Gasperi c'erano tutti, gente come lui, padri della patria. Erano persone che avevano lottato contro Mussolini, contro il nazifascismo, gente di valore. Ma che sulla questione coloniale, una volta saliti al potere, si comportavano proprio come il duce. Da Nenni a Togliatti, infatti, tutti auspicavano un'Africa orientale saldamente in mano italiana. Non importava la casacca, se rossa o nera, se blu o verde, si era tutti imperialisti fino al midollo. L'alibi per quel revanscismo era l'economia, la giustificazione di ogni magagna globale, e in seconda battuta lo «sfogo» alla pressione demografica. Falsi miti mussoliniani che perduravano e servivano ad abbeverare gli stolti.

Al palazzo di vetro qualcuno scuoteva la testa. Soprattutto francesi e inglesi.

«*Ah, the Italians, oh God*, non cambiano *much*. *They're* sempre *the same. Always*».

«*Bien sur. Les italiens*...», i francesi odiavano i cugini e riuscivano a infilarci sempre qualche ignominia difficilmente passabile alla censura.

Nessuno aveva stima degli italiani. Specie Churchill, che vedeva lo stivale come un «covo di luridi comunisti», però non si potevano tenere in sospeso alcune persone che avevano contribuito a spazzare via Adolf Hitler. E poi, da bravi inglesi, stavano già facendo un gran casino con i confini e la redistribuzione dei territori in mezzo mondo. Tanto, di certo peggio della Palestina non poteva andare, no?

Fu così che le Nazioni Unite diedero all'Italia – un paese uscito con le ossa rotte da un regime fascista ventennale e da una guerra mondiale, che aveva perso la guerra e anche un mucchio di denaro, un paese distrutto nell'animo – ecco le Nazioni Unite diedero proprio a quell'Italia lì, il compito di traghettare la Somalia verso l'indipendenza.

«Ora dovrete insegnare la democrazia a quegli zulù» decretarono dal palazzo perbene, sempre sorridendo.

Dieci anni di amministrazione fiduciaria italiana in Somalia. Fu decretato. Cartabollato, eseguito e anche applaudito. Il famigerato Afis, l'Amministrazione fiduciaria italiana, stava cominciando.

In Italia fu giubilo. Le riviste neocoloniali – *Africana*, *Oltremare*, *Riconquista* – fecero numeri speciali dove si esaltava, al solito, il ruolo civilizzatore della stirpe italica. Agli Esteri poi, si gongolava. Champagne a fiumi per tutti, offre il palazzo di vetro. Una vittoria insperata. Molti collaboratori del buon Alcide nel ministero, è bene ricordarlo, erano precedentemente al soldo del regime fascista. Chi agli Esteri, chi al ministero dell'Africa orientale. Come in molti campi, dall'università all'economia, a quei furbacchioni era bastato non associarsi al fascismo nella follia di Salò. Dopo, nella repubblica della costituzione, si era così automaticamente vergini come se con il fascismo non ci fosse stata nemmeno una tresca. Inoltre c'erano gli interessi dei veterani da salvaguardare. Vittoria piena quindi. Ma in Somalia la notizia come fu presa?

E Majid, tuo nonno?

La domanda che correva sulla bocca di tutto il popolo era: «Si può davvero insegnare la democrazia?». Agli italiani i somali preferivano gli inglesi. Un po' perché la pasta aveva stomacato tutti, un po' perché con gli inglesi potevi ragionarci. Abdullahi Issa, un giovane intellettuale e leader della Somali Youth League, diceva in quei confusi giorni che «Gli inglesi sono dei colonialisti forse anche peggiori degli italiani, ma con loro lavori in libertà. Con gli italiani questo è impossibile. Loro non cercano persone competenti, ma solo sciocchi manovrabili». Però degli inglesi era meglio non fidarsi nelle faccende di confine. Ti vendevano per pochi spiccioli e poi Churchill voleva a tutti i costi salvare il mondo dal pericolo rosso del comunismo globale. Negli incubi del buon Winston il sigaro scompariva e i baffi di Stalin coprivano lo stivale fino a sommergerlo. Bastò un attimo a quel *good englishman* per lasciare nelle pesti i giovani leader somali. Inoltre quelli della Lega somala cominciavano a dare sui nervi al Foreign Office di Sua Maestà, troppo forti e troppo estremi per i gusti britannici. Prima c'erano da difendere gli interessi in Kenya e poi la patata bollente della Palestina. Così si decise di sacrificare la Syl a favore di una piena collaborazione con l'Italia.

Erano anni particolari per la Somalia, che avrebbero potuto portare risultati migliori alla luce del poi. I somali ci credevano alla loro indipendenza. Anni di fermento, di sogni, di manifestazioni anti-italiane. Però alla fine anche la Lega capitolò. Il messaggio della comunità mondiale era stato molto chiaro: o con gli italiani o niente indipendenza. La Lega somala e gli altri partiti cominciarono a lavorare assiduamente con gli amministratori fiduciari.

Il nostro paese, Zuhra mia, aveva mille disfunzioni: povero, diviso in clan in perenne guerra tra loro, senza infrastrutture degne di questo nome. Il lavoro da fare era tanto, si doveva creare una classe dirigente pronta ad affrontare i nodi del futuro, una base di burocrati svegli e, non ultimo, si doveva trovare una soluzione ai problemi di frontiera con il Kenya e l'Etiopia.

Sulla carta l'Italia aveva promesso che avrebbe fatto questo e anche di più. Nella realtà invece la meta era un'altra. Erano gli anni della Dc, dell'Italia che usufruiva del piano. Gli anni in cui la corruzione diventava prassi politica. Una volta in terra africana, l'Italia insegnò quindi quello che sapeva fare meglio: la corruzione. Inoltre una forte classe politica somala non serviva al Belpaese. La meta era semmai tirare su una classe politica bisognosa e corruttibile. Non sempre, ma i semi gettati allora furono il peggior veleno. Quasi tutti i leader somali avevano fatto tirocini in Italia. Alcuni, come il futuro dittatore Siad Barre (che ci ha quasi rovinato la vita, Zuhra mia), furono direttamente addestrati dai servizi segreti italiani. L'amministrazione fiduciaria italiana durerà dal 1950 al 1960. In quei dieci anni le infrastrutture sono state nulle. E la pubblica amministrazione completamente ferma.

Elias cresceva negli anni delle lotte antitaliane e poi in quei primi anni di Afis. Prima il latte di Bushra direttamente dal suo seno generoso, poi le pappe di Bushra uscite dalle sue mani benevole, infine le parole di Bushra che sgorgavano copiose da quelle pudiche labbra di donna. Denti bianchi, pelle nera.

Per far giocare il bambino, Bushra raccoglieva pezzetti di stoffa e glieli faceva annodare in fantasiosi ghirigori. Già da piccolo era immerso nel colore. Poi da grande gli insegnò anche a cucire orli e ad attaccare bottoni. Bushra non era conscia di avviarlo al suo stesso mestiere. Per lei era un modo per fargli passare il tempo. Un gioco come un altro.

Mentre il mondo di Bushra fatto di aghi, orli, bottoni, stoffe e colori Elias lo conosceva benissimo, quello di Majid gli era del tutto sconosciuto. Lui stesso era del tutto sconosciuto, anche a se stesso. Solo Famey era l'unica a conoscerlo e a condividerne i segreti. Ma Famey era morta dando alla luce il bambino. Era sprofondata nel suo sangue e nella sua placenta.

Majid a volte, quando era sicuro che nessuno lo stesse spiando, tendeva le braccia per cercare Elias. Come Elias aveva fatto quella prima volta con la sua voglia di vivere. Era solo per un momento, un oblio di pochi secondi. Poi la vita, le sue brutture, prendevano il sopravvento sul sogno. Le braccia da tese diventavano molli, il desiderio da intenso nullo.

Fu per questi oblii che decise di andare a lavorare quasi in pianta stabile dai *gaal* per cui faceva il cuoco. I bianchi datori di lavori di Majid erano i Pasquinelli. Il signor Antonio e la sua signora Magda Pasquinelli, già Remotti. I Pasquinelli erano una famiglia composta da padre, madre, suocera, tre figli, un cugino. Erano originari di vicino Padova, anche se Magda ci teneva a ribadire che lei aveva il padre veneziano. Erano in Africa Orientale da prima di Mussolini – almeno lui. L'Africa era stata una passione e, a ben vedere, proficua. Lei invece ci andò a sbattere contro dopo un tè pomeridiano a casa della zia Marta. La zia era una molto gioviale e le piaceva accompagnarsi con la bella gioventù della famiglia. Magda e Antonio erano cugini, anche se molto alla lontana. Quel tè fu galeotto, lui in visita, lei sognante. Dopo poco, bauli e bauletti presero la via dell'impero di Benito.

A Magda l'Africa non piaceva molto, ma cercava di tollerarla perché così stavano le cose. Però faceva di tutto per trasformare quel suo angolo di città in una piccola Padova. Le mancavano i porticati, la cappella degli Scrovegni, la gente che non sorrideva. In quella città, in quella Mogadiscio tutto era lascivia. Troppo colore nei vestiti, troppa esuberanza nei gesti. E poi quelle donne così belle – le odiava. Quante ne aveva assaggiate il suo Antonio? Con quante si era intrattenuto? Lei lo sapeva, non era un segreto che gli uomini italiani facevano porcate con le indigene. «E quelle ci stanno, le troie».

Solo il cuoco le piaceva in quella lurida città di negri. Solo il cuoco. Lo aveva scelto lei. Era opera sua. Era un ragazzo taciturno, poco esuberante, a modo. E poi cucinava divinamente. Certo, su alcune cose aveva dovuto ritoccare un po'. Per esempio quella mania che aveva di mettere il piccante ovunque – quel vizio gliel'aveva levato. Ma a parte dettagli insignificanti, era proprio soddisfatta del suo cuoco.

Majid invece non provava nessun sentimento verso quella donna o quella famiglia. Per lui era solo lavoro. Certo non erano molto rispettosi con i somali, si credevano ancora i padroni, ma a lui andava bene così. Non voleva ragionarci troppo, eseguiva i suoi compiti e basta. Il lavoro, in fin dei conti, doveva solo servire per dimenticare.

Cucinava i suoi piatti con tranquillità. Tutti gli dicevano «Bravo». A volte Antonio Pasquinelli lo apostrofava con un «Superbo». Lui non aveva reazioni. Non dimostrava di gradire nulla. Nemmeno quei complimenti pantagruelici. Quando avevano ospiti, i Pasquinelli erano soliti metterlo un po' in mostra. Lo vestivano con abiti europei, gli negavano l'uso della futa che lui trovava più pratica in cucina, e poi gli mettevano un fiore nel taschino della camicia. Magda Pasquinelli arrivava anche a dirgli: «Pettinati, Majid. Che così sembri un mendicante». Aveva capelli ricci e intricatissimi. Aveva smesso di pettinarli da secoli, Majid. Ci passava solo due dita d'acqua la mattina e così come si svegliava, usciva. Era l'unico difetto che i Pasquinelli riuscivano a trovare in quel cuoco superbo.

Poi arrivò il giorno del quindicesimo compleanno di Vittoria Pasquinelli, la più grande tra i figli di Antonio e Magda.

«Prepara quel tuo piatto tradizionale, caro» disse la signora al suo cuoco fidato. A Majid piaceva cucinare il riso. Gli ricordava l'odore della sua Famey. Era per via del cardamomo forse o chissà, della cannella. Quel giorno si sentiva ispirato. Fece un buon riso. Odorava di donna.

Pensò a Bushra. Alle rotondità del sedere, al volto delicato, a quegli occhi immensi. Pensò all'odore di essenze sul suo corpo liscio. Pensò alla sua pelle di velluto. Sentì il desiderio smuovere il suo bacino. L'erezione solitaria in cucina era un'abitudine. Ogni giorno a quell'ora pensava a Bushra e a quel suo corpo perfetto. La desiderava più di se stesso. La desiderava come nessun uomo aveva mai desiderato una donna. Ma era ancora un uomo lui? Poteva confessarle tanta vergogna? Preferiva sognarla...

O no? No, Majid lo sapeva, non gli bastava più sognarla. E se quella notte l'avesse stretta tra le braccia, gli sarebbe piaciuto perdersi nei suoi odori di donna. Sì, era una buona idea... Dopotutto era suo marito. Che male c'era se l'abbracciava un pochino?

«Mamma vuole che servi tu a tavola, oggi» la voce di bambina scosse l'uomo dai suoi pensieri. «Mamma dice che Yousef è troppo sporco e abbiamo ospiti importanti».

Majid ne fu contrariato. Non gli piaceva fare il cameriere. Si mise la casacca bianca da sguattero ripulito sopra il grembiule da cuoco, si bagnò un po' quei riccioli ribelli che aveva in testa e finse di pettinarli con due dita. Poi si lavò le mani. Aspettò la chiamata. Quando sentì il campanello suonare, portò il suo capolavoro a tavola.

Erano tutti seduti. Vittoria era proprio bella in quel suo vestito lillà. Era simpatica Vittoria, era l'unica in quella casa a sorridere anche a loro senza dare troppi ordini. C'erano due teste in più. Una bionda e una quasi completamente bianca. A Majid non piacevano molto le teste completamente bianche. Risvegliavano in lui timori irrazionali.

Mise sul tavolo il suo riso e si accinse a servirlo. Poi il suo cuore ebbe un sobbalzo inaspettato. Per un attimo si sentì morire. Quella testa bianca era molto simile a una vista troppo da vicino anni addietro. In quel terribile pomeriggio con Famey e gli altri disgraziati della corriera. Possibile che fosse la testa di

Guglielmi? Lo fissò per un attimo. Gli stessi occhi cattivi. Gli stessi baffi fetidi.

«Majid» trillò spensierata la signora Pasquinelli «a mio zio Alberto una porzione abbondante. È un militare ed è giusto che si nutra».

Lo zio rise. A Majid sembrò di impazzire.

Poi si ricordò di avere un figlio. Lui lo avrebbe vendicato. Doveva correre a casa per avvertirlo.

SEI

La Nus-Nus

La ragazza aveva una telecamera tra le mani. La faceva dondolare da una parte all'altra. Stessa oscillazione dei suoi capelli spaghetto.

Mar la osservava da lontano come un segugio che punta la preda. Non voleva farsi scoprire, la controllava da una certa distanza. Quando l'aveva vista in quella serpentina di persone che era la Medina di Tunisi, aveva deciso per puro impulso di seguirla. Però la disturbava stare incollata in quel modo alle piccole scapole di quella sconosciuta somigliante a Patricia. Si stava divertendo, prima di vedere quegli spaghetti ondulanti fendere orizzontalmente l'aria. Prima era tra amici, a chiacchierare, contrattare. Ora era sola, dietro a uno spettro che voleva a tutti i costi disimparare.

Quando gli sarebbe ricapitato nella vita di ingozzarsi di *chapati shawarma* con il clone di Björk e un cinese pazzo che voleva fare il filologo? Non era gente che si poteva trovare a ogni angolo di strada, quella. E poi la facevano ridere. Era da tanto che non rideva con tutti e trentadue i denti. Solo Peter Sellers qualche volta, con la sua demenzialità depressa, riusciva a scoprirle qualche dente scintillante, ma per il resto la sua bocca era chiusa ermeticamente in un cupo dolore. E che dire poi di mamma Miranda? Di loro due insieme in quello strano, allegro pomeriggio? Era diversa Miranda. Mar sapeva dire solo questo, diversa. Se lo ripeteva senza tregua. Diversa, diversa, diversa. Quasi non ci credesse veramente. Quasi per rafforzare la sensazione di realtà a ogni ripetizione del vocabolo. C'era una luce in sua madre che non era la solita.

Miranda, lo sapeva bene Mar, era abituata alle luci, soprattutto a quelle della ribalta. Era una scrittrice famosa, tradotta in più di venti lingue, compresa da migliaia di anime. Scriveva rubriche in giro per il mondo, si intratteneva con gente importante e artisti, era invitata a ogni prima cinematografica. In quelle occasioni mondane la luce l'attraversava tutta, dando alla sua sottile figura di donna una tonalità bosco d'Irlanda che tanto calmava gli animi. Sua madre usava sempre il verde, per presentarsi al mondo. Verde acqua, verde chiaro, verde foresta, verde minestra, verde scuro. Mar lo odiava il verde. Non lo poteva sopportare. Per lei non era il colore della speranza, ma dell'oppressione. Non le piaceva quel muro di alberi che la madre aveva messo tra loro. Era sua figlia ed era come se fosse una semplice sconosciuta. Mar aveva invidia dei lettori della madre. Di tutti, anche dei più miseri. Loro la comprendevano, lei invece faceva tanta fatica. E sì che le aveva lette tutte, quelle dannate poesie. Le aveva lette con la lente d'ingrandimento, per assorbirle meglio. Non c'era niente da fare, non riusciva a vedere la sua mamma, la sua Miranda, in quei versi là. A volte aveva la strana sensazione che mancasse l'essenziale a quelle parole vergate di sangue. Era come se la Miranda delle poesie fosse totalmente diversa dalla Miranda della realtà, della sua realtà di figlia. Quei primi tre libri di poesie non le erano piaciuti. Non lo aveva mai confessato alla madre. Non lo avrebbe fatto nemmeno sotto tortura. Però gli altri libri della madre le piacevano di più. A un certo punto cominciò persino ad adorarla per quello stile semplice e senza fronzoli. Parlava sempre di politica, mai di se stessa. Sempre di Argentina. Sempre criptica, però sentiva di poterla capire meglio lì. Sentiva quasi di poterla afferrare. Quasi. C'era sempre un buco nero in agguato. Naturalmente l'invidia per i lettori restava tutta. Piangevano quando lei piangeva. Sospiravano quando lei sospirava. Tutti in perfetta simbiosi. Solo lei, Mar, rimaneva fuori dal coro e dal cuore di sua madre. Anche questo non poteva dirlo a Miranda. I motivi erano diversi. Forse innominabili.

Mar si chiese se sua madre sapesse di aver scritto poesie, specialmente le prime, lontane dalla sua realtà, e che quelle strade di Buenos Aires non le appartenevano come lei pensava, e nemmeno il dolore le apparteneva come lei pensava. Mar si chiese se sua madre, la grande Miranda Ribero Martino Gonçalves, avesse mai capito che in lei esistevano più strati. Che viverle accanto era un inferno, ma anche il più dolce dei paradisi.

Quel pomeriggio erano state felici. Lei, la figlia, con sua madre. Non era la Miranda distante e altera. La Miranda giusta e raziocinante. No, era solo sua madre, quel pomeriggio. Semplicemente una donna. La bocca piena di *chapati shawarma*, di carne e pezzetti sparsi di cipolla. Era una madre che si divertiva con la figlia e che mugugnava con la bocca piena. Era una madre più rilassata. Più umana. Era quello a far paura a Mar. Miranda spesso non sembrava umana. Il suo viso era così somigliante a un Cristo che porta la sua croce di uomo.

Ma quel pomeriggio era già trapassato prossimo. Aveva lasciato il suo bel gruppo, per inseguire un miraggio. Quella strana ragazza con la telecamera. Mar sapeva di essere molto simile a Miranda, in questo. Anche lei era un Cristo che portava la sua croce di donna.

La ragazza con la telecamera si muoveva veloce come un cammello tra le dune. Era scattante, ma con grazia. Ogni tanto, Mar vedeva luccicare in lontananza i brillantini dei suoi occhiali. Un sfavillio viola e arancio. Mar pensò che vestiva anche molto strana la ragazza. In questo la trovò simile a lei. Jeans strappati, camicetta a righe da carcerati, scarpacce arancioni con fibbia viola. Lo zaino lo portava appeso sulla pancia. Qualcuno evidentemente l'aveva avvertita del passatempo preferito alla medina: sfilare con furbizia i ricchi portafogli dei turisti. Ma tutto doveva essere fatto con celerità. I ladri avevano vita dura a Tunisi.

La polizia era all'erta ed era il grande capo Ben Ali in persona a volere che niente di male fosse fatto ai turisti. I turisti erano soldi, prestigio internazionale, erano anche uno dei motivi per cui lui grande padre padrone del paese era ben tollerato dall'Occidente. Quella faccia paffuta non piaceva a Mar. Era ripetitiva, ossessiva, brutale. Una replica senza senso. Ogni negozio, ogni angolo di casa, ogni hotel, ogni bagno pubblico, ogni buco era tappezzato dalla faccia paffuta di quell'uomo. Il primo giorno a Tunisi, Mar lo aveva scambiato per un attore comico. Quella faccia piena di fard, mascara e fondotinta la faceva ridere. Era stata la madre, da buona argentina, a spiegarle che quell'uomo non faceva ridere per niente. Che tanta gente nel paese era scomparsa in circostanze misteriose. Che anche in Tunisia era la stessa storia di sempre, *desaparecidos*, torture, dolori. Non parlava mai di *desaparecidos*, la madre. Non le parlava mai del passato. Ma era come se quel ritratto di dittatore africano le avesse smosso l'apparato digerente. Smosso e sconquassato.

La ragazza spaghetto non comprava nulla dai bazar. Incamerava immagini con quell'aggeggio famelico che si dondolava tra le mani. Alla gente del suq non piaceva essere filmata. Le donne si mettevano le mani sopra la faccia a mo' di protezione. Gli uomini la guardavano in cagnesco. La ragazza spaghetto era incurante di quella gente. Per lei contava solo il dondolio di quella sua telecamera famelica.

Fecero molte stradine della medina. Superarono la grande moschea di Al-Zaitouna e, sempre correndo, la ragazza spaghetto s'imbucò per le stradine che Mar aveva ribattezzato dei cesti. Era stato JK in un passato vicino, un attimo prima quasi, a spiegarle che quelle ceste servivano per i matrimoni. «Le donne si profumano molto ai matrimoni e le ospiti pure. Quelle ceste servono per le essenze». A Mar sembravano culle. Il manico merlettato, la fodera delicata. Pensava che un neonato ci sarebbe stato bene in una di quelle ceste lì. Il suo di certo. Ogni tanto lo vedeva in sogno il suo bambino. Cresceva, metteva i denti, muoveva i primi passi, sorrideva, faceva smorfie buffe. Nei sogni Pati non c'era mai. Nei sogni c'era Miranda. Era lei che lo cullava quando era stanca. Era lei che le cantava *Alfonsina y el mar* con la sua voce di vento. Il figlio nei sogni era sempre maschio. Si chiamava Ernesto come lo zio *desaparecido*. Non voleva chiamarlo Elias, come l'uomo al cui liquido seminale doveva la vita. Non lo conosceva. Non sapeva se era degno di rispetto. Invece Ernesto lo aveva trovato nel quinto libro della mamma. Era una persona vera per lei. Il figlio nei sogni era sempre Ernesto. Come lo zio. Come Guevara. Però la gente si sveglia e i sogni sfumano in dissolvenze. Mar si svegliava ogni volta in un bagno di sudore. Si ricordava del macchinario grigio che aveva assorbito suo figlio. Si ricordava della minestra di farro che odiava da bambina. Si ricordava di quel risucchio spaventoso che l'aveva precipitata nel caos. Si ricordava di Patricia che aveva deciso di farla abortire.

Ogni volta che pensava a quel bambino perso per niente sentiva di odiare Patricia. Perché l'aveva umiliata così? Perché? Lei l'aveva amata molto, troppo. Le aveva costruito un altissimo piedistallo. Si era dimenticata persino di se stessa, per lei. Perché l'aveva ricambiata con un aborto imposto e un suicidio? Perché non portarla con sé nella morte?

I capelli spaghetto di quella ragazza con la telecamera le fecero balenare strane idee di estinzione. A ogni oscillazione una morte diversa. Vene tagliate, cappi improvvisati, voli planari da grattacieli inesistenti, tuffi in metropolitana, più consuete compresse colorate. Tunisi per un attimo non sembrava più il posto benefico di prima.

Lo sguardo di Mar si posò su una scacchiera. Bella, unica, molteplice. Così appariva ai suoi occhi quella tavola quadrettata. Fu rapita. Si dimenticò che stava seguendo una ragazza con la telecamera. La scacchiera era un pacchiano souvenir. Di lato c'era una scritta in caratteri latini un po' orientaleggianti. Era una scritta banale. Da turista. Era una scacchiera in finto legno rossastro. Si apriva come una scatola di cioccolatini assortiti e all'interno aveva altri giochi: dama, domino. Dallo sguardo, Mar passò all'azione. Cominciò ad aprire come una pazza tutte le scacchiere esposte. Quella tonalità di rosso la stava stregando. Aveva bisogno di assorbire quel colore, quell'essenza di vita. Si avvicinarono a lei due uomini un po' in carne. Non ci voleva uno Sherlock per capire che erano i proprietari del bazar.

«*Bounjour*» le dissero.

«*Do you speak english*?».

«*Italian*» disse secca lei.

«Naturale signorina, bella Italia, Parmiggggiano» disse in un finto bolognese uno dei due.

L'altro annuiva.

«Quanto la fate la scacchiera?» chiese in tono un po' brusco. Non le piacevano le contrattazioni.

«Per lei signorina, solo 45 dinari».

Troppo. Era stanca. Però JK le aveva detto che in quel suq andava tutto contrattato. Non si doveva dare soddisfazione al commerciante, si doveva lottare un po', se non altro per dignità, per non farsi spennare come un giapponese qualsiasi. Mar non era sicura che i giapponesi si facessero spennare, lei comunque avrebbe fatto di peggio. Stava per dire ok quando una voce da dietro, disse «*Khamsa ta ashara faqat, fifteen dinar*, quindici dinari».

I due commercianti guardarono nella direzione della voce. Lo fece anche lei d'istinto, più che per reale curiosità. Fece un balzo all'indietro quando vide la sagoma della ragazza con la telecamera. Come l'uragano di cui portava il nome, Katrina, spazzò via le pretese assurde dei commercianti.

«*It's too much 45 dinars, demasiado, nena*» sussurrò all'orecchio di Mar.

Nena? Mar per un momento cedette a una follia gravitazionale. Aveva sentito bene? La ragazza spaghetto parlava spagnolo e le aveva detto *nena*? Aveva chiamato lei, proprio lei, *nena*? Solo Pati la chiamava *nena*, con un'inclinazione di ruggine nella gola. La ragazza aveva una voce squillante invece. Niente ruggine. Forse era felice. Sì, le aveva detto *nena*. Per un attimo Mar si era illusa. Poi aveva guardato meglio quel viso. Era un viso rilassato. Quasi banale. Niente ruggine. Niente tormento.

«*Demasiado*?» riuscì a dire Mar con un accenno di ruga represso ai margini della bocca.

«Sì, *demasiado*».

Poi seguì un concitato incontro di pugilato in arabo. I suoni gutturali si susseguivano confusi in Re bemolle. I numeri furono allineati su una scala lungo la quale discendevano o risalivano a seconda dell'estro della battaglia. Il più grasso della coppia non era intenzionato a dar via la sua scacchiera per poco. Il suo compare invece, guardava Mar estasiato. La ragazza con telecamera sciorinava la sua lezione di arabo. Mar era l'unica a non fare niente, respirava ignara.

L'uomo più giovane accostò la sua massa corporea a quella delle ragazze.

«*Are you virgin?*» chiese in un inglese smozzicato a Mar.

Virgin? Mar non capiva. Cosa voleva dire? «*Virgin?*» ripeté come un automa fuori controllo.

«*Yeaaah. No man in you... no man... in....*», la sua bocca assunse una piega sporca, a momenti pornografica.

Mar non si accorse di nulla. Rispose. Il viso del ragazzo si distese. Ogni pornografia sparì da quel volto. Mar si rese conto che era molto giovane. Probabilmente era il figlio del proprietario del bazar. La sua fronte era ampia, curiosa. Gli occhi affondati in sacche di sincerità. Lo stampo della brava persona. Lo sarebbe stato in quel regime tanto soffocante? O avrebbe stuprato una donna solo per dimostrare che non valeva niente nella catena del potere? Ben Ali sorrideva tronfio da un angolo fetido. In lontananza si sentiva un muezzin che chiamava alla preghiera da una tv 18 pollici.

La Tunisia faceva le prove generali di guerra civile.

«*You good girl, ya ukhti*» disse il giovane.

Mar sorrise con aria ebete. La scacchiera fu presa per nove dinari.

«*Come back soon*, presto, presto» dissero in coro padre e figlio.

Mar si chiese cosa gli avesse domandato il giovane. Non era sicura di aver dato la risposta esatta.

Katrina intanto pianificava il futuro.

«Hay una fiesta... a party in my mabit... mañana por la tarde. Hay cerveza, también».

«*Cerveza*?» chiese Mar. Quella parola la sapeva. Birra. Si ricordò che in quel paese musulmano bere era molto difficile. Solo negli hotel o nelle bettole. Invidiò sua madre che non era astemia come lei. Che si godeva la vita. Sua madre viva. Perfetta. Stronza.

Benjamin, ti prego, non lo fare. In nome di Allah, Shiva, Gesù Cristo e tutte le anime del purgatorio. In nome delle mie orecchie santissime. In nome del mio stomaco. Benjamin, non lo fare. Smetti subito. Non profanare oltre quelle parole di miele. Non violare. Non dissacrare. Rispetto ci vuole. Rispetto. Genuflessioni. Il tuo naso che si spiaccica sul pavimento, ecco cosa ci vuole. Prostrazione. Umiltà. Benjamin, in nome di Allah... smetti di leggere!

Mancano appena sei minuti alla fine di questa lezione di arabo. È da ormai dieci che Benjamin sta facendo a pezzi una delle più belle poesie di Mahmoud Darwish, il *griot* della lotta palestinese. Benjamin è tedesco. Se non ci fosse il passaporto a dimostrarlo, basterebbe il suo forte accento bavarese. Benjamin è tedesco, quindi. Anzi dirò di più, è ariano. Biondo color canarino, occhi vitrei, pelle diafana. Il camerata Adolf Hitler si sarebbe innamorato del suo mento all'insù, delle sue spalle larghe, del suo corpo massiccio, della sua bocca carnosa. Lo avrebbe trascinato con sé, il camerata Adolf, e magari lo avrebbe amato più di Eva Braun. Fottuto più di Eva Braun.

Ma Benjamin per sua fortuna è nato decenni dopo quel delirio collettivo. La mamma era una hippie anarchica, il padre un filologo esperto di siriaco. Ed ecco perché, venticinque anni dopo il suo primo vagito, Benjamin sta ora nella mia stessa classe di arabo, terzo livello, a distruggere la poesia del sommo Mahmoud Darwish. Se fosse stato un ariano convenzionale, Benjamin avrebbe ascoltato i Guns'n'Roses, ma era un ariano con sangue anarchico nelle vene e per questo è finito a Tunisi, in una scuola di arabo che si trova per di più vicino a una sinagoga, perennemente vuota però. È da quando sono arrivata che vedo solo i due poliziotti che la sorvegliano.

La poesia che la prof grassa ci sta facendo leggere è *Carta d'indentità. Ana arabi*, sono arabo. Benjamin prova a metterci del pathos. Ma il suo accento lo tradisce a ogni lettera. Tutto gli viene al rovescio. I suoni gutturali scivolano via come seta, invece nei suoni morbidi gli esce fuori una certa aria repressa, che hanno tutti i tedeschi quando provano a parlare altre lingue. È tutto roccia nella gola di Benjamin. Tutto secco, granitico. Nessuno spazio sembra concesso alle lettere e alle loro emozioni. L'esilio del poeta, la sua lotta, la sua terra, si perdono nella cadenza scartavetrata del ragazzo color canarino. Darwish balla sull'architettura del sé come una libellula, ma Benjamin con la sua lettura distrugge ogni emozione. Sembra una caricatura, più che un ragazzo. Un personaggio disegnato. Una volta ho letto un libro in cui la testa di Hitler era stata schiaffata in un frigo in attesa di un corpo ariano perfetto su cui innestarla. Forse l'autore conosceva Benjamin. Il perfetto essere ariano. Perfetta caricatura, almeno. Infatti nel sangue di Benjamin scorre sangue anarchico. Gloria a Bakunin!

Benjamin ti prego non lo fare. In nome di Allah, Shiva, Gesù Cristo e tutte le anime del purgatorio. Benjamin, in nome delle mie orecchie santissime.

Mancano tre minuti ancora. Vorrei sentire come finisce questo strazio. Ma ho un problema. Più che altro un intoppo rimediabile. Mahmoud Darwish mi balla ancora dentro. Nonostante Benjamin, sento il ritmo del dolore del poeta. Sento il battito. È forsennato. Un trapano fuori controllo.

Ma mi scappa la pipì. Maledetta! Perché proprio adesso? Vorrei sentire la fine della poesia, cavoli. La trattengo. Ci provo. Sento tutta quell'acqua comprimere le mie pareti intime. Mi spinge in modo violento ora. Che sfacciata. Ma non puoi aspettare, mortacci? Mi arrendo. Devo correre alla toilette. Subito.

Faccio un cenno alla prof grassa. Mi spiace prof, di romperti il momento magico. Lo so, lo sto frantumando. Ok, capito l'antifona. Non sono una scassamomenti io. Anzi ti dirò, volevo pure sentire come finiva di distruggere la poesia il buon Benjamin, ma ho un bisogno fisiologico impellente. No *Ya Mu'alima*, oh maestra, non posso rimandare. No, nemmeno trattenere. Ci ho provato, ma lo vedi, mi sto piegando in due. Fra un po' me la faccio addosso, se non mi fai uscire immediatamente. Mi becco un'occhiata torva che più torva non si può.

Sicuro che questa iperproduzione di urina è legata al mio consumo spropositato di tè alla menta. È buono, specie quando ci affogano i pinoli. Prima tracanni il liquido e poi cerchi di acchiapparne il più possibile con la lingua. Qualcuno mi scappa. È furbo il pinolo. Ma la mia lingua è vigile. Non se ne perde uno. Parola mia. In certi sport sono veramente portata. Dovrebbero trasformarla in una disciplina olimpica, sarei plurimedaglia a quest'ora, meglio di Sergei Bubka, quello che ha spazzolato tutto nel salto con l'asta. Entrerei nel guinness dei primati e nei cuori della gente. Record, allori e gloria. L'acchiappa pinolo sarebbe seguito più del nuoto. Stile libero, *crawl*, rana, bah, roba superata. Mi farebbero fare gli spot pubblicitari. E farei serie conquiste.

Invece niente di tutto questo. Sono ancora single. E sto correndo in bagno con la vescica piena. Accidenti, ho dimenticato i fazzolettini in borsa. Il bagno della scuola è fatiscente e la carta igienica non esiste nemmeno per sogno. Solo quel dannato tubaccio. Qui non hanno il bidet, hanno un tubo, sì un dannato tubo. Stanno messi meglio degli inglesi, però. Quelli non hanno niente! Dopotutto la Tunisia è un paese musulmano, ci tengono gli islamici alla pulizia. Durante le crociate gli apostolicoromani li prendevano in giro perché «lavarsi» sembrava cosa da effeminati. Gli inglesi, che effeminati lo sono davvero, non si lavano. Non hanno il bidet. Non hanno nemmeno il miscelatore per l'acqua calda e fredda. Hanno due rubinetti solitari. Uno ti ustiona, l'altro ti gela. Niente mezze misure. Invece i tunisini hanno un tubo al posto del bidet, un tubo lungo quanto un serpente medio. Sembra un aggeggio per annaffiare il giardino o le piante. Però sta praticamente attaccato al cesso. La funzione del tubo è semplice. Prima si fanno le solite cose innominabili dentro la tazza. Fino all'ultima goccia o pezzetto. Poi si prende il tubo per lavare via tutte le gocce rimaste, i residui in equilibrio instabile, e una volta appurato che l'acqua è alla temperatura giusta, si posiziona il tubo ad altezza genitali e si procede al lavaggio. Una mano regge il tubo e l'altra strofina. Non è una brutta invenzione il tubo. Solo che quello della scuola non lo userei manco morta. Di base la filosofia è la stessa che adotto per i bagni pubblici. Non mi siedo sulla tazza degli altri, ci sto sospesa sopra, come una farfalla. È difficile fare la pipì in questa posizione. Devi mettere forza nei polpacci, trovare il baricentro giusto, sennò rischi di schizzarti urina dappertutto. Quanto invidio il pene in queste occasioni. Lo cacci fuori e non devi far impazzire il baricentro.

Tornando al tubo, ecco, quello della scuola non lo userei proprio. Potrebbe avere usi leciti o illeciti. Non lo voglio sapere. Ma non posso posizionare sulle mie parti delicate una cosa che ha visto così da vicino le parti delicate degli altri. Mi fa impressione. E a dirla tutta, parecchio schifo.

La pipì non mi dà tregua. Mi sento piena! Sento una botta al basso ventre. Un leggero senso di nausea. Oh mio Dio, speriamo sia solo pipì, non voglio le dannate mestruazioni, proprio adesso. Devo andare in spiaggia con gli altri. Ci viene pure Miranda. E viene il maialino *gaal haluf*, l'infedele. Quello che mi piace tanto, cioè, credo che mi piaccia, forse. Si chiama Orlando, come quello di Ariosto, e quello di Virginia Woolf. È un nome non facile da portare, credo. Sembra un nome da re o forse è solo un nome da pazzi. Non riesco a capire se mi piace davvero. Credo di sì. Quando sta vicino a me mi viene voglia di guardarlo. Mi sembra così indifeso. Vorrei abbracciarlo e proteggerlo. Mi ricorda la bambola che avevo da bambina, Susanna. Avevo solo lei. Povera Susanna, era troppo sfortunata. Si rompeva tutta. Era sempre malata. Io la curavo. L'accudivo. Aveva la stessa faccia di mamma quando mi veniva a trovare al collegio. Anche mamma l'abbracciavo forte. L'accudivo.

No, ti prego, il ciclo no. Il *gaal haluf* lo voglio conoscere oggi. Non domani, né dopodomani, oggi. Ho tirato fuori dalla valigia il mio costume arancione e bianco. Il pezzo di sotto a pantaloncino e quello di sopra a bikini, degno di Ipanema. Mi sono vista allo specchio. Davvero niente male. Semischianto. Mi guarderà. Gli sorriderò. E lui mi parlerà di sé. Altro sorriso mio. Mi si avvicinerà con la mano fremente. E poi… non so… quello che succede nei film. Ci troviamo un bel posto. Ci baciamo. Ci giuriamo amore eterno. Va così nei film, no? Stile Titanic-Di Caprio. Ecco, è importante che non mi venga il ciclo oggi. Ho programmi galanti.

Mi sento quasi male. Il bagno mi sembra lontano un'eternità. Corro. Le mie gambe diventano cento, galoppo. Largo, pista, fatemi passare… me la sto per fare sotto. Ma di brutto. Pista!

C'è la fila. Ci sono tre ragazze davanti a me. Devo resistere. Non sta bene alla mia veneranda età farsela addosso. Devo resistere. Penso a Miranda per distrarmi. Che bella donna. Elegante nei movimenti. Oggi mi ha detto che ci raggiunge più tardi.

Ha delle commissioni da fare. Credo stia scrivendo un libro. Ogni volta che ci appostiamo in spiaggia lei sta china sui suoi fogli. Nessuno osa disturbarla, è completamente assorta. Lei non sa che io so chi è. Ho letto tutte le tue poesie. Sono al corrente del suo dolore immenso. Ci sono volte che il suo sguardo si opacizza. Non mi piace quello sguardo. Mi ricorda troppo il mio. Quello di Maryam Laamane, la mia mamma sbilenca.

Magari la ragazza davanti a me ha dei fazzoletti. Quasi quasi mi azzardo a chiederglielo in arabo. No ho troppa vergogna. E se sbaglio? Mi schiarisco la voce con la classica tosse rompighiaccio. «*Afuan*», scusi, mormoro smarrita. «*Afuan*» ripeto sempre più persa. Mi guarda. Il suo sguardo mi fa ritornare a un esperanto inesistente. Mischio inglese, francese, spagnolo. In arabo dico solo «*Min fadlika*», per favore. Fazzolettini non so in che lingua lo dico. Forse in aramaico. «Sono italiana come te» mi dice, e aggiunge: «Musulmana pure. Ti sei già scordata?».

Ma certo, da dietro non l'ho riconosciuta. Il didietro non corrisponde mai a quel che si vede davanti. Da dietro sembra una persona per bene, la ragazza, una persona con cui si potrebbe valutare una conoscenza o un'amicizia, poi il davanti ti dissuade da entrambe le cose. È vero, la conosco, stavamo sullo stessa nave. Mi urta a pelle. Si chiama Souad, anche lei al mio *mubit*. È italo-tunisina lei. Parla bene il dialetto, ma con l'arabo classico non se la cava un granché. Sta due livelli sotto di me. È di vicino Torino. Se la tira un po'. Non so bene perché, non mi sembra un essere speciale.

Mi scappa la pipì, mi servono quei dannati fazzolettini, se non chiedo a lei, mi toccherà rientrare in classe, interrompere un altro momento magico della prof, uscire di nuovo e rifare un'altra fila. Già così immobile mi sembra un incubo. Non ho scelta, c'è solo lei. La Souad transnazionale.

«Avresti un fazzolettino?» chiedo in tono neutro. Mi complimento da sola. Sono stata asettica nel porre la domanda. Non manifesto i miei sentimenti. Non le dico per esempio «Mi fai venire l'allergia», o «Ti trovo urticante», «Mi stai sulle palle, con la tua aria di superiorità del cazzo». Non le dico nulla. Vorrei, ma non posso scordarmi di te, io non ti conosco. Ecco cito Bersani Samuele a memoria. Così come altri citerebbero Carducci Giosuè. Non so, preferisco Bersani, più scopabile. Non credo che Carducci lo sia mai stato... Anche se qualcuno lo avrà fatto con lui. Sto diventando blasfema. È che quella poesia al bove è stata la mia dannazione, da piccola. Non c'era verso di impararla. La suoraccia mi ha pure punito. «Voi zulù non avete proprio estro!». Mi chiamava sempre zulù quella suoraccia.

Souad a ben vedere assomiglia alla suoraccia, ha lo stesso muso da maiale cornificato. È tutta schiacciata Souad. Ricordo che quel muso strano mi ha colpito anche quando l'ho vista in fila al check-in per il volo per Palermo. È da quel volo aereo che ne vorrei dire quattrocento alla Souad transnazionale. È da quell'aereo. Io ho detto: «Finalmente vado in Africa» e lei «Ma la Tunisia non è Africa». E che cos'è allora? Marzapane? Marijuana? Si trova nel continente africano la Tunisia, sta ancora lì, quindi è Africa. Insisteva Souad, diceva che loro erano arabi e non negri, quindi lo stare in Africa era solo un incidente momentaneo. Mi chiedo cosa voglia fare la Souad transnazionale con il suo paese, lo vuole forse trascinare in Medio Oriente legato a una fune? E poi dove vorrebbe collocarlo? Vicino alla Siria di Assad? O in mezzo alla Palestina? Tanto si sa, la Palestina è un luogo così ameno e pacifico. Non mi piace chi vuole scordare la linea del colore, dell'equatore. Ma non ho insistito più di tanto. La geografia è dalla mia parte.

Però è a lei che devo chiedere quei dannati fazzolettini. È tutta quest'acqua che mi si smuove nella vescica a impormelo. Tutta l'acqua espulsa dai reni. Residui di me. Riformulo la domanda, questa volta nell'elegante italiano con cui mi esprimo solo all'università. La parola fazzolettini suona come merletti, tanto la pronuncio con sussiego. La ragazza mi guarda. Ha dei capelli neri appiccicati sulla testa come mattoncini lego, occhiali con montatura a tartaruga, un rossetto sulle labbra di una tonalità fucsia. Non è brutta. Ma mi dà un'idea di sciatteria, di persona trascurata. Poi però, le mani rivalutano il tutto. Ha ossa lunghe, quasi marmoree. Le si vede in trasparenza dalla pelle. Ha lenti antiriflesso, su quella montatura a tartaruga. Le conosco bene, le lenti antiriflesso, ho portato solo quelle, prima di convertirmi definitivamente alle lenti a contatto semirigide. Dopo le ore passate in Libla, avevo bisogno di sentirmi bella, viva. Le lenti semirigide, un cappotto nuovo, un trucco marcato sugli occhi, un vestitino frufru mi aiutano sempre un po'. Lo so, è una cazzata, ma mi definiscono l'identità.

Ripeto la mia domanda. Forse, penso, Manzoni parlava così. Sono perfetta. Mi esce fuori un italiano gentile, colto, irreale. Quello che uso agli uffici pubblici o quando devo pagare il ticket sanitario. Mi guardano con le loro facce a pagnotta e mi sbraitano «Permesso di soggiorno», come fosse una formula magica per farmi vergognare. Mi chiedo perché debba essere una vergogna essere straniero. Le facce a pagnotta ci rimangono male, quando gli spiaccico sul naso la mia carta d'identità italiana, la mia cittadinanza italiana. Non ci credono.

Anche Souad ha una faccia a pagnotta. Forse è per questo che non mi piace. La vedo fremere, quella faccia lì. Un fremito strano, una scossa tellurica ai bordi della bocca. Mi fissa come un batrace. Poi, additandomi minacciosa: «Sei di cultura musulmana, non ti vergogni?». Di cosa, di grazia. So l'arabo più di te, prego, sono devota, ci credo, mi interesso, leggo il Corano, non dimentico l'elemosina, faccio il ramadan e un giorno, se Dio vorrà, farò un pellegrinaggio alla Città santa, sempre se ne avrò le possibilità economiche, sennò Allah *Karim* mi dispenserà. Di cosa mi dovrei vergognare, faccia da pagnotta?

Il dito della Souad transnazionale si ingigantisce. È l'indice, ma a me sembravano tre pollicioni messi insieme. Fa quasi schifo, mi sembra un'erezione. La sensazione di cazzo sul naso non mi piace. Quel dito minaccioso mi fa sentire a disagio.

«Non ti vergogni, eh?».

«De che?» le chiedo. Ho perso la mia verve manzoniana, le parole mi escono fuori in stile tossico Tor Bella Monaca.

«Dei fazzolettini, scema».

Ok, mi ha dato della scema. Già per questo la dovrei fare a fettine. Vorrei essere Ranma Saotome. Anzi vorrei essere sposata con Ranma Saotome. È un peccato che un così bel ragazzo sia un cartone animato giapponese. Se avessi la sua forza, le farei un bernoccolo in testa che se lo ricorderebbe per tutta la sua inutile esistenza terrena. Passi per lo scema, ma che cosa c'entrano i fazzolettini? Lo chiedo. Lei ride sprezzante.

«Nemmeno lo capisci? Sei proprio scema».

Aridaje. Me lo ha detto un'altra volta. Non mi piace farmi offendere senza reagire. Quasi quasi le do una botta in testa davvero e mi faccio espellere dalla scuola di arabo. Ma non ho capito ancora che c'entrano i fazzolettini. La curiosità prevale sulla rabbia, aspetto una spiegazione. Non si fa attendere.

«Le donne musulmane non si puliscono con i fazzolettini, ma si lavano. Ti devi lavare, con l'acqua. Vuoi avere la vagina sporca come quelle bestie infedeli? La loro è sporca e rimane sporca, scema. Fanno pipì. Vanno con gli uomini, e poi usano solo quel fazzolettino. Invece noi usiamo l'acqua, tanta acqua. Siamo sempre pure, fresche, pulite».

Oddio! Non ci credo. Allah trattienimi, voglio farle una corona di bernoccoli in testa! Mi sta facendo la predica sulla pulizia intima, non ci credo! E mette pure in mezzo la religione. Voglio darle una risposta a tono.

Il mio sguardo la trapassa. La trafigge. La voglio far sentire piccola e inutile. La mia mano è un capolavoro. Si muove come se fosse quella della regina Vittoria. Elegante, glaciale. Una mano che sa cosa vuole. Oscilla e incute sacro terrore. Souad ne è atterrita. Poi arriva la voce, quando lei è ormai un fascio di nervi che non sa quale futuro l'attende. Avrà capito di aver oltrepassato ogni limite?

«Una buona musulmana si dovrà pure asciugare, no? Tu che fai? Te ne vai in giro gocciolante? Mica lasci la mutanda umida, no? Cioè, non è buona cosa, né per la salute né per la decenza. Peli bagnati, tessuti bagnati, odori molesti. Vanno pensate queste cose. Non mi dirai mica che non usi i fazzolettini?».

La vedo, è terrea in volto. Più pallida di Nosferatu. Sto trionfando. Ma cavolo, che retrogusto amaro a volte il trionfo.

Sono stufa marcia! Stufa della gente che vuole curiosare nella mia vagina. È mia capito? Solo mia e ci faccio quello che voglio. Perché tutti si vogliono occupare di te, vagina mia? Perché non ci lasciano in pace? Che le importa a questa Souad transnazionale di sapere se me la pulisco o no? Ha il diritto di puzzare, se vuole. Sono affari suoi, capito Souad? Tu non c'entri. Nessuno c'entra senza permesso.

Al collegio c'era quel signore, Aldo, che però c'è entrato. Senza permesso e senza pulirsi le scarpe. Si interessava troppo alla mia vagina, Aldo. Avevo un sacco paura di lui. Un po' perché era il bidello del collegio, un po' perché aveva uno sguardo fisso, mi faceva sentire a disagio nei miei panni. Non sapevo come dirlo alle maestre, che Aldo mi voleva rubare la vagina. Quando gli altri non lo vedevano, lui provava ad accarezzarla, mi schiacciava contro i muri. Il mio cuore batteva per la paura. Mi avevano detto che dovevo dare retta agli adulti e che si deve fare quello che ti dicono i grandi. Ma non mi piaceva quando Aldo mi schiacciava contro i muri. Dovevo gridare, dirlo a qualcuno. Ma in collegio nessuno crede mai a noi bambine. Un pomeriggio, Aldo aveva una strana faccia, era molto sudato e mi sembrava arrabbiato. Ecco, quel giorno, Aldo s'è preso la vagina.

Il giorno dopo è venuta Howa Rosario e mi ha portato via da lì. Non so come ha fatto. Forse ha finto d'essere mia mamma. Non me lo ha mai detto. Al collegio erano delle mezzeseghe. Non distinguevano un nero dall'altro. Mi faceva male il ventre, piangevo e stavo tutta piegata. Il furto della vagina era stato scoperto perché le lenzuola si erano riempite di sangue. Era tanto il sangue, non ero riuscita a nasconderlo. Avevo tentato, era ancora troppa la paura di Aldo. Mi aveva detto che mi avrebbe uccisa, se avessi detto cos'era successo. Io sono stata zitta. Ma le lenzuola hanno parlato per me. Howa mi ha portato in ospedale, poi. Abbiamo denunciato Aldo. Mamma immagino fosse troppo ubriaca per venire.

Questa Souad mi ha risvegliato dentro la rabbia di allora, la rabbia di sempre. Che le frega a lei di sapere come mi lavo? Che ti frega, eh? Lasciami in pace Souad, tu non sai niente.

La mia mano tocca il ventre. Poi scivola giù, delicata, quasi piuma. La solita delusione. Ogni volta la stessa.Tocco la mia vagina e non sento niente. Al posto della vagina c'è sempre quel-l'orribile vuoto.

Lasciami in pace Souad, tu non sai niente.

«Tieni, prendi questo» una voce mi risveglia da quella rabbia. C'è una ragazza scura come me. Mi porge con una certa eleganza un fazzolettino. Mi sembra un gesto rivoluzionario. «Sbrigati a pisciare, scappa pure a me». È strano, assomiglia a Miranda.

Nel mese di maggio, il fiume Scebeli scorreva copioso nel suo alveo naturale. Una traccia percorsa da secoli portava le acque dolci a tuffarsi a Sud nel furioso oceano indiano. Il fiume, a ogni metro, era ingrossato dalle nutrite piogge cadute sull'altopiano etiope, causando uno straripamento non sempre fecondo, su ambedue gli argini. Non era raro vedere paludi fangose nel cuore della boscaglia somala. Era quello il graffio dell'allagamento, una ferita alluvionale che faceva piangere di sconforto i pastori nomadi. Immense superfici fertili rimanevano così inutilizzate e la cosa faceva ululare di paura le popolazioni coinvolte. Lo spettro che si aggirava tra quelle genti sventurate era la povertà, che tutto prende e niente lascia. La povertà che ti sfinisce prima ancora di morire. La povertà che ti affama e ti rende cieco. Non erano terre facili, quelle vicine all'Uebi Scebeli. Però era stranamente in quelle terre che Maryam Laamane sognava per sé una vita da donna adulta.

All'inizio del XX secolo erano sorte lì, proprio sulla riva di quel fiume passionale, le prime piantagioni di banane. I bananeti avevano preso il nome di Comprensorio agricolo del basso Scebeli. Molti erano ancora di proprietà italiana, ma ormai con l'indipendenza anche lì c'era stato il passaggio di consegne. Molti italiani avevano venduto (a prezzi esosi) a intraprendenti commercianti somali, i nuovi squali della politica e del commercio che differivano dagli ex padroni solo per la carnagione. Le banane erano un business sicuro, dopotutto, tanto in casa che all'estero, faceva gola a molti. Di fatto era tanta la gente che si era arricchita grazie a quel giallo armonioso – si girava in jeep e si costruivano ville a più piani, con a braccetto un paio di puttane consenzienti bardate dell'ultimo chiffon parigino.

Le banane somale dolci, morbide, col loro retrogusto speziato, per quegli squali erano dollari e scellini a volontà. Le massaie di Berlino come quelle di Voghera restavano estasiate dalla voluttà della polpa, dalla consistenza del frutto. Le richieste crescevano e i piani delle ville aumentavano. Non era nemmeno troppo dispendioso far crescere quelle banane, bastava usare con sapienza le acque del tormentato Uebi Scebeli. Nella sua rincorsa verso la morte, verso quell'oceano che lo avrebbe annullato, il fiume lasciava sparpagliate numerose tracce di sé. Bastava prendere quell'acqua in esubero per irrigare i campi. Era tutto molto facile. Con gli strumenti giusti, con il calcolo, con la volontà, le banane del basso Scebeli crescevano gialle e prosperose.

Uno dei proprietari del Comprensorio era lo zio di Maryam Laamane. Il nome scritto in tutti i documenti era Othman, ma la gente preferiva chiamarlo Gurey, mancino, non solo perché scriveva con la mano sinistra, ma perché per lui la sinistra era la parte giusta del creato. Si mormorava che avesse strane idee comuniste per la testa. Che per essere un proprietario trattava troppo bene i suoi dipendenti. «Legge troppi libri» diceva la gente di lui «e molti sono strani». Gurey aveva una barba candida che gli copriva il volto. Una barba da profeta che incuteva rispetto, ma anche odio. Parlava poco Gurey, ma quel poco faceva tremare le budella degli insicuri e degli infingardi. A Maryam quello zio piaceva moltissimo. Lei al suo cospetto non aveva provato mai la paura che trasformava in gelatina tutti gli altri. Lo zio le sembrava un vecchio bonario, con tante storie da raccontare. Sapeva tutto sulle iene e sui voli circolari degli avvoltoi, riusciva a dare un senso al girovagare delle formiche e conosceva le antiche storie della terra di Punt, quelle di quando la regina d'Egitto Nefertiti veniva a fare i bagni d'incenso vicino a quel fiume matto. Maryam Laamane ascoltava rapita lo zio profeta. Si sentiva cullata dalla sua erudizione, dalla sua dolce sapienza. Lo zio parlava molto con lei, solo con lei. A volte le accarezzava la guancia morbida e le sussurrava «Oh piccola, quanto assomigli al mio fratello perso». Del padre di Maryam, di quel padre morto sul fronte Sud di Graziani, quel profeta del fiume non parlava mai. Non parlava mai in generale del tempo in cui erano stati dominati dagli italiani... il tempo in cui erano stati usati e maltrattati.

Era una domenica di maggio. Una domenica di lavoro. Il sole era caldo e gradevole, non bruciava l'epidermide con la sua solita ferocia demente. Aveva dato finalmente una tregua alla pelle degli uomini e alle bucce di tutte quelle banane. L'atmosfera rarefatta era tuttavia simile a zucchero, appiccicosa e insistente. O almeno quella era la sensazione di Maryam in quel momento. Aveva fatto un viaggio non da poco per stare lì a quell'ora della mattina. La ragazza notò che tutti gli agricoltori erano già affaccendatissimi nelle loro mansioni. Alcuni di loro avevano la pelle bianca degli italiani. Molti, pur non essendo più i padroni del paese avevano preferito restarsene in Africa, perché dopotutto per loro era ancora una bella vita. In Italia cosa avrebbero avuto? Un tran tran quotidiano fatto di moglie, scrivanie, traffico e gas di scarico. Lì invece era solo il giallo del sole e delle banane. Distese libere e ville a più piani. Donne in carne a sazietà. La Dolce Vita per quei bianchi passava ancora dalle parti dell'equatore. Sapevano che i soldi e il potere dell'Occidente facevano ancora di loro dei padroni.

Il lavoro in quella domenica di maggio era al culmine. Affannosamente si cercava di fare di più nel minor tempo possibile. Era così che i piedi, le mani di servitori e padroni si muovevano freneticamente a ritmo sincopato. Dopo il taglio, le banane passavano veloci al centro di raccolta per un'accurata selezione a grappoli. La manodopera qualificata che seguiva queste fasi della lavorazione accompagnava le attività con canti odorosi. Si mettevano in rima la fatica, il sudore e il dolore di dover stare ore sotto il sole collerico della boscaglia.

Maryam si sintonizzava sulle parole dei canti. Non era facile vivere in una piantagione di banane. Si dovevano fronteggiare molti nemici. Il padrone, la fatica, il sole, gli insetti, la noia, la monotonia, gli incidenti. Ma cantare liberava lo spirito dagli spettri e dai *ginn*, cantando anche la vita diventava più facile. I padroni delle piantagioni non amavano sentire le voci modulate dei propri servitori. «Nel canto c'è sempre il germe della sovversione. Che restino muti questi figli di cani!». Più di un padrone aveva provato a mettere la museruola ai lavoranti, ma ogni volta il tentativo era fallito miseramente.

Gurey, lo zio profeta, era invece contento della musica che si levava da quella selva acerba di banane. «Non puoi far zittire la coscienza, nipote mia» diceva sempre. E poi sorrideva allisciandosi la barba candida. Anche Gurey era un padrone, ma era fatto a modo suo. Non aveva jeep, non aveva ville a più piani, a lui bastavano i pochi metri della sua casa in muratura. Non aveva le manie di grandezza dei nuovi arricchiti. Non voleva piazzarsi pachidermico in una ex dimora coloniale fatta di capitelli corinzi e calce fresca. A lui bastava la sua casa in muratura, il pranzo e la cena garantiti tutti i giorni, la preghiera nelle ore dovute e la giusta dose di sonno e svago. Aveva poche pretese. Respirava avendo la coscienza che anche altri come lui facevano altrettanto. Per questo aveva trasformato la piantagione in una cooperativa. Un gruppo di lavoranti erano anche soci, altri avevano uno stipendio garantito e dei diritti acquisiti. Non si lavorava ininterrottamente, non si correva come trottole, non si veniva umiliati. E a nessuno nella piantagione di Gurey veniva impedito di cantare. Il ritmo sincopato delle altre piantagioni diventava lì una ninnananna di veglia. La serenità era quella del sonno, ma l'energia era quella delle ore migliori, quando si è forti e pronti a conquistare il mondo.

«Ha strane idee, quello lì» sussurravano maligni gli altri padroni «le farà venire anche ai nostri, vedrai». Qualcuno aggiungeva pure, «Merdoso comunista ci rovinerà tutti, lui e quelle sue strane dottrine di comunitarismo».

Quando poi il comunismo arrivò davvero in Somalia, con Siad Barre, stranamente fu solo Gurey a pagare. Gli squali che avevano sempre sfruttato e calpestato i diritti della gente rimasero a galla e costruirono nuovi piani delle loro ville già piene di fronzoli. Mentre Gurey perse tutto. Fino all'ultima buccia di banana. Lui che comunista lo era stato davvero, nel cuore e nel pancreas, lui che aveva letto Gramsci e ripudiato Stalin, lui che credeva nel genio puro dell'umanità, lui era stato fatto fuori dal sistema mafioso che Boccagrande Siad Barre aveva impropriamente chiamato socialismo scientifico. La perdita delle sue piantagioni fu un grosso colpo. Le banane, il loro luccichio dorato, la loro morbida carnosità, erano state tutta la sua vita. Non averle più, equivaleva a non avere più una vita.

Però in quella domenica di maggio, Siad Barre era ancora lontano. Si era da poco uno Stato indipendente, si sognava ogni futuro possibile e le banane del Basso Scebeli aromatizzavano l'aria di prospettive. Ed era una questione di futuro, che aveva portato Maryam Laamane a quell'ora della mattina nel Basso Scebeli. Si era imbarcata in un viaggio assurdo. Ma era necessario che lei comunicasse subito quel futuro ardente allo zio preferito, l'unico che sentisse amico insieme a Howa Rosario.

Scesa dalla corriera, con il sudore della notte che la rendeva più stanca di quanto non fosse, si precipitò con le sue lunghe gambe verso la cooperativa dello zio Gurey. Gli venne incontro Ali Said, un dinoccolato giovane che era anche il segretario personale dello zio. L'andatura di Ali Said era tutta scomposta come certi pannelli girevoli che aveva visto nei ristoranti alla moda. Gli occhiali poi, davano al quadro complessivo una patina di asimmetria che risvegliava nei cuori, specialmente quelli femminili, un'ansia di protezione quasi materna. La voglia che prendeva tutti era quella di sorreggere quel ragazzo dall'apparenza tanto cagionevole. Di sorreggerlo e poi metterlo in sesto con cibo, fragranze e un petto generoso in offerta. Era facile da amare, Ali Said. Infatti tutti lo amavano. Anche gli uomini, che durante i pranzi nel piatto comune lasciavano a lui i bocconi di carne più buoni. Maryam però si era accorta che quell'uomo non era tanto fragile come si credeva. Non dubitava della sua bontà, sapeva che lo zio poteva fidarsi ciecamente di lui, ma sapeva anche che nel momento del bisogno Ali Said avrebbe tirato fuori canini aguzzi per difendersi e difendere coloro che amava. Se non fosse stato per Ali Said, lei non si sarebbe salvata dalle grinfie di Siad Boccagrande. E se non fosse stato per Ali Said, anche lo zio Gurey sarebbe morto di disperazione e di inedia.

Fu lui, Ali Said, che Maryam Laamane vide per primo nella cooperativa quel giorno. Fu lui che le disse che lo zio non si era fatto vedere in piantagione. Fu lui a farle notare: «Sei diventata donna, Maryam, lo sai, vero?». Maryam era venuta proprio per quello. Sorrise. E dentro di lei sentì un fluido di nettare denso che scendeva tra le gambe. Un fluido rosso che accentuava la sua incantevole femminilità. Sorrise di nuovo al segretario dello zio. E uscì dalla porta.

Il sole era sorto da qualche ora. Il lavoro fremeva e una ragazza dalle lunghe gambe si ritrovava a camminare sola in una strada immersa nell'agrodolce spirito delle banane. La ragazza aveva indosso l'abito che per quell'anno a Mogadiscio andava per la maggiore, la «ballerina», chiamata così all'italiana perché le balze di stoffa ricordavano i tulle svolazzanti delle danzatrici classiche. La sua era di tinta pastello, quasi una piuma. Preferiva la «ballerina» al tradizionale *guntino*. Maryam Laamane non amava farsi vedere con le spalle scoperte, trovava che la ballerina era più adatta a lei, così schiva e riservata. A lei piaceva ancora correre, poi. E il guntino rischiava di sfilacciarsi e lasciarla nuda come Dio l'aveva fatta. Quante volte aveva assistito a scene del genere. Quante donne nude, con tutte le vergogne esposte, aveva visto ricoprirsi malamente in giro per Mogadiscio. Erano soprattutto ragazze giovani a incappare in quegli incidenti. Ogni tanto anche il seno nudo saltava dalla cucitura e che vergogna, che *eeb*, quando nei paraggi passava un ragazzo canzonandole. Il guntino era per le donne grandi, quelle che riuscivano ad annodare bene la stoffa, che sapevano fare nodi forti, che non fluivano disordinate per il mondo. Il guntino nella sua bellezza marmorea non era per le ragazzine. Poi era tremendo se dovevi correre, andare spedita o anche solo abbassarti per prendere un oggetto da terra. Richiedeva esperienza, il *guntino*. E poi nella rissa tra ragazze era un maledetto intralcio. Oltre a schivare i graffi e i morsi dell'avversaria si doveva stare anche attente che il nodo in alto della tunica non fosse sciolto. Nude con le vergogne esposte, si era più vulnerabili ai calci e ai graffi delle nemiche. Nel mentre una cercava di ricoprirsi veniva massacrata dalle avversarie che approfittavano dello sbandamento creato dalla nudità. A Maryam Laamane le risse con le coetanee non piacevano, era una pacifista lei, una che usava la parola, ma non poteva non pensarci, non prepararsi a un'eventualità del genere. C'erano persone come Fauzia Ahmed che prima o poi andavano sistemate. Ah, quanto la odiava Fauzia Ahmed. Quasi le rovinava la festa dell'indipendenza e poi a Maryam Laamane non andava proprio giù che quella gallina di Fauzia Ahmed avesse insultato la sua amica specialissima Howa Rosario. L'aveva non solo insultata, ma costretta anche alla prova della verginità. Che barbarie! Erano persone come Fauzia Ahmed a far arretrare il paese. «Se fossimo tutti come mio zio Gurey o come Howa Rosario, ora potremmo stare persino nel consiglio di sicurezza dell'Onu».

Sognava in grande Maryam. Per questo preferiva usare la «ballerina». Quella che indossava quel giorno le dava anche molta allegria. Era un modello anche un po' particolare. Al classico impianto della «ballerina», vestito corto e sottogonna lunga, che il popolo chiamava *carambawi*, si erano aggiunti dei nastrini a farfalla che le davano una leggerezza silvestre. Quei rari pedoni che incontrava nel percorso dalla piantagione alla casa dello zio la guardavano stupiti, come se fosse una Uri del paradiso, discesa per farsi ammirare nella sua bellezza. Nessuno era molesto. Le donne a quei tempi erano rispettate. Erano le sorelle della lotta per l'indipendenza, le figlie, le nipoti. Gli occhi ammiravano senza volgarità. Poi sapevano tutti che quella, anche se più donna rispetto alla ragazzina scavezzacollo che si ricordavano, era la nipote di Gurey il comunista. Gli occhi, quindi, la oltrepassavano rispettosi. Perché nonostante i sussurri, tutti nel Basso Scebeli rispettavano Gurey per la coerenza delle sue idee.

Mentre percorreva la strada alberata, Maryam fu avvicinata improvvisamente da un giovanotto in bicicletta. Era molto giovane. Non doveva essere molto più grande di lei. Indossava una camicia a maniche corte di lino beige. Portava la camicia completamente sbottonata sul davanti e i due taschini laterali a Maryam sembrarono stranamente osceni. In realtà la vista di Maryam si era spinta per un attimo oltre quelle tasche. L'oscenità di fatto non stava in quei due tagli nella stoffa beige, ma in quello che vi era oltre. La vista aveva indugiato infatti sulla canottiera bianca che si intravedeva sotto e sulla pelle nera. Il ragazzo indossava pochi indumenti. Anche dal bacino in giù non si poteva dire che fosse coperto. La futa era stata regolamentare avvolta lasciando il palcoscenico a gambe pelose e massicce. Era un ragazzo alto, dominava la bicicletta evidentemente troppo piccola per lui.

Maryam Laamane sentì per la prima volta nella sua vita il cuore battere a ritmo accelerato. Notò un po' perplessa che il suo cuore stava facendo tanto rumore. Sperava che quel ragazzo non lo sentisse. Sarebbe morta di vergogna sennò.

Il ragazzo fermò la bicicletta davanti a lei. Maryam ne fu scossa. Il freno risuonò come una scarica elettrica nel suo stomaco. Il giovanotto intanto la guardava fisso. Era uno strano sguardo. Uno di quelli che aveva visto nei film in cui un medico esamina un paziente in gravi condizioni. La stava guardando così, quel ragazzo. Era un esame clinico e la cosa la metteva a disagio. Il sangue mestruale che fino a quel momento era uscito da lei con gettito regolare, cominciò a fuoriuscire a fiotti discontinui, come un geyser ubriaco. Sentì una fitta molto forte al basso ventre.

«Buongiorno, bella signorina» disse in italiano il giovane.

«*Subax Wanagsan*, buongiorno» rispose la ragazza.

«Il vestito ti sta proprio bene, lo sai? Sembra fatto apposta per te, ne sono felice». Poi le lanciò un bacio e se ne ripartì con la bicicletta.

Arrivata a casa dello zio, la ragazza non smise di guardarsi allo specchio.

«Buongiorno, bella signorina» disse in italiano lo zio Gurey.

Le stesse parole del ragazzo, le stesse parole pronunciate in quell'italiano che le sembrava quel giorno stranamente zuccheroso. Quel déjà vu inaspettato fece precipitare la ragazza in un abisso di piacere. In un attimo davanti agli occhi non c'era più zio Gurey, ma di nuovo la camicia sbottonata del ragazzo e soprattutto quello che si intravedeva sotto, la pelle nera che luccicava più delle banane. Ricordava tutto, ogni singolo gesto, ogni rumore leggero. Il movimento muscolare del ragazzo era morbido, come una stoffa di seta non lavorata. Il fruscio del suo pedalare, lo schiocco di quel bacio con labbra sottili, a Maryam Laamane sembrarono per un attimo il cinguettio di un bulbul. Tutto di quello strano ragazzo in bicicletta le sembrava meraviglioso. Maryam non sapeva dire se fosse bello, brutto o passabile. Non sapeva ancora giudicare la bellezza degli uomini. Ma aveva sentito che quel ragazzo aveva dentro qualcosa di suo. Come se lui, lo sconosciuto, avesse in sé una parte di lei. Non osava chiamare amore quello che provava. Ma era una perdita di lucidità che la rendeva ebbra. Si sentiva un po' ridicola davanti allo specchio, ad ammirarsi nella sua ballerina. Ma non riusciva a fare a meno di guardarsi. Quel vestito verde che le aveva regalato Howa Rosario stava diventando una vera ossessione. Cosa ci aveva visto di tanto speciale quel ragazzo in bicicletta?

«Maryam, sembri persa» disse lo zio.

La voce dello zio profeta risvegliò la ragazza dalla *trance*.

«Zio» disse sollenne Maryam Laamane «sono diventata grande. Ho un lavoro. Tra tre giorni comincerò a lavorare come centralinista all'azienda di telefonia somala».

Lo zio sorrise. Intuì che era successo dell'altro alla sua nipote preferita. Ne fu contento.

«È ora che abbia dei segreti pure lei. Non è più una bambina» pensò.

Maryam continuò a guardarsi nello specchio ancora per qualche minuto.

Lo zio Gurey socchiuse rispettosamente la porta.

Maryam rideva amaro al ricordo di quel maggio. Rideva amaro per la tenerezza che provava verso la ragazzina che era stata. Erano già dieci i giorni passati a riannodare i fili di qualcosa che credeva perso. Seduta a gambe incrociate su una stuoia, raccontava a un registratore un passato ancora molto presente in lei. Però dopo dieci giorni, il respiro le venne meno. Per un attimo ebbe la voglia di mollare tutto, di prendere a calci quella cassa sonora che raccoglieva ogni suo respiro, ogni suo tentennamento. Dentro di lei crebbe a dismisura il desiderio di rigettare quella che era stata la sua storia. In quelle cassette che stava registrando meticolosamente, da giorni, c'era la sua adolescenza felice. Era ancora una ragazzina pura, quella dei racconti al registratore, non la mamma consumata dalla nostalgia e dall'alcol che Zuhra aveva conosciuto. Erano gli scoppiettanti anni '50, i mitici '60, non ancora i terribili '70, no di certo gli sciagurati '80. Era una ragazzina Maryam e faceva il tifo per gli indiani contro la spocchia dei visi pallidi in camicia blu. Maryam Laamane ragazzina era così diversa dalla Maryam che sarebbe diventata da grande. Era una bambina integra come un fiordaliso. Ancora impenetrabile ai bagliori malefici dei *ginn*. Non si scolava ancora litri e litri di demoni rinchiusi in un vetro leggero. A quella ragazza piacevano le cose da ragazzini: i dolci, la bevanda *Vimto* zuccherata, i vestiti colorati, la spremuta buonissima di pompelmo rosa che la zia Salado le preparava ogni pomeriggio. L'alcol non era nemmeno nell'anticamera dei suoi incubi peggiori. Maryam era ancora piccola e nelle sue pupille si intravedeva un futuro arcobaleno. Ah, ero così pura allora! pensò tra sé la donna. Le veniva da piangere al ricordo di quella purezza, però le lacrime non scendevano giù, rimanevano ostinatamente legate alla palpebra sinistra. Il suo corpo invece fu scosso da brividi insoliti, e sulla fronte sgorgava oscena acqua mista a sale. Sudava provando freddo all'interno di ogni suo osso, Maryam. Fu quando i brividi divennero più forti che decise di uscire di casa. Non tollerava più il ricordo di quella bambina esile e felice che era stata un tempo. Di quella Somalia dignitosa e incontaminata. Di quella Somalia senza guerra. Di quei suoi ricordi rosa come i pompelmi della zia Salado. Così in un attimo si scrollò di dosso quei brividi, si mise in testa un foulard verde, indossò scialbe scarpe marroni e a tracolla la sua borsa taroccata preferita, quella che le infondeva sempre tanto coraggio. Prima di uscire da casa, fece la conta degli oggetti più importanti. Non voleva dimenticare niente. Il pacchetto di Camel, gli occhiali di riserva, quelli da sole, il portafoglio, la tessera dell'autobus, la carta d'identità... soprattutto quella non se la poteva scordare. Con la sua pelle nera era meglio stare accorti in quella strana città italiana.

Uscita, prese al volo un autobus, uno di quelli nuovi con spazi strettissimi per chi rimaneva in piedi. Non le piacevano quegli autobus lì. Erano scomodi per una città polipo come Roma. Scese quasi subito e cominciò a camminare.

Camminò tanto, tutto il pomeriggio. Dopo tre ore tornò a casa, dal suo registratore, dai suoi ricordi, da quella bambina esile per cui provava tanta nostalgia. Aveva camminato a lungo. Le caviglie erano tutte doloranti e le sue ascelle emanavano un puzzo come di merluzzo fresco. Corse in bagno. Si lavò, si impomatò e si impiastricciò di deodorante un po' ovunque. Poi, dopo le preghiere e un frugale pasto serale, si sedette nuovamente sulla stuoia. Schiacciò RECORD. E disse:

«Zuhra non immagini chi ho visto alla stazione Termini oggi: il vecchio Ali Said, è venuto da Stoccolma a salutare Howa. Ne era innamorato sai?».

Spinse subito anche STOP. Per quel giorno poteva bastare.

La Reaparecida

La Flaca non parlava mai. Però in compenso scriveva sempre. Come una forsennata. Stava piegata in due quasi ininterrottamente sulle sue scartoffie. Non dormiva, per scrivere. Non mangiava, per scrivere. Non connetteva, per scrivere. Per lei la scrittura era diventata una forma alternativa al respirare. Mi meravigliava molto quel suo attaccamento alla parola scritta, a Buenos Aires non ricordavo di averla mai vista con una penna in mano. Invece a Roma aveva mille taccuini sbrindellati vicino al letto. Un tale disordine accanto a lei. Di cose, di idee, di emozioni, di pensieri sparsi. Io cercavo di rassettarlo quel disordine, inutilmente, era una battaglia persa, una Waterloo. La Flaca rimetteva in piedi il suo caos perfettamente uguale a prima. Era inutile piegarmi, raccogliere, riordinare, tanto dopo cinque minuti tornava tutto come voleva lei, se non peggio. All'inizio andavo tre volte a settimana a casa di Pablo e Rosa. Poi un giorno presi Santana da parte e gli dissi «Forse a lei ci dovrei pensare più io». Fu così che andai a vivere a San Lorenzo da loro.

Tranquilla e sonnacchiosa la nostra casa si trovava in uno dei tanti spicchi di strada che nel 1943 erano stati devastati dalle bombe degli alleati su Roma. Me lo aveva raccontato una nostra vicina, questa storia del bombardamento di San Lorenzo, la sora Nuccia. Che tipo, quella donna. Era molto alta, una delle donne più alte che io avessi mai incontrato, ma le sue mani sembravano quelle di una nana. «Quando hanno bombardato il quartiere mio, San Lorenzo» diceva sempre Nuccia, «a Corso Trieste non si sono accorti di nulla. Nemmeno ai Parioli se so' accorti, signori', nemmeno ai Parioli». La sua faccia si faceva tutta paonazza, nei momenti di massima concitazione si chiazzava di blu. «Roma non voleva sapere ch'era entrata in guerra per davvero. C'avemo er Papa, dicevano tutti, stiamo in una botte di ferro. Qui nessuno ci viene a bombardare. C'hanno rispetto pe' Gesù Cristo, la Madonna e tutti li santi. Sì c'avevamo er Papa e li santi e li Cristi e le Madonne, ma c'avevamo pure lui, Benito e tutta la razzaccia sua. Quelli rispetto non ce l'avevano per nessuno. Manco pe' li fiji».

Parlava di Roma e dell'Italia, Nuccia, a me sembrava sempre che parlasse di me, dell'Argentina. Giusto quartiere, dunque, per dei reduci del dolore come noi tre. *Hija* mia, non so, tu forse vorresti sapere che tipo di vita conducevo a quei tempi, per quelle strade antiche. Cosa facevo, a chi sorridevo, come camminavo. Ero giovane, ricordo solo questo. Poi sì, tu ballavi dentro di me. Ma il fatto è che tutti i miei ricordi di allora sono legati alla Flaca. A lei, a come sorrideva, a come camminava.

Ecco era filato tutto abbastanza liscio fino a quel maledetto giorno che io, cocciuta più di un mulo, l'avevo trascinata a via dei Giubbonari, in quella scuola di ballo, da Madama Elsa, in cerca di chimere irraggiungibili. Volevo attingere una normalità che non ci apparteneva più. Volevo solo vederla ballare. Sulle scale poi, quell'uomo. Io non ricordo di averlo fissato. Non ricordo nemmeno di averlo visto. Ho sentito solo la sua voce. Quella era abbastanza inconfondibile. Un timbro giovanile, percuotente. Dava già l'idea del suo corpo, del suo odore.

Io non ricordo di averlo fissato. Io guardavo solo la Flaca, vivevo del suo sguardo perso. È da questo specchiarmi in lei che mi accorsi che stava avvenendo qualcosa di strano. Ecco, hai visto figlia mia come sono nebulosa? Non so descrivere bene gli eventi di quel periodo, soprattutto di quel giorno maledetto. E come faccio ad essere lucida? Ero la terza incomoda di una tragedia che forse avrei potuto evitare. Di uno stupido sogno di normalità che veramente non ci riguardava più.

Il ragazzo inspiegabilmente tornò indietro e urtò la Flaca. Ecco come successe, una banale spinta involontaria per strada. Come nei film, come nelle brutte pubblicità di detersivi. Lei cadde. Sì, la Flaca finì a terra. Risi molto, ricordo. Ridevo in modo incontrollato e sguaiato, in quei giorni di fine anni settanta. Me ne sarei dovuta vergognare. Invece forse era la cosa più pura che abbia mai avuto in vita mia. Però la Flaca era così buffa per terra, con quel suo vestito bianco e la faccia da pagliaccio. Era bella, comunque. Sembrò per un attimo la Rosa Benassi figlia di italiani che conoscevo a Buenos Aires.

Fu lui a tenderle la mano. La fece rialzare e le disse scusa. Lo sussurrò con quella sua voce ortodossa e percuotente. Poi si presentò. Era un nome italiano. Di quelli che a San Lorenzo lo sentivo due volte su tre. Ci disse «Ascoltatemi in radio stasera, c'è il mio programma su Radio 77, ore 21,30. Si viaggia». Quel «si viaggia» fece sorridere la Flaca, che per la felicità batté le mani come una foca. Il ragazzo si dileguò.

Io, Pablo e la Flaca però la radio non ce l'avevamo. Mi dimenticai subito della radio che non avevo e di quel ragazzo. Me ne dimenticai perché così era scritto. Perché ci dimentichiamo della maggior parte delle persone che incrociamo sul nostro cammino. Invece la Flaca non si era dimenticata per niente di quel ragazzo, della sua voce, della promessa fugace di un viaggio radiofonico.

Facemmo la spesa e arrivate all'uscio di casa notai che il viso da pagliaccio della mia amica si era rabbuiato. Il fard, che fino a quel momento aveva tenuto, divenne acqua putrida e l'ombretto divenne una zuppetta informe mischiata al rimmel scadente. Aveva uno strano modo di piangere la mia Flaca. Piangeva soffocandosi. Urlava in silenzio. La sua faccia così deformata sembrava una damigella d'Avignone di Picasso, cubista e senza senso. Era una madonna dolente in quei momenti, Rosa, una madonna che aveva perso la fede nel figlio che credeva Dio.

Ero stanca quel giorno, molto stanca. Averti in grembo non era proprio una passeggiata, Mar. Il mio corpo non rispondeva agli stimoli esterni nello stesso modo di prima, per quasi tutto la fatica raddoppiava. A San Lorenzo poi, vivevamo al quarto piano e non c'erano ascensori nel palazzo. Erano pur sempre quattro rampe di scale, un'infinità di gradini, molto affanno. Inoltre avevamo la spesa, quel giorno. Avevamo comprato parecchie cose che ci mancavano. È strana la nostra memoria, magari non mi ricordo che sapore aveva il cous cous mangiato a pranzo, ma mi ricordo quanta fatica mi è costata trasportare la spesa un giorno di venti e passa anni fa. Ero stanca quindi. E anche se era la mia Flaca, ricordo che il suo pianto isterico mi innervosì. Entrammo in casa, cariche di buste, sfinimento e un po' di rabbia repressa per quella mia amica pazza e capricciosa.

«Che le hai fatto?» mi saltò al collo Pablo Santana.

La mia rabbia crebbe.

«Cosa le hai fatto *carajo*?»

«Cosa vuoi che le abbia fatto, eh? Ma chi ti credi di essere?» lo aggredii.

La rabbia intanto si tramutò in preoccupazione. Mi allontanai da Pablo e mi avvicinai alla mia pazza. «*Qué pasa, amor?*» le chiesi.

Lei mi abbracciò. Mi sporcò tutta di fard putrido e ombretto scadente. Divenni rosa e blu. Un po' pagliaccio anch'io. Mi ha fatto sempre impressione che la mia amica piangesse in silenzio. Il pianto non si sentiva. Muto. Incapace di suoni.

«*Qué pasa, amor?*» Chiesi di nuovo. E fu in quel momento che mi ricordai del ragazzo e della sua promessa di viaggio. Lo avevo già rimosso. Erano bastati un po' di chilometri, un po' di spesa, una rampa di scale e lui era già nel dimenticatoio. Per me almeno. Invece per la Flaca era sempre stato presente.

Mi avvicinai a Pablo. Gli misi una mano sulla spalla, un modo per riconciliarmi dopo la tensione di un attimo prima. E gli spiegai che ci dovevamo attrezzare a trovare una radio perché la Flaca aveva un nuovo amico. Solo che io e Pablo eravamo piuttosto mal messi coi soldi. Lui vendeva papere per le strade di Roma e io? Io ero una disoccupata che vivacchiava senza un perché reale, in quella città di antichità moleste. Eravamo dei poveracci senza speranza. E i soldi per una radio non ce l'avevamo.

Fu così che cominciammo ad andare tutte le sere a cena da Nuccia. Ah, che belle serate quelle con Nuccia. Lei era sola e la nostra compagnia la faceva sentire viva. Cucinava, rivangava vecchi aneddoti, nelle serate più liete pettinava la lunga chioma di Rosa. Sotto la parrucca, la mia amica aveva dei capelli segosi che se districati erano più belli delle penne di un pavone.

«Anch'io da giovane avevo capelli così» commentava Nuccia. E ci dava dentro con la spazzola. Poi alle 21,30 tutti zitti e si accendeva la radio. Per ascoltare quel ragazzo. Era un programma strano il suo. Non ricordo di aver mai sentito nulla di simile prima. Anche perché prima ero a Buenos Aires e non ero quella che si dice un'appassionata di radio. Mamma sì, invece. Era sempre incollata a quei suoi radiodrammi pomeridiani. A volte se li ascoltava uno dopo l'altro e si perdeva il filo di tutto. Non capiva mai come andassero a finire quelle storie che la intrigavano. Non sapeva se Gina avrebbe sposato il suo Josè o se Diego l'avrebbe lasciata vedova prima ancora di sposarsi. A mamma piacevano quelle storie un po' assurde, in cui l'amore era un pretesto per scacciare la noia. Io al massimo ascoltavo le canzoni, ascoltavo Gardel e a volte le partite del

River. Non ero proprio un'esperta. Ma quel ragazzo mi meravigliò molto all'epoca.

Alberto, così si chiamava, ci sapeva fare davvero nel suo mestiere. Accumulava le parole, ne faceva un mucchio informe e poi le usava a blocchi per il loro suono ardito, per la loro apparente laboriosità. Era barocco metropolitano Alberto Tatti, un poeta dell'etere suburbano. Il suo programma poi era un vero viaggio. Un giro per il continente africano tra kora e sound elettronico. Oggi va tanto di moda l'Africa musicale, è quasi ovvio sentire via radio la voce cremosa di Cesaria Evora o le melodie regali di Salif Keita. Anche i pupattoli oggi si scuotono al ritmo del *griot* style e si beano con desertiche dissonanze. Ci sono i Tinariwen a scaldarti il cuore con le loro chitarre nomadi e sennò ci si può sempre straziare con gli straripamenti blues di Ali Farka Touré. Oggi è facile far fare una scorpacciata di Africa alle nostre orecchie bianche. Andiamo in un qualsiasi negozio di dischi e possiamo riempirci le tasche e il padiglione auricolare di nomi trigonometrici. Angélique Kidjo, Khaled, Papa Wemba, Franco, Maryam Mursal, King Sunny Ade, Youssou N'Dour e altri di cui conosco i ritmi, ma non i nomi. Anche a te piace molto la musica del continente. Ti dà gioia, mi hai detto un giorno. Era poco prima di questo viaggio in Tunisia. Mi sono meravigliata. Da tanto non mi dicevi una cosa così intima. Eri rannicchiata sul divano, Mar, quello beige che ti è sempre piaciuto da bambina e di cui io non mi sono sbarazzata mai – e come potrei? Su quel divano siamo state felici, ci coccolavamo. Abbiamo visto *Happy Days* e *Candy Candy*. Siamo state mamma e figlia, su quel divano. Cosa stavi ascoltando, quel giorno, tesoro? Non mi ricordo. So solo che era Africa. L'Africa del tuo sangue. L'Africa di Elias. I suoi colori.

Però negli anni settanta non era così semplice ascoltare l'Africa. Anche se di Africa si parlava di sicuro più allora che adesso. Ora se ne parla poco e male. All'epoca erano passati solo una decina d'anni da quel 1960 che aveva dato inizio al ballo delle indipendenze. Le speranze dei '60 erano un po' sfumate nei '70, ma la gente credeva ancora nelle possibilità di creare un futuro nel continente. Certo le democrazie si stavano esaurendo un po' ovunque, dittatori fantoccio avevano preso il potere qua e là, ma la gente sperava, non ha mai smesso, nemmeno ora. Anche tuo padre sperava. Lui l'adorava l'Africa, la fissava in quelle sue creazioni di moda, la fissava nel cuore e in un certo senso l'ha fissata in te, amore mio. Quando vedo il tuo naso, così bello, così perfetto, capisco che quel continente ti ha formata più di quanto io stessa potessi immaginare.

Quel programma, quindi, mi attirò moltissimo. Avevo già conosciuto Elias. Avevo già fatto l'amore con lui. Mi sentivo più che patentata ad ascoltare quel viaggio di Alberto. La Flaca era addirittura in estasi. Quando Alberto Tatti prendeva la parola, smetteva quasi di respirare. Non voleva che nessuna interferenza avvenisse tra lei e quella voce di uomo.

Alberto, ricordo, non respirava nemmeno lui. Le parole barocche si susseguivano in un vortice l'una dietro l'altra. Quasi provavi pena per quell'assenza di respiro perenne. Non rideva mai Alberto. Non faceva battute, non ammiccava al suo pubblico. Era liscio e duro come una cassapanca. Liscio e serioso come un vecchio professore di latino in pensione. Percorso pedagogico. Viaggio di iniziazione. Era un po' come seguire Frodo Baggins nella ricerca dell'anello maledetto. Alberto era Frodo, ci doveva guidare, sacrificare forse, e poi, sì, abbandonare. Però allora non lo sapevamo ancora. Non sapevamo che le cose si sarebbero messe male.

Allora si viaggiava e basta. Si viaggiava a occhi chiusi.

Era tutto un susseguirsi di tappe. Da Orano e suoi locali notturni, alle strade polverose del Cairo, poi di corsa a Massaua per contemplare i lasciti italiani, Gibuti-Adis Abeba in treno, e una puntatina a Mogadiscio che non era ancora un inferno, che ancora odorava di manghi; poi in sequenza Mombasa, Nairobi, e giù fino a Johannesburg, che ancora era divisa in zone bianche e zone nere. Volare in Madagascar tra macachi scemi e persone silenziose. Poi tornare indietro, sempre volando. Tornare per risalire la costa. Per intravedere un nuovo modo di vivere il continente. A Douala finire i soldi contemplando l'oceano e poi, non si sa come, non si sa per dove, mischiare un po' di stati. Coprirsi di tele a cera maliane e camminare tra Burkina Faso, Nigeria e ritmi di rumba congolese forsennata. Poi sedersi, bere un tè speziato e aspettare che i *griot* ci raccontassero la nostra morte. A Capo Verde infine dormire. O chissà, scomparire.

Alberto a fine programma era esausto. Lo eravamo pure noi. Anche perché era difficile memorizzare i nomi in quelle cento lingue diverse. Mandinga, somalo, arabo, berbero, shawili, francese, inglese, dialetti di una particolare città, di un particolare quartiere. La Flaca, quando finiva il programma, cominciava a battere le mani come una foca e continuava così per una buona mezz'ora. Io e Santana ci guardavamo tristi. Invece Nuccia le accarezzava i capelli segosi.

Poi un giovedì sera il programma di Alberto finì. Così anche il viaggio in Africa.

Non eravamo preparati alla fine. No, non eravamo proprio preparati.

Il padre

Dopotutto era solo un batticuore, poteva ignorarlo.

Majid era fatto così, cara Zuhra, ignorava sempre. Congelava le sue emozioni così tanto che un blocco di ghiaccio al suo confronto era caldo e potevi trovarlo al sole in bikini. Congelava le sue emozioni e nello stesso tempo friggeva. Era tutto freddo e tutto caldo dentro, tuo nonno Majid. In opposizione permanente al suo sé.

«Elias è partito tempo fa, e tu non te ne sei neanche accorto». Poche parole di Bushra, precise, senza replica. Un dato di fatto, assoluto, imprescindibile.

Faccia interrogativa di Majid. Un grande inquisitore mancato. Un Torquemada disorganico e inquieto.

«Ha preso il suo fagotto e ha detto, vado in Africa».

Africa? Ma erano già in Africa. Figlio mio, che hai fatto? Dove sei andato? Perché proprio ora che ho più bisogno di te? In Africa ci sei già. Questa terra, questo naso storto che noi chiamiamo Somalia è Africa, ha le acacie dell'Africa, le gazzelle dell'Africa, la puzza dell'Africa, i sogni dell'Africa. È Africa ti dico, te lo giuro, *wallahi*. Perché sei andato a cercare l'Africa? Perché ora? Io ho bisogno di te. Ho bisogno del tuo braccio, del tuo coraggio, della tua ira che poi è la mia, la mia camuffata. Ho bisogno che tu mi vendichi, figlio mio. Lo capisci questo?

«Ha provato a salutarti. È andato dai Pasquinelli, ma non lo hanno fatto entrare. C'è un ospite importante, gli hanno detto, tuo padre sarà impegnato nelle cucine tutto il giorno. Erano isterici, ha detto Elias. Isterici. Non lo hanno fatto entrare i *gaal*. Ma lo rivedrai presto tuo figlio, non ti crucciare».

Bushra si prese un po' di respiro, non so dire se la donna si rendesse conto delle parole storte che gettava in faccia a quel tuo pover'uomo afflitto. Per Bushra era una bella notizia, Elias che partiva, che viveva, che si faceva uomo, che abbracciava esperienze, che si formava una visione del mondo. Bushra era contenta. Lo vedeva già immerso nel tessuto urbano delle città africane. Inurbato, beato, attento. Bagnato di colori e stoffe.

«Mi ha detto di abbracciarti. Di baciarti. Tornerà un gran sarto, vedrai. E sì, ha seguito quel Sheikh Maftuti. Ci farà sapere appena arrivato a Nairobi».

Nairobi. Ci farà sapere, Sheikh Maftuti. Nairobi. Sapere. Maftuti. Nairobi. Partito. Africa. Viaggio. Nairobi. Nel cervello di Majid le parole si rincorrevano incredule. Era partito. E ora chi lo avrebbe vendicato? Chi?

Covava vendetta, Majid, come una chioccia scema. Vendetta, che parola complicata, Zuhra, nessuno sa bene cosa significhi. Ti dicono, occhio per occhio, dente per dente. È una citazione biblica, ci devi credere ti dicono, perché sta scritta sulla Sacra Bibbia, è la legge del taglione, insomma una cosa su cui non si scherza. Una verità assoluta, di pensare, di agire, di vivere, e non fanno che ripeterlo. A Ripetere sono tutti bravi, pappagalli ammaestrati, ma a spiegare nessuno mai. Mi rubi una mela? Io ti taglio una mano. Mi tradisci, sporca sgualdrina? Io ti prendo a sassate. È il taglione, ci devi credere come alla saliva che sputi la mattina. È una società strana questa, dicono, una società contro, ripetono, ti devi difendere, devi rispondere, devi pararti il culo, la camicia. Ti devi parare l'anima, sennò se la pappano in salsa ketchup. Devi, devi, devi. Dovere morale. Dovere di vendicarsi, smerdare, lavare l'onta subita. Sì, la vergogna, il disonore, l'ignominia, l'offesa, l'oltraggio, l'affronto. Sì, devi lavare tutto questo. Meticolosamente. Smacchiare. Sciacquare, risciacquare. Finché non torni puro, finché non sei pulito.

Ma puliti non si è mai fino in fondo, non lo si è mai veramente, lo sai? Puoi sciacquare e risciacquare quanto vuoi, ma i residui restano, i dolori rimangono. Questo Majid non lo sapeva. I dolori vanno assorbiti lentamente, non se ne vanno mica. Noi facciamo finta di non saperlo. Gli gnorri, facciamo. I dolori si trasformano, diventano un'altra cosa, a volte possono essere risorse, lenti migliori per capire il mondo. Ma siamo stupidi, se pensiamo che una vendetta, una qualsiasi banale vendetta, ci riporti la pace dell'anima. Quella pace ha altre vie. Batte altri portici.

La vendetta è una strana parola, vagamente inutile. Perché? Non ti disseta, ecco perché, non ti riporta indietro quello che avevi. Non so se Majid abbia mai riflettuto su quella sua sete atavica di vendetta. Vagamente aveva intuito che non vi era un senso in quel suo aspettare. Ma aspettava comunque, covava perché così gli era stato insegnato da piccolo. Così gli dettava dentro il dolore, quello che gli squarciava l'anima, e che si trascinava con pazienza da quello stupro di gruppo. Non aveva dimenticato un solo istante di quella giornata sciagurata. Le divise, il puzzo di benzina, la sabbia cocente sotto i piedi, la colonia scadente degli alti gradi, il calore di sperma tra le sue natiche, le urla di Famey, gli spari, le risate, le scoregge, i canti militari, il gracchiare osceno degli avvoltoi, i *gor gor,* che aspettavano le loro carogne. No, tuo nonno non poteva dimenticare. Era il giorno in cui aveva cessato di diventare uomo e si era trasformato in una blatta secca. Avrebbe tanto voluto dirlo a Bushra, a colei che amava di più al mondo, insieme a Elias e a tua madre Famey. Sì, avrebbe voluto dire a lei, l'unica e insostituibile donna della sua vita, che come uomo, maschio, era inservibile. Majid non vedeva davanti a sé niente che gli desse piacere, i suoi sogni erano morti quel giorno.

E invece prima di quel dolore, Majid era un uomo semplice. Credeva ai suoi sogni, prima. Voleva avere una vita normale – un po' di bestiame, un pezzo di terra, una casetta rossa per guardare il sole tramontare. Qualche tramonto e basta. Poi con il viso verso la Mecca avrebbe intessuto lodi al Signore dei mondi. Un sogno semplice, essenziale. Invece c'era quel rettile osceno che gli mangiava le viscere da tanti, troppi anni. Se fosse stato uno di quei film che piacevano a Bushra, lui avrebbe almeno potuto appropriarsi della pizza della pellicola. L'avrebbe riavvolta tutta e cambiato le scene che non gli piacevano. Una, soprattutto. Avrebbe fatto fare un altro giro alla corriera perché non finisse in braccio ai fascisti, alla loro sete di dominio. Avrebbero fatto un'altra strada. Sarebbero stati tutti illesi, felici.

Certo, lui avrebbe sposato lo stesso la sua Famey, ma per amore. L'avrebbe corteggiata, le avrebbe lanciato sguardi languidi, parole dolci. Avrebbe composto dei sonetti per lei, delle stravaganze. L'avrebbe fatta ridere, perché i veri uomini fanno ridere le loro donne. Sarebbe stato gentile, sensuale, unico, innamorato. Sì, anche lei sarebbe stata innamorata. E poi la notte del loro primo amore, lui l'avrebbe scoperta piano piano, l'avrebbe spannocchiata come si fa con il granturco, chicco dopo chicco. L'avrebbe assaporata e si sarebbe lasciato assaporare. Corpi sudati, estremi, in gioia perpetua. E sì, dopo avrebbe sposato anche Bushra. Odorato finalmente da vicino le sue essenze, quel corpo sodo che la notte sognava sempre. Se fosse stato un film, le scene brutte le avrebbe tolte tutte. Avrebbe levato il calore di sperma bianco tra le sue natiche e avrebbe cancellato le urla della sua donna coraggiosa. Sì, le urla di Famey erano qualcosa che non riusciva ancora a digerire. Non era stato uomo, non aveva difeso la sua donna, il suo orgoglio. Era solo un culo di negro violato. Una roba inutile. Sterile.

Erano questi i pensieri che si affollavano nella mente di tuo nonno, Zuhra mia. Ma forse dovrei parlarti di me, di cosa facevo in quel periodo. Ormai ero cresciuto, avevo fatto delle scelte. Ma anche parlare di Majid è parlare di me. E anche se il mio amico Hagi Nur dice che sto fallendo nella mia missione di cantore, non ci posso fare niente. La memoria fa quello che gli pare.

Mi era venuto a cercare quel giorno, mio padre. Ovvero era venuto a cercare Elias. Appena aveva visto quell'uomo seduto alla tavola dei suoi padroni. Lo aveva servito, piano. Gli aveva guardato il collo da dietro. Era grasso. Colava acqua marrone e peli. A quella distanza, sembrava un uomo qualunque. Bianco, peloso, grasso, ma normale. Uno di quelli che a Mogadiscio si vedevano spesso. Un uomo che voleva fare affari, qualche succo di mango e molti massaggi. Le figlie della padrona ridevano alle sue parole, era anche uno che stava simpatico alle donne. Alle giovani soprattutto. I suoi occhi, Majid li aveva guardati bene, non sembravano crudeli. Aveva un aspetto distinto.

«Bravo, tu» gli aveva detto.

Majid notò che la sua voce era secca e legnosa. Quasi un'eco delle urla che gli avevano attanagliato l'animo.

«Bravo, tu, come chiamare tu?».

Majid non aveva risposto. Non voleva sentire il suo nome sulla bocca di quell'uomo.

«È timido» disse la signora Pasquinelli.

«Sì, è il nostro cuoco» specificò la figlia più piccola. Come se questo spiegasse il silenzio.

Era uscito da quella casa, Majid, in fuga verso la vendetta, verso il figlio che lo avrebbe riportato alla vita. Lui non sapeva come fare, del resto. Nella sua mente di padre ferito, vedeva in Elias la possibilità della rivalsa.

Comprò un'arma, prima di rientrare. Allora a Mogadiscio non era come adesso, le armi non erano in ogni angolo, erano tempi di pace quelli, anche se strana lo ammetto, ma la gente ancora non aveva il vizio del grilletto. Però le armi si trovavano anche in tempo di pace. Ed erano terribili anche allora. Non era difficile, bastava sganciare la cifra giusta, nel modo giusto, nel posto giusto. Ed ecco l'arma, bella e pronta ad uccidere. Luccicante e pericolosa.

L'arma poi l'aveva messa nel baule verde, quello che Elias usava per ficcarci dentro gli avanzi di stoffa. A lui non piaceva buttare via niente, accumulava residui di tela perché non si sa mai, potevano tornare utili. La mise nel suo baule dunque, e si preparò a dire tante piccole bugie a Bushra, nel caso lei avesse inavvertitamente scoperto quel suo nascondiglio. Però Majid era sicuro che non sarebbe successo. Bushra non sbirciava mai tra la roba del figlioccio. Quella sera mangiò la cena cucinata da sua moglie. Patate e riso. Niente carne. Un sugo striminzito. A lui andava bene così, non gli piaceva tanto mangiare, dava senz'altro più gioia nutrire gli altri. Quella sera non dormì affatto. A scuoterlo era quel pensiero ossessivo di dare la morte a un altro essere umano. L'idea di vendetta ebbe quella sera il primo scricchiolio. Ma fu poca cosa.

Il giorno dopo si alzò con ancora più rabbia in corpo. Voleva distruggere quell'uomo, quel bianco. Farne cibo per vermi. Si sentiva tanto netturbino dell'umanità. Si chiese se uno sparo in fronte sarebbe stato sufficiente per placare la sua sete. Vedere il sangue del *gaal* sporcare il pavimento e la sua materia celebrale sparsa intorno, lo avrebbe davvero appagato? Certo, le pareti di casa Pasquinelli ne avrebbero giovato, quel bianco latteo dopo un po' stomacava anche gli intestini più granitici, rendeva ciechi e inclini al vomito. Forse a quelle pareti bianche la materia celebrale e il sangue del fascista potevano anche tornare utili. Magari i Pasquinelli lo avrebbero persino ringraziato per quella tinteggiatura in materiale umano.

E poi dopotutto quello era un fascista, uno fuori moda. Non lo diceva sempre a tavola, il signor Pasquinelli? «Il futuro è nella Democrazia cristiana, sono loro che ci salveranno dai comunisti». Non era così che diceva? «Persone inutili i fascisti» aggiungeva sempre. Ormai poi, quella fase del fascismo era finita da tempo, sosteneva. Certo, si erano fatti buoni affari sotto il duce, cioè Benito trattava bene, soprattutto chi gli era fedele, ma ormai era passato. Quindi Pasquinelli non avrebbe avuto niente da ridire, era democristiano. Uccidete il fascista, avrebbe detto, uccidetelo. Tinteggiate pure la casa con il suo fetido sangue rosso. Faccia pure Majid, faccia pure. Lei è un bravo cuoco, ce lo cucini il fascista, con le patate, magari. Io sono democristiano, fascista lo ero, ma tant'è, ormai è fuori moda.

No, certo il signor Pasquinelli non avrebbe mai gradito una tinteggiatura con carne fresca, Majid trasognava. Pasquinelli era uno che diceva tutto e il contrario di tutto. In fondo quel fascista era suo ospite. Era forse un caso? E poi nemmeno a Majid piaceva l'idea di tinteggiare le mura bianche di casa Pasquinelli con la materia celebrale di quell'uomo immondo. Non era un'idea che lo riempisse proprio di gioia. Non era vigliaccheria la sua, non per il grilletto, certo. Di premerlo non aveva nessuna paura, anzi lo avrebbe fatto con piacere. Era per il dolore. Un colpo banale di pistola al fascista immondo sarebbe bastato? Avrebbe provato del dolore, quel bastardo? Majid pensò che ciò che voleva era solo sentire quel dolore estraneo, godere di esso. Voleva. Credeva... forse.

Ma come si fa a procurare dolore a uno come quello? si chiese.

Il pensiero lo impegnò esattamente 23 giorni, 16 minuti, 2 secondi e 56 banane ingurgitate distrattamente. Come fare a procurare dolore a uno come quello? Forse doveva strozzarlo, vederlo diventare viola lentamente, perire secondo dopo secondo. Ma forse lui, Majid, non era forte abbastanza per buttarlo a terra e torcergli il collo. Le due cose insieme richiedevano un certo sforzo fisico. Ci fosse stato Elias sarebbe stata un'altra cosa. Lui era già molto forte, asciutto come il padre, ma con più fibra, una muscolatura più tonica. Poi aveva mani grandi e sottili. Maneggiava tutto con fermezza e delicatezza. Era per via della frequentazione dei telai. Majid accantonò l'idea di strozzare il fascista. E se lo avesse accoltellato? O perché no, avvelenato con qualche droga mortale e atroce? Cianuro, stricnina, arsenico. Erano tutte possibilità. Anche torturarlo dopo averlo narcotizzato era un'altra possibilità. Gli avrebbe tagliato il pene, glielo avrebbe ficcato in bocca, gli avrebbe pisciato sopra e perché no, gli avrebbe bruciato anche le sopracciglia. Sì, erano tutte cose che poteva fare, erano fattibili. Il veleno lo poteva aggiungere ovunque, nel tè della mattina, nei manicaretti della sera. Era pur sempre un cuoco, poteva trovare mille e più modi.

Ma… ecco… non era ancora convinto. Certo erano tutti metodi fattibili, meglio del colpo in pieno petto o in piena testa. Meglio di un secondo di sbigottimento. Lui, Majid, tuo nonno, il cuoco, voleva che il fascista capisse il perché della sua morte. Voleva che la memoria riaffiorasse e che lui tremasse per l'attesa di quella morte giustiziera. Certo, voleva vederlo tremare. Ma… ecco… non era ancora convinto. Dopotutto quell'uomo era un militare, forse nel suo addestramento gli avevano anche insegnato come resistere alla tortura. Poteva anche strappargli tutti i peli, le unghie, i capelli, e magari lui, il militare, il fascista, non avrebbe detto A. Non avrebbe gridato. Né si sarebbe lamentato. Avrebbe atteso una morte da eroe e forse sarebbe morto con una coscienza ripulita: invece di vendicarsi, rischiava di aiutare quel fascista immondo. E questo Majid non lo voleva assolutamente.

Il giorno che Majid ingoiò distrattamente la cinquantasettesima banana, arrivò il pacco.

C'erano sopra timbri di ogni genere.

«Ti aspettavo per aprirlo» disse Bushra.

Avrebbe voluto chiedere alla moglie chi diavolo poteva aver mandato loro un pacco così grande, ma poi si ricordò che suo figlio era andato in Africa.

«Dai, sono curiosa, sbrigati, aprilo in fretta su, è di nostro figlio».

Quel nostro lo fece sobbalzare. Nostro? Tuo e mio? No Bushra, quasi tutto tuo, quasi tutto tuo. Majid si sorprese a pensare a Elias in modo diverso dal solito. A quanto poco lo avesse frequentato. A come si era perso la sua schiena che si innalzava al cielo. Pianta viva. Immensa. Nostro? No, tuo Bushra, tuo. Il cordone di Famey dicevano fosse stata lei, proprio lei, a seppellirlo. Quel primo contatto che l'aveva resa madre.

«Nostro? Tuo, solo tuo... sì anche mio, solo mio... sì mio, mio, mio, nostro. Sì, nostro» sembrò dire tra sé.

Il sobbalzo fu impercettibile. Bushra parlava come uno speaker impazzito della radio locale. Le parole tallonavano instancabili le altre, senza tregua, veloci. Majid non le seguiva. Si perdeva. Pensava alla sua vendetta.

«Viene dal Burkina Faso, Ouagadougou» lesse Majid, in uno dei tanti timbri.

«Dov'è il Burkina Faso?».

«Non lo so. Forse non è tanto lontano».

Majid non aveva molta voglia di aprire il pacco. Gli sembrava un po' un peccato svelare il segreto di quel cartone avvolto così scrupolosamente. Era pieno di corde e cordicelle ovunque. Poi era anche lievemente appiccicaticcio. Pieno di scotch. Il figlio non voleva che qualche malintenzionato lo aprisse. Era stato scrupoloso. Majid invece non aveva nessuna voglia di aprirlo quel pacco. Se fosse stato per lui se lo sarebbero tenuti così com'era, con tanto di appiccicaticcio e cordicelle. Tuo nonno era spesso così insensato. Testa dura, aria trasognata. Inoltre quella sua testa a volte non c'era proprio, non stava dritta sul corpo. Era altrove, per l'esattezza intorno alla villa dei Pasquinelli, a pensare a come fare fuori la feccia dell'umanità.

Perciò a un tratto Majid massacrò il cartone, lo prese a unghiate, a botte, fino a ridurlo in striscioline.

«Fai piano» gli sussurrava all'orecchio la sposa. Ma lui incurante continuò la sua opera di massacro. Era curiosità? Paura? Ansia? O prevaleva in lui la parte che pensava a come uccidere quel bastardo fascista?

Il contenuto era facilmente intuibile. Stoffe. Ma di una bellezza sconvolgente. Erano colori che per luminosità facevano a gara col sole. Il creato era stato racchiuso in quel pacco. L'Africa intera e i suoi desideri in un pacco. C'era anche una lettera. Elias parlava dei suoi viaggi. Non so dirti le parole esatte, della lettera si è persa ogni traccia, ma diceva tante cose. Aveva lasciato Sheik Maftuti a Nairobi e si era aggregato a degli zairesi erranti, dei musicisti. Autentici pazzi, li definiva. E da lì ne aveva fatta di strada. Mozambico, Sudafrica, Mali, Guinea, Ghana, Togo, Nigeria, Zaire, Burkina Faso, Capo Verde, Senegal. Aveva visto tante persone. Fatto amicizie. Si era innamorato. Si era disamorato. Nuotava tra pezze di cotone, tessuti pagné tradizionali, boubou stravaganti, argille ovattate, noci di cola e abiti wax. C'era una foto che Bushra baciava e ribaciava di continuo. Elias aveva un paio di occhiali, una camicia sgargiante, stava davanti a dei telai. Un'industria tessile. Era in mezzo a tre uomini dal volto franco. Uno era Sankara. Sì, quel Sankara che poi svariati anni dopo sarebbe diventato presidente. Ma Bushra pensò che fosse un suo amico. Gli piacque il modo di Sankara di tenere sospesa la mano sinistra. Nella lettera Elias prometteva altri pacchi. Altri colori.

Bushra si pavoneggiò per ore con quelle stoffe. E anche a Majid venne una voglia matta di indossare una di quelle meraviglie. Invece era uomo. Il suo limite era lo sguardo. Poteva solo guardare. Andò a letto stizzito. Quasi non salutò la sua donna. Era arrabbiato Majid, gli sembrava di dover vivere una vita inutile. Poi chiese immediatamente perdono al Signore per quel pensiero molesto. Cercò di trattenere i singhiozzi. Non era da uomini piangere e lamentarsi nei singhiozzi. Gli uomini non piangono, picchiano duro, sfasciano le sedie, gettano gli oggetti, battono i pugni sul tavolo, quando sono particolarmente arrabbiati sbattono le fanciulle contro cancelli di ferro. O si vendicano dei loro nemici. Quella sera Majid sognò i vestiti del figlio, invece. In modo particolare sognò quello giallo. Pensò che l'indomani si sarebbe andato a vendicare di quell'uomo che lo aveva reso impotente. Lo avrebbe ucciso.

Dopo la preghiera del mattino si diresse alla villa dei Pasquinelli. Non per andare a lavorare. Probabilmente, lo aveva pensato e deciso tra i singhiozzi della sera precedente: non avrebbe cucinato mai più un cecio per quella gente bianca. Si appostò davanti alla villa perché era deciso a pedinare il fascista. Se lo voleva uccidere, doveva un po' conoscerlo. Sapere cosa gli piaceva fare e cosa no, i suoi giri, le sue pause, i suoi orari. Doveva capire come ucciderlo, in che luogo e in quale ora. Doveva scandire il tempo, non voleva lasciare nulla al caso.

Si appostò quindi. Per l'occasione si era un po' camuffato, non tanto a dir la verità, si era solo avvolto in una stoffa ocra come di solito facevano i mendicanti del paese – uno che elemosina non dà mai nell'occhio. Magari lo scacciano, ma nessuno si ricorda della sua faccia, della sua altezza. Nessuno guarda i mendicanti.

Vide uscire i Pasquinelli al gran completo, poi il suo collega Mohamed. Di lui, del fascista, nemmeno l'ombra. Aspettò pazientemente. Solo dopo la preghiera di mezzogiorno sembrò sbloccarsi qualcosa. Uscì un uomo. Era il suo uomo. Quello che voleva uccidere. Stesso grasso, stessa testa a uovo, stessa mimica facciale. Era appena uscito di casa ed era già sudato, aloni umidi si erano formati all'altezza delle ascelle pelose. Anche dietro la schiena era tutto umidità. La camicia bianca zuppa aveva delle linee blu verticali che rendevano il grasso ancora più visibile. I pantaloni erano color cachi e in testa un capello di paglia con una striscia nera tutta intorno. Occhiali da sole d'ordinanza, ciabatte, un fazzolettino rosa nel taschino. Il passo era strascicato, incurante. La testa invece girava su se stessa in cerca di autoincensamenti.

Dove poteva andare un uomo così? Majid aveva le sue teorie. Lo vedeva già dirigersi verso la cattedrale cattolica in pieno centro. Doveva fingere una falsa devozione. Come tutte le carogne fingeva di sapere di Dio. Sì, la cattedrale sarebbe stata la sua prima meta. Era perfetta per lui. Un monumento grande e fastidioso quella cattedrale. Quelle due torri che si erigevano sfacciate verso il cielo. «Una grande erezione» così l'aveva definita il suo collega Yousuf, la grande erezione fascista. E infatti Yousuf ci aveva proprio azzeccato. L'aveva costruita De Vecchis, la cattedrale, uno dei quadrumviri della Marcia su Roma. Al duce quel tipo non gli andava giù, per questo lo aveva spedito in Somalia. Quel De Vecchis era un pazzo e ne ha fatti di danni in Somalia. Forse la cattedrale era il minore, ma era comunque uno sfregio al popolo somalo. Se penso che ora, nel delirio della guerra civile, i somali ne hanno quasi nostalgia. Ma prima, in tempo di pace, la cattedrale era guardata con un certo fastidio. Nessuno aveva pensato di costruirla in armonia con gli edifici circostanti. Il quadrumviro aveva voluto a tutti i costi fare una cosa in grande, gigante, che gareggiasse con il cielo, con il duce che segretamente odiava. Gli esperti dicono che fosse una copia quasi esatta della cattedrale di Cefalù, in Sicilia. Un'erezione che all'equatore forse poteva esserci risparmiata.

Però ecco, tornando a Majid, lui pensava che il fascista si sarebbe diretto lì e poi forse a cercare qualche puttana nel locale dell'indiano. Si stiracchiò il fascista, si stiracchiò ben bene, quasi si fosse appena alzato. Fu in quel momento che apparve il secondo uomo. Era identico in tutto al fascista. Nei modi, nei gesti, nello stiracchiarsi ben bene fino all'ultimo muscolo. Il suo volto era la copia sputata di quello del fascista. Era grasso negli stessi punti. Sudato sotto le stesse ascelle. Peloso in quantità uguale. Stesse ciabatte, stessi pantaloni color cachi, stessi occhiali da sole e stesso fazzolettino rosa nel taschino. L'aria di quel secondo fascista era forse più placida. Sembrava più riposato. Forse con meno rughe. Anche se Majid non avrebbe potuto giurarlo. L'unica differenza era nella camicia. Non era bianca. Non aveva strisce blu orizzontali. Era esattamente l'inverso. Camicia blu. Strisce bianche verticali. Uno specchio al rovescio. Naturalmente presero cammini differenti. Uno verso est. L'altro verso ovest. Chi seguire? E dove si sarebbe diretto il secondo fascista? Per un attimo la stravaganza della situazione non sembrò interessare Majid.

Non si chiese se stasse impazzendo, se avesse le traveggole, se magari il suo stupratore avesse un gemello, non si chiese nulla di sensato. Non fece piani. Non fece programmi. Era tutto preso da quello che avrebbe fatto da lì a poco. Era a un bivio. Una scelta. Ciò che avrebbe deciso avrebbe condizionato la sua vita. Per sempre. L'arma premeva contro la sua coscia. La vendetta gridava come una baccante. Lui si sentiva indeciso. Chi seguire? Quello con la camicia bianca? O quello con la camicia blu? Fece un passo verso est, verso la camicia bianca. Poi no, cambiò idea, tornò indietro, velocemente. Diresse i passi verso ovest, verso quello con la camicia blu. Ancora qualche passo dietro di lui. Poi si fermò. Era stanco. Smise di pensare. Quasi smise di respirare. Dove andare? Est o ovest? Cosa fare? Uccidere, torturare o graziare? Non era un uomo, non lo era da tanto. Non era un maschio. Non era un cazzo. Est o ovest? Ovest o est?

Ritornò a casa invece. Bushra non c'era. Lo sapeva già. Sarebbe stata via tutto il giorno, dalle sorelle. Andò nella camera del pacco con tanti timbri. Il contenuto era un po' sparso sul letto e il resto adagiato alla rinfusa tutto intorno. Era un trionfo di cobalti, avori, perle del Sahel. Colori tenui misti a violentissime pennellate. Majid ebbe un moto di commozione. Andò in bagno. Ci restò mezz'ora. Si depilò tutto. Ascelle, gambe, baffi, barba. Si fece liscio come una fanciulla. Si lavò. Si impiastricciò tutto delle essenze della moglie. Poi si mise quel vestito che aveva sognato tutta la notte. Si chiese se suo figlio lo avesse cucito apposta per lui. La commozione crebbe. Era color oro quell'abito, con stelle trapuntate un po' ovunque. Stelle che collegavano al cielo e al creato. Era un abito superbo, me lo ricordo ancora... in tessuto *rabal* ricamato con fili di rafia. Il *rabal* era la passione di Elias in quel periodo. Ci si era imbattuto in Guinea-Bissau, uno dei suoi compagni di strada gli aveva parlato di quella tradizione artigianale dei *mandiakj* e lui ci si era tuffato, immerso nella conoscenza di quella tecnica. Non era facile. Si doveva lavorare tutto manualmente al telaio con filati di cotone, e dopo impreziosire con rafia o seta.

Ma quel vestito lo aveva fatto a Ouagadougou, di ritorno dalla regione del Casamance, nel Senegal meridionale. Elias era andato a letto con una donna molto più grande di lui, una vecchia. Fu lei a dirgli che il primo vestito in *rabal* lo doveva cucire per la persona che amava di più al mondo. Doveva pensare a quella persona. E il suo sentimento gli avrebbe guidato la mano. Quel vestito d'oro era per tuo nonno e lui, Majid, lo aveva capito. Lo indossò. Si sentì bello, in quei riflessi di sole. Bello. Unico. L'Est era dimenticato. L'Ovest pure. Uscì di casa. Con il vestito del figlio indosso. Con i raggi di sole che lo avvolgevano tutto. Uscì di casa e non tornò più.

SETTE

La Nus-Nus

Tunisia, Africa *low-cost*, *high-class*, arabi solo di contorno. Islam soffocato e lontano. Islam perseguitato. Niente dollari con l'Islam, avevano detto i bianchi. Niente euro. Niente di niente. Era questa la legge degli uomini delle banconote. E i capi arabi avevano obbedito, come sempre. Una tangente, sistemato il nipotino, sistemato lo Stato, dittatori a vita e... alla salute, lo champagne è proprio buono. Quindi in Tunisia tutti facevano finta che l'Islam non esistesse. Anche chi aveva il velo o la barba faceva finta di essere qualcosa di diverso, si nascondeva la barba nei colletti delle camicie e il velo aveva il colore di parrucche fosforescenti. Era un incidente di percorso, l'Islam, un incidente molesto. Si festeggiava Gesù, invece. Non quello vero, non quello morto in croce in Palestina. Quello faceva calare le vendite. Era un fottuto terzomondista, con i pidocchi, la sua fame eterna, troppo magro per i gusti del mercato. No, non interessava a nessuno quel Gesù lì. Il Gesù che piaceva era biondo. Sì, biondo! E non importa se era nato in Palestina, non importa se era ebreo, erano dettagli. Gesù era biondo, autenticamente biondo, gli occhi autenticamente azzurri. Ora, poi, in questo ventunesimo secolo, qualcuno gli ha anche fatto dono di un abito rosso della Coca Cola. Firmato Moschino, ma non lo dite in giro, sennò gli altri stilisti si possono offendere. Non ha più la barba. È un fusto che sfila in passerella.

Qui Tunisi, qui Africa sostenibile. Africa per tasche capaci, bianche, grasse, sporche. Surrogato di Africa. Finzione. Quasi uno scherzo. Come lei, Mar Ribero Martino, una simulazione continua. Un po' Africa, un po' America Latina, un po' Europa. In una parola, vuoto. Era sempre straniera, lei, Mar Ribero Martino. Di nessuno era. Perenne vagabonda.

Tunisi invece era una giostra sull'orlo dell'abisso. Lì le barbe se non stavano nascoste nei colletti, venivano rigorosamente tagliate, niente mullah vistosi, niente preghiere ad alta voce. Sì, certo, era un paese musulmano, e con questo? «I nostri supermercati sono alla francese» dicevano a tutti, orgogliosi di imitare quella Francia lontana e crudele. Dopotutto nei loro libri di storia, qualcuno aveva anche imparato che si discendeva dai galli. Da Asterix e Obelix in persona. Erano francesi. O almeno scimmiottavano gli antichi padroni. Si mangiava formaggio stagionato, ci si infilava la baguette sotto braccio e poi c'era anche il Monoprix. *Win al Monoprix*? Dov'è il Monoprix? Ti sorridevano i tunisini, sulla Avenue de la Liberté. Ti guardavano con lo sguardo leggero di chi è costretto ad essere sempre furbo e poi ti spiegavano che il Monoprix era «*emsi tul w-ba'd dur 'allémin*». Nessuno capiva quelle indicazioni date con una furbizia gentile. C'era uno scintillio fugace, a volte, negli occhi di quei tunisini beneducati. In alcuni più di altri. Un brillio. Non era furbizia. Era solo odio. Odio per aver insozzato la terra di Tunisia con pretese da occidentali. Era odio per quella dittatura che si era mangiata tutti i loro diritti, i loro sogni, i loro averi. Ma era solo un brillio. La violenza doveva essere sedata. Ancora per un po'. O forse per sempre. Sarebbe arrivata presto la violenza. Sarebbe arrivata... o forse c'era già.

Sembrava tutto troppo tranquillo infatti. Africa sostenibile. Anche i fichi d'India che ti sbucciavano per strada con disinvoltura sembravano far parte di una qualche commedia esotica. La gente sembrava essa stessa parte di un brutto copione che stentava a capire. Ci si aspettava di veder sbucare dal nulla Bogart-Rick di Casablanca, con la stessa faccia da schiaffi e lo stesso impermeabile storico. E poi anche lei, la Ingrid, la svedese che sorride, lei che aveva già fatto tremare Hollywood con i suoi occhi, che presto avrebbe rubato l'uomo alla Magnani, anche lei ti aspettavi di vedere in quell'Africa per bianchi.

Mar stava sdraiata sul suo letto singolo nel pensionato di suore argentine. Aveva incrociato la suora con il volto da bambina. Avevano chiacchierato. Parlato di quella città. La suora si lamentava della musica ad alto volume. «*En mi pueblo... allá en la Argentina, no habia ningun ruido*». *Ningun ruido*, nessun rumore. Invece quella città, soprattutto dalla sua stanza, era tutto un rumore stratificato. Rumori noiosi, da disco dance anni settanta. Canzoni datate di Donna Summer e Gloria Gaynor. Ogni tanto faceva capolino Shakira. Più di ogni tanto. Ogni Gloria Gaynor almeno tre hit di Shakira. Mar ne era sicura... Poteva fare una statistica dettagliata. Era rimasta in stanza a studiare. Avevano imparato i nomi dei colori. *Abiad* bianco, *aswad* nero, *ahmar* rosso. L'arabo classico era un po' come studiare la matematica, era tutto un gioco di incastri. Si doveva trovare la matrice e da lì costruire cloni. Era come clonare, ma aggiungendo una sfumatura di differenza. Ogni parola non era la copia esatta della sua matrice, a volte poteva essere il suo opposto. Un po' come le persone, matrici, incastri, dissolvenze, differenze. Stava cominciando a piacerle quella lingua strana. E anche quella città finta le piaceva molto. Nuda sopra il suo letto, i libri aperti, i suoi pensieri. Il leggero vento spirava inesperto nella direzione opposta alla sua. Era timido il vento, innamorato di quel corpo caffè che si offriva. Mar era molto concentrata, cercava tra mille sforzi di ripetere i colori che aveva imparato a pronunciare solo quella mattina. *Abiad* bianco, *aswad* nero, *ahmar* rosso, rosso, rosso. Come i capelli di sua madre. *Aswad* come la pelle di suo padre, *Abiad* come il buco in cui era finito per sempre il suo bambino. Ripeteva e si distraeva Mar. Pensava a troppe cose tutte insieme, il suo corpo nudo le risvegliava dentro desideri inconfessati. Decise di mettersi una maglietta e lavarsi la faccia. Il vento restò un po' contrariato.

Fu in quel preciso momento che Mar sentì quella voce.

Era il richiamo alla preghiera del muezzin. Di solito non si sentiva niente, solo suoni indistinti, borbottii, Shakira. Invece per qualche secondo, le radio intorno tacquero. Non succedeva quasi mai, un momento di puro silenzio a Tunisi. Era bella la voce del muezzin, giusta, convincente. Mar fu contenta di non essere nuda mentre quell'uomo incitava la gente a unirsi agli altri nella devozione dell'Eterno. Fu contenta di non aver mancato di rispetto a quella gente sconosciuta.

Fu in quel momento che Mar si rese conto che L'Africa non era sostenibile nemmeno lì, che c'era una scorza più profonda, più intima, ed era lì che la gente nascondeva i propri sogni.

Tunisi non sembrava nulla in realtà. Non era Africa, non era Europa, non era Medio Oriente. Era un po' tutto frullato insieme. Uno scarabocchio con tratti di luce. Molte le ombre, molti i punti di domanda. Mar fiutava nell'aria la voglia di cambiamento, la sottile tensione suscitata dalla mancanza di libertà. Le aveva spiegato bene JK, «Qui stiamo seduti su una pentola a pressione. Non si sa se scoppierà o non scoppierà. Non si sa, capisci?». Non capiva, Mar. Non capiva nulla. Guardava JK negli occhi e lo trovava bello. Erano gli occhi a mandorla. Quel taglio preciso, netto, quasi una fenditura di coltello. Era alto JK. Molto alto. Ossa lunghe. Zigomi rialzati. Un arciere della dinastia Tang sembrava, una di quelle enormi statue di Xi'an. Le piaceva. Era buffo. Con lui ci potevi parlare. E poi non aveva quella carnagione bianca borotalco che la faceva uscire di senno. Pati era tutta borotalco. Non prendeva il sole, non si metteva fondotinta, non cercava di ravvivarsi con vestiti sgargianti. Era un dominio incontrastato di bianco e nero. Una dark post litteram… una dark che non aveva più l'età per farlo. Era tutto nero nel guardaroba della sua Pati. Tutto nero nel *nécessaire* per il trucco, tutto nero anche tra la bigiotteria. Tutto quel nero faceva risaltare di più quella pelle quasi morta.

Mar invece si sentiva una zebra. Ma non una di quelle in cui ogni linea era distinta dall'altra con un confine netto di separazione. Non era una zebra tradizionale della savana africana. Mar si sentiva una zebra messa in lavatrice in cui ogni bianco e ogni nero si erano sporcati della *nuance* dell'altro. Una sfumatura. Una virgola di colore. Non le piaceva molto essere così. Non era nulla. Non era nera. Non era bianca. Solo rossiccia. E i capelli un tormento. Una frangia le amareggiava la vita.

Chissà se Elias, quell'uomo che aveva fatto l'amore con sua madre una volta sola e l'aveva impregnata di sé, ecco, chissà se Elias aveva avuto una frangia bastarda come la sua. Nell'unica fotografia che aveva di quell'uomo, Elias sorrideva e non guardava. Non si vedevano i capelli, aveva un cappellino da baseball dei New York Yankees.

La sera prima aveva fatto l'amore con JK. Era stato un puro caso. Non c'entrava nulla il fascino orientale. Certo JK non lasciava indifferente nessuno. Le aveva sentite alla festa quelle sgallettate di Milano che gli morivano dietro con lo sguardo ebete.

«Ho sentito» sentenziò una delle sgallettate «che la Grande Muraglia non è l'unica cosa grande che c'è in Cina…».

Le altre tra sospiri e risatine, congegnavano piani per farsi il bel cinesino col nome da politico.

Mar non sapeva ancora che dopo quattro ore, avrebbe fatto l'amore con lui. Era una bella festa. Stava ballando. Anche sua madre ballava. Poi quella Katrina era davvero simpatica. Un po' matta. Per niente simile a Patricia. Un vulcano di idee, non di depressione. Se non fosse stata così bianca... cazzo se non fosse stata così bianca... sarebbe stata perfetta. Avrebbe potuto anche valutarla come amica.

«*Sabes, nena*» cominciava ogni discorso. Quel *nena* faceva sragionare Mar. Voleva dimenticarsi di come si scioglieva a cera davanti a quel vocabolo malefico. «*No llamarme nena, por favor...*» chiamami come vuoi, dannazione, come vuoi, ma non *nena*. Però non le disse nulla, era fuor di luogo. Non erano in intimità e nemmeno amiche. Solo sconosciute, che il destino si era divertito a far incrociare per un attimo. Quando Katrina diceva *nena* o quando la luce la colpiva esaltando il suo pallore, Mar si ricordava di quella donna che l'aveva posseduta e umiliata. Di Pati. Di quell'amore malato. Del suo bambino. Si ricordava. Di averlo vomitato. Di quel macchinario sopra di lei. Era un'ossessione.

Ma ora tutto sembrava attutito da quella strana terra africana. Lì si sentiva a casa, perché di fatto non era casa di nessuno, nemmeno dei tunisini. Anzi loro, meno di tutti. Non potevano far niente della loro vita e del loro corpo senza il volere di Ben Ali.

Però prima di fare l'amore con JK, prima di essere inghiottita da quella strana passione passeggera, prima di quell'odore di tè verde e soia, prima di vivere un terremoto e chiedersi che cavolo sarebbe successo nella prossima scena, prima di... ecco, prima c'era stata quella festa e le sue conseguenze.

La festa. Un pretesto. Era la serba del *mabit* che tornava definitivamente a casa sua, una piccola cittadina a 40 km da Belgrado. Era stata dodici mesi in quella città africana. Dodici mesi, lavorando come portiera di quel pensionato per studenti. Dodici mesi a smistare saponette e asciugamani. Dodici mesi a sorridere e dare la prima infarinatura della città a quei turisti volenterosi. Era stata dodici mesi a parlare con tutti, con quelli del quartiere a quelli degli antipodi. Il suo arabo si era arricchito di sfumature sguaiate. Sapeva dire sconcezze che avrebbero fatto impallidire uno scaricatore di porto, ma che lì venivano considerati segni di attaccamento allo studio. Era quasi un'araba. Bionda, ma araba. Rispettata perché era diventata come loro, stessi gesti, stesse parole, stessi sguardi. Nessun giudizio. E ora quella bionda un po' lentigginosa tornava al suo piccolo villaggetto serbo. Andava festeggiato quell'addio, definitivo. Lo sapevano tutti che non sarebbe più tornata. Lo sapevano le stradine storte di quel quartiere malconcio, i pochi alberi spogli, le auto dal motore truccato.

Si era festeggiato per giorni, ovunque. Tè con amici, caffè a avenue Bourguiba, cous cous del vicinato, un massaggio speciale all'hammam. Regali, pensieri, parole. Anche gli occidentali, gli studenti del *mabit*, per non essere da meno avevano preparato un party degno di un telefilm anni cinquanta. Avevano addobbato l'atrio dello studentato con finti stendardi rossi e blu, qualche fiore di carta. E poi leccornie fatte dal primo pomeriggio. Ognuno aveva tentato di scimmiottare le pietanze della sua terra. Gli italiani e la loro immancabile pasta, la paella spagnola, una zuppa portoghese, un pollo turco. E poi alcol. Era stato un norvegese piuttosto in carne a procurare quella riserva inaspettata. Conosceva un certo Mahmoud che lavorava in un supermercato. Il Mahmoud aveva promesso che, oltre il solito ciarpame, avrebbe procurato anche della roba buona. Quindi accanto alla inutile birra tunisina, c'era anche qualche buona bottiglia di un vino bianco che prometteva stupori.

Mar sapeva di essere un'infiltrata. Non viveva in quel *mabit*. Ma lì si sentiva bene. Pensò al suo pensionato, al silenzio dei corridoi, alle suore argentine che si aggiravano come fantasmi blu per il terrazzino. Pensava alla foto di Wojtyła, all'assenza di papa Ratzi, a Ben Ali e al suo faccione che anche in quella dimora di religiosi era inevitabile.

Anche mamma Miranda era un'infiltrata. Ma pareva conoscere tutti. Era in verde, il suo colore. Era un bel verde, splendeva di raggi fosforescenti. La gente ne era quasi abbagliata.

«Come sei bella, Miranda» le gridavano entusiaste voci quasi infantili.

Tutti conoscevano Miranda. Al solito. Nessuno conosceva lei, Mar Ribero Martino. Al solito.

Mar si sentì sola. A casa, ma sola. All'inizio la falsa Pati non era nemmeno presente, era l'unica che conoscesse, con cui sperava di avviare uno straccio di conversazione. Fu colta da un desiderio idiota di gridare la parola «figlia» e poi farla seguire dalla specificazione «di Miranda». Voleva gridarlo «Sono figlia di Mirando, *carajo*». Se tutti avessero saputo che lei, quella maschiaccia con i jeans strappati e la canottierina bianca, era la figlia di quella bella donna in verde, avrebbero forse cambiato il loro atteggiamento indifferente?

Era invisibile. Non le piaceva esserlo. Rabbiosa, cercò nella sua borsetta peruviana il pacchetto di sigarette semivuoto. Ne aveva ancora cinque, forse le potevano bastare per la serata. Si diresse verso l'uscita: anche lì come nel suo collegio di suore, era proibito fumare. Un omaccione le intimò l'alt.

«No» le disse. No cosa? Si chiese Mar. «No» ripeté ancora l'omaccione, aggiungendo un'oscillazione del capo. Mar era perplessa, No cosa? No perché? Voleva uscire, evadere da quella atmosfera festaiola che non le apparteneva. Voleva la sua Malboro carica di alibi. Voleva intossicarsi i polmoni. Voleva un mucchio di cose, invece quell'uomo le stava impedendo tutto. Fu sul punto di gridare e dare spettacolo, quando una voce da dietro le spiegò che «Non ti apre perché teme che tutti i vicini vengano alla festa, qui succede così, quando si sente un po' di musica».

Mar si girò verso la voce. Era una bella ragazza riccia, nerissima e con labbra carnose, sensualissime. Avevano fatto la fila insieme in un bagno della scuola. E lei l'aveva vista un mucchio di volte in compagnia di Miranda.

Le tese la mano, Mar. Poi disse: «Piacere, sono la figlia di Miranda».

La ragazza labbra sensuali allungò anche lei il suo arto e le falangi. Strinse forte la mano di Mar, fin quasi a stritolarla. «Lo so, sei Mar», le disse e aggiunse «Io sono Zuhra Laamane».

La pelle della ragazza era morbida e liscia. I denti bianchissimi. Nel ballo roteava e rideva. Mar la guardò per un po'. Poi la vide lottare con il pollo che aveva nel piatto. Erano tutti a tavola. La serba, gli studenti, i viandanti, quelli di passaggio, gli infiltrati come lei.

Il verde di mamma Miranda riluceva nella sala mezza buia e agghindata come una puttana triste. Tregua, mamma. Tregua. Sei bella, mamma. Unica. Troppo per me. Non vedi che non ce la faccio? Si non ce la faccio a sostenere te… non lo hai mai capito? Sei un vulcano, mamma. Un vulcano, per me, così debole. Io scappo. Da te, da me, da tutti. Sono scappata anche dal mio bambino. Mamma, ti prego. Tregua.

Tregua! Tregua!

La ragazza nera continuava a lottare con il suo pollo. Lo aveva spolpato male. Lo sbocconcellava male. Quasi una lotta all'ultimo sangue. Anche Pati lottava all'ultimo sangue con i polli. Lo faceva anche con la pasta. Con i suoi fusilli alle melanzane. Lottava con loro. Ingurgitava tutto senza sentirne il sapore. Poi china sul cesso, a vomitare. Quante volte l'aveva vista piegata. Se solo avesse capito, allora. Lei, Mar Ribero Martino, non vomitava mai. Mangiava di gusto. Forse per questo Pati aveva voluto quel bambino, per far vomitare pure lei.

Mar scippò il piatto alla ragazza nera. «Te lo taglio io, ma dopo mangialo tutto, ti prego», e poi aggiunse: «Sentendone il sapore».

La Negropolitana

Sono china su un cesso semisvenuta. Sudata, capelli innaturalmente appiccicati alla nuca. Un tremito leggero alla mano sinistra. Allucinazioni a mucchi calano su di me. Mi sento molto male. Molto, molto, molto male. Nel mio delirio sono diventata la protagonista di un film. Non so quale. Mi sono persa i titoli. Io, sono la star però. Di questo sono sicura. Nel sogno del delirio sogno titoloni nei teatri di Hollywood che hanno ospitato le stelle più fulgenti del panorama in celluloide. Sono omaggiata dai neri negri *black aswad* (saraceni e non), nel mitico teatro Apollo di Harlem. Sono omaggiata dai bianchi *white men*, visi pallidi gote-culo rosa, in qualche altro teatro del nowhere.

Omaggiata anche da musi gialli, musi bruni, musi olivastri, musi in technicolor. Ho tutti ai miei piedi. Non vi preoccupate, li ho lavati. E anche se puzzassero le mie fette da Genoveffa voi tutti mi amereste lo stesso. Il mio fetore sarebbe un'essenza di gelsomino pregiata. La nausea un orgasmo tantrico. Non potreste fare a meno di amarmi. Vi sono entrata dentro ormai. Sono la stella fulgida, la *estrella*, *the big star, the only big star*, di questo cazzo di romanzo che è la mia vita.

A Bollywood mi adorano. A Cinecittà. Mi adorano persino a Tor Pignattara e ar Tufello. Come Gloria Swanson sono entrata di prepotenza nell'immaginario dei più. Lei scende maestosa la scalinata in Sunset Boulevard, ha ucciso William Holden che già imputridisce nella piscina, pensa di girare la scena di un film, invece non si rende conto che sta solo sprofondando, che tutta quella gente vuole vederla finita, in manette come una volgare ladra. La vogliono vedere galeotta, senza pizzi, senza merletti, senza trucco. Ma lei non lo sa, non lo saprà mai di essere diventata come una volgare ladra. Vive in un set, Gloria, che porta rinchiuso dentro il cranio. Non la chiamate pazza, non lo è. Non la chiamate e STOP. Beatevi di lei e STOP.

Lei si vede ammantata di visoni e diamanti. Di tutto ciò che il mondo ha creato di politicamente scorretto. Sono anni in cui non si pensa ai diritti delle foche o delle volpi. La pelliccia è uno status symbol. C'è la segregazione razziale negli Stati Uniti d'America. La tenace Rosa Parks, la nostra pioniera black, non ha ancora preteso di sedere negli stessi posti dei bianchi. Malcolm X non so quanti anni avesse, voleva ancora integrarsi nella società neoliberista. Ancora non sapeva di essere destinato a scardinare il sistema. Si faceva stirare i capelli, Malcolm. In America i negri puzzavano dei loro capelli bruciati dalla chimica dei bianchi. Gloria intanto scendeva le scale, regina come poche. Lei nell'immaginario. E io come lei. Eterna e abbandonata.

Solo che io non sto scendendo niente. Non mi sembra un gran set, il mio. Non ho il maggiordomo pelato. Non ho i flash dei paparazzi. Non ho un William Holden qualsiasi, fosse anche putrido. Anche cadavere. Niente scale, niente trampoli, niente vuoto, niente di niente. Sono china su un cesso semisvenuta, invece. Sudata, capelli innaturalmente appiccicati alla nuca. Un tremito leggero alla mano sinistra.

Quando sto molto male nell'anima, mi succede. Tremo. Il dottor Ross ha detto che è normale in casi come il mio. Sarà normale, ma a me ogni volta fa male l'anima.

Sembro una maschera della tragedia greca. La mia faccia è così solenne che quasi quasi mi alzo e mi faccio il saluto militare. Mi incuto timore. Non sembro io. Sembro un'altra. Più grande. Con più esperienza. Una che merita rispetto. Più formale. Più seria. Così seria che per un attimo scambio me stessa per la prof Rinaldi. Oh mamma, la prof Rinaldi... è da tanto che non penso a lei. Forse non ho mai pensato a lei. Nemmeno a scuola. Lei c'era, faceva parte dell'arredo, come la lavagna, i gessi, la mappa del nostro malconcio Belpaese. Insegnava storia e filosofia la Rinaldi, aveva sempre il moccio al naso. Era innamorata di un nostro compagno di classe, la Rinaldi. Di Bertolotti Gianluca, un pischello tra i tanti. Che stupida la Rinaldi. Presa da un adolescente che valeva zero. Ogni volta che lo interrogava, la prof Rinaldi piangeva. Bertolotti era un somaro e lei avrebbe tanto voluto mettergli un bell'otto. Il massimo che gli mise fu un quattro meno meno su Plotino. Era molto solenne la prof Rinaldi quando ci interrogava. Ho sempre pensato che fosse un po' mentecatta. Aveva l'allergia. Un po' al polline, ecco spiegato il moccio, e un po' agli uomini, ecco spiegata la sbandata per Bertolotti.

Ho tanti occhi addosso ora. Non hanno visto mai una donna tremare. Mi fa sentire a disagio il loro sguardo. Gli occhi addosso mi danno fastidio. Molto fastidio. Sono occhi a palla, sferici, un po' da rospo. È da tanto che non ho tutti questi occhi addosso. Fino a trenta minuti fa, non sapevo che sarei finita al centro di un palcoscenico. Non sapevo che mi sarebbe tornato il tremore. Mi succede quando mi fa male l'anima.

E oggi mi fa un male cane. Sono uscita con un ragazzo e lui mi ha baciata. Dovrei essere felice in teoria. Ma la sua bocca non mi è piaciuta. Le sue mani nemmeno. Ogni tanto smetteva di baciarmi. Quando passava la gente. Potevano essere della *shurta*, la polizia. Orlando non voleva essere beccato. Qui la *shurta* si occupa anche dei baci. È vietato baciarsi per strada. Puoi passare un grosso guaio se sei straniero, uno grossissimo se sei tunisino. Bacia male, Orlando. Non è romantico. L'alito ha un vago odore di crudo. Ma non volevo fare brutta figura. Ho voluto io quell'appuntamento. Ho insistito. Sono stata anche maliziosa in spiaggia. Avevo un bel costume e il ciclo mi aveva risparmiato.

Non potevo ammettere di essermi sbagliata. Ma di fatto questa cotta estiva è stata un errore. Orlando ora lo evito.

Ma stasera alla festa mi è venuto questo tremore. Ho fatto di nuovo toccare il mio corpo a qualcuno che non doveva. Orlando e il suo bacio, mi hanno ricordato Aldo e i muri del collegio. Orlando non è Aldo. Orlando ha un alito cattivo, ma è un bravo ragazzo. Però nella mia testa è diventato Aldo. E mi ha fatto tornare la paura.

Mi fa male l'anima.

Penso a mia madre. Mi chiedo se lei abbia mai amato qualcuno. Mamma, perché non mi hai mai raccontato di mio padre?

Forse se avessi avuto una famiglia normale, se non fossi andata in collegio, se Aldo non fosse venuto quel giorno sudato a lavorare, forse i baci di Orlando mi piacerebbero ora. Mi sento così in colpa.

Sono stata concepita negli anni settanta. Cioè, in gergo tecnico dovrei dire che mia madre Maryam Laamane si è accoppiata con un uomo di sesso maschile e mi ha generato. Una fornicazione biblica. Era anche sposata, mi ha detto, con quell'uomo che le ha donato il liquido seminale. Ma, accidenti, si fosse fatta scappare una volta il nome di quel tizio! Nemmeno una misera vocale si è fatta scappare, nemmeno un accenno fugace di quel suono inconcepibile.

L'ho scoperta a scuola la faccenda dei padri. Prima credevo esistessero solo le Maryam Laamane. Certo, c'erano anche figure di contorno, in quei miei primi anni di vita. Ricordo un pappagallo verde che gridava ossessivamente la parola «bionda». Non diceva altro, solo «bionda». Era il pappagallo della padrona della pensione dove vivevamo in quei primi anni italiani. Sulla Nomentana. Non ricordo assolutamente nient'altro. Mi piacerebbe ricordarmi qualcosa. Vorrei ricordarmi papà e non quello stupido pappagallo che sognava un giallo irraggiungibile.

A scuola ho scoperto la faccenda dei padri. Credevo che i bambini uscissero dalla testa delle madri. Credevo fossero i sogni delle loro madri. Invece qualcuno a scuola mi aveva spiegato che a sognare si doveva essere in due. Due sogni e non uno. Ero piccola e nessuno dei miei compagni era ancora arrivato alla storia del pistolino e della patatina. Credevamo ancora in un mondo di fiabe a colori. Anch'io ci credevo allora. Ma durò poco. Crebbi in fretta. Troppo in fretta.

Ecco, negli anni settanta Maryam Laamane si è fatta infilzare la patata da un uomo. Non avrà goduto affatto. Sicuro! Non ce la vedo mamma a godere… E anche se ce la vedessi, lei non può. Gli hanno tolto la clitoride in Somalia. Lo fanno a tutte. Cucite come rollè arrosto. Ecco, le somale come degli arrosti.

Io no. C'è ancora la pendula dentro in me. A me la cucitura me l'hanno fatta nella testa, accidentaccio. Alla fine il risultato è lo stesso. Non godo. Nemmeno dell'aria godo.

Ora sono la *big star* della scena. Sono sempre piegata sul cesso. Ci sono altri attori, ma io sono la protagonista. Loro quanti sono? Ehi, altri attori, non mi potete rubare l'inquadratura! Cioè, spostatevi cazzo. Sono io la *big star*. Cioè, l'inquadratura è mia, porca miseria! Solo mia. Non mi vedete che sto abbarbicata al cesso? Ma secondo voi ci sto per gioco? Questa è la scena madre, il culmine, il clou, il motivo per cui la gente paga il biglietto. Insomma, dico io, sono poche le scene così. Gloria che scende le scale, Marilyn che le si alza la gonna, Audrey che guarda la vetrina di Tiffany, Denzel che legge la sura aprente del Corano. Capito, attori? Voi nun ce potete sta'. Qui solo io ce posso sta'. Voi sciò, sciò, pussa via e vaffanculo, ok? Solo io.

Che significa che sto male? Cosa vuol dire che non mi potete abbandonare? Che siete mie amiche? Che significa che avete avuto paura che morissi? Che avete sentito il mio cuore zompare, le mie viscere tremare, la mia bocca sussultare? Cioè, dite, dite... non capisco.

Chi siete voi? Vedo una donna pallida, mi sembra 'na morta. L'ho vista nel *mabit.* Morta più di Ofelia e Virginia Woolf suicide insieme. Pallida come le donne dei quadri preraffaelliti. Questa cuginetta di Morticia vive nel *mabit*, è spagnola, una sera ci ha fatto la paella, faceva cagare, troppo peperoncino, troppo sale. Uno schifo, la trovi mejo al supermercato, la compri già bell'e fatta nel surgelatore e stupisci gli amici con effetti speciali. Poi vedo la mulatta maschia, la lesbica seminegra, quella che mi ha dato il fazzolettino, quando la stronza finto-mussulmana italo-tunisina mi ha fatto quel pezzo assurdo sulla mia figa e la sua manutenzione. E poi c'è lei, oh sì, con te cara dolce poetessa del mio cuore dividerei mille e un'inquadratura. Saresti la mia Shahrazad di celluloide. Io e te, amiche per sempre. Oh, Miranda. Hai un viso tirato. I capelli sconvolti. Un bel vestito verde. Sei la meglio vestita, la meglio acconciata, la meglio delle meglio puttane ripulite di questa città di merda. Sei una puttana, lo so io, lo sai te, lo sanno tutti i tuoi lettori. Lo hai detto in *Calle Corrientes*, come hai detto? *Puta virgen derrama sangre en la calle/ puttana vergine versa il suo sangue per strada, puta virgen quema en su pesadilla/ puttana vergine brucia nel suo incubo, puta, virgen, mujer, muerta, Amen.*

Calle Corrientes sta nel tuo ultimo libro, è la mia preferita. Il tuo ultimo libro l'ho adorato. Non si capiva che mostro fosse – poesia, prosa o delirio. Mi sembrava un me fatto di carta. Non si sapeva che mostro fosse. Anch'io non si capisce bene cosa sono a volte. Noi siamo colleghe, lo sai Miranda? Ho scritto dei racconti sotto pseudonimo. Qualcuno li ha pure letti. Una cazzuta intellettuale sono, come te, come Virginia Woolf. E non importa se a leggermi sono stati cinque sfigati! Ho scritto dei racconti, questo basta. Storie di donne strane. Io alla Libla la sfango, lo sai. Ci ricavo il reddito, la sussistenza. Ma in realtà, ricordati Miranda, ricordatevelo tutti, sono una cazzuta intellettuale.

Certo, sembra un lavoro serio se associo la parola reddito alla parola Libla. Ma lo sai, i lavori seri non esistono più ormai. La mia generazione l'ha presa nel culo per bene. Sono nata negli anni settanta, Maryam Laamane ha permesso a uno spermatozoo cieco di entrare nel suo regno. Lo spermatozoo è arrivato nel suo ovulo quasi per caso. Secondo me ha sbagliato strada. Sono fortuita, la mia nascita, lo spermatozoo che ha sbagliato strada, mia madre che è andata a letto con un uomo. Non ce la vedo mia madre che va a letto con qualcuno, fuorché se stessa. Chi è nato negli anni settanta è sfigato per natura. Ci hanno cresciuti con il mito dello studio e del lavoro fisso. La verità degli anni 2000 è stata un po' diversa, però. Depressione, isterilimento, abuso, lucro sulla nostra pelle, sulla nostra pancia, sulla nostra mente. Sfruttamento.

Io sono una tappabuchi. Scappo da un reparto all'altro. Metto gli antitaccheggio ai cd e ai dvd che gli altri comprano. Me ne passano tra le mani di cose belle. Ho tormenti lancinanti, a volte una cleptomania improvvisa si impossessa di me. Vorrei rubare e farmi licenziare. Sì, rubare, rubare, rubare. E farmi beccare da quei ragazzi che fanno gli addetti alla sicurezza. Sono in tanti nella Libla, gli addetti. Non sembra. Di norma uno vede i tre alla porta principale, e non sa della folla silenziosa (o quasi) che passeggia giorno e notte nel negozio e vigila sui sonni della merce. Fanno finta di essere clienti, passano con disinvoltura dal reparto saggi ai libri per ragazzi. Quando la mente non ce la fa più, li vedi con qualche libro improbabile in mano, che so, un trattato di astrofisica sfogliato avidamente, o qualche fotografico. Velleità artistiche? No, pornografiche. Molti libri fotografici sono al limite della buoncostume. Tutto esposto, tutto violento. Ma se poi invece li compro in edicola me la chiamate pornografia? I giappo in questo sono maestri, mejo de' l'americani e l'europei allargati messi insieme. I giappo, quando si pesca nel torbido, fanno uscire fuori un estro speciale. Mi chiedo se esistano vergini in Giappone. Mi chiedo se Akane, che Ranma Saotome dovrà sposare, sia davvero vergine come dice. Ranma è un cartone animato, la nostra storia non potrà mai esserci, io lo amo, ma lui è di carta. E io non godo.

Ora ho perso la pazienza. Sono stanca. Abbarbicata al cesso senza un perché. Sudata. Puzzo forse, non so. Non ho controllato le ascelle. Mi sembrano appiccicaticce.

È la mia scena, io, il cesso, la luce, il sudore. Ciak si gira.

Signore e signori è nata una stella... una *najma*, una *estrella*, una *star... a big star, the only big star of this fucking world.*

Ho avuto un attacco epilettico, mi spiega Miranda.

La ragazza, la maschio-lesbo seminegra mi chiede: «È la prima volta?».

Da me escono timbri distorti. È la mia voce, pare. La mia nuova voce. Infatti non la riconosco. Sembro un brutto doppiaggio di qualche brutto mostro del *Signore degli Anelli*. Non parlo. Ho la gola asciutta. Mi fa male la faccia. Tutti gli zigomi. I denti. Arcata inferiore. Arcata superiore.

Sento la voce della seminegra. «Allora... hai mai avuto niente del genere prima d'oggi?».

Affermativo. Faccio un movimento in verticale. Capiranno che è un sì. Mi rivoltano come una neonata. Mi passano un panno umido sulla faccia. Miranda canta. La conosco quella canzone. È del cileno Victor Jara, *Alfonsina y el mar*. Victor. Quando lo hanno preso i militari, gli hanno tagliato le mani, le sue belle mani musicali. Poi lo hanno giustiziato. Una lacrima mi scorre sul viso.

Cazzo, non mi piace che la gente mi veda piangere.

Non ho l'epilessia. Ma ho le crisi, ogni tanto. Come se fossi una vera epilettica. Mi hanno spiegato che è l'abitudine all'irrigidimento. La psicologa mi ha detto che «Può succedere a ragazze che...». ALT. STOP. Non voglio sentire altro. Lo so cosa mi è successo. Non voglio aprire questo capitolo. Possibile che ogni volta che sto male, sempre lì devo andare a parare? Sono stanca. È un anno che parliamo, signora psicologa, lei è un mito, senza di lei forse sarei morta, ma rivangare a che serve? Mi scombussola le budella, ho la diarrea, mi costringe a parlare male di mia mamma. Lo so, non è perfetta. È un po' bambina. Ma la amo. Non posso smettere di amarla. Lei, signora psicologa, non mi chiede mica questo, vero? Sollievo. Devo ammettere con me stessa che la mamma ha un po' di colpa se... cioè, ma la devo proprio accusare? Non mi chieda questo, signora psicologa. È più forte di me. Non ci riesco. Mia madre è una bambina, poi piange. Come una neonata piange. La mamma sono io, sono io quella forte, quella che non piange. Non posso darle questa mazzata. Oh, signora psicologa, mamma non lo deve sapere mai. Non posso. Non me lo chieda. Sono io quella forte. Se mi vede piangere crolla pure lei. La prego, non la faccia piangere. La prego non mi faccia piangere.

Ora ricordo tutti i dettagli. Ho avuto una delle mie crisi più brutte.

È buffo il mio corpo quando ha le crisi. Sembro una che balla la breakdance, una degli anni ottanta. Tremori e stupori. Tremori e bollori. Non tremo mai tutta uguale. Ogni parte trema per sé. Il mio corpo sembra un'orchestra impazzita. Un'orchestra jazz. Una jam session. Voce, sax tenore, tromba, piano. Voce. Voce. Voce. È lei che dà il La. La voce per me è sempre Dinah Washington. Vedo i negri in pista e i bianchi che ci guardano con invidia. Una negra, quando è in pista con la crisi, non ha bisogno di istruzioni. Il mio io sente il ritmo. Ci crede. Si lascia andare. Ed ecco che balliamo un frenetico *lindy hop*.

L'ho letto nella bio di Malcom X del *lindy hop*. Prima di essere Malcolm X, cioè un negro orgoglioso, un negro *nigger* saraceno come me, con il dono della parola, Malcom era un altro. Più scemo, più ingenuo, sicuramente più frustrato. Si bruciava i capelli Malcolm. E ballava il *lindy hop*. Lo dice la parola stessa, c'è di mezzo un *hop*. E lui sì che faceva zompettare le fighette pelose, che poi qualcosina in cambio la davano sempre. Fighette bianche, anche. Cioè, anche all'epoca c'era il turismo sessuale, solo che si andava ad Harlem o in qualche altro ghetto nero della città. Ora si va in Jamaica o a Capo Verde. Stessa pappa. Anche in Tunisia, qui, dove ho avuto la crisi, dove hanno costruito questo maledetto cesso, anche qui si fa turismo sessuale. Mi sa che anche la mia amica Lucy lo fa. Cioè, non è possibile! Lei no. Per lei è amore. Anche per le altre è amore. Ma esiste l'amore quando c'è di mezzo il potere economico, dico io? Accidenti Lucy... porca miseria, perché pure tu, perché?

Ecco io e la mia crisi siamo provette ballerine. Abbiano ballato poche volte insieme, ma ormai conosciamo i movimenti. Io accenno una figura, un tremore e lei mi viene dietro. Balliamo di fronte, ci muoviamo in circolo, qualche passo laterale e poi si improvvisa. Malcolm lo aveva fatto con Laura, quella tipa che se non lo avesse mai conosciuto, forse non si sarebbe rovinata. Malcolm era terribilmente pentito di aver portato quella tizia alla perdizione. Non era ancora saraceno, Malcolm. Non era ancora andato alla Mecca. Faceva degli errori. Non biasimarti, Malcolm. Anche mia madre ha fatto degli errori con me. Io la biasimo forse? E lei mi biasima? O biasimo forse me stessa? Sì, forse sì, per questo mi sa che ho sempre queste crisi. Urlo il silenzio.

Balliamo. Tremiamo. Dalla mano la scossa si estende al petto, alla pancia, al viso. Oh sì, anche lì arriva la crisi. Il mio viso si deforma. Il trucco si scioglie. La bocca non riesco più a chiuderla. La lingua si arrotola. Riesco a portare le mani al petto. Chiedo aiuto. Non si sente. Forse non si capisce.

C'è Mar, la seminegra maschio-lesbica. È bella per essere una frocia in pantaloni. Mi piace. Ho scoperto a questa festa che è la figlia di Miranda. E c'è anche Miranda. Sento mani, le loro che mi prendono. Poi entra qualcuno, vedo un bagliore di morte. Ho paura. Sarà la falciatrice folle e stronza? No, è solo la Morticia che sta al *mabit*. Anche lei si dà da fare. Prova a tirarmi fuori la lingua. Trafficano su di me per un po'. Non ci credo, mi sono fatta toccare da tutte quelle mani. Ma ve le siete lavate almeno?

Mi sono fatta toccare da mani sporche. Queste femmine che stanno ora armeggiando sul mio corpo non c'entrano. Erano altre le manacce orrende. Erano di un uomo, che Dio lo stramaledica quel figlio di un Iblis carogna. Erano di Aldo. Ora lo so. È il ricordo di Aldo a farmi venire la crisi epilettica. Oggi, quando Orlando mi ha baciata, dovevo dire basta perché non mi è piaciuto. Ma sono ancora come da piccola. Non so ancora gridare. Non so ancora come fare a salvarmi.

Il *lindy hop* si spegne in un balzo abortito. La crisi si arrabbia. Mi snobba. Mi sputa in faccia. Mi lascia. Sono senza forze vicino al cesso. Le mani mi hanno lasciata. Non erano loro quelle sporche. Lo so. Mi scuso con quelle femmine operose.

Ora ricordo cos'è successo. Cos'è successo prima del *lindy hop*, di questa crisi senza senso. Ecco... mi sono fatta toccare. Le mani erano molto sporche. Erano di quel maiale *haluf*.

Ma non mi piaceva quel ragazzo?

No, l'*haluf* non c'entra. Erano mani di secoli prima. Ero piccola. E le mani mi hanno profanata. Nell'*haluf* ho sentito un'eco. Ho avuto paura che il mio piacere potesse trasformarsi in quell'eco. Ho abortito l'*haluf*. Ho abortito l'amore. Sono scappata via.

Ma non mi piaceva l'*haluf*? Non mi piaceva prima quel ragazzo bianco?

Non mi piace più. Non mi è mai piaciuto. Era un'illusione. Mi sento sporca. Vorrei piangere. Ma sono condannata a fare l'ironica, cazzo.

Mamma poi mi aveva chiamata prima della festa. Mi ha detto solo «È morta Howa Rosario». Non ho pianto. Mi sarebbe piaciuto, però. Le cose che mi piacciono mi fanno paura.

La Pessottimista

Un ragazzo era entrato nel cuore di una ragazza. Una storia romantica. Fatta di sguardi e carezze.

È questa storia che Maryam Laamane raccontò a sua figlia Zuhra.

Maryam stava seduta su una stuoia davanti al registratore. Zuhra, sua figlia, era momentaneamente in un altro paese a studiare. Sul nastro, la traccia dispersa di una vita.

Non si conoscevano bene quella madre e quella figlia. Tra loro solo passaggi obbligati: l'odore dell'utero, il latte del seno, qualche sguardo di rimprovero dopo una marachella.

Le scene tra loro erano poche, quelle poche molto sfocate. Da adolescente la figlia aveva visto la madre persa dietro una bottiglia di gin puro. Una madre vinta dall'odore dell'esilio. Una madre che in quel paese nuovo, l'Italia, aveva abbandonato ogni suo principio e ogni suo sogno. Quella madre aveva sofferto molto. Sapeva di aver fatto soffrire. Mentre Maryam inseguiva ricordi e gin, la figlia marciva lentamente in un collegio. E soffriva le pene di ogni inferno.

Ma ora quel tempo balordo era passato. Si doveva riassestare la melodia del presente. Ora la madre e la figlia si stavano conoscendo a poco a poco. Centimetro per centimetro. La pelle era una novità. E spesso anche l'occasione di una grande festa.

Fu per questo che la madre raccontò alla figlia di quel suo unico devastante innamoramento. Era quasi uno sprone per quella sua dolce ragazza a credere che anche lei presto si sarebbe innamorata e avrebbe sentito le stelle ballare dentro la sua piccola pancia.

Quella figlia era stata ferita. Come Howa Rosario a suo tempo e come tante donne ancora oggi. Qualcuno, senza permesso, aveva violato l'intimità di Zuhra. Molestie sessuali. Violenza Carnale. Parole che racchiudevano un abisso, una paura al confine con la ripugnanza. Maryam Laamane questo non riusciva a perdonarselo. Ma a suo tempo, lei, la mamma, non sapeva, non sospettava. Lo sguardo di Zuhra adulta, quello sguardo che non guardava mai l'orizzonte, preoccupava Maryam Laamane. «Allah *Karim*, risparmia a questa ragazza la mancanza d'amore». Poi la mamma piangeva in silenzio. «Allah *Karim*, fa' che non diventi come la mia amica Howa, mai riscaldata da braccia umane». A volte la donna vedeva in Zuhra la stessa testardaggine di Howa. Il fatto la preoccupava non poco. La riempiva di sgomento.

Il suo senso di colpa di madre, in quei momenti, aumentava fino al parossismo. Non aveva vigilato a suo tempo, era stata un'ubriacona barcollante per Roma e qualcuno a sua insaputa aveva rubato l'amore a sua figlia. Non era facile ora, far credere a quella stessa figlia che le stelle potevano ballare di nuovo dentro la sua pancia di donna. Ma Maryam Laamane voleva tentare, voleva sentirsi di nuovo una buona madre, quantomeno voleva essere utile a Zuhra. Fu per questo che si mise con piglio deciso a gambe incrociate sulla stuoia. Era quasi una posizione di combattimento, la sua. Cominciò a narrare, a quel registratore davanti a lei, di una ragazza e di un ragazzo, del loro amore e delle stelle nelle loro pance. Voleva far capire a Zuhra che quel miracolo poteva succedere anche a lei.

Un ragazzo era entrato nel cuore di una ragazza, quindi.

Erano gli anni sessanta. Gli anni in cui i giovani di tutto il globo sognavano ogni futuro possibile.

«E io avventata ho fatto una promessa a Howa Rosario. Non una promessa qualsiasi, Zuhra mia. Non qualcosa che si giura a cuor leggero».

Maryam aveva promesso, alla sua amica specialissima, di sposare al posto suo il figlio della sarta Bushra. Il suo incubo, il figlio della sarta Bushra – la povera Howa non ci dormiva la notte. Non era più lei quando pensava a quell'uomo e a quel matrimonio futuro. Da bambina Maryam non capiva la paura dell'amica e da grande pensava che nessuno potesse costringere una donna a fare quello che non voleva.

«Se non ti va glielo dici. Punto e basta. Nessuno ti costringe».

Howa invece aveva già provato sulla sua pelle che a volte la volontà di una donna non può nulla, se messa in una situazione di pericolo. Il suo patrigno si era preso in un colpo la sua verginità, il suo naso, gli anni migliori della sua vita. Chi le assicurava ora che non sarebbe successo di nuovo? Non si fidava più Howa. Aveva scoperto a sue spese che la vita di una donna era sempre appesa a un filo. E quel filo si poteva spezzare in ogni momento.

Maryam non capiva molto la resistenza dell'amica al matrimonio. Non sapeva del patrigno, né di quanto devastante potesse essere una violenza, non ancora almeno. Sapeva solo che a tutte le donne di sua conoscenza piaceva molto sposarsi. Era l'idea di essere regine per un giorno a stuzzicare la fantasia delle ragazze. Essere ben vestita, riverita, coccolata. Della cerimonia nuziale si sognavano le lunghe processioni di donne che portavano la sposa regina al suo baldacchino, si sognavano gli incensi e le essenze e poi quei giganteschi balli. Quei colpi d'anca che annunciavano alla sposa i segreti della prima notte. Quello di cui tutti parlavano era la cerimonia, ma chi si sposava contava poco. L'importante era avere una bella cerimonia. Si ragionava in quei termini un po' ovunque.

La prima volta che si era offerta come agnello sacrificale, a Maryam non erano ancora spuntate le tette, era solo una mocciosa, non ancora una fiasca, ma un piccolo giunco infantile che correva libera dietro ai falchi e alle farfalle. Era la gratitudine che provava per quella donna con il naso a spirale a spingere Maryam Laamane a promettere mari, monti e colline. E sì, anche un matrimonio che forse non voleva fare.

La ragazza non aveva visto ancora abbastanza della vita, ma sapeva come consolare chi amava. Sapeva che il dolore andava sedato immediatamente con parole di miele. Quindi promise quello che sentiva di dover promettere. Si promise sposa di un uomo sconosciuto al posto della sua amica. Si sentiva agnello sacrificale. Un po' come il figlio di Abramo, su cui il padre adorato si accingeva ad abbattere la scure della fedeltà all'unico Dio. L'amica Howa non commentò il gesto. Si limitò a sorridere.

«Avevo promesso, Zuhra mia. Capisci che sprovveduta era tua madre? Avevo giurato sulle cose più care, sul mio onore di donna. Avevo promesso, capisci figlia mia? Ero spacciata. Non potevo sottrarmi. Ero destinata a diventare sposa del figlio della sarta Bushra».

Ma il pensiero di quel ragazzo incontrato per caso, quel ragazzo dalla camicia di lino beige e la futa, aumentava di volume nella testa di Maryam. Quel ragazzo aveva fatto capire a Maryam quanto sciocca e sproporzionata fosse la sua promessa. Che nessuna amicizia poteva chiedere il sacrificio di un amore. Che Howa non le aveva chiesto nulla dopotutto e che lei, Maryam, era sempre stata precipitosa e avventata nelle decisioni.

Perché aveva promesso? Maryam non sapeva dirlo. Ad averla fregata era stata forse la dolcezza dell'amica. Non era certo la prima volta che qualcuno era dolce con lei. C'erano le sue zie ad amarla e anche il vecchio Gurey. Ma c'era in Howa una tenerezza che non aveva uguali. Una tenerezza che riempiva Maryam come un otre. Howa Rosario quel primo di luglio era diventata così l'amica specialissima di tutta la sua vita e in un certo senso il surrogato della madre che la ragazza non aveva avuto modo di odorare.

A Maryam avevano detto che aveva preso da quella donna lontana, ignota, solo poco latte. Era stata svezzata in fretta, Maryam, quasi con affanno. Il perché era racchiuso nel dolore di una perdita. Era stata la morte dello sposo adorato, sul fronte Sud di Graziani, a esaurire la linfa di femmina della sua genitrice e ad accelerarne anche la scomparsa. Alla mamma di Maryam si erano seccati in corpo tutti i liquidi di donna. Prima sparì il latte materno, poi il sangue mestruale e a poco poco senza che nessuno se ne rendesse ben conto, anche tutti i fluidi vitali. Morì di secchezza, la madre di Maryam Laamane. Prosciugata dal dolore. La sua vita si era fermata in una landa sconosciuta, sul fronte Sud di Graziani, dove il marito, amato come pochi, perse la vita per la prepotenza di un debole uomo bianco. In quel primo luglio 1960, Maryam sentì di aver trovato una nuova mamma: Howa Rosario. Una donna che sapeva anche essere sorella, amica, complice. Si chiamava Howa come la prima donna del creato e a Maryam sembrava un grande sogno quella sua amicizia.

Ma niente, nemmeno l'amicizia più intensa è paragonabile all'amore. A quello Maryam Laamane non era per niente preparata e quando arrivò si sentì presa da un ciclone.

«Non sapevo nemmeno il suo nome...».

Lo aveva visto in una via isolata dove regnava agrodolce l'odore spurio delle banane. Lo aveva visto per meno di poco, ma già si sentiva parte di lui.

«Se non lo vedrai più, non ci penserai più...» si diceva.

Ma i giorni, pur passando inesorabili, non riuscirono a far sbiadire in lei il ricordo di quell'incontro fugace. Quel ragazzo e la sua futa erano ormai pezzi del suo cuore.

In quei giorni, Maryam cominciò a comportarsi in modo strano. Stava a lungo in silenzio. E spesso per distrarsi guardava il volo concentrico dei falchi. Ma non sognava più di inseguirli. Si sentiva tutta storta, non più capace di seguire il sogno di quel volo. Guardava i suoi piedi e si sentiva prigioniera. Ancorata a una terra che la costringeva a una vita che non voleva.

Uno strano languore la prendeva di sera al basso ventre. Aveva voglia di toccarsi per poter placare quella tempesta. La mano scivolava giù sotto le lenzuola. Toccava fuggevolmente il pube, poi ogni sera la mano si ritraeva spaventata. Lì sotto c'era la cucitura. Quella che le aveva fatto tanto male. Se lo ricordava ancora, quel giorno maledetto. Il giorno che era stata infibulata. Dopo non era più riuscita a fare bene la pipì per giorni. Un dolore indicibile. Ora la voglia era di strappare quella cucitura. Metterci il dito e placare quello struggimento. Però non era sola in quel letto. Dormiva con la cugina grande, che già si era lamentava per il suo tanto muoversi e rigirarsi. Doveva stare attenta. E poi lo sapevano tutti che erano i *ginn* a guidare le mani delle ragazze verso le zone proibite.

Così Maryam in quei suoi strani giorni aveva cominciato a toccarsi fuggevolmente, come una ladra, temendo i *ginn* e la vergogna. Chiudeva gli occhi Maryam e cercava ogni volta di visualizzare il ragazzo della camicia di lino. Non l'avrebbe mai confessato a nessuno, ma quanto desiderava che fosse lui, e non la sua mano, a toccare le zone proibite. Era in quei giorni che Maryam Laamane capiva il senso di molte scene che vedeva nei film di Hollywood e che nessuno le aveva mai spiegato. Ora capiva il senso di quei letti e di quelle lenzuola stropicciate. Di quelle porte chiuse, dopo che gli eroi entravano mano nella mano. Ora capiva perché la colonna sonora aumentava di volume quando la macchina da presa si allontanava dalla coppia innamorata per zoomare su una finestra solitaria. Capiva perché Doris Day facesse tante storie quando vedeva un letto, perché s'inventava storie o si faceva venire la varicella. Maryam capiva tutto ora. Era legato a quel languore e al pelo pubico delle donne. Era legato in qualche modo anche a lei.

Le zie la guardavano benevole. Molte sussurrando proferivano una verità che a Maryam sembrava troppo ovvia per essere vera. «*Wa Qoqday*» dicevano le zie. «Sta crescendo, sta attraversando le tempeste ormonali. Che Allah le dia conforto, passerà, passerà. Succede a tutti, uomini e donne. Si va a dormire bambini e ci si ritrova in un istante adulti. Fa paura».

In quei giorni di mutismo, l'unica novità rilevante della sua vita fu il suo lavoro all'azienda telefonica somala. Aveva ottenuto il posto da centralinista. Era uno degli annunci che voleva dare allo zio Gurey. Per questo era andata al comprensorio del Basso Scebeli, quel giorno. Voleva dirgli che era diventata una donna, che finalmente aveva le sue cose e che era anche una lavoratrice.

Non era stato facile ottenere quel lavoro. Aveva combattuto tanto. Come una leonessa. Ma l'aveva spuntata. Erano passati due anni dal giorno dell'indipendenza, quando Maryam Laamane si presentò al reclutamento dell'azienda telefonica somala. Era il febbraio del 1962. Aveva coperto i suoi molti ricci con un *garbasaar* leggero. L'unica concessione alla Somalia. Per il resto Maryam, al pari di altre sue colleghe, era vestita all'occidentale: gonna lunga nera e camicetta bianca. Di quel reclutamento aveva avuto notizia da Ruqia, la scalmanata. Lei era una che ficcava il naso (e le orecchie) dappertutto. A Mogadiscio era Ruqia a tenere le fila di tutti i pettegolezzi. Ruqia la scalmanata, con quel rossetto troppo acceso sulle labbra e quei denti decisamente troppo lunghi. Sembrava un topo, Ruqia. Non stava simpatica quasi a nessuno, ma Maryam Laamane la trovava innocua. Fu tra le prime conoscenti a morire quando scoppiò la guerra civile del 1991. «Le si fermò il cuore ai primi colpi di mortaio. Parlava degli altri e delle loro vite, perché concentrarsi sulla sua le risultava un compito troppo arduo. Quando lo ha fatto, la paura se l'è portata via». La chiamavano scalmanata perché, ogni volta che aveva un pettegolezzo fresco, correva da una parte all'altra della città come una vera matta.

Quando Maryam arrivò all'azienda telefonica, vide una moltitudine di ragazze vestite uguale a lei. Stessa gonna nera, stessa camicetta bianca.

«E i posti, Zuhra, erano solo cinque».

Maryam pensò che il mondo non fosse cambiato poi molto. Era ovunque e in ogni tempo la stessa gazzarra. Pochi i posti di lavoro e moltitudini alle selezioni. Maryam rise ripensando a come si sentiva elettrizzata in quel momento. Avrebbe dato qualsiasi cosa per superare le altre vestite come lei. Cominciò a pregare e a mercanteggiare con Dio sul suo futuro. Prometteva di digiunare, di fare l'elemosina con il suo primo stipendio, di non andare al cinema per una settimana, di aiutare la zia Salado per il venerdì seguente, di salire le scale con il piede sinistro. Ogni minuto che passava, le promesse a Dio diventavano stupidi atti di superstizione.

«Tu Zuhra, ti chiederai perché tanto pena per un misero lavoro... dopotutto era un call center... solo che noi mettevamo in comunicazione la città, non pubblicizzavamo nessun prodotto, come fate voi oggi. Però sì, in fin dei conti era un call center. Come quello all'Eur che odiavi tanto. Beh, come spiegarti... per noi era un lavoro, quello. A noi bastava così, eravamo contente con poco».

Maryam sapeva solo che quel lavoro lo desiderava moltissimo. Significava essere libera, pagarsi le spese, il cinema, i vestiti, aiutare le zie. Con quel lavoro non sarebbe più stata una mocciosa, ma una donna rispettata anche nella sua stessa famiglia. Certo le sarebbe piaciuto continuare a studiare, ma costava molto andare oltre la seconda media. Tanto ormai le cose principali le sapeva, non c'era bisogno di altro. E poi, per le cose della vita c'era il cinema. Il resto lo avrebbe imparato da lì.

Improvvisamente una voce potente riscosse la ragazza dai quei suoi pensieri. Era di un testa bianca. A vederlo, nessuno gli avrebbe dato un centesimo, ma la sua voce tuonante era famosa in tutta la Somalia. Era il signor Sabrie. Il dj gobbo della radio nazionale, la testa candida con ormai migliaia di anni sulle spalle. Era diventato dj in vecchiaia, il signor Sabrie, prima era uno che raccontava storie alle feste rionali. Poi con l'indipendenza si era messo a fare gli *ogeyisiis*. Tutti prima o poi in radio facevano gli *ogeyisiis*. Ma nessuno ci metteva il pathos di testa bianca Sabrie. Dell'emittente nazionale l'*ogeyisiis* era il programma più seguito, si cercavano le persone scomparse in città. Mogadiscio era grande e la gente scompariva. Chi per amore. Chi per dolore. Chi in qualche fossa comune, mangiato da invidia o belve feroci. *Ogeyisiis*. Quando in Italia, Maryam vide anni dopo *Chi l'ha visto* alla televisione nazionale, le uscì fuori un mezzo sorriso – loro del Terzo mondo c'erano arrivati prima a fare un programma così. Avanguardia pura.

Ogni giorno, Sabrie descriveva nasi, illustrava occhi, disegnava bocche con la matita delle sue parole. Aveva sempre poco tempo per descrivere le persone scomparse con minuzia, allora tirava a casaccio pennellate di vocaboli che potessero dare l'idea di una persona. L'essenza. In quel modo riusciva sempre a essere preciso, in storie che di precisione non avevano nemmeno la parvenza. Poi, come tutti, era approdato alla musica e ai telegiornali. Come molti andava anche ad animare le feste di matrimonio. Quanto gli piacevano le feste *aroos*, certo non era bravo come il collega Roble, quello era il dj che tutti avrebbero sognato di essere, ma se la cavava abbastanza. Se la cavava più che discretamente.

Quel giorno fu lui a radunare le ragazze sul piazzale antistante l'azienda telefonica somala. La sua voce si affittava per pochi scellini e non era insolito trovarlo nei posti più stravaganti della città. Sabrie non si guardò neppure intorno, non gli importava di vedere le facce. Lui era stato chiamato solo per fare un annuncio e del resto si curava poco. Aveva un tariffario Sabrie e nel tariffario non era compreso il guardarsi attorno. Fece il suo dovere, annunciando a quella folla di figlie d'Eva l'inizio della lunga lotta per le selezioni. E tutte loro ubbidirono come agnelli.

«*Assalamu alaeikum*, sorella, mettiti in fila per segnarti all'esame».

«Hai una penna? E un foglio?».

«Il documento?».

Allora santifica il nome di Dio e comincia a scrivere. Non guardare il foglio delle altre, è un comandamento comune a tutte le religioni del Libro, il quinto, non si ruba il destino del prossimo. Se lo meriti, il lavoro verrà da te, vedrai.

«E così facemmo un dettato in lingua italiana, Zuhra mia. L'italiano era ancora la lingua ufficiale dello stato somalo, nonostante l'indipendenza».

Maryam si ricordò di come era fluida la sua calligrafia in quei giorni. Le sue O e le M correvano lisce sul foglio seghettato dalle righe orizzontali. Il dettato raccontava la storia di Marco, un ragazzo degli Appennini che aveva fatto un lungo viaggio per ritrovare la sua mamma persa. «Quel Marco, figlia mia, mi ha portato molta fortuna. Sono stata la più brava. Ho cominciato a lavorare tre giorni dopo».

Il lavoro le piaceva molto. Aveva in sé una sorta di onnipotenza. Collegava la città, le sue bocche e le tante orecchie. Poi sì, c'era la faccenda dei segreti. Si sapeva tutto di tutti. Chi tradiva chi, chi truffava chi, chi usurpava chi. Si diventava vestali della discrezione. Si conoscevano i ruffiani, le adultere, i cospiratori, per nome, patronimico, tribù, numero di telefono. Ma queste informazioni erano riservate. Nessuno dell'azienda telefonica rendeva noto quello che conosceva. Era una regola non scritta di chi prendeva servizio. Quindi orecchie aperte, mani veloci a manovrare spinotti, ma bocche cucite, serrate come le cosce di una vergine. Le centraliniste erano molto rispettate in città. Tutti sapevano quanto solida fosse la loro discrezione.

Era un bel lavoro. Maryam Laamane lo sapeva. Una parte di lei era anche molto felice di essere nella schiera delle centraliniste dell'azienda telefonica somala. Era onorata di essere tra quelle donne riverite e coccolate. Ma solo una parte di lei era felice, solo una piccola parte. L'altra, la più grande, la più rilevante, pensava a come sarebbe stata triste la sua vita accanto a un uomo che non amava, accanto al figlio della sarta Bushra, che doveva sposare per una promessa avventata.

Il figlio di Bushra... quello sì che era un bel mistero. Nessuno l'aveva di fatto mai visto. Erano anni che non viveva in Somalia. Andava in giro per l'Africa a succhiare gli insegnamenti dei migliori sarti del continente. L'ultima volta che qualcuno aveva avuto notizie di lui si trovava in Mali, a carpire i segreti delle tele a cera. Nessuno le aveva saputo dire se quel figlio della sarta Bushra fosse simpatico o meno. Anche sul suo aspetto fisico la gente aveva parecchi dubbi. Non solo nessuno sapeva dire se fosse bello o brutto, ma le notizie che aveva avuto sulla sua corporatura erano frammentarie e confuse. Il colore degli occhi non era pervenuto, la lunghezza dei capelli nemmeno. E lo stesso valeva per tutto il suo corpo di uomo: peli, torace, braccia, viso. «Stava sempre piegato su quella sua dannata macchina da cucire e chi l'ha mai visto in faccia!». Il figlio della sarta Bushra era un mistero per tutti.

Anche Howa Rosario non era molto di aiuto. Lei lo aveva visto una volta. Nel suo ricordo, infarcito di paura, il figlio della sarta Bushra era naturalmente un mostro. Maryam Laamane in quei giorni si chiese come sarebbe stato essere sposata al mistero.

Poi ci fu la festa della bastonata. Lo *Stuun*. Quella cambiò il corso della storia.

L'idea di andare ad assistere a quella festa riportò il sorriso sul volto di Maryam, che ridivenne ciarliera. Come diceva quella canzone che Maryam aveva sentito secoli dopo alla radio in Italia: non si può essere seri a diciassette anni. Come gli adolescenti di quella canzone, anche il bicchiere di Maryam era pieno di limonata fresca in quei giorni lontani. Le piaceva molto quella canzone italiana. Dei Têtes de Bois. Le ricordava sensazioni perse. Anche lei a diciassette anni immaginava un bacio e poi dimenticava di non averlo mai dato. Il bacio per lei era sempre un leggero tocco sulle labbra di quel ragazzo misterioso sulla bicicletta. Come i diciassettenni di quella canzone, anche Maryam in quei giorni sognava romanzi d'appendice e la stellaccia innamorata dentro la sua pancia tremava di emozioni proibite. La festa della bastonata le fece dimenticare per un attimo il figlio della sarta Bushra e la promessa fatta all'amica Howa Rosario. Per un attimo ritornò ad avere diciassette anni e a sognare.

L'idea di andare ad assistere alla festa della bastonata venne allo zio Gurey, al comunista. Maryam, strappato il consenso alle zie, mise su un gruppo per andare ad Afgoi, dove la festa si teneva ogni anno. Convinse il cugino Hirsi e la sua consorte Manar, nonché l'immancabile Howa. Il cugino aveva una Cinquecento usata. L'aveva lasciata un italiano. Lui se l'era comprata col sudore della fronte. Il motore era messo piuttosto male, ma Hirsi era bravo nei giochi di prestigio della meccanica e in poco tempo aveva trasformato una carcassa vivente, in una macchinina bella ed efficiente. Guidava fischiettando, Hirsi. La moglie invece era muta. Parlava poco, ma quando lo faceva era sempre il terremoto.

Fu lei a dire: «Lo sapete, è tornato da tre settimane il figlio della sarta Bushra, forse verrà alla festa della bastonata. Sono curiosa di vederlo, quasi non mi ricordo più la sua faccia».

Sulla piccola Cinquecento calò un silenzio raggelante. Howa cominciò a singhiozzare in silenzio la sua paura. Maryam Laamane invece si morse il labbro inferiore. Uscì del sangue.

La Reaparecida

Ho cambiato spiaggia. Non sto più a Carthage Amilcar. Non era male Carthage, con i suoi ragazzi guardoni, le donne schiamazzanti e quel mare sporco di baguette e buste di plastica. Ora però non sto più lì. Ho cambiato spiaggia. Mi sembra di aver cambiato vita.

Mar, tu mi hai sorriso stamattina presto. Mi sono meravigliata. E un po' preoccupata. Era da tanto che non ti vedevo sveglia la mattina presto. Mi hai sorriso e mi hai detto che non avevi mai sentito un gallo fare chicchirichì. Credevi, mi hai detto, che fosse roba da spot della Kelloggs'. Una leggenda metropolitana. Credevi che solo le sveglie o i cellulari facessero chicchirichì. Invece era vero, «Tutto fottutamente vero» mi hai detto. Sei scesa a vederlo il gallo. La padrona del bed & breakfast te lo ha mostrato. Sei corsa in terrazzo per riferirmi la tua scoperta. «Ha la cresta rossa» hai gridato. Hai svegliato Zuhra e hai messo su una faccia da bambina che era proprio adorabile. Ti ho abbracciata e non mi hai scacciata come al solito. Era bello sentire di nuovo il tuo calore, figlia mia. Sentire la tua pelle, il tuo odore. Mi sono ricordata di quando ti davo il seno e la Flaca ci guardava dondolando il corpo. La Flaca ci cantava la canzone di Dylan, l'unica che le era rimasta in testa dalla sua vita di prima.

Ho cambiato spiaggia. Non sto più a Carthage. Ora sto a Mahdia. Qui c'è molto silenzio. La gente c'è, ma non produce rumore. Sembrano tutti attori di un film muto. Anch'io mi sento un po' Buster Keaton, tra tutte queste marionette mute. I gesti sono gli stessi della gente che popola Tunisi città, ma senza chiasso, senza l'inferno di clacson, musica assordante, cicaleccio vuoto, della grande città. Credo che dipenda dai morti.

Io stanotte ho creduto di vederli, i morti. Non avevo paura, anzi ero molto curiosa. Forse però è solo suggestione. Zuhra dice che anche lei ha creduto di vedere i fantasmi. «Non hanno catene e lenzuola» ha sentenziato, «sono solo le nostre ombre». Che strana ragazza, Zuhra. A volte mi ricorda la mia Flaca. Soprattutto quando la vedo china sui suoi taccuini, stesso sguardo ritrovato. Però è stata una notte strana, densa di pensieri. Un po' credo sia dovuto all'aver dormito tutte insieme sulla terrazza. Mai dormito in una terrazza, nemmeno da giovane. Nemmeno da bambina. Quando la signora del bed & breakfast ce l'ha proposto stavo quasi per risponderle male. Però mi ha fermata l'amica di Zuhra, quella strana italiana dai capelli lucidi. Lucy con un gesto mi ha bloccato. La sua mano era così ferma che ho avuto paura persino di pensare a una qualsiasi replica, figurati farla. Mi sono bloccata quindi. Lucy ha preso in mano la situazione e siamo finite tutte in terrazza. «È romantico» ha sentenziato Lucy. «Ma se siamo sole» ha tentato una lamentela Zuhra. «Meglio» ha tagliato corto Lucy.

In terrazza non eravamo sole, però. C'erano una coppietta di svizzeri, lui biondo lei pure. Una maestra francese. Un avventuriero spagnolo e un paio di studentelli libanesi. Noi abbiamo occupato un angolo e ci siamo messe a chiacchierare. Ho guardato banalmente le stelle e ho notato ancor più banalmente che le vedevo. A Roma le stelle non si vedono più. Mi sono ricordata che a Buenos Aires le stelle le vedevo. Quando ero piccola, con Ernesto giocavamo a dare loro nomi assurdi. A Buenos Aires le vedevo le stelle... eccome.

Ho cambiato spiaggia. Sono a Mahdia adesso. È una chicca questa città. Un po' fuori (mi chiedo ancora per quanto) dalle grandi mete del turismo balneare godereccio. Qui ci si viene, lo dice la *Routard* e lo dice pure la *Lonely Planet*, per cercare tranquillità. Qui ci si viene per meditare, per liberarsi dai crucci. Per poltrire con saggezza. Io ci sono venuta perché me lo hai detto tu, Mar. E a te chi te l'ha detto? O forse te l'ho detto io e non me ne ricordo? O chissà, è stata una coincidenza e non ce l'ha detto nessuno. Forse ci hanno chiamato i morti. Qui ai morti hanno dato il posto più bello. Il cimitero si affaccia sulle acque del mare, le tombe riempiono la spiaggia e per fare il bagno devi passarci in mezzo, devi salutarle, omaggiarle, chiacchierarci.

Ho cambiato spiaggia. Non sto più a Chartage, sono a Mahdia. Con i morti mi intrattengo e sto raccontando anche a loro la storia che sto raccontando a te, Mar. Sto provando ad essere sincera fino in fondo.

A Roma, negli anni settanta andavamo a Ostia per fare il bagno. A Pablo Santana piaceva tuffarsi. Era un bravo nuotatore in Argentina. Mi sembra che avesse vinto anche una medaglia a qualche torneo giovanile. Che bel corpo aveva Pablo. Anche ora non è male, sai? Mi scopro ancora a guardarlo con desiderio. Ma lui non poteva appartenermi, la sua purezza sconfinava nel sacro. Era una sorta di cavaliere, uno di quelli che cercavano il Sacro Graal, uno di quelli che dovevano essere incontaminati prima ancora di essere concepiti. Lui avrebbe potuto appartenere alla Flaca, se solo ci fosse stata con la testa. Ma ora che ci penso lui apparteneva alla Flaca, ma lei non lo sapeva.

Quando quel programma di Alberto Tatti finì, per noi cominciò uno psicodramma collettivo. La prima sera, nessuno ebbe il coraggio di accennare a Rosa che quel viaggio africano era finito dov'era cominciato, a Orano. Lei si aspettava di andare nell'entroterra, si aspettava di mangiare altro *mafe* senegalese, si aspettava di potersi dimenare a ritmi di nuove rumbe congolesi. Invece Alberto aveva finito. Aveva augurato al suo pubblico un buon proseguimento con i programmi di Radio 77 e si era congedato. Molto formale, quasi senza calore. Un commiato freddo, poco africano. Io ricordo di esserci rimasta male. Ma come? Dissi tra me e me, dopo tutto quel calore, quel sudore? Ma come, dopo tutti quei treni presi, quei traghetti persi, quei chilometri macinati? Ma come Alberto, ci saluti così? Non pensi a noi, che siamo stati con te tutto questo tempo, che siamo stati la tua costola, i tuoi discepoli? Non pensi alla Flaca, che ti aspettava come si aspetta l'unico anelito di vita?

Anche Nuccia ci era rimasta un po' male. Non si aspettava quella fine così brusca. L'Africa lei non la conosceva, ma soleva sempre dirci che «Er mi Renato ha fatto la guera d'Africa» e dopo se ne stava sempre un po' zitta. Poi, quando tutti stavamo già su altri pensieri, si ricordava di dirci il seguito: «Ce l'ha mannato quer fijo de 'na mignotta der duce. Ma che male c'avevano fatto 'sti africani?». Prendeva un fazzoletto dal cestino del cucito che teneva in grembo e si asciugava gli occhi lucidi dalla commozione. «Voleva morirci in Africa, er Renato mio. Mi diceva sempre che quando che finiva la guerra, ci compravamo un terreno lì, ci facevamo la nostra bella fattoria e vivevamo felici e contenti. Ma restando uguali agli altri, non superiori come voleva Benito. Come gli altri. Africani pure noi». Il pianto, arrivati a questo punto, non cessava di fermarsi, le sgorgava sulle guance come un fiume in piena. Il seguito lo diceva in un sussurro strano. «Voleva mori' laggiù, Renato, in quella città di mare, invece è morto a Roma. Povero Renato. 13 agosto 1943: Casilino-Tuscolano. Hanno bombardato er treno che lo riportava a casa».

Forse la voce di Alberto l'avvicinava al suo Renato, chissà. Ogni tanto quando vado al Verano a portarle i fiori, a Nuccia, le parlo delle storie di allora e a volte sì, mi commuovo e piango. Ma è diverso, Mar, non è il pianto sulle tombe sconosciute, è un pianto di tributo a chi si conosceva.

Quella prima sera senza Alberto fu terribile. Ci guardavamo tutti storto. E guardavamo fissi la Flaca. Alla fine fu il rancore a ucciderla. Il rancore e nient'altro. Rosa era così, si portava tutto dentro con aggraziata indignazione, orgoglio di diseredata.

Quando finì il programma di Alberto tutto il dolore represso l'annientò. Quel programma era stato una parentesi di felicità incosciente. Come l'*hamsin*, affannoso vento del deserto che riallaccia soffiando gli amori sciupati. La voce barocca di quell'uomo, il sound metallico dei suoi sospiri, la saliva che scendeva malandrina a ogni suono gutturale. Una stupida parentesi sei stato, ragazzo mio. Un inutile magico *hamsin*. La prima sera senza Alberto fu collera pura. La Flaca si dimenò come una biscia ferita. Tremava in ogni angolo e la bocca schiumava panna. Fu così per tre sere. Poi smise e cominciò a piangere in quel suo modo strano. Non lo sopportavo. Non si sentiva un singhiozzo. Era come un film muto, era solo espressione di dolore, aria bloccata nei polmoni, fiato trattenuto. Faceva impressione non sentire piangere la Flaca. La vedevi in lacrime, ma senza suoni.

Fu al settimo giorno consecutivo di pianto davanti alla radio spenta di Nuccia, che decisi che forse dovevo andare a cercare quell'uomo, quel dj. Ero grossa. Una sfera di grasso, cordone, liquido amniotico e te ancora feto, figlia mia. Il tempo stava per finire e il mio affanno era totale. La radio di Alberto oggi non trasmette più. Allora stava in una traversa lontana della Prenestina, un po' prima di Centocelle. Locali fatiscenti, polvere, pile di giornali accatastati, puzza di marijuana, poster del nostro Ernesto Guevara alle pareti. E poi pugni chiusi, black panther, De André e, fatto strano, un ritratto a china di Eleonora Duse. Un'immagine mi scivolò in testa, mio padre che parlava con occhi brillanti a tavola di quell'attrice sul muro. A lui piaceva molto la Duse. E mia madre, ricordo, era sempre stata un po' gelosa di quella diva là.

Vidi un uomo. Uno con dei baffi bianchi e lo sguardo verde. Un bel signore, pensai, troppo grande per stare in un posto di idealisti adolescenti come quelli. «Scusi, conosce Alberto Tatti?». Il signore con i baffi distolse lo sguardo dal giornale che stava leggendo. Lo fissò su di me. Io invece mi fissai sul suo giornale. Si parlava di Argentina. Un articolo intero. *Milagro*! Quasi prima pagina. *Milagro*! Non so cosa mi prese, strappai i fogli dalle mani di quel baffuto marziano e cominciai a scorrere le righe come assatanata. Fui brusca con lui, molto. Anche maleducata credo, ma non mi importava un fico secco del bon ton in quel momento. Scorrevo le righe in *trance*. Solo di quello mi importava. Delle righe e della mia *trance*.

Lessi l'inizio della notizia, naturalmente mi misi a piangere poi. Era un articolo su di noi, sul nostro dolore argentino. Non credevo che qualcuno in Italia sapesse. All'estero era diverso. In Olanda si erano dati da fare e anche in Svezia si parlava molto di noi. Mi aveva detto Pablo Santana che persino in quella terra ostile degli Stati Uniti, qualcuno tribolava insieme a noi *desaparecidos*. Invece in Italia era silenzio. Quel mutismo mi offendeva. *Carajo*, eravamo quasi tutti italiani in Argentina, chi la madre, chi il padre, chi il nonno, chi un amico, come faceva proprio l'Italia a ignorare? Lei scorreva nelle vene dei nostri corpi maltrattati, possibile che se ne fregasse altamente del nostro sangue? Maledetta! Non le importava se eravamo suoi fratelli o sorelle, non le importava se venivamo dagli Appennini o dalle Alpi, non le importava se i colori delle nostre squadre di calcio erano presi dagli stemmi storici delle città marinare. Se ne fregava e basta. Maledetta stronza!

Vedere il nome del mio paese su quel giornale italiano però, mi scaldò il cuore. Ho ancora memoria di quel calore diffuso. Non mi scusai con l'uomo dallo sguardo verde. Fissai solo il nome del giornale, da quel momento avrei fatto salti mortali per comprarlo. L'uomo mi disse solo «È un giornale nuovo, sembra interessante. Lo fanno Rossana Rossanda e compagni. Sa la scissione...». E si perse in spiegazioni di politica italiana che stentavo a seguire. Strano, quel giornale sempre in crisi, sempre affogato, è una delle poche cose che abbiamo in comune io e te, Mar. Anche noi sempre in crisi, sempre affogate come quel giornale lì. Sempre con speranze di rinascita. Tu, lo so, lo compri perché non puoi perderti i tuoi guru del cinema d'autore. Io, invece, perché ci sono affezionata? Perché me lo compro ancora? Quando qualcuno me lo chiede, rispondo semplicemente «Loro c'erano». A me basta.

L'uomo mi disse che Alberto era in Africa. Dalle parti di Timbuctu. Ebbi la visione di manoscritti antichi e di leggende. Di saggi tuareg e cammelli parlanti. Poi pensai agli ippopotami. Sì, a quei grossi maiali d'acqua. A Elias, a tuo padre, piacevano molto gli ippopotami. Li trovava franchi e possenti. «Mi piacerebbe» mi aveva detto una volta «vivere sul dorso di un ippopotamo». Questa sua frase nel tempo mi ha fatto molto pensare. Mi sono chiesta dove sia ora, quell'uomo strano che ho amato per una sola notte. E quando ci penso, lo vedo accucciato sopra il dorso di un ippopotamo. Per questo l'estate scorsa volevo andare in Mali a tutti i costi, ricordi? Poi non sono andata. Non ho avuto il coraggio. È che volevo cercare lui, tuo padre. Sono sicura che sta là ora. Sicura come sono sicura che il sangue scorre nelle mie vene. E che Mali, amore mio, significa ippopotamo.

Comunque Alberto Tatti era a Timbuctu. Lontano da me e lontano dalla Flaca. Io rimasi paralizzata davanti a quell'uomo con i baffi. Per il dolore mi caddero i fogli del giornale sul pavimento impolverato. Non riuscivo a muovermi. Avrei voluto essere una farfalla per volare a Timbuctu e riprendere quell'uomo per il collo. «Ehi, torna, abbiamo bisogno di te, la Flaca ha bisogno di te». Nella borsa avevo una decina di cassette vuote. Avrei voluto che quel dj ci registrasse sopra una cosa qualsiasi, una sorta di replay del suo viaggio per le metropoli africane. Un programma personalizzato con cui placare il rancore della Flaca.

«Posso lasciargli un messaggio e delle cassette?».

«Beh sì, ma signora non sappiamo quando tornerà».

«Forse farà in tempo».

Dissi quella frase e sentii il cuore sobbalzarmi in gola.

Forse farà in tempo... forse....

Presi un foglio quadrettato trovato su un tavolaccio su cui correvano incoscienti delle formichine rosse. Tu mi stavi dando tanti calci. Sentivi la mia tristezza, amore? Non mi davi tregua. Il mio affanno andò oltre le mie aspettative. Come un sacco mi gettai su una sedia. E scrissi una lettera ad Alberto Tatti, idealmente fermo posta Timbuctu. Consegnai poi tutto all'uomo con i baffi e me ne andai com'ero venuta, a mani vuote. Mi faceva male da morire la schiena. Sentivo il parto vicino. Infatti dopo sei giorni hai deciso di uscire fuori, *cariño*. Avevi una bella testolina e tanti capelli appiccicati alla nuca.

Fu solo il rancore a uccidere la Flaca. Solo il rancore, figlia mia. Dovevamo capirlo che non sarebbe durata, dal momento in cui si era tolta il costume bianco da Marilyn Monroe. Inaspettata sorprendente decisione, la sua. Era il giorno in cui tu avevi cominciato a fare buffe smorfie. Si tolse la sua divisa proprio quel giorno lì. All'improvviso ci avete stupito tutte e due. Telepatia femminile. Per un attimo io e Pablo fummo perfino felici. Ora lo so, non c'era niente di gioioso in quella decisione. La tenuta da pagliaccio, quell'abito bianco che Billy Wilder aveva scelto per iconizzare Norma Jeane, era il cordone ombelicale che legava ancora Rosa a noi vivi. Era totalmente ridicolo, ma era vita. Ora lo so. Ma quando se lo tolse io e Pablo Santana addirittura festeggiammo. Ci sembrava un ritorno alla sua normalità, alla sua vita di un tempo.

Quel giorno, il giorno delle tue guance buffe, dell'addio a Norma Jeane, Rosa Benassi figlia di italiani fece una lunga doccia. Lunga e umida. Tutto, nel nostro buco di San Lorenzo era appannato dall'umidità canicolare che emanava il nostro piccolo bagno. Rosa ne uscì senza parrucca e senza vestiti. Nuda. I peli pubici erano di un colore rosso accesso. Mi meravigliai. Non avevo mai visto peli di quel colore. Mi ero già scordata che nella sua vita di prima, Rosa Benassi, figlia di italiani, era stata rossa come le madonne di Tiziano. Pablo Santana ebbe un'erezione. Fu inevitabile per lui. Non era desiderio. Non era niente. Solo stupore di vederla lì, come la prima donna del creato. Fu quasi un inno alla sua bellezza. Anch'io ebbi un'erezione. Dove non so, ma la ebbi. Il mio pene immaginario si drizzò verso un cielo di cartone. Lei non provava imbarazzo per le nostre reazioni terrene. Ci oltrepassò e si chiuse in camera. Aveva lasciato la tenuta bianca da Marilyn in bagno, tra vetri appannati e vapore acqueo. Quando uscì dalla stanza era un'altra. Non Rosa. Non più Marilyn. Era un'altra. Assomigliava vagamente alla sua maestra di danza. Una crocchia in testa, un cardigan marrone e una gonna nera. Sotto una canottierina desertica. Tutta roba mia. Le stava infatti tutto un po' grande. La Flaca era di una magrezza assoluta. Io, poi, avevo da poco avuto te, Mar, i miei vestiti erano *oversize*. La Flaca ballava dentro i miei abiti, ma se li portava addosso con una naturalezza che faceva pensare che fossero suoi da sempre.

Fummo felici io e Pablo di quel suo cambiamento. Di quel suo mettere la testa a posto. Pablo si propose di cucinare del risotto, era bravo a fare il risotto con lo zafferano, era una specialità di sua nonna, diceva. Lo lasciammo in cucina a trafficare. Poi venne Nuccia. E non fu contenta. Lo notavo da come si mordeva il labbro inferiore. «Non è buon segno» diceva. Io e Pablo a minimizzare, a rassicurare. Lei le pettinò i capelli segosi anche quella sera. Sciolse la crocchia e le fece una bella treccia da squaw. La Flaca non reagiva. Immobile. Incollata allo spazio occupato dal suo corpo. Assenza di movimento. Però questo non ci preoccupò poi tanto, si era tolta la tenuta da Marilyn, a noi questo già bastava. Imbecilli... ecco cos'eravamo. Imbecilli patentati. Non avevamo capito che quella sera era già troppo tardi.

Erano stati mesi difficili quelli. Il parto mio, la fine del programma di Alberto, la Flaca che non dava nessun segno di vita respirata. Anche Pablo era nervoso. Le papere si vendevano sempre di meno. Eravamo in una situazione economica disastrosa. Lo vedevo la sera, Pablo, che dava le testate al muro, lo vedevo stanco dalle mille cose che faceva per noi. Un giorno, venne e mi disse, «Ho trovato un lavoro». In realtà non so se si poteva chiamare lavoro, era solo sfruttamento. Dodici ore in un calzaturificio a Cisterna di Latina, un viaggio. Un massacro. Pablo usciva con il sorriso e la sera stremato fingeva lo stesso sorriso della mattina. «Sei stanco?». Non rispondeva mai. Era una domanda che mi potevo risparmiare, era scontata, come la risposta. La facevo ogni sera però. Ogni sera speravo che mi dicesse «Sono distrutto». Ogni sera sognavo di abbracciarlo, massaggiarlo e dirgli: «Da domani lì non ci vai più». Era un testardo Pablo a quei tempi e anche oggi che sono passate le estati della nostra esistenza, anche adesso, è un testardo come pochi. Quanto desideravo il suo corpo, in quelle sere strane. Volevo dimenticarmi dell'angoscia che mi prendeva al pancreas, volevo dimenticarmi anche della Flaca e del suo dolore spropositato che non riuscivo a digerire.

Ogni tanto Rosa guardava la radio spenta. Nuccia alla fine ce l'aveva data del tutto. Non l'accendevamo mai. Non c'era più Alberto. Non aveva senso sentire voci estranee che non erano la sua. Rosa lanciava rapidi sguardi al cassone sonoro, quasi si vergognava. Ansia di un tradimento sognato. Aveva bisogno di voci, ma si sentiva in debito con Alberto, per quel suo viaggio meraviglioso. Non piangeva più però. Era un sollievo. Non sopportavo quelle lacrime senza suono.

Così defluiva la nostra vita in un tran tran fatto di gesti consueti. L'unica inconsueta eri tu, figlia mia. Ci rallegravi con le tue scoperte, con i tuoi pianti che si trasformavano in linguaggio. Era affascinante guardarti e anche Rosa per lunghi attimi era rapita da te. Sono contenta che vi siate incrociate, nonostante tutto. Nuccia mi ha dato una grande mano a quei tempi. La portava ogni mercoledì e ogni venerdì a ballare a via dei Giubbonari. In realtà la Flaca non ballava, si metteva in un angolo a guardare i corpi delle altre tendersi verso la melodia della propria anima. Alla maestra di danza non importava se la Flaca ballasse o no. Conosceva la sua storia e non era un peso per lei farla assistere. Ne era felice. «Un giorno ballerà di nuovo» mi diceva e quasi ci credevo. Era una buona donna, con una crocchia in testa, credo volesse bene a Rosa. Era ungherese. Era stata deportata a Auschwitz. «Ballerà di nuovo come ho fatto io» e la faceva assistere.

Però un giorno Rosa smise di andarci da Madama Elsa. Non uscì più di casa. Provammo a convincerla. A dirle quanto bello fosse a primavera il sole di Roma. Ma niente da fare. Stava in casa. Giocava con te, Mar, e molto tempo lo passava guardando la radio spenta in cerca di quella voce di uomo perduta.

Poi un giorno, non so dirti quando, cominciò a lavare le cose. Lavava, puliva, strofinava, sciacquava. Tutto il suo tempo era assorbito da queste pratiche. Passava al setaccio con meticolosità se stessa e i suoi dintorni. Era un'orgia di lavaggio che nessuno capiva. All'inizio accolsi questa sua nuova mania con positività. Non puzzava più, Rosa, da quella doccia umida e canicolare. Prima, quando aveva quel vestito da Marilyn, puzzava di tutto. Di cavolfiore, di escrementi, di dolore, di sangue mestruale, di sudore, di rancido. Il vestito bianco era diventato arancione, a furia di essere indossato. Io e Pablo le stavamo dietro come disinfestatori. Cercavamo di rendere l'aria intorno a lei meno inquinata. Quindi quel cambiamento ci piaceva, lo ammetto. Le compravamo dei vestiti e ora se li metteva. Passava molto tempo in bagno, Rosa, e ogni volta quando usciva l'atmosfera profumava di borotalco e lavanda. Era piacevole stare con lei. Mi faceva sentire meno in imbarazzo.

Ma quando cominciò a non uscire più di casa per lavarsi, allora mi preoccupai molto. Intravedevo l'ossessione e non mi piaceva. Anche per lavarsi le mani era ormai un rituale. Era impossibile quantificare quanto in media si lavasse le mani o i piedi o le orecchie o le narici. Tutto era un rituale di purificazione. Si sapeva quando entrava in bagno, ma non quando usciva. Finché il suo corpo non le bastò più. Doveva lavare anche tutto il resto, noi, l'ambiente. Divenne in breve la regina delle spugnette e dei detersivi. Era una guerra ai germi, agli acari, ai batteri. Cominciò a farci richieste precise di detersivi, spugne, aggeggi per la casa. Scriveva lunghe interminabili liste, e noi «Signorsì, sarà fatto», compravamo tutto.

Credevamo che potesse essere un modo per tornare alla normalità. Non so, dovevamo portarla dal dottore, invece, da uno psicoterapeuta. Ce lo diceva sempre Madama Elsa. «Non potete tenerla in casa»: Io e Pablo non avevamo i soldi per uno psicoterapeuta, non avevamo i soldi nemmeno per i detersivi che ci chiedeva. Eravamo messi male. Parecchio male. Uno psicoterapeuta, dove? Qualcuno a via dei Serpenti ci disse che c'era un dottore argentino che aiutava i connazionali e faceva un trattamento di favore. «Si chiama Antonio Puig». Ci diedero il numero. La segretaria ci disse che sarebbe tornato solo di lì a un mese, che era in ferie. Dovevamo aspettare.

Intanto il delirio di Rosa si estese anche alle saponette. Le guardava con amore. E quasi con venerazione. Erano le divinità indiscusse della casa, l'oggetto principe del suo rituale. Insieme a quel dannato stendipanni. Quanto tempo Rosa passava a pulire quell'aggeggio. Su quello stendino si reggevano i delicati equilibri della sua mente. Era tra gli oggetti della casa forse il più caro alla sua anima, destinato ad accogliere i panni appena sfornati dalla lavatrice, destinato ad accogliere tutto il pulito del mondo. Quindi lo strofinava sempre con amore a ogni bucato. Lo sapevo che era un male, ma quando stendeva i panni sarei rimasta a guardarla per ore. Era meticolosa, precisa. Poi tutto aveva un effetto iconografico pazzesco. Combinava i colori dei panni, la loro forma, forse anche il peso. Era tutto perfetto, tutto steso come negli acquarelli da esposizione.

Mostruoso era anche il suo lavoro con la lavatrice. Senza, la Flaca era perduta. Oggi le lavatrici sono sofisticate, fanno tutto loro, smacchiano, scelgono il programma più adatto, ti guidano come un bambino. Negli anni settanta la lavatrice era ancora una macchina, per niente sofisticata e se non l'azionavi bene poteva rovinarti il tuo vestito preferito. Negli anni settanta ogni buona lavatrice aveva bisogno di un buon capitano, di una direzione, di una rotta da seguire. Rosa era un capitano come pochi. A volte la Flaca la trovavo incantata davanti a quell'aggeggio. Trascorreva ore e ore a guardare con libidine l'oblò. Guardava lo sporco sparire e farsi fantasma. L'oblò della lavatrice era la sua vita che ricominciava.

Iniziò a prendere anche strane precauzioni. Il suo cervello la martellava con pericoli imprevedibili. Tutto era sporco, tutto poteva aggredirla, tutto era insidia e sudiciume. Strisciava lenta lungo le pareti della casa, specie quando trasportava cibo. Stava attenta agli angoli, li trovava particolarmente subdoli. Crocevia di lordura. Anche noi guardava con sospetto. Studiava il nostro grado di pulizia. Esaminava i colletti, le maniche delle camicie, la densità di forfora nei nostri capelli, la lunghezza delle unghie delle mani, i nostri respiri. A tavola cercava di sedersi sulla sedia che era più lontana dal bagno, controllava che tutto fosse lindo, dalle posate alla tovaglia, e poi sottoponeva il cibo a un'analisi di laboratorio con tanto di microscopio.

Aveva anche sviluppato una vera e propria fissazione per le maniglie. Nel nostro buco non ce n'erano poi molte. Avevamo quante porte? Tre? Non ricordo più. Ma ecco, quelle tre venivano sottoposte a una vera perizia scientifica. La loro quantità di microrganismi batterici veniva attentamente valutata. Niente era lasciato al caso. Le maniglie potevano essere state toccate da quante persone? Da noi certo, e da quelli che venivano a farci visita. Persone che avevano toccato altri oggetti, altre persone. Era un circolo di gente sporca, di cose sporche, di vite infette. La maniglia era diventata per la mia Rosa la quintessenza del rischio batteriologico. Una causa reale di morte. La contaminazione era sicura. Questa sua ossessione mi faceva paura. Avrei voluto rivederla con quel vestito ridicolo da Marilyn. Avrei voluto sentirla cantare Dylan. Non cantava più niente, la sua voce era ormai ingoiata da un buco che non sapevo più gestire.

Fu dopo la trovata delle maniglie che decisi di leggere quello che scriveva. Lessi per giorni. Ne fui travolta. Ora lo so, voleva pulirsi dentro la mia Flaca. Solo pulirsi dentro. Ma era già troppo tardi per salvarla. Il rancore ce la rubò, alla fine. E fu una brutta fine.

Non la trovai io. La trovò Pablo. Mi disse che sentì un odore carico di furore. Un odore aggressivo di fiori carnivori. Andò nella camera di Rosa. Lui, ogni volta che entrava in casa, andava ad appurare se Rosa stesse bene o no. Vide il letto vuoto. Perfettamente in ordine. Sopra, il coniglio azzurro di peluche, quello che Nuccia le aveva regalato per Natale. La Flaca adorava quel peluche, non se ne separava mai. Poi, per terra, macchie verdi circolari mezzoasciugate. Macchie che disegnavano sistemi solari e mondi possibili. Le macchie erano concentrate ai piedi del letto. Fino a diventare quasi pozzanghere. Ed era lì che giaceva Rosa. In un mare verde. Dalla bocca, il liquido pallido le scorreva sul viso. Lei grigia. In coma. L'autopsia svelò poi che si era tracannata litri di disinfettante.

Voleva pulirsi dentro la mia Flaca. Solo pulirsi dentro, *carajo*.

Un mese dopo i funerali di Rosa arrivò un pacco. C'era il timbro di un ufficio postale di Roma Sud. Dentro, dieci cassette. Alberto Tatti aveva registrato la sua voce. Ci aveva fatto il favore. Però, accidenti a lui, era tornato da Timbuctu o dove diavolo era, troppo tardi. Non le ascoltai nemmeno quelle cassette. Ormai Alberto Tatti non mi serviva più a niente. Le buttai nella spazzatura. E non ci pensai più.

«È chiaro che lo ha ammazzato» disse un vecchio con le sopracciglia colorate di henné.

«E il corpo?» chiese un ragazzo ciondolante.

«Il corpo? Lo avrà fatto sparire, no? È o non è un'immonda strega?».

Majid era scomparso. Per il popolo del quartiere era Bushra l'unica colpevole, ogni colpa ricadde su di lei.

Ma Bushra non si preoccupava di quelle voci. Era abituata ad essere additata. Era molto preoccupata per Majid, invece. Era uscito senza niente. Senza soldi, senza vestiti, senza cibo. La prima settimana di assenza era ancora pregna di speranza, Bushra. Sperava di vederselo dondolare davanti. Sperava di riempire i suoi padiglioni auricolari di quel suo silenzio parlante. Sbirciava il mondo con il desiderio di quel suo passo strisciante sulla sabbia.

Le piaceva la ritualità delle loro notti caste. Lei che si impiastricciava di unguenti e olii essenziali, lui che la guardava con un occhio, sempre quello sinistro, e faceva finta di non essere colpito dalle forme belle della sua donna. Bushra non si era mai rassegnata del tutto a quel matrimonio senza sesso. E ogni sera, la speranza di diventare la donna di Majid in lei cresceva. Poco prima che scomparisse, la donna aveva nutrito serie speranze. Una mano di lui si era posata sul seno di lei. Era stato un istante breve, ma per Bushra quasi il preliminare di un sogno. La mano sul seno era stata seguita da un gioco con i fili dei suoi capelli ondeggianti, poi da un massaggio, un bacio. Se non fosse scomparso sarebbe stata finalmente sua?

Ma scomparve. E nessuno aveva la più pallida idea di dove fosse finito il cuoco, Majid. Chiese a tutti in quei giorni. La povera Bushra correva da un capo all'altro di Mogadiscio inseguendo voci, ricapitolando eventi mai avvenuti. Persino i Pasquinelli, i datori di lavoro italiani di suo marito, brancolavano in un buio tetro.

Bushra non si rassegnò. Ogni sera si cospargeva di unguenti e aspettava. Pronta per fare l'amore. Quando la nostalgia si faceva troppo opprimente, spargeva calde lacrime intorno a sé. Non era un pianto, quasi un esorcismo. In quei giorni strani di solitudine, solo le lettere di Elias, le mie, le diedero conforto. Io, cara Zuhra, viaggiavo. Ero un giovane curioso. Dal Mali alla Guinea Conakry passando per la Liberia, cercavo di assorbire l'Africa che mi spettava di diritto. Dovunque andavo, la gente mi guardava e rideva. «Non sei africano tu» mi dicevano, «hai il naso dei bianchi». Io ridevo ancora più forte «I bianchi non hanno bei nasi». Per loro i somali erano yemeniti o bianchi, comunque altro. Per loro, noi somali eravamo qualcosa di diverso dall'Africa. Io non ero mai d'accordo. Dicevo che noi eravamo il Corno e che l'Africa era plurale, che in tutto c'è diversità, ma anche convergenza. Erano anni in cui mi infilavo in accesi dibattiti. Erano gli anni della mia gioventù. E mentre io ero perso in stoffe, colori, dibattiti e passione, mia madre Bushra pativa in silenzio l'assenza di mio padre.

Una cosa papà l'aveva presa, prima di scomparire. I miei vestiti. Bushra non trovava una spiegazione logica a questa sua scelta, ma ne fu contenta. Questo alimentava, non so come però, le sue speranze di rivederlo in questa vita.

Mentre Bushra soffriva, il quartiere intorno a lei complottava.

Caso strano, o destino beffardo, volle che un'epidemia di strani febbri colpisse il quartiere. La colpa fu data d'ufficio a Bushra. Per tutti ormai era diventata la *kuumayo*, la strega. Alcuni sussurravano che era Arawelo tornata in vita. In strada alcuni la chiamavano proprio così e Bushra si chiudeva a riccio. Intuiva che quel nome di una favola tradizionale non le avrebbe portato nulla di buono. Arawelo era una donna che uccideva gli uomini che non le davano piacere. Faceva castrare i bambini e aveva imposto sulla Somalia il potere della sua vagina. Poi un giorno, come ogni dittatore, fu uccisa da un parente. Uil Ual si era salvato dalla castrazione. Era stato cresciuto in segreto e, una volta grande, aveva deciso di uccidere sua nonna.

Ma la morte non bastava. Il suo corpo fu fatto a pezzi, bruciato e poi sparpagliato per tutta la Somalia. Nessuno voleva che il cadavere si ricomponesse e terrorizzasse i maschi anche dall'aldilà. Ceneri sparse per tutta la Somalia. Tombe di Arawelo ovunque. Ma lei ricresceva in ogni donna. La pendula non era forse una delle manifestazioni di Arawelo? La clitoride veniva tagliata alle bambine affinché non diventassero come quella vecchia sporca e immonda. La clitoride era sepolta lontano o data in pasto alle iene. Ceneri sparse per tutta la Somalia. Gli uomini avevano paura per la loro virilità e seppellivano le clitoridi sempre più lontano. Ma qualcuno aveva scordato di tagliare Bushra. Lei non aveva dovuto soffrire per un taglio. Era sciolta come una bambina e le sue pipì non erano mai state fonte di sofferenza. Le sorelle le avevano portate all'infibulazione, di lei si erano scordati – era così silenziosa che avrebbe potuto ingannare una iena affamata da sette giorni.

Il quartiere sapeva della clitoride di Bushra. Sapeva che lei non era come le altre. Sapeva che era integra. Immaginavano tutti che la donna fosse insaziabile, sempre affamata, ingorda. Il quartiere l'aveva già condannata per questo.

«Ha ucciso il primo marito Hakim, gli ha fatto un incantesimo e lui è finito sotto un macinino».

«E ora» dicevano le voci del quartiere, «chissà che brutta fine ha fatto fare a quel pover'uomo di Majid. *Meskin*... Allah abbia pietà della sua anima».

Per tutti Majid era morto. Per molti era morto male.

«Lo ha accoltellato al cuore».

«Gli ha dato erba cattiva da bere».

«Gli ha succhiato l'anima notte dopo notte».

«Lo ha fatto rapire dai *ginn*».

Ognuno aveva da raccontare una versione raccapricciante della morte di Majid. I dettagli non mancavano e la storia di una morte inventata divenne più reale dei più brutti incubi.

Prima delle febbri, la gente aveva paura di Bushra. Nessuno però era disposto ad ammetterlo apertamente. La salutavano ancora, prima delle febbri. Le dicevano ancora Buongiorno o *Assalamu aleikum*. Ma le febbri cambiarono tutto. Ogni volta che passava per strada, Bushra sentiva dietro di sé un fruscio viscido di serpi in movimento. Erano i sibili della menzogna. Le lingue biforcute della paura. Bushra passava e sulla bocca delle malelingue spuntavano esorcismi da quattro soldi. La gente afferrava i rosari, urlava vade retro Satana, *Audubillai*, voltava lo sguardo, sputava per terra. La consideravano la figlia di Iblis. Qualche vecchio arrivò persino a colpirla con il rosario, per scacciare il diavolo che lei era diventata secondo loro.

Era tutta colpa delle febbri. Serviva un capro espiatorio. Qualcuno da biasimare per quella loro sofferenza. Erano febbri strane. Ti prendevano alla pancia. Non mangiavi più. Ti chiudevi in bagno e cagavi fino all'ultimo pezzetto di anima. Poi il delirio. La febbre portava la gente in cima a una scala a pioli. Da lì il precipizio. Alcuni morivano. Soprattutto i bambini.

Il quartiere era disperato. Si doveva fare qualcosa. Non c'erano medicine, né dottori. Si pregava e sperava. Qualcuno disse che si doveva fare un sacrificio. Che si doveva uccidere il demonio, la causa di tutto il loro male. Per questo andarono a casa di Bushra, mia madre, con i forconi e la volontà precisa di ucciderla. Volevano prima vederla morta. Poi il suo corpo sarebbe stato fatto a pezzi e bruciato.

In quei giorni Bushra era fuori dal mondo. Il suo unico pensiero era per Majid.

«*Ya hubbi*, amore mio, dove sei? *Soo noqo adigo nabad ah*, torna sano e salvo».

Anni dopo, Hibo Nuura cantò quell'invocazione di Bushra. Era un periodo in cui gli uomini lasciavano la Somalia per cercare una fortuna momentanea in Libia. Erano gli anni ottanta. La Libia non era ancora l'inferno in cui i migranti del Sud venivano per sognare una traversata in mare che li avrebbe portati in Occidente o a crepare. In Libia c'era da lavorare. I somali si lanciavano alla ricerca di quell'effimera fortuna. Qualcuno poi si arricchiva e tornava in Somalia a costruirsi la villa.

Hibo Nuura con i suoi capelli spumosi cantava le speranze delle donne innamorate. *Soo noqo adigo nabad ah*, torna sano e salvo. Se Bushra avesse conosciuto quella canzone l'avrebbe cantata a squarciagola. Ma quella canzone non era stata ancora scritta.

Cantava altro, Bushra. Si ungeva dell'olio dell'amore. E aspettava. Quando bussarono con energia alla porta per ucciderla, Bushra aprì incosciente. Non si rendeva conto di nulla, in quei giorni.

Per fortuna arrivò Elias. Il suo viaggio era finito.

Voleva aprire una bottega. L'Africa gli aveva regalato i suoi colori e lui voleva donarli alla Somalia.

Fermò quell'odio e baciò sua madre. Tremava come un pulcino.

Fuori dalla porta la mala morte. Non entrò in casa loro. La vide entrare nella casa accanto.

Il giorno dopo, la figlia più grande del vicino morì. Fu una brutta morte.

Zuhra, sono contento di essere arrivato in tempo quella volta. Bushra non meritava una brutta morte. Ho sviato il destino di mia madre con il mio ritorno imprevisto. Per ringraziarmi si mise in testa di cercarmi una moglie. Non voleva vedermi senza amore, come lei. La notte però, Bushra continuò a cospargersi di unguenti. Non voleva trovarsi impreparata quando Majid l'avrebbe fatta completamente sua.

OTTO

La Nus-Nus

«Per te non c'è niente che non farei». Le ultime parole che aveva sentito pronunciare a quella donna sembravano uscite dritte dritte da una brutta soap opera pomeridiana. Una di quelle in cui le donne sono tutte bionde e gli uomini palestrati.

Lei non era bionda e per niente palestrata. Nonostante ciò, quelle parole svenevoli erano state fabbricate apposta per la sua persona, rivolte a lei, proprio a lei, Mar Ribero Martino, una Mar di nuvole e noia. Una Mar che detestava il dolciastro mélo dei finti amori televisivi.

L'autrice di quelle sillabe scomposte di un tempo, ora era ad appena tre metri di distanza da lei. Stessa spiaggia del Mediterraneo. Stessa cittadina africana. Stessa luce che colpiva i volti abbronzati. Intorno, una solitudine pacifica di morti seppelliti in tombe rosa. Tre metri, Mar stava ad appena tre metri da una coda di cavallo all'antica e degli occhialoni da sole. Una coda che aveva conosciuto così bene un tempo. Una coda che forse aveva amato tra gli interstizi delle sue possibilità. Mar si rimescolò tutta per l'agitazione.

Rivedere Vittoria come se fosse il fatto più normale del mondo, non faceva parte dei suoi piani vacanzieri. La fissava Vicky, con il suo occhio disinvolto, serafica vestale dell'essere. Come si sentiva gobba, Mar, in quel momento, un vecchio cammello del deserto. Un vecchio cammello che voleva scomparire, *desaparecer*. Si piegò tutta sotto il peso di quei bulbi oculari così sicuri di sé. Notò, e ne fu atterrita, le vene rosse di Vicky che nuotavano in un mare tutto bianco. Sembravano pulsare come serpenti d'acqua dolce in quegli occhi così candidi. Allucinazione? Il bianco l'accecava, la distruggeva. Maledetto, maledetto bianco! Non sapeva resistergli. Era una larva.

«Chissà se noterà che ho cambiato pelle» si chiese la ragazza, pensando a quei bulbi lattescenti che la fissavano senza imbarazzo.

La donna sembrò non accorgersi del tumulto di Mar. Seduta a gambe incrociate, mangiava tranquillamente un ghiacciolo. Trasudava sciroppo zuccheroso, conservante alla fragola. Le mani erano appiccicaticce. Il palmo in segno di saluto non le fu dato infatti. Nemmeno la mano di Mar fu stretta. La donna si limitò ad agitare le sue estremità in solitaria. Si dimenava come una biscia, slancio di gioia, ali di saluto. La sua presenza bianca fendeva l'aria torrida di quel pomeriggio arancione. La coda di cavallo nel frattempo piroettava tutto intorno felicità o forse chissà, solo la disperazione di corpi persi di vista. Mar si chiese sconcertata se fosse dentro uno di quei suoi sogni bislacchi, in cui il passato e il presente erano un unico frullato dal sapore variabile.

Ebbe la tentazione di darsi un pizzicotto come nei cartoni animati, ma si sentì ridicola. Si alzò invece. Piazzò la sua faccia contro l'altra. Guardò la donna. La guardò inebetita. Era cambiata così poco, quella coda di cavallo. Sempre fuori moda. Le guance sempre le stesse, però. Piene. Anche i bulbi oculari erano uguali. Speranzosi, stupidi. La bocca era color melassa, sporca di sciroppo e conservante. Sembrava una bambina Vicky. Quasi le piaceva ancora.

Erano passati anni. Quanti? Due? Sì, erano già due. L'ultima volta Mar le aveva urlato contro. Se lo ricordava bene. L'ultima volta le aveva detto parole infami. Erano al centro di Roma. A piazza Augusto Imperatore, vicino al capolinea del 913. Era quasi primavera. Non c'erano ancora i pattinatori a infestare l'Ara Pacis. L'atmosfera era irreale e granulosa. Al principio della sera, Roma è sempre un po' incerta. Anche loro due erano sgranate, immaginarie, al principio di un melodramma. Lei gridava, lei Mar Ribero Martino, deformata dalla rabbia, urlava sconcezze alle stelle. Era pazza e sola. Vicky e la sua coda piangevano invece, si sentivano impotenti, vagamente inutili. La ragazza disse solo. «Per te Mar non c'è niente che non farei». Mar, in cambio di tanta devozione, la scaraventò prima contro un cancello e poi contro un muro. Forza inaudita. Incomprensibile. Le fece male, molto. Premeditato? Forse. Era il suo desiderio per Vicky che scalciava dentro. Che voleva picchiare forte. Che non sapeva gestire. Desiderio di quel corpo, di quella gentilezza, di quel vago senso di universo. Era il suo desiderio e lei Mar voleva solo soffocarlo. Soffocarla. Soffocarsi.

«Per te non c'è niente che non farei». Diceva la ragazza con la coda. Piangeva dicendolo. Le lacrime percorrevano vie canoniche, bagnandole banalmente guance e labbra morbide. Ci credeva alle sue parole. Era amore dopotutto. Un momento. Forse solo scarsa intelligenza. Mar avrebbe voluto dirle parole altrettanto dolci, altrettanto stupide. Invece la scaraventò contro un muro perché l'amore non lo sapeva gestire.

Poi mise in moto il suo SH grigio e cominciò a bestemmiare come un camionista. La sua sagoma sfrecciò felina nel traffico notturno dell'urbe e non si voltò verso la coda di cavallo che aveva oltraggiato. Le stelle si ritirarono dal cielo per l'imbarazzo. Mar ci sputava sulle stelle, erano troppo cretine, poco furbe. Non si voltò a guardare quella donna che desiderava. Non poteva guardarla. C'era Pati a casa ad aspettare. Pati che l'aveva incantata con il suo bianco e il suo malessere. Non poteva amare quella donna, quella Vicky, quella coda di cavallo fuori moda. Troppo sana Vittoria. A casa c'era Pati, la malata, la squilibrata. Mar doveva stare con lei, immersa nell'inferno che le forniva giornalmente. Un giorno aveva provato a spiegare a Vicky la sua relazione con Patricia. «Tu non ti rendi conto» le disse «ma sono sotto incantesimo». La ragazza sorrise. Ma non capì nulla. E come faceva a capire? Vittoria era sana. Costituzione perfetta. Cervello integro. Invece lei era immersa in Pati, nella sua malattia. Nella sua pazzia. Incantesimo. Il suo cervello era ormai pappa informe.

E ora, dopo due anni, la ritrovava lì Vicky, a Mahdia. Dopo due anni da quelle urla, dalle bestemmie, dalle minacce, quella donna, quella stessa Vicky con le stesse guance, stava dritta davanti a lei in una spiaggia tunisina. Mar si sentì senza difese.

Non piangeva più Vicky. I capelli erano più lunghi. Con sfumature di rosso. Era più bella. Mar ebbe voglia di scappare.

Mahdia era stata un'idea di Miranda. Aveva guardato la figlia, «Vieni anche tu». Quasi un ordine. Mar ebbe la tentazione di mettersi sull'attenti, di fare il saluto romano. O entrambe le cose. Non fece nulla di tutto questo, disse «Ok». Sembrava annoiata, scocciata. Invece era solo tremendamente eccitata. Miranda era sempre svenevole con lei, sempre accondiscendente, invece ora le stava dando un ordine, una direzione. Le piaceva sua madre immersa nel suo ruolo di genitore. La Tunisia le stava facendo un sacco bene, in effetti.

Sarebbero state in tre in quel viaggio, con loro sarebbe venuta anche Zuhra Laamane, l'afro-romana. «La dobbiamo distrarre», aveva sostenuto la genitrice. Mar era d'accordo con lei. Era strano avere le stesse opinioni di mamma Miranda, ma in quella terra di Tunisia succedeva anche questo. Poi Zuhra aveva avuto veramente una brutta crisi due sere prima alla festa della serba, aveva proprio bisogno di pace e buona compagnia. Mar si sentiva una buona compagnia per quella ragazza. Quasi una sorella. A volte guardandola, vedeva parte della sua vita, anche nel suo tormento vedeva parte della sua vita, soprattutto in quello strano tremore di due sere prima. Avevano lo stesso naso, le stesse mani. Zuhra era un po' più grande, ma a volte sembrava così piccola, indifesa. Sì, Mar per la ragazza si sentiva un'ottima compagnia.

Mandò un sms a JK spiegando che si sarebbero visti al ritorno dalla gita con la madre. Lui le aveva risposto: «Mi manca il tuo odore. Fai buon viaggio». Anche a lei mancava l'odore di JK. Era come quello dei succhi di mango che comprava al suq di piazza Vittorio. Acido, intenso. Chissà al ritorno cosa sarebbe successo tra loro. Chissà se era giusto continuare a frequentarlo. Era un uomo, JK. Non era mai durata con gli uomini. In realtà non era mai durata nemmeno con le donne. Era durata solo con Pati. Ma quella era un'altra cosa. Era dipendenza, follia. La sua notte. Il suo fado. Un tormento perpetuo che l'attirava. La pelle bianca di Patricia lanciava feroci tracce di squilibrio che lei, Mar, non riusciva a non seguire. Lo odiava il bianco, l'accecava.

«Ti posso lavare i capelli, *abbayo*?».

«Abbaio?» chiese Mar sorpresa, si era appena svegliata e non riconosceva quella voce. E poi non capiva perché qualcuno volesse abbaiare di prima mattina. Lei voleva solo una cosa la mattina, liquido bollente di color nero in bocca. Caffè, raramente tè, in cui affondare la faccia e perdersi. Niente zucchero, solo caffè lungo in una ciotola da brodo.

«*Abbayo* significa sorella. È somalo. La lingua di tuo padre. Mi ha detto Miranda che tuo padre era somalo, come mia madre».

Mar si ricordò di dove stava. Mahdia. Era la madre che le aveva ordinato quella gita. Insieme a Zuhra avevano preso una corriera di quelle scassate che ballonzolava ad ogni buca. E poi sotto il sole cocente di mezzogiorno si erano messe a cercare un albergo dove riposare. Pieno, tutto pieno. Bed & breakfast stracolmi. Alberghi di lusso (pochi) pure. Peregrinazioni. «E se dormissimo sulla spiaggia?», aveva lanciato lei la proposta. Occhiatacce torve della madre. Nuova ricerca. Esito incerto. Poi un miracolo, che sembrava una presa in giro. Una pensione che offriva almeno una terrazza per dormire e un bagno per fare la doccia. Era una sistemazione strana, ma l'accettarono, perché era bello poter dormire coperti solo di stelle.

Abbayo? Evidentemente i cani non c'entravano nulla. Quella era la voce delicata di Zuhra Laamane, quella strana ragazza che sentiva già parte del suo stomaco. Le stava molto simpatica, Zuhra Laamane. Mar si chiese se era per il modo buffo che la ragazza aveva di parlare. Ammucchiava le parole e i suoni. E poi faceva sempre tanto ridere. Era come sentire un bel programma alla radio. Un programma che ipnotizzava. Metteva molta allegria, quella ragazza. Molta, moltissima allegria.

«I capelli?» chiese. «Ma...».

«È che così, *abbayo*, sembri un manichino, non sembri vera».

Mar non sapeva cosa replicare. «Un caffè prima, posso?».

«Sì, *abbayo*, non c'è fretta. Io sono qui. Poi sai, vado in mezzo alle tombe... è bello lì, ci sei mai stata?».

«No» e non aggiunse altro. Mar aveva paura delle tombe. Le ricordavano il biancore di Pati e il rosso di quel suo sangue che avrebbe tanto desiderato vedere.

«Dovresti, *abbayo*. Lì si sta tranquilli e poi, non so, è bello stare tra cielo e mare, pensare che ti hanno dato il posto più bello. E ieri ho visto pure una strana donna araba... mi piacerebbe rivederla».

Mar si diresse al loro cesso in comune. Cagò liquido. Da quando stava in quel paese, la sua cacca era diventata quasi acqua. «È colpa della *Salad mechuia*, quell'intruglio piccante. Il nostro stomaco non è abituato», le aveva detto JK. Quanto le mancava il suo cinese occhi piccoli. Aveva capelli così lisci e ondulati. Le era piaciuto ficcarci le mani dentro. Poi JK raccontava sempre tante cose. Anche Zuhra Laamane raccontava tante cose. Invece con Pati era solo silenzio. Solo rabbia. JK rideva anche quando faceva l'amore. «Sono Highlander della stessa tribù di Duncan MacLeod, sono scozzese, un immortale». Highlander. Lo diceva sempre di essere immortale, JK. «Non dite forse che noi cinesi non moriamo mai? Che non riuscite a venire ai nostri funerali?». Highlander, della stessa tribù di Duncan MacLeod scozzese, immortale. Ah, quanto avrebbe desiderato che fosse davvero immortale, il suo occhi piccoli. E invece era un essere umano.

«Sei sicuro che si muore in Cina?» gli aveva detto in uno di quegli attimi dopo l'amore.

«Ah, non mi dirai che anche tu credi a questa balla che noi cinesi non moriamo mai! Ma perché dobbiamo morire ora? L'immigrazione cinese in Italia è un'immigrazione giovane. I miei hanno appena cinquant'anni, perché devono morire? Poi io ne ho solo ventisette di anni, perché dovrei morire ora?».

Perché doveva morire? Se lo strinse tutto al petto Mar. Non morire JK, occhi piccoli. Se lo strinse al petto come quel coniglio di peluche che aveva da bambina. Ah, se davvero fosse Highlander il suo occhi a mandorla. Già le mancava. Sentiva battere in testa l'eco di quella sua risata allungata. Le sue parole miste. Avevano parlato dei funerali cinesi, in quegli attimi sospesi dopo l'amore. «Sono molto colorati» le aveva detto JK. Si ricordò che al funerale di Pati l'unica ad essere colorata era lei. Anche durante il funerale dominava il bianco. Maledetto colore, il bianco.

Poi una doccia fredda per tonificare i muscoli. Non aveva cuffia. Cercò di non bagnarsi la testa. Non aveva forse promesso a Zuhra che lo avrebbe lasciato fare a lei? Però quei suoi capelli la rassicuravano, così schiacciati a spaghetto. Si era fatta la piastra a Tunisi e lavarsi i capelli a Mahdia significava una cosa sola: mandare a puttane tutto il suo lavoro certosino. Quei suoi capelli spaghetto erano uguali spiccicati a quelli di Pati. Li aveva portati sempre così, se li massacrava con la piastra e con prodotti schifosi che le bruciavano la cute. Ma dopo, il risultato era assicurato, era una bella Barbie. Mora e negroide, ma Barbie. Si toccava quegli spaghi in testa e si sentiva quasi in un nirvana di fili spinati. «Diventerai calva, se continui a bruciarteli» le aveva detto mamma Miranda. Le faceva sempre una smorfia strana con la bocca, la mamma. Una smorfia di disappunto quasi sdegno.

Facile fare smorfie mamma, i tuoi capelli sono morbidi, un'onda, i miei sono quelli di un criceto, sono ispidi, irregolari, senza un senso. Pati aveva un senso con i suoi spaghetti. Con i suoi riflessi lattescenti.

Io, Mar Ribero Martino, che senso ho? Sono frutto del Terzo mondo. Un padre negro, una madre figlia di terroni. Pigmentata da macchie di schiavitù e spoliazione. Sono terra di conquista. Terra da calpestare. Frutto ibrido senza colore. Senza collocazione. Una mezzosangue che non appartiene a nulla. Il mio sangue è contaminato. Confuso. C'è troppo di altri in me. Niente si spo-

sa in me. Natiche grosse. Naso piccolo. Capelli ispidi. Peli pubici strabordanti, di un colore bruno che non ha la dignità del nero. Occhi grandi. Bocca piccola. Pelle marroncina. Collo lungo. Non mi capisco. Sembro uno scarabocchio. Vorrei essere bianca. Come Pati. Vorrei avere riflessi accecanti. Invece, dalla mia pelle trasuda fatica. Mezzosangue. Seminegra. Mi vergogno. Per i black non abbastanza scura. Per i white non abbastanza chiara. Parlo come Zuhra Laamane. Sono scorretta. Sto ammonticchiando parole. Proprio come Zuhra Laamane. A furia di stare con lei, sto prendendo i suoi toni. Lei mi vuole lavare i capelli, sai mamma? Perché abbayo, lo so, mi vuole bene. Si dice così no? Abbayo… mi piace questa parola, sento che ci unisce. Oh Zuhra, non lavarmi i capelli. Io mica sono come te. Tu sei nera, bella, luce di sole, orgogliosa di te. Io sono uno scarabocchio. Non lavarmi i capelli. Lasciami vivere la mia vita con questi spaghetti in testa. Lasciami vivere con quest'odore di cute bruciata, di cranio bruciato. Sono una mezzosangue, vado lasciata in pace. Con le mie ossessioni. Non raggiungerò mai il bianco che mi acceca. Non raggiungerò mai quel nero che non conosco. Mio padre, una foto, il negro a cui devo questo colore. Non so, forse era un bell'uomo. Da quell'unica fotografia che ha la mamma, non si capisce. Ha un berretto da baseball. Mi sarebbe piaciuto conoscerlo. Mi avrebbe detto che nero è bello e ci avrei creduto. Io anzi ci credo anche adesso che negro è bello. Forse non dovrei dire negro, ma nero. Ma non m'importa, me lo hai insegnato tu, Zuhra Laamane abbayo, che non si deve avere paura delle parole. Nigger is beauty. Ma half-nigger? Seminegra? Semibianca? Semipallida? Seminiente? Elias mi sarebbe piaciuto conoscerlo. Gli devo lo spermatozoo che mi ha creato.

Mar si mise i suoi jeans stile country e se ne andò tra le tombe rosa di Mahdia. Uscì alla chetichella, non voleva farsi vedere da Zuhra. Non voleva farsi lavare i capelli. Così, come un'evasa, se ne andò a zonzo per la città prestando attenzione ai colori. L'azzurro delle tombe dei pescatori, il viola del cielo, il grigio della sua pelle perlacea.

Vedere Vicky tra le tombe, le sembrò davvero un'allucinazione benefica. Spesso vedeva la sagoma di Vicky in giro. Era da due anni che la vedeva dappertutto. Si materializzava nei posti più impensati. Non c'era giorno che non pensasse a lei. La vedeva dentro la zuppa calda che si faceva per tamponare i raffreddori, negli occhi dei cani abbandonati, tra le righe di un annuncio immobiliare, tra la schiuma del detersivo per i piatti. Microscopica, vagava ovunque nel suo pensiero. Microscopica e gigantesca. Non la vedeva da due anni. Era logico pensare che anche quella Vicky in piedi tra le tombe azzurre-rosa di Mahdia fosse solo l'ennesima allucinazione. Non poteva essere lei in carne e ossa. Lei vera.

Mar non era una che credeva nelle coincidenze. Ma quando le fu più vicino non poté fare a meno di credere alla sua sensazione tattile. Non si diede un pizzicotto. Allungò semplicemente la mano verso quella donna che non vedeva da due anni. La pelle aveva consistenza. Era anche leggermente bagnata di sudore. Era umana. Vera. Autentica. Non un sogno. Non una proiezione.

La toccò. Leggermente. L'ultima volta che si erano viste, lei, Mar, l'aveva scaraventata contro un muro, con una forza inaudita. Le voleva fare male. Voleva disintegrarla. Farla sparire. Renderla invisibile al mondo, al suo mondo.

Invece lì, tra quelle tombe azzurre, la toccò con leggerezza. Una piuma su quel corpo che appena due anni e qualche oncia prima aveva oltraggiato con una violenza insensata. La toccò lievemente e sentì un brivido che dai polpastrelli passò dritto dritto al cervello e alla figa.

«Ti ho fatto molto male quella sera Vicky?».

La donna la guardò. «Forse il male maggiore te lo sei fatto da sola».

A Mar venne da piangere e lo fece. Lei non piangeva mai.

Andarono a prendere un caffè. Entrambe si erano stufate di tè alla menta.

«Pati?» chiese Vicky.

«Si è suicidata» disse secca Mar. Non aggiunse altro perché arrivò il cameriere.

Facevano solo caffè turco, forte, però il cameriere era onesto la stava avvertendo. «No espresso, turkish, *ladid jiddan*, *strong jiddan*». Ne ordinarono due. E un arghilè alla mela.

«Ora cerco di sopravvivere» aggiunse Mar quando il cameriere se ne fu andato.

«Capisco» mormorò Vicky.

«No, non capisci. Sto riscoprendo i colori ora. Il bianco di Pati mi accecava».

Anche questa volta Mar non riuscì a trattenere le lacrime.

Vicky le posò un braccio sulla spalla.

«Sono contenta che stai guarendo, amica mia».

Era sincera.

Empire no mix cream relaxer. Versione super per capelli duri. Allisciava anche le setole di maiale. Mar lo usava con costanza sulla sua capigliatura caotica, era quasi una droga. Senza, si sentiva in astinenza, persa. I suoi capelli non erano proprio crespi, ma Mar li considerava di un riccio strano, molesto, volubile. A suo dire, erano ribelli anarchici. Non seguivano nessuna direzione. «A modo loro seguono tutte le oscillazioni atmosferiche, questi bastardi», commentava. Non solo cambiavano a seconda della stagione, sosteneva lei, ma a seconda dei capricci della giornata o anche dell'umore rovesciato del pancreas. L'umidità poi era deleteria, quasi una calamità naturale, una sciagura biblica. La variazione della percentuale di acqua rappresa poteva trasformare l'esistenza della ragazza da passabile a catastrofica. Ma la cosa peggiore per Mar, era che crescevano verso l'alto, peli del cranio senza un senso.

Mamma Miranda poi, non l'aveva aiutata molto a gestire quella selva che le spuntava dal capo. Nessun aiuto, consigli fuori posto, imbarazzo. Così nell'infanzia, così nell'adolescenza. Lei, Miranda, non si rendeva conto della differenza. Lei, Miranda, non sapeva di essere un'onda leggera. Invece Mar vedeva la differenza, vedeva le onde. Quando oscillava il capo mamma Miranda sembrava una reclame di L'Oréal. Era tutta setosa. Tutta morbida. «Perché io valgo», pareva dicesse. «E io mamma valgo?» si chiedeva Mar. Provava così a imitarla, a dondolare il capo, ma non era setosa lei. Tutto rimaneva immobile, un unico blocco, quasi una parrucca.

Mamma Miranda a volte da piccola le diceva: «Ah, come t'invidio, *hija* mia, sembri Angela Davies». Mar non capiva mai se la mamma la prendesse in giro o se fosse dannatamente seria. Di Angela Davies poi ignorava tutto, nessuno – nemmeno la mamma che la citava sempre – le aveva raccontato la storia di quella donna così fiera. Forse sarebbe cresciuta diversamente se qualcuno le avesse raccontato quella storia. Mar da piccola, guardava le altre ragazzine con invidia. Sognava un caschetto da manga giapponese. Era l'unica con una parrucca di ricci in testa in classe sua, alle elementari. L'unica della sezione B con una zazzera posticcia.

«Posso toccarli?». Era una domanda frequente. Le mani violavano il suo cranio, inopportune. Mani di bidella, mani di maestra, mani di compagni, mani di parenti. Tutti affondavano in lei curiosità eurocenriche. La toccavano come se fosse una specie in via di estinzione, un animale selvaggio della foresta. Era un'umana da zoo. Un esemplare, non una persona. Era stata fortunata a non nascere nell'Ottocento, perché allora esistevano davvero quelle fiere dell'umano, quegli zoo dove bestie feroci e abitanti delle colonie afro-asiatiche venivano dati in pasto ai curiosi e ai nullafacenti.

Udite Udite... signore e signori, bambini e cani. Solo da noi, nel Giardino Zoologico di Parigi, la ville lumière, potrete vedere veri eschimesi e veri nubiani allo stato naturale. Io, Geoffroy Saint-Hilaire, direttore del Gardino, vi prometto anche autentici cannibali australiani maschi e femmine. La sola e unica colonia di questa razza selvaggia, strana, sfigurata, la più brutale mai trovata all'interno delle contrade d'oltremare. Vedrete solo da noi il livello più basso di umanità possibile. Solo da noi, esseri allo stato naturale.

I *village nègre* erano ipergettonati, circhi dove l'umanità era ridotta a uno stato brado, dove la dignità dell'altro contava zero. L'avrebbero messa in una bella gabbia, se lo sentiva Mar. Una bella gabbia con un po' di paglia e una ciotola d'acqua. Forse le avrebbero risparmiato le catene, ma sicuramente le avrebbero scoperto i seni perché dopotutto lei era solo un animale, una cosa. Una meticcia che non valeva niente. Se fosse stata una donna della colonia, di quella Somalia del padre mai visto, i bianchi l'avrebbero usata come orifizio per dimenticare la noia e la nostalgia. Sarebbe stata come Elo, quella donna disgraziata che le era capitato di incontrare nelle pagine di un brutto romanzo italiano, per l'esame di letteratura all'università. *Elo... una schiava senza valore che deve dare il suo corpo quando il maschio bianco ha voglia carnale.*

Sì, le avrebbero scoperto i seni, perché era solo una cosa, un niente, il suo seno nudo non creava scandalo. La sua selva in testa avrebbe eccitato il pubblico, troppo strana, ideale pensiero per delle seghe inconfessate. Magari le avrebbero fatto indossare anche un po' di monili per creare un'atmosfera tribale. Sarebbe stata una *mãe-de-santo*, un'officiante di *candomblé*. Una stregona pagana che doveva incutere paura, ma non troppa. L'avrebbero additata come si faceva con i nubiani, i senegalesi e i lapponi. «Umanità naturale», avrebbero commentato le dame infiocchettate della Belle Époque, lei non avrebbe alzato lo sguardo. Sommessa avrebbe guardato a terra. Si sarebbe fatta tutti i circhi, tutte le esposizioni. Quella del 1889 l'avrebbe vista indiscussa regina insieme alla Tour Eiffel, che era stata costruita apposta. Attrazione assoluta, star del *village nègre*, dominatrice delle quattrocento comparse indigene. E sì, anche dopo, nel 1900 avrebbe tenuto banco, avrebbe strabiliato i cinquanta milioni di visitatori che dicono siano andati a spalancare la bocca davanti ad altri esseri umani uguali a loro in tutto, salvo che per la sventura di essere assoggettati.

Però per fortuna, Mar era di un'altra epoca. Nella sua però, gli zoo erano più subdoli. Stavano tutti nella testa, mica erano scomparsi. La gente non ti diceva più che eri di una razza inferiore, le razze si era scoperto che non esistevano, la gente ora ti diceva «La tua cultura è troppo diversa dalla mia. Siamo incompatibili». E gli zoo si trasformavano in recinti incorporei.

Mar guardò Zuhra con il barattolo di *Empire no mix cream relaxer*. Versione super per capelli duri. Allisciava anche le setole di maiale. Era preoccupata. Quell'impiccio cremoso era stata la sua ciambella di salvataggio per tutto quel periodo. Era da quando conosceva Pati che i suoi capelli si erano abituati ad essere trattati chimicamente. Era quasi un rituale. Lavaggio, buon balsamo al midollo, crema stirante, phon, piastra. C'erano i tempi di attesa da rispettare, i movimenti da seguire. Quasi un balletto, quasi un piano militare. Mar era rigorosa. Placava le raffiche del suo cuore confuso sgominando l'esuberanza dei suoi ricci. A Tunisi aveva fatto un buon lavoro. Lo faceva sempre, da anni. Era più liscia di Pati. Più spaghetto di sua madre. Dritti, una linea, un confine. Dondolando la testa, sentiva il fruscio dei suoi peli bruciati. Il cranio all'inizio le bruciava da morire. Le veniva da grattarsi come se avesse i pidocchi. Poi si era abituata. Si era abituata all'odore di bruciato, al solletico della chimica, si era abituata a fare oscillare la chioma. Perché io valgo.

E ora? Zuhra Laamane aveva il barattolo in mano. Vicky l'aveva accompagnata al bed & breakfast. Vicky rideva. Commentava. Mar fu contenta della sua presenza. Perché si stava per pentire di aver detto sì a Zuhra Laamane, a quel lavaggio fuori programma. Ma aveva bisogno di un appoggio amico per tornare indietro. A quella mattina. A lei che affondava la faccia sul suo caffè lungo versato nella ciotola del brodo. La presenza di Vicky l'aiutava a *seguir adelante*, a guardare dritto davanti a sé.

«Ci penso io a te!» la minacciò Zuhra. Era solo amore, ma a Mar suonava sinistro.

Empire no mix cream finì nell'immondizia. Vicky rise. Zuhra trascinò Mar sulla terrazza. Aveva dei secchi. Lo shampoo. Mar fu sollevata nel vedere lo stesso shampoo al midollo. Allora non doveva rinunciare a tutto il suo rituale.

Zuhra la mise a sedere su una sedia di legno mangiucchiata dal tempo.

«Piega la testa», ma non era un ordine, solo una richiesta di collaborazione.

A Mar sembrò di guardare il mondo al rovescio. Il suo mondo alla rovescia. Le mani di Zuhra erano energiche. Scuotevano i capelli come i panni consumati da uno sporco inespugnabile. Zuhra Laamane non voleva essere vinta da quello sporco. E così scuoteva e scuoteva i capelli di Mar, li scuoteva e gli ridava vita. Li strofinava e quasi li creava. Anche l'asciugatura fu altrettanto energica. E dire che Zuhra non sembrava così forte. Mar si ricordò della festa della serba, di come quella ragazza aveva resistito a tutte le donne che le trafficavano intorno per aiutarla. Era forte. Anche la sua volontà lo era. Mar si rese conto che per convivere con quel tremore, con quel fantasma, Zuhra era costretta ad essere forte, energica, potente.

Mar pregò un Dio, il suo, per essere contagiata da quella sua nuova amica. Poi ci fu il vento del phon, caldo, intenso. Sentiva in testa turbinii di capelli inanellati. Le mani di Zuhra che disegnavano ghirigori. Le piaceva il tocco della ragazza. I suoi polpastrelli le percorrevano il cranio come l'olio di oliva sull'insalata estiva. Era densa e delicata. Gusto forte extravergine. Chissà Mamma Miranda quando l'avrebbe vista che faccia… e chissà JK… sicuro a lui sarebbe piaciuta molto. Poi guardò fisso davanti a lei, Mar. Vide bianco. C'era Pati. Aveva il vestito che indossava il giorno che si era ammazzata. Lei quel vestito non lo conosceva. Evidentemente era un acquisto successivo a lei, alla loro storia. Era un vestito bianco con un fiore rosso al centro.

Pati non portava mai vestiti da femmina. Lei era una fanatica dei pantaloni e delle giacche. D'inverno azzardava qualche maglione a collo alto, raramente colorato, e nella stagione calda perdeva tutta la fantasia, andava avanti a t-shirt nere o al massimo grigie. Ecco, quel vestito da femmina l'aveva meravigliata. Tutti avevano pensato a un matrimonio… con la morte forse. Lei non pensava al matrimonio. Il bianco era il colore dei funerali in Oriente, era solo il vestito giusto per morire. Ora Pati stava lì a Mahdia, sulla terrazza a guardare lei, Mar Ribero Martino, felice in mezzo alle sue amiche. Mar notò che il bianco non l'accecava più. Il fiore rosso del vestito si era allargato. Copriva tutta la pancia. Era forse il sangue di lei che non era riuscita a vedere?

Pati non parlava.

Mar notò che aveva in braccio un bambino. Molto piccolo. Quasi microscopico.

Mar si toccò la testa. Pensò che i suoi capelli erano più segosi di quelli di Miranda. E che alla fin fine quell'odore di cute bruciata le era venuto a noia. Chiuse gli occhi e vide i colori fusi della sua pelle. Impasto di bianco e nero, di rosso e giallo. Sorrise Mar. Il suo bambino aveva i suoi stessi capelli, la sua stessa selva. Lo trovò bellissimo. Sarebbe ritornato presto da lei. Si doveva preparare.

La Negropolitana

Fine. *Kaputt. The end.* Titoli di coda. Sipario. Diciotto mesi. Mancano diciotto mesi alla fine del mondo. Almeno così sostiene questa donna grassa.

Lei dice che il mondo finirà tra diciotto mesi. Solo diciotto. Non ho tanto tempo allora, per rimettermi in carreggiata, per scopare un uomo, comprare casa e mangiare una cassata siciliana. Si direbbe anzi, che ho i minuti contati. Non voglio morire senza un orgasmo. Me lo merito. Me lo sono guadagnato. Diciotto, strano numero. Non significa niente diciotto. Non è un mese, non sono le ore del giorno, non sono i secondi in un minuto. È un numero senza significato. Ma la donna grassa ha detto proprio così, diciotto mesi fine dei giochi, STOP, ALT e arrivederci, chi s'è visto s'è visto. *Khayama*, fine del mondo, *Apocalypse now*. Lo dicono sempre ai telegiornali che tra tsunami, effetto serra, riscaldamento globale, siamo già fottuti. Il mar Artico non ci sarà più nel 2050. E forse l'umanità sparirà poco dopo. Mah! Fra diciotto mesi tutti *desaparecidos*, allora. Manca poco, mi serve un orgasmo! È urgente.

Non è che abbia detto diciotto in italiano, la signora, lei ha detto *dix-huit* in francese gallico, ma la sostanza è la stessa. Lei è una che ci indovina sempre, dice la grassona di se stessa, poi la notizia l'ha avuta direttamente dalla buonanima del marito Karim. Lui non le diceva mai bugie. «Era un santo» ribadisce. O forse un grande attore, dico io. Vai a sapere qual è la verità con i maschi. In realtà mi fa un po' pena Karim. De 'sto povero cristo musulmano, manco il corpo s'è trovato; morto bruciato sul posto di lavoro, laggiù in Francia. Tornava d'estate. Pieno di cianfrusaglie. A lei portava sempre una bella borsa taroccata, m'ha raccontato. Lavorava in un brutto posto laggiù nella Francia padrona. Un posto dove si muore due ogni tre. Il povero Karim tramutato in coriandoli di carne umana spediti fermo posta in Tunisia. La donna ha avvolto i coriandoli del marito in un sudario, poi lo ha seppellito davanti al mare, qui a Mahdia.

Cerco di consolarla. Le appoggio una mano sulla spalla in modo fraterno, mormoro un paio di *Allah Akbar* e anche una *Fatiha*, visto che ci sto. Non so mica tutte le sure a memoria, ma la *Fatiha* la sanno tutti, pure io che nun so' tanto bona! È la prima sura, la più intensa, c'è sta tutta la bellezza dell'Islam dentro la *Fatiha*. Così mi sforzo di essere più consolatoria, ci metto l'anima, faccio come la maestra Morabito quando ci spiegava le tabelline. L'unica persona buona della mia infanzia, la Morabito. Era paziente e a lei non importava se ero nera. Non mi chiamava Kunta Kinte come le bidelle stronze. Per loro io ero solo la sporca negra, non vedevano altro di me, «manco la varechina basta a lavatte» dicevano. Bidelle stronze quelle delle elementari. Burine, tracagnotte e invidiose della mia bella mamma. Solo la Morabito era buona. Allora faccio come la Morabito, la voce diventa coperta, avvolge, protegge. Guardo la donna grassa e sparo la mia perla di saggezza zen: «Però è un gran bel posto qui, per l'eternità». Provo a dirlo in francese, mica lo so il francese, però ci provo, improvviso, enfatizzo gli accenti. Però eternità si dice quasi uguale, *éternité*. Perciò forse il messaggio alla grassona è arrivato. Scruto il suo viso. Sembra capire, mi sorride pure.

Poi si sta zitta, pensa a Karim? Da quanto non scopi, sorella? Ma Karim era bravo a letto? Se lo devi rimpiangere, si spera almeno che fosse bravo, dolce, gentile. Sennò che ci vieni a fa' sulla sua tomba? Che fai, ci metti pure i sassolini sopra la tomba se è stato un bastardo? Ti picchiava? Non basta la borsa ogni estate, sorella. Non basta. La gentilezza è fondamentale.

Ricordatelo. E a letto Karim come… ti incalzo nuovamente io? Arrossisci, non rispondi. Qui è come in Somalia, la gente non dice niente e poi lascia i sassolini quando visita le tombe. Lo fanno anche gli ebrei, l'ho visto su *Schindler's List*. I cristiani lasciano fiori, invece. Crisantemi. Si lascia sempre qualcosa. A volte se stessi. Una traccia.

Io invece vorrei lasciare qualche pensiero. Mi sono piazzata qui apposta. Quando ho visto il cimitero ho detto a Mar e Miranda: «Andate pure avanti, io vi raggiungo». Staranno ad abbrustolirsi sulla spiaggia adesso, le due impunite e la loro amica bianchiccia che le segue ovunque. Io non mi devo di certo abbronzare, già so' negra abbastanza, e poi qui è troppo bello. Quando mi hanno proposto questa gita, non volevo tanto accettare. È che non ho più studiato un cazzo di arabo. Mi bocciano sicuro, a me. La bocciatura può pure starci, ma mi dà fastidio l'idea di consegnare in bianco. Cioè, peggio di Benjamin il tedesco ariano non vorrei proprio essere. Cavolo, lui pronuncia tutto da schifo, io almeno la *'ayn* la so dire da divina. Perciò volevo chiudermi nel pensionato, sola con la grammatica Veccia Vaglieri. Invece Mar ha insistito. Seminegra cocciuta, la Mar. Ed eccomi caricata con la forza da una mamma e una figlia verso questa Mahdia, questa oasi di silenzio.

Però è una figata qui. Mi piace un casino 'sta Mahdia. Sono contenta di esserci stata trascinata. L'unica pecca, il nervosismo dei negozianti. Te se magnano se gli chiedi qualcosa. La grassona mi dice che quelli nervosi sono di Tunisi, non è gente di qua. Ma tutti sono di qua dico io, anche quelli di là. Se ci vivi in un posto, alla fine ne sei parte.

Mahdia è tutta pastello. Delicata. *Nu babà*. I caffè all'aperto, i mercatini improvvisati, l'odore di gelsomino mischiato a quello della pesca. Il sale del mare ti invade e per un attimo puoi anche prenderti il lusso di non pensare a niente, solo sentire il tuo corpo. A Mahdia il corpo lo senti intero. E ti piace pure. Un sacco, ti piace. Qui io mi piaccio. Ho tempo per me a Mahdia. Non sono mica come quei negozianti, io. Non corro a Mahdia. Non mi stresso. Non mi arrabbio. Non smadonno. A Mahdia la gente si siede e aspetta. Quando ho visto questo cimitero mi sono detta, ora mi piazzo qua, aspetto pure io. Cosa? Non so. Un'illuminazione. Forse me stessa. È bello qui, un cimitero sulla spiaggia, le tombe che sembrano guardare il mare. In realtà sono rivolte alla Mecca. Ma il mare è dentro di loro. Lasciare il posto più bello ai morti la trovo una delicatezza.

Miranda e Mar ora stanno ad abbrustolirsi e a parlare. Mamma e figlia. Le invidio un po'. Mi piacerebbe stare anch'io qui con la mia Maryam Laamane. È una bella donna Maryam Laamane. Quando torno glielo voglio dire. Mamma sei bona, le voglio dire. Hai delle belle tette, mamma. Eh sì, anche un bel culo. Io da lei ho preso solo il culo. È rotondo, sodo. Ma le tette potevano pure avere una forma un po' meno surrealista, meno Dalí, insomma. Invece mamma ha tette perfette. Quando torno a Roma glielo dico. Sicuro. Io ora però, sto pensando a Howa Rosario. Non ci posso credere che sia morta. Che non dondolerà più quel suo rosario profumato. L'avranno seppellita di certo a Prima Porta. C'è il verde a Prima Porta. Non so se sia bello a Prima Porta. Howa voleva essere sepolta al Sheik Sufi, a Mogadiscio. Lì c'erano le tombe azzurre. Invece è finita a Prima Porta. Mi sono persa anche il suo funerale. Mamma dice che è stato «regolare». Che i somali con i funerali sono così «regolari». Non capisci mai se sono tristi davvero. Non vogliono mai farsi vedere in lacrime. Si deve accettare la natura, dice mamma. Quindi ci si chiude in bagno a piangere e ci si mostra forti in pubblico. Per anestetizzare il dolore si raccontano storie, del morto, della sua tribù o quelle che lui o lei raccontavano da vivi. I maschi mangiano sempre un sacco ai funerali. Il *mufo* non manca mai e neppure un bel tè bollente. E poi pignatte di *fagioli* e chicchi di caffè abbrustolito. I maschi ficcano tutto in quelle bocche giganti quasi senza pensare. Le donne cucinano invece. Si danno da fare per non soffermarsi sulla tragedia e il pianto così resta in attesa al semaforo. Poi ognuno in solitudine sceglie la sua reazione al dolore.

Però una volta li ho visti piangere, i somali. Li ho visti piangere tutti insieme. Una scena che mi ha fatto un sacco impressione. Ero uscita dalla Libla apposta, avevo fatto un cambio turno con una tappabuchi come me, Iris. Mi sono fatta quasi tutto il centro di corsa. Arrivata tramortita al Campidoglio non sono riuscita a riprendere fiato, ho dovuto cominciare subito a piangere, come tutti, ero stata travolta velocemente da una sofferenza irrefrenabile. Era il *tacsi*, il funerale. Officiava il sindaco. Roma voleva salutare idealmente quei corpi che non hanno fatto in tempo a camminare per le sue strade antiche. Tredici bare in mezzo alla piazza. Tredici corpi anonimi di somali chiusi dentro. Tutti ragazzi avventurieri che avevano tentato di raggiungere il sogno di una vita migliore con una carretta del mare. Tutti morti senza vederla nemmeno da lontano quella Lampedusa tanto desiderata. Le bare, una concessione all'Occidente. A noi per tradizione ci seppelliscono come a Gesù Cristo, in un sudario. Come Karim, ormai coriandolo. Siamo Gesù noi, mica bruscolini. Ma lì c'erano le bare in mezzo alla piazza. Avvolte nella bandiera somala. La stella della bandiera mi ha fatto impressione quel giorno. Stella mia, quanto hai sofferto? Tutti piangevano quel giorno. Niente cibo. Solo bare e bandiere. Il sindaco e i discorsi. Le donne si battevano il petto. Mi è tornata per un attimo la tentazione di vomitare, ma non l'ho fatto. Ho guardato la stella e non l'ho fatto.

Però per Howa Rosario ho pianto tanto. Era mia amica Howa. Un po' rigida su tante cose, ma era mia amica. Gli uomini per esempio, non le piacevano. Però sapeva che piacevano a me e tentava di spiegarmelo a modo suo. Una volta, quando mamma non c'era e vivevamo insieme, avevo attaccato in camera la foto di Tom Cruise in *Top Gun*. Howa, ricordo, lo ha guardato storto e ha detto «*kaanis*», che sta per «frocio». Io mi sono lamentata. Tom non era frocio e c'aveva sempre un sacco di donne e un giorno, presto, avrebbe sposato pure me. Avremmo fatto un bel viaggio alle Maldive e avremmo avuto tanti pargoli, almeno otto. Howa invece era irremovibile, «*kaanis*». I froci però le stavano simpatici, solo non voleva che mi innamorassi di uno di loro. «Devi affrontare il problema, prima o poi. Non ti puoi innamorare solo di froci e impotenti. Togli quel poster». L'ho tolto solo per cinque giorni, poi l'ho riattaccato. È da lì, credo, che la mia vita sentimentale ha cominciato a vacillare pericolosamente verso la castità. Sto in mezzo alle tombe anche per questo. Per pensare a come non essere più vergine. Lo sono? Tecnicamente no. Cioè l'imene è andato, dicono. Ma io sono vergine, certo che sì. Non ho mai fatto l'amore con nessuno. Tecnicamente mi hanno infilato qualcosa nella vagina. Sì, me ne hanno infilate di cose lì dentro. Ma sono vergine, lo giuro, *wallahi*. In testa l'imene è intatto. Non ho mai fatto l'amore. È che non ne avevo voglia, dopo tutte quelle sgradite intrusioni. Poi sono diventata grande e la voglia mi è cominciata a venire. Ma ormai avevo perso il treno, non conoscevo l'ABC dell'amore. Questa dell'ABC è una fregatura. È una cosa che devi assolutamente sapere, se ti vuoi innamorare ed essere ricambiata. Ci sono scritte tutte le cose da dire e da non dire, i gesti da fare e da non fare, come muovere la bocca per dire «ti voglio» e come muoverla per far capire «gira alla larga, mi fai cagare». Anche come si sta in piedi o sedute, c'è scritto. E poi ci trovi i rifiuti che non sono rifiuti e le profferte che non sono profferte. C'è scritto come comportarsi con le telefonate, prima lui o prima lei? C'è la versione etero e la versione omo di ogni consiglio. Dritte sugli sms e gli incontri di persona. Come dare i baci. Come accarezzare. Quando svestirsi. Quando dire «ti amo», «mi piaci», «mi svalvoli». Tutto sugli orgasmi, sui punti G, X, Y, doppia Z e *daballiu*. Tutto sul piacere. Il mio. Il tuo. Il nostro. Il vostro. C'è scritto come sentirsi liberi. Come credere. Però accidenti, la mia copia dell'ABC me la sono persa. Ora, pagina per pagina, vado fotocopiando quella degli altri. La fotocopio dagli sguardi che si lanciano per strada, dalle parole sussurrate nei vagoni della metro. Fotocopio le pagine e la sera ripasso a memoria.

Anche Howa aveva perso l'ABC. Me lo ha raccontato una sera. Anche lei stesse intrusioni, stessi oltraggi. «Ma succede a tutte noi somale, 'sta sfiga?» le ho chiesto. «A molte donne» e aggiungeva «del mondo». Piegava la bocca in modo strano quando diceva mondo. Era una sfiga globale e la trovava ingiusta.

Ora sto seduta tra le tombe. Che pace qui. *Saalam, Shalom*. Bella pace. Soffia un vento leggero da est e il mare davanti distende il mio animo. La cicciona non c'è più. Nessuno mi parla più dei coriandoli di Karim. Sono seduta accanto a una tomba coperta di sassolini, adesso. Mi sa che a questo qui tutti gli volevano un sacco di bene. Ognuno che passa ci lascia un sassolino.

Si ama in cento modi in questo paese, in questa lingua. *Hubb* è solo la parola che si usa di più, quella che insegnano anche a noi stranieri. Ma ci sono cento modi di amare, mi ha detto la signora grassa, prima di uscire di scena... cento modi di soffrire. Di sperare. *Al wasb*-amore passionale, *al-hiy m*-amore sconfinato, *al-lahf*-amore doloroso. L'arabo è una lingua metodica, per questo mi piace tanto, una lingua che attraverso ferree strutture grammaticali riesce a fotografare con pienezza la realtà che ci circonda e costruire possibilità infinite di sguardi che si incrociano. Si fotografa con l'alfabeto l'attimo di un incontro, il profumo di un desiderio.

Cerco di leggere il nome del proprietario della tomba piena di sassolini. Il nome è scritto in caratteri arabi approssimativi. Un corsivo sbilenco. Non quelle chiare forme rotondeggianti dei libri di grammatica. Riconosco solo la lettera iniziale, una *mim*, che si legge come la M dell'italiano. La *mim* non mi ha risolto l'enigma della tomba. Uomo? Donna? Giovane? Anziano? Probabilmente un bambino. Faccio congetture, per me rimane comunque una tomba anonima. Ci sto seduta vicino per caso. E sempre per caso, la mia attenzione si è soffermata sui sassolini. Alcuni hanno una forma strana, sarà forse per questo chissà, che mi sono seduta proprio qui. Nonostante mi manchino tutte le informazioni sulla tomba, sul suo proprietario, sui sassolini, c'è qualcosa che so senza saperla veramente. La tomba vicino alla quale sto seduta è appartenuta a una persona che ha lasciato una traccia. C'è un alone d'amore intorno che è impossibile non vedere. Ecco anch'io vorrei lasciare la stessa traccia. Ma non in un futuro lontano, qui, ora, subito. Sì, la stessa scia d'amore.

Però non riesco ancora a vedermi dentro questa scia. Quando ci penso mi assale la paura. Paura di riuscire, di non riuscire. Di essere felice, di non sopportare il dolore. Paura, paura, paura e sempre paura. E così passo l'esistenza senza vivere. Per questo non sento i sapori dei baci, per questo non sento i battiti del mio cuore, per questo ho ancora attacchi di tremito. La paura blocca ogni mio senso prima che possa accendersi. Sono come quel collega conosciuto anni fa, nel mio girovagare da un lavoro precario a un altro. Lui tradiva la morte con flirt veloci e senza gioia. Era crudele con i suoi flirt, le inondava di liquidi velenosi e malessere. Collezionava una donna dopo l'altra, come le biglie colorate sogno di ogni bambino. Di queste donne non sentiva mai il sapore. Con me ne parlava però. Non ero il suo tipo. Non faceva il seduttivo con me. Mi trattava come un uomo a volte. O forse aveva capito prima di me che eravamo affetti dalla stessa malattia?

Aveva un mucchio di cose il collega: una casa in città, una in campagna di cui si vantava un sacco, un cane che odiava, due figli che viziava, una moglie opaca da cui si faceva cagare in testa e tante nozioni che la gente scambiava per genialità. Però a ben pensarci non aveva nulla. Aveva solo una vita brutta, di quelle borghesi alla Muccino. Aveva dei begli occhi grandi però, guardandoli avevi l'illusione che potessero contenere il mondo. Invece erano un bluff. Una cataratta di paura gli aveva bloccato la visuale. E forse anche le vene. La paura lo rendeva vigliacco.

Noi, dicono i buddisti, abbiamo spazio per contenere il dolore. Ogni essere umano ha sacche anche per il dolore più grande, quello che ci schianta. Però nessuno spazio esiste per la paura.

Ripenso al collega. Non lo vedo da anni. Mi chiedo se abbia ucciso il cane, se sia ancora vigliacco. Me lo diceva sempre che prima o poi a quel suo cane gli avrebbe tirato il collo. «La gente mi soffoca» diceva «e il cane più di tutti. È un'altra cosa che devo gestire». Invece era la paura, quella che doveva uccidere. Povero cane però...

E forse anch'io dovrei decidermi a uccidere la paura. Lo devo fare con queste mie due mani. Sono loro che cambieranno le cose, lo sento, sono le mie mani che daranno e riceveranno, daranno e riceveranno, in moto perpetuo. Un po' come in quella vecchia canzone di Ben Harper, *Now I can change the world with my own two hands, make it a better place with my own two hands*, ora posso cambiare il mondo con le mie due mani, renderlo un posto migliore con le mie due mani. A volte mi scordo di avere tanta forza in me, di avere speranza anche, e felicità. Mi scordo che nell'uomo tutto è conquista dell'intelletto e della propria volontà. Conquista delle nostre due mani. Anche le mie donne somale, perciò, potranno cambiare il proprio destino con le loro due mani. Ah sì, le mie donne somale lo faranno, lo sento.

Non hanno nulla all'apparenza. Non hanno la clitoride. Non hanno Mogadiscio. Non hanno la pace. Non hanno... Maryam Laamane ha me, però. Io la amo Maryam Laamane. Ti amo, lo sai, Maryam Laamane? Ci penserò io a te. E tu penserai a me? E quando arriverà il pellegrino mamma, mi dirai se è quello giusto o se dovrò aspettarne uno migliore. Non voglio più avere paura.

Ora davanti a questa tomba bellissima mi sembra di aver afferrato finalmente un lembo di verità che mi sfuggiva. È come nel quinto vangelo, quello apocrifo di Didimo Thoma: il Regno è dentro di voi e fuori di voi.

Sì, dentro di me. Lontana dalla paura.

La donna grassa mi ha detto che il mondo finirà tra diciotto mesi. Solo diciotto.

Non per me. Sono nata ora, vicino a questa tomba bellissima.

La Reaparecida

A Mahdia dove in questi giorni sto trovando tanta pace ci sono venuta grazie a te figlia mia. Sei tu che mi hai trascinato, anche se la proposta è partita da me. È stato il tuo entusiasmo a farmi capire che sarebbe stata la meta giusta. Ci siamo portate uno zaino in due. C'erano dentro due costumi, due pigiami, due spazzolini, un po' di trucchi, e io ci avevo ficcato dentro pure i baci che non ti ho mai dato, figlia mia. Volevo donarli a te, tutti in una volta. Alla stazione ad aspettarci il gruppo della scuola con cui avevamo pianificato il viaggio. La corriera Tunisi-Mahdia oltre noi e agli amici della scuola di arabo, trasportava una famigliola tunisina standard. I due bambini schiamazzavano, la mamma gridava svogliata, l'uomo tentava di schiacciare un pisolino disinteressato. Io mi ero seduta tra lui e la sua signora grassa, che quando non gridava giocava con un cellulare evidentemente nuovo. Odorava di gelsomino, quella donna grassa. Tutti in questo bizzarro paese odorano di gelsomino. Anch'io qui odoro di quel fiore sfacciato, e dire che di solito ho l'odore del dolore, del crisantemo.

I miei baci, quelli per te, nel frattempo piangevano pigiati nel fondo del nostro zaino. Volevo riempire la tua faccia asciutta con il loro calore di mamma. Ma era troppo presto, dovevo ancora aspettare, ancora un po'. E per distrarmi li pigiavo di più, con cattiveria quasi. Non era ancora il tempo, dovevo prima finire di scriverti tutto, dirti tutto, liberarmi una buona volta dei coni d'ombra del passato.

Abbiamo dormito, mangiato, parlato, siamo andate a zonzo per la cittadina. Stamane sul presto, ti ho vista che ti avviavi in spiaggia con una ragazza bianchiccia. Io con il mio passo silente vi ho seguito a poca distanza. E ora siamo al mare, insieme, ma distanti. La ragazza bianchiccia si è tuffata subito in acqua. È sparita per un po'. Ci ha lasciate finalmente sole. Io e te, Mar. Una madre e una figlia. Mi sono guardata intorno e ho visto solo tombe. Ero preparata. Me lo avevi forse detto tu di questo cimitero sul mare. E poi è da un po' che le tombe sono quasi un destino per me. Me le porto sul dorso come una tartaruga la sua dimora. Sono la mia casa, il mio dolore, ma in qualche modo sono anche il mio più grande conforto. Lo sono sempre state, fin dai tempi in cui piangevo sulle tombe sconosciute, per mitigare il dolore della perdita di Ernesto. Nel grembo avevo te, Mar, e piangevo inconsolabile in quel cimitero romano. La storia si era spezzata, il mio pianto era un tentativo di ricomporla.

Qui a Mahdia è bellissimo, siamo insieme, e le tombe guardano il mare. Come in quella canzone di Serrat, *A mí enterradme sin duelo entre la playa y el cielo,* seppellitemi senza dolore tra la spiaggia e il cielo... Perché non c'è dolore, non c'è *duelo* nel vedere il mare 365 giorni all'anno. Puoi sopravvivere alla morte così. Credere che sia temporanea. Invece la Flaca sta a Prima Porta, a Roma... è non c'è il mare a Prima Porta. Lì la morte è ferma, definitiva, irreversibile. Non c'è, come a Mahdia, la possibilità di rivivere nell'eco delle onde. È strano, mai mi sarei aspettata di vedere qualcuno morire a Roma. La gente va a fare altre cose a Roma. Uno sogna di fare l'amore a Roma, o di sposarsi a Roma, o di baciare la mano del papa a Roma, anche se io non bacerei mai la mano di un religioso, nemmeno del papa. No mio fido più di loro. Non mi piacciono più i religiosi. Almeno quelli altolocati.

A Buenos Aires molti prelati lo sapevano dei *desaparecidos*, sapevano che c'era gente torturata in mezzo al traffico della città, sapevano dell'Esma. Sapevano dei luoghi di detenzione. Il nunzio apostolico giocava tranquillo a tennis con l'ammiraglio Massera ed era risaputa la sua fraterna ambigua amicizia con i militari. Io non sono mai stata devota. Ma Gesù mi stava simpatico, mi sembrava un hippie dalle idee un po' strambe, quasi un facinoroso, un comunista. Un po' come la Flaca, come Ernesto. Era accanto a loro Gesù, quando si sfiancavano alle *villas miserias*. Gesù credevo fosse biondo. Invece ho scoperto che ha il volto dei diseredati, il nostro stesso volto, alla fine. Ma a Buenos Aires e in tutta l'Argentina quasi nessuno nella chiesa che contava somigliava a lui. Erano tutti parti di vipera, non persone. Si torturava cristianamente e si assassinava con il Padre Nostro sulle labbra. Poi sì, c'era l'altra chiesa. Quella del mio amico Osvaldo. Lui stava alle *villas miserias* con Ernesto. Osvaldo lo hanno squamato vivo all'Esma. Le sue grida mai sentite, solo immaginate, mi rimbombano ancora dentro.

Poi anche tu ti sei tuffata nel mar Mediterraneo. Sono rimasta sola tra rocce e tombe. Mi sono messa a leggere per passare quella parentesi di solitudine.

«I nostri uomini» diceva il giornale che avevo in grembo «sono solo caricature». Era un articolo sui femminicidi di Ciudad Juárez. Giovani messicane violentate, brutalizzate, ammazzate per non si sa bene cosa. Un macabro gioco, forse. Ogni parola di quell'articolo mi ricordava i taccuini della Flaca. Dopo la sua morte io e Santana ne avevamo trovati svariati per tutta la casa. Un po' scritti, un po' scarabocchiati, un po' disegnati, un po' solo colorati. Ogni pagina era piena di cose. Alcune di una lucidità sorprendente. Come vorrei che tu l'avessi conosciuta, figlia mia, ma non è successo. Ora posso solo ricostruirti le sue parole.

«Me la sceglierò io la morte» scriveva la Flaca «inghiottirò litri di detersivo corrosivo. Quando mi troveranno sarò grigia, con rigoli di disinfettante sul viso. Coma. Ospedale. Tubicini.

Poi sì, la morte. Una fine. Non l'unica. Sono già finita da tempo. Da quando mi hanno caricata su una Ford Falcon senza targa e mi hanno allontanata da Ernesto. Mi aveva regalato un album di Dylan il giorno prima. Avevamo fatto l'amore dopo aver mangiato una torta alla panna. Eravamo incoscienti, c'era da stare attenti, e invece noi abbiamo schiamazzato l'intero pomeriggio e quasi tutta la sera. Eravamo giovani e in quella stagione della vita la morte non ti sembra un'alternativa possibile alla felicità. I nostri compagni invece erano tutti sull'orlo di una crisi di nervi. Nessuno credeva più che l'organizzazione potesse salvarli, l'organizzazione non c'era più. Dissolta, liquefatta. Io però continuavo a crederci. Pensavo che si sarebbe occupata di noi, che ci avrebbe fatto scappare. Quindi quel giorno festeggiammo il mio compleanno.

Marisela, una compagna montonera, solo tre giorni prima mi aveva detto "Tu sei pazza Rosa. Non hai ancora capito dove vivi?". Dove vivevo? A Buenos Aires, no? Marisela aveva scosso il capo, "Buenos Aires è cambiata amica mia". Era sotto shock da quando aveva visto un paio di occhiali nuotare in una pozza di sangue. Doveva esserci una riunione del collettivo. Marisela era una che con le ore e i minuti ci aveva sempre fatto a pugni. Quel giorno tardò mezz'ora. Nel frattempo era successo di tutto. Le Ford Falcon correvano impazzite su e giù per il quartiere, tutto era nel caos, tutto un pandemonio. Persone, cose, pulviscoli atmosferici, tutto in movimento. Poi partì qualche pallottola. Marisela si ficcò in un cortile. Qualcuno la fece entrare. Non succedeva mai, all'epoca. Fu poco prima di entrare in quella casa sconosciuta che Marisela vide gli occhiali del responsabile del collettivo nuotare in un mare rosso. Ebbe paura. Me la comunicò. Io però ero incosciente. Quando ci vennero a prendere, me ed Ernesto, pensai che magari non sarebbe stato così brutto come si diceva. Che la gente tendeva a immaginare mostruosità. Avevo con me la capsula di cianuro. Che fare? Ingoiarla a secco? Morte eroica? Come quell'hippie sulla croce, quel figlio di Maria, morto per i suoi amici, morto per dei perfetti estranei?

Non mi riuscì di ingoiarla, me la fecero sputare, la mia capsulina. Niente martirio per la causa».

Mahdia. Io, te e una ragazza bianca su una spiaggia. Io che leggo dei femminicidi a Ciudad Juárez. Io che non trovo differenze tra Buenos Aires e Ciudad Juárez. Che non trovo differenze tra il dolore della Flaca e quello di Maya, la ragazza dell'articolo.

«Il referto medico sulla morte di Maya era molto chiaro» scriveva il giornalista. «Ragazza meticcia di 12 anni. Picchiata. Strangolata. Violentata per due condotti. Presenta ematomi sulle cosce e sul torace. L'occhio destro colpito con oggetto affilato e appuntito. Al momento del decesso indossava una tuta da ginnastica color verde acqua e una t-shirt con un Paperino sorridente. Sulla pelle bruciature di sigarette».

Bruciature di sigarette. Sì, come alla Flaca all'Esma. Lo aveva scritto sui suoi taccuini. Ma era la *picana* a ricorrere ossessiva in ogni disegno, ogni stralcio di vissuto.

«La prima *picana* per me non è stata all'Esma» aveva scritto. «Fu in un altro posto. Forse all'aeronautica o forse... non so, era un posto con le pareti color piscio. Brutto posto. O forse ero io che lo vedevo brutto, perché avevo paura. Mi ricordo le pareti e uno spazio che mi sembrava immenso, mastodontico. Quasi un palcoscenico. Sì, era come il palcoscenico di quel teatro di Rosario dove ballai la prima volta. Lì facevo Odette, la riduzione teatrale. Mi tremavano le ginocchia e avevo scordato come si stava sulle punte. Avevo sedici anni, la mia maestra, la signora Gloria

Campora, mi diede due buffetti sulla guancia e mi disse «Scema». Ballai divinamente. Una splendida Odette.

Quanto avrei voluto la signora Campora, in quel locale color piscio. Invece lei non c'era, c'ero solo io su quel sudicio palcoscenico, io e una quantità spropositata di energumeni. Gridavano frasi sconnesse, quegli uomini. Figlia di puttana, sporca montonera, merda di una comunista. C'erano dei fari che mi accecavano, nonostante mi avessero messo un cappuccio, la famigerata *capucha*. Poi mi avevano legata in ogni punto. Nuda. Tutto di me era esposto. I peli pubici, la paura, il seno. Dopo, le grida si fecero più violente. Era un copione classico, energumeni violenti che urlavano oscenità. Un film dell'orrore.

Poi mi tolsero la *capucha*. Giusto quell'attimo per scatenare in me il panico. Lo spettacolo era scontato: uno con la patta aperta e il pene in erezione in bella mostra. Minacce di stupro multiplo. Non so, non m'importava d'essere stuprata. Ero più preoccupata di quel macchinario che vedevo vicino ai torturatori. Allora misero una mascherina sugli occhi. Per non vedere. E sentii quella mano. Una mano che mi accarezzava dolcemente i capelli. Terrore. Una cosa che non avevo previsto. Nessuno gridava più. Solo quella mano dolce sui capelli. «Se parli non ti succederà niente». Non me l'aspettavo quella mano, quel sussurro, quella voce di miele. Era una voce bella, quasi radiofonica, falsa. Ebbi paura.

Cosa avrei potuto confessare? Non sapevo niente, io. Lavoravo alle *villas miserias*, io. Ballavo, io. Non mi avrebbero creduta. Volevano nomi, date, luoghi, piani. Io non avevo niente da dargli. Tavolo di legno. Io sopra. Nuda, sempre. Legata, sempre. Poi altri insulti. Poi altro tavolo. La sensazione era di una rete metallica. Mi bagnarono. Quei figli di puttana volevano farmi sentire più dolore ad ogni scossa elettrica. Mi ripassarono come una cotoletta nell'olio. Friggevo, dappertutto. Ventre, occhi, naso, vagina, labbra, gengive, torace, alluci. Persi i sensi. Quando mi svegliai, ricominciarono. Fu una seduta. Forse la più lunga. Poi mi schiaffarono in una cella. «Non bere» mi dissero e mi abbandonarono lì per un po'.

C'era un tipo, un uomo, o forse una larva. Non parlava. Tremava. E io pensai che avrei preferito essere stuprata, quello almeno me lo aspettavo. Quando successe, mesi dopo, non provai infatti molto dolore. Fui quasi collaborativa con il «verde», il militare che mi montò sopra. In quella cella quel primo giorno, sentii le urla di altri torturati dopo di me. In seguito mi capitò anche di sentire le urla dei miei compagni sottoposti alla loro sessione di tortura. Ecco, a quello non mi sono mai abituata del tutto. È orribile sentire scannare un uomo. Però in quel posto color piscio ero sola. Il tipo tremante lo portarono via subito. Non avevo nessuno, nemmeno quella larva a tenermi la mano. Invece all'Esma quando stavo nel *sotano* c'era sempre una spalla su cui appoggiarsi, una persona che ti sosteneva in quel frangente assurdo, quel momento in cui scannavano un altro essere umano. Mi sentivo impotente. Non potevo salvare nessuno, non potevo salvare me stessa».

Mi piaceva ricordare la lingua in cui scriveva la Flaca. Una lingua salata. Il suo spagnolo correva spedito dalle alture delle Ande, contaminato. Imbastardiva con dolcezza l'idioma di Cervantes. Scivolava come una cometa tra le lettere confuse e intatte. Come te, Mar, la Flaca era un puzzle di suoni. E forse come me. Noi parliamo la lingua della frontiera, quella degli attraversamenti continui. Quante lingue ci sono dentro di noi? Tu lo sai, figlia mia? Io lo intuisco, ma non so dire di quante lingue siamo fatte. In noi c'è di sicuro l'ancestrale lingua india, la lingua di Coatlalopeuh. Della fertilità. Poi c'è la lingua della storia, lo spagnolo esportato col sangue e con l'inganno. Ma nella nostra bocca è cambiato, lo sento, si è ingentilito, si è innervato di noi. Non è più la lingua arrotolata dalle consonanti compatte dell'inizio del mondo. Diventa aria e stelle, diventa sole e luna. Si fa carne. Si fa viva. Diventa altro, una lingua segreta che si parla da bambini, una lingua per comunicare con gli angeli.

Quante lingue parlava la Flaca? Alla fine non lo sapeva neanche più, povera amica mia. Borbottava. La tragedia le aveva fatto perdere definitivamente la capacità di articolare discorsi sensati. Nei momenti calmi scriveva i suoi taccuini. Le hanno tenuto la bocca aperta, alla mia povera Flaca, e ci hanno versato dentro sperma e cicche di sigaretta. Lo ha scritto sui taccuini, disegnava spesso anche la sua bocca riempita di spazzatura. Era come se le avessero tagliato la lingua. Quando parlava a Roma stentavo a riconoscerla. Dovevo guardarla per sincerarmi che fosse lei veramente. Non era la mia Flaca di prima, dei tempi più belli, era tutta un'altra donna, una che non comprendevo bene. Le avevano rubato i suoni quei bastardi. Le avevano rubato tutto. Povera Flaca non ha potuto nemmeno gridare. Punita. *Con cara fea le han cortado su alma, su voz. No tiene voz, mí Flaca.* Con una faccia cattiva le hanno strappato l'anima, la voce. Non ha più avuto una voce, la mia Flaca.

Però ora io, Miranda, tua madre, una donna, scrivo. Trasformo il pianto in una lingua, in una ribellione. Prima ero sfocata. Tua madre, Miranda, la poetessa, sfocata. Quasi inutile. Non riuscivo a vedermi, a farmi vedere. Ora che ti ho raccontato della Flaca, del mio più grande affetto, ecco che la mia immagine riappare. Sono qui, una *reaparecida.* Mi sento forte. Presto tua madre ti darà tutti quei baci pigiati nello zaino.

Il nostro cammino, il tuo e il mio, dev'essere ora in direzione del sole.

Rullavano sulle strade i veicoli diretti allo *Stuun*, alla festa della bastonata.

La strada era imbottita del popolo di Mogadiscio. Sfolgorio di furgoncini, campagnole Fiat, Land Rover, *hajikamsin*, quei bus pubblici – la gente ci stava appesa come l'uva matura ai grappoli e straripava allegra per quelle strade male asfaltate.

«Pensa Zuhra, gli italiani si vantano tanto di averci fatto le strade, ma la verità è che quel tragitto sembrava una grande groviera. Come tutto quello che avevano fatto, dopotutto. Da Mogadiscio ad Afgoi le buche erano più del bitume».

Rullavano anche i ricordi, dentro il cranio di Maryam Laamane. Rullo deciso, incessante, commovente. Seduta sulla sua stuoia a Roma, anno 2006, Maryam riusciva ancora a sentire il rumore degli anni sessanta, il rumore che facevano le sue scapole ogni volta che la Cinquecento truccata di Hirsi prendeva una delle buche che gli italiani non si erano curati di tappare.

Era stato un bel viaggio, nonostante Manar lo avesse quasi rovinato con l'annuncio sul figlio della sarta Bushra. Manar era così, parlava poco, ma con quel poco scatenava terremoti indicibili.

Sì, era stato decisamente un bel viaggio quello che portò le due amiche allo *Stuun* di Afgoi. La brezza fresca che entrava dai minuscoli finestrini aveva dato loro refrigerio e anche cantare a squarciagola le canzoni preferite non era stato male. La musica piaceva molto a Maryam Laamane, ma i suoi gusti erano diversi da quelli dell'amica. Howa era della scuola melodica italiana. Maryam invece era per i ritmi moderni, sincopati. A lei piacevano gli americani. Le piacevano Sam Cooke e Wilson Pickett. Sentiva che la loro voce non era estranea alla sua pancia. Delle parole non capiva niente, ma intuiva che la sua pelle non doveva essere poi così lontana da quelle note.

Più che cantare Maryam storpiava. La melodia base era mugugnata, e le parole del tutte inventate. Ma la ragazza ci metteva impegno. Cercava di ripetere a modo suo ogni vocalizzo dei suoi eroi. Si immaginava insieme a loro con un vestito di strass su un palcoscenico dorato, davanti a tante persone profumate apposta per l'occasione. Il teatro nei suoi sogni era sempre l'Apollo a Harlem, New York City. C'era una fotografia molto grande di quel teatro nel negozio di dischi, vicino all'ambasciata americana. Maryam ne era rimasta folgorata. Quando era triste, le bastava pensare all'Apollo per tornare a sorridere. Il proprietario del negozio, l'unico che in tutta Mogadiscio vendeva dischi d'importazione, le aveva detto una cosa e Maryam se l'era tatuata sul cuore: «Bambina, è lì che si fabbricano i sogni». E aveva aggiunto: «Sono sogni neri come il colore della nostra pelle. Sogni liberi. Sai cosa vuol dire?».

Erano i giorni dell'indipendenza e ancora nessuno sapeva cosa significasse effettivamente essere liberi. Maryam scosse la testa, tenendo stretto al petto il vinile che aveva appena comprato. Il proprietario si limitò a sorridere. Maryam si chiese allarmata perché accidentaccio non le spiegasse meglio. Il proprietario aveva una bella barba lunga e a punta. Se l'accarezzò senza fretta. Poi disse: «È tutto racchiuso in uno *yeaah*!».

Maryam era perplessa, «Non ho capito niente» ammise.

«Sei libero solo se dici sì, *yes*, *yeaah*, senza che qualcuno te lo abbia ordinato. Lo capisci questo? Quindi quando senti in una canzone uno *yeaah*, mettici tanta energia a pronunciarlo. Quella è la tua libertà, ricordatelo sempre».

Ecco perché ogni volta che mugugnava *Bring it on home to me* urlava tutti gli *yeaah* della canzone con una furia esagerata.

Quella canzone le piaceva molto. Era per via dell'amore miscelato dentro. Anni dopo, nel periodo buio di Siad Barre, quando il marito era perseguitato e loro malvisti dal potere centrale, le bastava canticchiare quella canzone per non sentire più nessun dolore. Per credere di nuovo nella vita.

Erano ancora insieme lei ed Elias, una coppia. Lui la chiamava *Darling* e lei gli diceva *I love You*. Intorno a loro invece era cominciata la dittatura. All'inizio, quando vivevano in Somalia, la dittatura era stata battezzata «socialismo scientifico», poi dopo il loro esilio, il socialismo di Siad Barre era diventato miracolosamente «capitalismo», con relativo codazzo di americani e italiani corrotti. Ci furono gli anni dell'autostrada Garoe-Bosaso, gli anni in cui la Somalia fu innaffiata di rifiuti tossici – la dittatura cambiava forma, ma non sostanza. Troppa sofferenza, fin dall'inizio. Maryam per resistere cantava in uno *yeaah* la sua libertà. E cantava anche per Elias e Zuhra.

Ma in quell'afosa giornata degli anni sessanta, Maryam non immaginava che avrebbe affrontato presto una dittatura militare paurosa. Non immaginava niente quel giorno, Maryam. Non sapeva, ad esempio, che si sarebbe sposata proprio con il figlio della sarta Bushra tanto temuto, non sapeva che lo avrebbe amato più di se stessa, che avrebbe avuto una figlia di nome Zuhra, che il travaglio sarebbe durato quarantanove ore, che l'esilio per lei era dietro l'angolo, che a Roma dei *ginn* impertinenti le avrebbero fatto un incantesimo maligno con una bottiglia trasparente, che da vecchia avrebbe partecipato alle riunioni degli alcolisti anonimi e che grazie a una terapista di nome Rosanna avrebbe salvato la vita sua e di sua figlia. La sua testa era libera quel giorno, come gli *yeaah* che cantava a squarciagola.

Manar invece non sapeva nessuna canzone ed era un po' irritata da quella esplosione di note della ragazza. Howa partecipava alla gara con le armonie sanremesi di Gianni Morandi e Rita Pavone. Da Howa le parole italiane uscivano chiare, limpide, senza inflessione. La voce di Howa era allenata, dopotutto. Era la lettura ad alta voce del Sacro Corano che dava alla sua piccola cassa toracica la dignità di una soprano d'opera. Era la devozione che traspariva dalla sua voce che faceva zittire per un attimo tutto l'uditorio, Maryam Laamane compresa. Anche se la materia erano le totalmente profane canzonette sanremesi, il sacro irrompeva deciso dall'ugola di Howa Rosario.

E cantando l'amor sacro e l'amor profano, la Cinquecento di Hirsi arrivò a destinazione in un'ora e tre quarti. Scendendo, le donne diedero aria ai loro vestiti bagnati di sudore. Le cosce furono liberate dalla colla della traspirazione e delle tante ore di segregazione nel bugigattolo di Hirsi. Una brezza improvvisa e sospetta venne a dare loro refrigerio. Maryam si sentì pungere sulla punta della vagina. Le piacque.

«Dicono che ci siano dei *ginn* nascosti nel vento» disse maliziosamente Manar, che aveva indovinato il significato della bocca semiaperta di Maryam. La ragazza abbassò il capo senza commentare. L'imbarazzo le aveva accaldato le guance. Si sentiva un fuoco.

«I *ginn* amano la verginità delle fanciulle» aggiunse sempre più maliziosa Manar, il terremoto.

I *ginn* o i ragazzi?

La mente di Maryam in subbuglio. Come il suo cuore. Il figlio della sarta Bushra era tornato dal suo giro del continente, presto lo avrebbe dovuto conoscere, già lo odiava. Presto lo avrebbe dovuto sposare. Lo aveva promesso alla sua amica Howa, non era della sua stirpe rimangiarsi la parola. Il labbro morso attimi prima ritornò a sanguinare. Maryam cercò di tamponarlo con un fazzoletto color terra. Il figlio della sarta Bushra sarebbe stato il suo futuro.

Maryam decise di concentrarsi sul presente. Sulla festa a cui stavano per assistere. Il cuore batteva per un incontro improbabile. Gli occhi volevano scovare in quella moltitudine il ragazzo della bicicletta, quello che le aveva rapito i sensi con una camiciola di lino beige sbottonata e lasciva. «Il mio presente è lui» disse a se stessa Maryam. E cominciò a fischiettare qualcosa che aveva tutta l'aria di essere Nat King Cole.

Afgoi, la città delle lingue tagliate. C'era una storia su quella città. Si diceva che Mohamed Abdulle Hassan, quello che gli inglesi chiamavano *mad mullah* e i somali il Signore, Saydka, aveva voluto punire il tradimento e l'impertinenza dei cittadini di quel buco di mondo. Aveva tagliato loro le lingue. Di netto, senza pietà. Non voleva sentire più impertinenze, Saydka. Non era uno che scherzava, dopotutto combatteva gli inglesi e gli italiani, aveva la scorza dura. Era contro l'imperialismo, Saydka, ma anche contro chi si opponeva a lui. Ad Afgoi la gente aveva smesso di parlare per un po'. Ma poi le lingue erano rispuntate nella bocca come fiori. Lingue più accorte e guardinghe. Ad Afgoi nessuno parlava più a vanvera. Il ricordo di Saydka e delle sue lame taglienti era una memoria troppo viva per essere dimenticata dall'oggi al domani.

La festa della bastonata, lo *Stuun*, si svolgeva alla periferia della città, sulla riva sinistra del fiume, in una landa battuta dal sole cocente. Gli alberi erano pochi, ma quei pochi erano sempre assaltati dalle masse, fameliche di fresco. Sotto ogni fronda, macchine, carrette, uomini, donne, bambini. Tutti con strani stracci bagnati in testa. C'erano anche tre ambulanze e un denso contingente di forze di sicurezza. Era tutto predisposto per l'inizio della festa.

Il fulcro di tutto era la lotta del bastone, lo *Stuun* vero e proprio. Due gruppi contendenti dovevano darsi dura battaglia in un corpo a corpo che prevedeva randellate con rami lisci e leggeri. Vinceva il gruppo che faceva arretrare di più quello rivale. Il primo giorno nessuno dei contendenti poteva considerarsi vittorioso. Lo scopo finale della lotta era far ritirare il nemico. Ma il primo giorno ci si accontentava di pochi metri. Due ore e mezza, infatti, non erano sufficienti per decretare un vincitore. Ce ne volevano almeno il triplo. Quindi il primo giorno era dedicato al calcolo. Si valutavano i punti deboli, quelli forti, gli assi nella manica, gli imprevisti, le certezze.

E fu così anche quel primo giorno, in cui Maryam Laamane cercava tra gli alberi e le macchine in sosta un ragazzo con una camicia di lino beige. I bastoni cominciarono a riempire dei loro sibili potenti l'aria di quella bollente mattina somala. Dalle dieci alle tredici fu guerra aperta. I primi minuti furono brutali, mazzate, mazzate, mazzate e ancora mazzate. Non c'era nessun criterio, se non quello di marcare il territorio con la propria forza. I primi minuti era il più forte a mostrare il petto, a fare lo sbruffone. La brutalità non durava mai molto. Il gruppo più debole furbescamente indietreggiava fino a ritirarsi. La momentanea sospensione permetteva di riordinare le idee e creare una tattica. C'era una sorta di galateo da seguire in questi primi attacchi. Il più forte evitava di umiliare il nemico. Il più debole evitava di farsi umiliare. Per questo la ritirata era sempre accettata senza problemi da ambedue i fronti. Erano rari i casi in cui il gruppo vincente si lanciava all'inseguimento del gruppo perdente, doveva incorrere in una grave inimicizia perché questo avvenisse. Bastavano quei pochi metri per decretare una classifica, non si doveva arrivare all'umiliazione totale del nemico. Anche perché questo alla lunga poteva risultare controproducente.

Non era infatti detto che il vincitore dei primi minuti, fosse il vincitore di tutta la gara.

Lo *Stuun*, nonostante l'uso della forza bruta, era una gara altamente strategica. I colpi mai dati a casaccio, ogni gesto aveva un suo perché nella dinamica del gioco. La seconda mezz'ora era dedicata, non a caso, alla rivincita. Spesso era in questa fase che si poteva intuire chi avrebbe vinto quell'interminabile lotta per il potere. Si poteva assistere anche a clamorosi capovolgimenti di fronte. Nella vuota calura, la fatica si faceva presto sentire. E la sola forza non bastava più. Era nei minuti successivi che la testa e la strategia prendevano il sopravvento.

Un attimo prima della preghiera di mezzogiorno la gara finiva. Per riprendere il giorno dopo. Come le cavallette, tutti correvano verso la devozione ad Allah e il cibo che reclamava lo stomaco.

Afgoi era nota per i ristoranti nei *tucul*, dove insieme al riso caldo ti servivano *bamia* e carne di capretto. Una specialità da leccarsi i baffi. Maryam Laamane adorava il *bis bas* di cocco che era servito come condimento. Il *bis bas* era la sua passione, soprattutto quello al cocco. La ragazza trovava che quella miscela di peperoncino le dava spessore e coraggio.

Nel *tucul* la gente si ammassava, ma furono fortunati a trovare un posto libero. Mangiarono da signori. E bevvero un tè caldo speziato per digerire. Si doveva fare in fretta, la parte più bella della festa stava per arrivare. Dopo tutto quel riso e quel capretto, Maryam Laamane si sentiva pesante e spossata. Le palpebre le si chiudevano.

E fu proprio quando chiuse gli occhi, che passò davanti a lei il ragazzo della camicia beige. Non aveva la futa quel giorno, ma un pantalone kaki e una camicia bianca sahariana. Era tutto abbottonato. I capelli tirati da una parte e la fronte ampia in evidenza. Gli occhi erano nascosti da un paio di occhialini scuri.

Hirsi fece un cenno al ragazzo dalla camicia bianca. Maryam Laamane invece era precipitata nel mondo dei sogni. Il ragazzo si avvicinò al tavolo.

«Manar, Howa, vi presento il figlio della sarta Bushra, Elias Majid».

Howa tremò. Maryam non si svegliò. Sarebbe stata felice di scoprire che l'amore corrispondeva al suo sacrificio. Senza saperlo si era innamorata proprio della promessa fatta a Howa Rosario.

«Quando sei nata tu, Elias mi reggeva le spalle. È stato con me tutte le quarantanove ore e quando la *umuliso* vide la tua testolina io mi ricordai dello *Stuun*, il giorno in cui io e tuo padre decidemmo di sposarci» disse Maryam Laamane al registratore. In un attimo la donna fu investita da una zaffata di odori. Era il suo utero che lottava per liberare una bambina. Zuhra non voleva uscire da quel caldo materasso uterino. Ci stava bene all'interno della sua mamma. Il fuori le sembrava troppo minaccioso. «Non avevi tutti i torti, tesoro mio». Il clima di Mogadiscio non era dei migliori. C'era ormai la dittatura militare. Erano gli anni settanta. Niente sarebbe stato più lo stesso.

Elias in quel periodo non lavorava quasi più. I suoi modelli, le sue stoffe erano state considerate sovversive dell'ordine proletario. Troppi luccichii e brillanti, troppi svolazzi e strass. Degenerazioni capitaliste. Sprechi imperialisti. In poco tempo l'azienda tessile somala e le sartorie artigianali cominciarono ad adeguarsi a quel rigore di stato. Tutto divenne uniforme, senza fantasia. Divise e parificazione. Melasse omogenee che facevano venire ai più il voltastomaco. Mogadiscio divenne la città delle parate. I ragazzi dei circoli giovanili Ubax dovevano imparare ad essere buoni patrioti ogni giorno. E quindi si marciava, si marciava, si marciava. La grande Proletaria si è mossa... Si imparava nei circoli Ubax a fare i quadri viventi. Si imparava a essere un tassello del comunismo globale. Si imparava a essere una palpebra di Marx, un ciglio di Engles, un labbro del compagno Mao o la punta del naso di Lenin. Si cantava l'internazionale e si tornava a casa stanchi di essere un incastro inutile della rivoluzione.

A Elias non piaceva essere un incastro e soprattutto non gli piaceva cucire quelle uniformi. Sentiva ogni minuto la sua arte morire. Fu per l'arte e un po' perché stava per avere un figlio, che entrò nei gruppi segreti di opposizione al regime Barre. Loro si sentivano defraudati della parola comunismo. Avevano letto Gramsci, avevano creduto nella lotta prospettata da Fanon, erano nostalgici dei tempi della Syl, la giovane Lega dove tutti cantavano felici la libertà dal giogo coloniale. Elias in quei giorni si era inventato anche una canzone su Howa Taqo, la donna morta durante una manifestazione antitaliana. Una freccia l'aveva trapassata da parte a parte. Le si era squarciato il cuore. Lei aveva continuato a correre per la sua indipendenza, nonostante la freccia fosse letale. Era una sua eroina, Howa, e nelle sere di canicola Elias sognava di poter cucire per lei il vestito più bello del mondo. Un vestito per la sepoltura. Un vestito con cui presentarsi al giudizio dell'aldilà.

Era stato in quei giorni strani, in cui Elias si era unito al complotto, che Maryam Laamane aveva saputo per caso che il marito era in pericolo. Che lo avrebbero messo in prigione. Era troppo grossa per potersi muovere. La bambina – lei aveva sempre saputo di portare in grembo una femmina – scalciava rumorosamente. Era maturo il tempo, si stavano per rompere le acque. Voleva correre invece, Maryam Laamane, come quando inseguiva leggera il volo dei falchi e dei sogni. Quando era un fuscello di ragazza. Allora sì, che poteva correre. Come i suoi eroi, gli *alibesten*. Ora non poteva più. Era troppo grossa. Lo fece semplicemente chiamare. Ci mandò la zia Salado, quella dura, quella che non sorrideva quasi mai. In quegli strani giorni lei era sempre al suo fianco. Il marito invece era perso tra cospirazioni e allucinazioni politiche.

Non immaginava che la delusione potesse trasformare il suo Elias, così curioso e dolce, in un vegetale cattivo e arido. Ma era così. E lei, Maryam Laamane, era così grossa. Quando Elias si presentò alla sua porta, Maryam si rese conto che non lo vedeva da ormai venti giorni. Che lui dormiva sempre nella sua bottega e che ogni minuto era dedicato alla cospirazione. Aveva una camicia beige, come la prima volta che aveva posato gli occhi su di lui. Quel giorno la sua barba non era fatta. I peli spuntavano ribelli e alla rinfusa sul mento aguzzo.

«È cominciato il travaglio da qualche minuto, la *umulisso* è stata chiamata».

Elias le strinse la mano. Erano sudate le mani di Elias. Scivolose. Maryam sentì in quel momento una contrazione tremenda. Lasciò la mano. Bruciava. Non era un buon segno. Lo stava forse perdendo? Forse la figlia aveva fretta di uscire per conoscere il papà. Per farsi vedere almeno una volta da lui. Maryam non ci aveva pensato mai, fino ad allora. Ma era così, la bambina stava uscendo prima del tempo per incontrare il padre. Sì, lo stava perdendo.

«Ti stanno cercando Elias. Te ne devi andare, lo sai?».

«Mi hanno proposto l'Italia» rispose lui con calma. Respiri corti. Parole brevi. Sguardi velati. Contrazioni.

«Aspetterò che nasca». E le strinse la mano. Questa volta non c'era il fuoco ad attendere Maryam, ma una stretta salda e soffice. La conosceva bene quella stretta lì. Era la stessa che aveva conquistato il suo cuore in quel giorno ad Afgoi negli anni sessanta.

Maryam parlava al suo registratore. Attraverso di esso abbracciava la figlia Zuhra. Le storie erano il suo amore di madre che lei, Maryam Laamane, non era riuscita a manifestare. Ritornò con il pensiero e la parola a quel lontano giorno quando il suo destino si era unito a quello di Elias. Maryam, quel giorno, fu svegliata dal sonno da una Howa Rosario allarmata. Erano ad Afgoi, il sole era caldo, gli anni sessanta venduti e vissuti come mitici in tutto il mondo. Maryam cercò di raccontare al registratore ogni sua sensazione di allora. Voleva spiegare alla figlia ogni dettaglio di quel suo amore splendido. Voleva dire a Zuhra che, nonostante l'amarezza del dopo, valeva la pena di scommettere su quel sentimento. Voleva convincere la figlia oltraggiata per sua disattenzione che gli uomini, se presi nei momenti giusti, potevano diventare tra le creature le più meravigliose.

Si era appisolata Maryam, e Howa la strattonava. Il *bis bas* al cocco e il riso avevano reso placida la digestione di Maryam. Ma lo strattone di Howa Rosario era tutto fuorché placido.

«Sveglia scemotta, sveglia» gridò l'amica.

Maryam aprì una palpebra per volta. Lentamente. Il che fece innervosire Howa, che la strattonò ancora più forte.

«Ehiii!».

«Non immagini neanche chi è appena venuto a questo tavolo! Lui, il figlio della sarta!».

Maryam che non l'aveva mai visto, fu assalita da un misto di curiosità e terrore.

«Ci ha dato appuntamento alla danza».

La gente sazia delle delizie del *Koowfur* si diresse verso le danze e i canti del pomeriggio. Tra le danze *barambur* delle donne e le chiacchiere, era tutto un cicaleccio, nella grande piazza della città. I giovani aspettavano di esibire gli ormoni nel ballo. Maryam aspettava di scorgere l'uomo con la camicia beige. E con l'altro occhio di sbirciare il figlio della sarta che presto avrebbe dovuto sposare.

Sognava il momento in cui il suo sguardo si sarebbe posato con lascivia su una camicia slacciata. In scena il *kebebei*, la danza dei giovani del Basso Scebeli. Una danza in cui uomo e donna tra lazzi e motteggi si cercavano, trovavano, amavano, odiavano. Era tutto in un giro di ritmo. Bardati nei loro abiti tradizionali, tutti si mettevano in circolo. Maschi e femmine alternati. Ognuno doveva avere una dama su ciascun lato.

Al centro di quel cerchio, due ragazzi che tenevano il ritmo con dei tamburi di media grandezza. Accanto due chitarristi e un ragazzo che sbatteva due pezzi di ferro che Maryam non riuscì a individuare. Il cerchio si muoveva, la gente cantava e batteva le mani. Nel circolo, insieme ai musicisti, una danzatrice. Il suo corpo seguiva l'armonia. La donna stava davanti al cerchio che oscillava di musica. Dondolava natiche e seni insieme. Avvolgeva le braccia come serpenti in movimento. Era come l'onda del loro oceano, quella donna. Tutto il circolo era rapito. Poi la musica cessava d'improvviso e così quell'ondeggiare di forme femminili. La danza si concludeva con una mossa di anche della ragazza e la sua mano che si posava delicatamente sulle spalle del ballerino prescelto. Sarebbe stato lui ad entrare nel cerchio. A muoversi come un'onda. Maschi e femmine si sceglievano entusiasti. Era un gioco di seduzione il *kebebei*. Maryam lo voleva assolutamente ballare.

«Sei troppo piccola» disse Howa Rosario.

Manar fermò la mano di Howa. Diede il via libera a Maryam.

«Ha un bel vestito» disse Manar. «Nel cerchio verrà presto ben accolta. Nel cerchio troverà colui che cerca… E balleranno».

Dopo quella danza avrebbe cercato il figlio della sarta Bushra e si sarebbe offerta in sposa. Una promessa era una promessa, non poteva sottrarsi. Ma voleva concedersi almeno un ballo con il ragazzo dalla camicia beige, un ballo di puro amore.

Il ragazzo con la camicia beige le prese la mano. La sua stretta era salda e soffice. Stava chiedendo a quella ragazza quello che ogni ragazza desidera: un matrimonio, una cerimonia, una sicurezza, amore, figli, posizione.

Maryam era triste.

«Avrei voluto correre lontano, dietro a un falco».

Fu così che Maryam spiegò a quel bello sconosciuto che la voleva in sposa la storia della sua amica, della sua promessa – «Il figlio della sarta Bushra sarà mio sposo. Non posso fare altrimenti».

Lui le diede un bacio e le sussurrò a un orecchio il suo nome. Maryam scappò con quel nome rinchiuso nell'orecchio: Elias.

«Pensa Zuhra, nessuno mi aveva mai detto che il figlio della sarta si chiamava Elias Majid, nessuno mi disse poi i dettagli del mio matrimonio. Lo scoprii solo otto mesi dopo, quando mi avevano già data in sposa al figlio della sarta che, per quanto ne sapevo, non avevo mai incontrato.

Invece Elias veniva al nostro cancello ogni giorno. E io ogni giorno lo scacciavo. Tutti ridevano, allora. Howa Rosario soprattutto. Mi diceva sempre "Amica mia, non devi sacrificarti per me. È da stupidi sacrificare l'amore". Ma io ero testarda».

Quando avvenne il *niqah*, il contratto di matrimonio, Maryam Laamane restò ad aspettare lo sposo nella camera nuziale. Lui non si era fatto vedere per tutto il giorno. La gente aveva festeggiato, mangiato, gozzovigliato. Molti le avevano fatto gli auguri. Lei si sentiva come a un funerale. «Avevo nostalgia dei miei amici falchi. In camera chiudevo gli occhi e rivedevo le scene del *kebebei*, quella danza incrociata che avevamo fatto io e lui nel cerchio della gioventù di Afgoi». Quel giorno allo *Stuun* era stato uno dei più belli della sua vita. Distesa sul talamo nuziale, si chiedeva se quella notte sarebbe stata la più brutta.

A un tratto, la porta si aprì e apparve Elias in una nuvola. O almeno così sembrò a Maryam Laamane. Aveva la stessa camicia beige con cui lo aveva visto la prima volta.

Maryam corse verso di lui.

«Elias ti prego portami via. Lo so che sei venuto a salvarmi. Ti prego portami via».

«Non posso» disse lui trattenendo le risate.

«Non puoi? Che fine ha fatto tutto il tuo coraggio?».

«Non è una questione di coraggio, sai, è che ti ho appena sposata. Vorrei rimanere un po' solo con te. Mia mamma Bushra mi ha detto che è stata una bella festa, peccato che me la sia persa».

«Durante il travaglio che ti ha fatto nascere, ho ripensato a quelle scene della mia giovinezza. A quanto la Somalia fosse diversa. Noi giovani giocavamo alla seduzione e ballavamo. Ora i giovani non hanno tempo per ballare. C'è la guerra a mangiare i loro sogni. Dopo quarantanove ore sei uscita da me. Mi hai fatto soffrire quarantanove ore. Non volevi lasciare il mio utero caldo. Quando sei uscita, lui ti ha guardata. Ti ha accarezzata la nuca sanguinolenta con lentezza e amore.

Eri proprio piccola, Zuhra. E già così amata. La sua mano scivolò su di te e su di me. Un aereo lo aspettava per portarlo in Italia. Lo avremmo rivisto, ma ormai la nostra vita insieme era finita. Però per quello che ho vissuto, cara Zuhra, ne è valsa la pena».

Sì, di vivere vale la pena comunque. Di amare ancora di più. Maryam Laamane premette lo STOP con leggerezza. Frammenti di lei ora erano incisi sul nastro.

Il ricordo dell'amica Howa Rosario aveva accompagnato Maryam in quel periodo di ricordi e racconti, ma ora la donna sentiva di avere la forza sufficiente per poter correre da sola. Non c'erano i falchi nei cieli di Roma. Nemmeno le stelle si vedevano bene la sera. Roma era buia e a tratti faceva paura. Ma ora ci sarebbe stata sua figlia Zuhra a illuminare il suo universo. Anche senza l'amica di un tempo, Maryam Laamane sapeva che se la sarebbe cavata.

Il padre

Tutti volevano sapere di Majid e Bushra.

«Dov'è andato Majid?».

«Ritornerà da Bushra?».

«E alla fine, si ameranno?».

«Alla fine, moriranno?».

«E sì, la fine, come sarà la fine?».

Cara Zuhra, forse tu volevi da me la mia storia. Volevi sapere cos'ha fatto tuo padre. Quali luoghi ha visitato, quante persone ha incontrato, quali tragitti ha percorso. Lo so di averti raccontato un'altra storia. Ma non ne potevo fare a meno. Sono stato un fallito. Un sarto da niente. Non sono riuscito ad amare le donne che mi hanno amato, non sono riuscito a condividere con voi figlie i miei giorni. Ho il rammarico per il tempo perso. Non ho il rammarico però, di avervi messo al mondo. Volevo farti sapere che la tua storia di donna è legata a una storia più antica. Non so se ti sarà utile. In un angolino di me spero di sì. Ho deragliato, lo so. Ma sai, non sono mai stato capace di raccontare storie. Non sono capace di niente, in verità. Ma ti voglio bene, figlia mia.

Bushra, Majid, Elias... Una storia. La mia. La tua, figlia mia. Quella di tutti. Memoria.

«Solo i pidocchi vengono trattati così, li schiacci e poi ti scordi di loro».

Bushra stava parlando con una cugina che viveva in Italia. Era vecchia ormai, la mia Bushra. Grinzosa. Non la donna energica di cui hai sentito fino adesso. Era in una cabina telefonica striminzita delle poste pubbliche. Majid ancora non era tornato da lei. Era il 1990. Non la sentiva da anni, quella cugina. Ma in quegli strani giorni di vigilia, in cui si aspettava una guerra civile, Bushra cercò di parlare con tutti i suoi parenti all'estero. Tutti, nessuno escluso. Voleva preparare quel parentame scampato a un colpo, cui nemmeno lei era stata adeguatamente preparata. Era preoccupata la cugina all'estero, molto preoccupata.

«Al giornale radio della BBC dicono che sta per scoppiare una guerra. Oddio *abbayo*, come farete?». Il lamento della cugina occupò con angoscia il piccolo spazio della cabina. Bushra pensò che non poteva restare un minuto di più insieme a quell'angoscia. Spingeva troppo la maledetta, e lei così grossa a farsi piccola e invisibile. Doveva troncare la telefonata. Doveva trovare una scusa. Congedò in fretta la cugina, comunicazione disturbata... disturbante. Varie giustificazioni, la fila, la spesa, la paura.

Quando uscì, vide occhi che la fissavano sospettosi. Gli occhi a Mogadiscio erano ormai tutti così. Nessuno si fidava più del prossimo sconosciuto. Nel volto di ognuno il nemico di domani. L'affanno della vendetta. Occhi rischiosi. Un tempo a Bushra, come a tutti, piaceva andare alla posta pubblica. C'erano cabine che collegavano al mondo, e fili che ti facevano sentire parte di un universo complesso. Si poteva parlare con tutto il mondo, alla posta pubblica. Mosca, New York, Kuala Lumpur, Bamako, Roma. Poi dalla posta si potevano spedire grandi pacchi e ritirarli, pure. Traffici di sogni. Lei ritirava le stoffe di Elias, le mie, e le cassette che le registrava Maryam. Quel posto la faceva sentire viva. E poi come molti, Bushra non aveva il telefono in casa. Non era ricca. E in fondo, a che le serviva un telefono? Nessuno l'avrebbe chiamata. Sicuramente non Majid. Quello si era volatilizzato secoli prima. Un uomo dietro al proprio destino. Non provava rancore, Bushra. Aspettava invece. Prima o poi si sarebbero rincontrati. Quando aveva l'esigenza di chiamare qualcuno si recava lì alla posta pubblica, spendeva i suoi buoni scellini e non c'era altro da dire che Grazie a Dio, *Alhamdullilahi.* A che le serviva un telefono? Ne aveva migliaia tutti a sua disposizione. Non mancava mai la linea e il globo era steso a suoi piedi. Cosa voleva di più?

Poi le cose cambiarono.

Elias non le mandò più stoffe. Maryam smise di registrare la sua voce su cassette. La sua bella voce che le raccontava di quanto era strana l'Italia, di come la trattavano gli indigeni, di come cresceva il frutto del seno suo, Zuhra. Uh, quanto le mancava la voce di quella pazza di Maryam Laamane. Raccontava tante cose la ragazza, in quelle cassette. Lo faceva per lei, Bushra, che non sapeva né leggere né scrivere. E dire che le sarebbe tanto piaciuto leggere e scrivere. Ascoltare Maryam era un po' come stare al cinematografo. Le storie si inseguivano pazze di ebbrezza. E lei beveva la vita che Maryam Laamane assaporava con la sua bocca.

Poi un giorno niente più cassette di Maryam. Niente più cinematografo. Niente, *eber*. Maryam abbandonata da Elias. Copione standard. Il figlio che segue le orme del padre. Il figlio che abbandona una donna come il padre. Il figlio con un dolore troppo grande da condividere, come il padre. Addio sposa. Addio talamo. Addio vita mia. Maryam Laamane sola a Roma, lei Bushra sola a Mogadiscio. Niente più stoffe da Elias. Niente sogni da Maryam. Bushra i primi tempi si chiese: «Sarà morto, mio figlio?». Ma l'ipotesi la convinceva poco. Elias, lo sentiva, sarebbe morto dopo di lei. Non la poteva precedere. Era un bravo ragazzo, Elias, non un angelo. E solo gli angeli precedono nella morte i genitori. Dio vuole loro troppo bene per lasciarli tribolare in questo immenso oceano di dolore. Quando non ricevette nemmeno più le cassette di Maryam, capì che la ragazza stava soffrendo. «Non ha i miei nervi» pensò Bushra.

La posta pubblica, dopo queste assenze, fu usata solo per le telefonate sporadiche. Per un niente riempito di verbi transitivi. Ma anche per i mogadisciani, non solo per Bushra, la posta cambiò radicalmente. Non era più un luogo benigno, ma l'anticamera di un'attesa snervante. Si parlava con l'estero, perché era sotto gli occhi di tutti che la speranza preparava le valigie per lasciare la Somalia. Forse per sempre. La posta pubblica rigurgitava presenze ogni giorno. Quel giorno però, più del solito. Mancava poco. Troppo poco, alla guerra. Vigilia, conto alla rovescia del livore. Erano tutti in fila davanti alle cabine striminzite. Tutti agitati. Quasi alienati. Erano gli ultimi giorni di pace e la gente, i più perspicaci, cercavano, in quegli istanti che precedono il caos, una via di fuga a un orrore che nessuno voleva immaginare. Le parole d'ordine erano biglietti, visto, aereo, vita. Tutti si attaccavano al telefono, tutti a cercare di contattare qualche parente all'estero che gli avrebbe risolto la situazione in qualche modo.

«Pidocchi, siamo solo pidocchi» disse Bushra alla cugina e riattaccò.

I movimenti dei mogadisciani, pensò Bushra, erano diventati pura frenesia. Ansia. Ognuno correva nella direzione di una salvezza possibile. Ognuno cercava di salvare la pellaccia. Bushra, nonostante il tormento che attanagliava il suo cuore, era invece l'unica a non aver cambiato passo. Era vecchia e procedeva come sempre lentamente, verso l'uscio di casa sua. Intorno a lei, Mogadiscio strisciava febbrile. Oscillazioni sincopate assaltavano budella mal messe. Solo lei, quella donna anziana, conservava il passo di prima. Il passo della pace. Sembrava una sciancata Bushra, con quel passo lì, forse lo era. Dava spallate all'aria, quasi come se volesse sfidare la vita, ma fosse troppo educata per farlo. Così, dissimulava danzando. Ecco, quando camminava, Bushra faceva una danza tribale metropolitana, dava spallate al vento. A furia di spallate si sarebbe arrivati da qualche parte. Chiudersi l'uscio dietro le spalle fu comunque lo stesso un sollievo, per la donna.

La città, quell'altezzosa fenice sul mare, era in quello stato da svariati mesi. Barre aveva tirato troppo la corda del potere. Aveva osato più del dovuto. Nessuno lo aveva avvertito che il muro a Berlino era in frantumi, che l'Unione Sovietica si era dissolta, che ora non era più l'ago della bilancia del mondo nero. Che qualcuno presto glielo avrebbe messo nel culo, tutto intero e senza vasellina. Barre sonnecchiava nella sua villa illudendosi di essere ancora qualcuno. Solo gli italiani ancora lo omaggiavano. C'era ancora da mangiare nel giro della cooperazione e a certi italiani, si sa, piace molto mangiare. Boccagrande e i suoi compari non sapevano di essere ormai fottuti. Barre non voleva capire che da tempo i somali non avevano più paura.

Fu il giorno del Manifesto che tutte le carte furono calate sul tavolo da gioco. Il Manifesto. Il loro Manifesto. Quello che tutti i somali avevano nel cuore.

Era maggio. Bushra quel foglio lo vide per la prima volta in un pomeriggio di maggio, 1990. Un giovane dai capelli ispidi di nome Juje la tirò per il *garees*. Bushra conosceva bene quel ragazzo, era del suo stesso *laf*, della sua stessa tribù, stesse ossa e sangue. Pane del suo stesso *qabil*. Aveva visto i suoi genitori sposarsi. E poi litigare. Lo aveva visto gattonare e poi camminare.

Il foglio che il ragazzo faceva sventolare con un orgoglio rabbioso era il Manifesto, un documento in lingua italiana di 114 oppositori di Barre che chiedevano le dimissioni del governo e il ritorno della democrazia. Il Manifesto. Il loro Manifesto. Niente clan, solo lotta non violenta, speranza. Erano gli intellettuali del paese a gridare, i grandi vecchi, alcuni dei quali avevano lavorato per l'indipendenza del paese, che erano attivi nella Syl. Tra i firmatari, sultani, capi *qabil*, imam, commercianti e sì, qualche sciacallo prossimo venturo.

Bushra guardò il ragazzo. Non sapeva cosa dire. La gente era stanca di piegare la testa. La guerra era questione di secondi. Il ragazzo aveva i bulbi acquosi e grandi. Contenevano panorami di orgoglio. Fu guardando per la prima volta tanta rabbia, in un corpo così piccolo, che Bushra capì che scacciare Barre sarebbe stato facile, mettersi d'accordo invece, un'impresa titanica.

Quel ragazzo poi morì nella strage dello stadio cinese. A luglio. Era andato come molti giovani a vedere l'inaugurazione del campionato di calcio. Erano stati mesi in cui occhi indagatori avevano invaso la città, maledetti *jajus*, spie del regime. Juje, primo tra i morti di una lunga lista. Era andato per vedere i suoi amici giocare a calcio. Tanti giovani. Tanto testosterone. Qualche fischio più del dovuto. Borbottii miscelati. Slogan appena sussurrati, non si aveva ancora la forza di pronunciare la parola libertà.

Bushra si ricordava della strage dello stadio. Aveva sorretto la testa della madre di quel ragazzo. Girava su se stessa senza fermarsi. Girava su se stessa, quella povera testa di madre. Gridava. «Allah, il mio bambino. Allah, il mio bambino». Forza di donna che vuol fermare il passo poderoso della morte. All'inizio si era creduto in una festa. Si erano visti colori nel cielo e rumori di fondo. I bambini piccoli in casa pensarono ai fuochi d'artificio. Solo le mamme dei ragazzi avevano capito. Solo le mamme avevano pianto. I fischi e il dissenso dei figli nello stadio si erano uditi in tutta la città. Ma solo le mamme avevano capito che non sarebbero più tornati.

Sei stato tu, Juje, a interrompere il discorso del presidente? Sei stato tu, Juje? Sì, forse sei stato tu. Avevi letto il Manifesto, dopotutto. Ci avevi creduto. E quel tipo, Boccagrande, ora non potevi più sentirlo blaterare le sue menzogne. Non ce la facevi, vero Juje? Sei stato tu a fischiare il presidente? Avevi letto il Manifesto. Avevi creduto a una Somalia migliore. Agli sgherri vibrava il culo dalla collera. Tremava anche il dito sul grilletto. I berretti rossi fecero fuoco sui ragazzi. Mirare, sparare. Bang e poi un'altra volta, mirare, sparare, Bang. E poi di nuovo, mirare, sparare, Bang. Resti di cervello sugli spalti. Sangue sulla via.

Quanti ne sono morti con te, Juje? Quanti? I corpi furono sequestrati, non si seppe mai la cifra esatta di quel massacro di innocenti, il primo, non l'ultimo. Poi anche quelli del Manifesto furono presi di mira. Uno a uno. E anche i simpatizzanti. E anche quelli che avevano solo incrociato il loro cammino. A luglio morì anche Ismail Jumaale Ossoble. Lo aveva creato lui, il Manifesto. I suoi amici lo piansero rumorosamente. Circondarono l'aeroporto. «Non dobbiamo far rapire la salma» gridavano tutti. «Non ci impediranno mai di partecipare al suo funerale». Tutta Mogadiscio ci voleva stare. La salma fu difesa. I berretti rossi avrebbero potuto sequestrarla e gettarla ai facoceri della savana. Bushra si ricordò di esserci andata, a quel funerale. Vide tante teste. Tante da coprire la linea dell'orizzonte. Si pianse molto.

Fu dopo tre giorni che andò a prendere Maryam Laamane all'aeroporto. Maryam aveva lasciato detto a Shukri, una vicina con il telefono, che sarebbe sbarcata due giorni dopo. Bushra non si meravigliò troppo. «Vuole smettere di soffrire». La sua Maryam aveva strani segni sul viso. Linee di vecchiaia precoce. Non le disse nulla. Le accarezzò il capo. Era felice della sua compagnia. «Mogadiscio è cambiata» disse solo alla figlioccia.

Sì, Mogadiscio era blindata. C'era il coprifuoco la sera. Gli sgherri del regime avevano in mano la città. E al resto del terrore ci pensavano i banditi e i fantasmi.

Fu l'ultimo dell'anno che Bushra cominciò a sentire le iene complottare.

Era seduta su un *gember*, chiusa in casa. Gente del suo *laf*. Accanto Maryam, sulla stuoia della preghiera a snocciolare *Fatiha* per tutti.

«Domani scenderanno le iene in paese» disse.

Nessuno la sentì. Aveva pronunciato la frase a bassa voce.

Le iene... era da bambina che non sentiva più la loro voce stridula. Da bambina, quando si annoiava, ascoltava le loro conversazioni portate dal vento. Così aveva imparato tutto dei loro piani. Nella boscaglia più fitta, era un dono di Allah conoscere il linguaggio di quelle sciagurate. Riuscivi a salvare il bestiame e la pelle. Dormivi tranquillo. Sempre. Beato. Bushra ogni sera sentiva le parole concitate di quelle bestie carogne. Ogni sera depistava la loro crudeltà. Era lei ad avvertire il padre e quelli del *qabil*. Da piccola viveva nella boscaglia fitta. E le iene erano il dilemma del suo vivere quotidiano. Dopo niente più iene, era andata in città, a fare la sarta, a sposarsi. Di iene nemmeno l'ombra.

Poi quella sera, quella fine d'anno, sentì di nuovo quelle parole agre. Erano tornate. Senza dubbio, erano tornate. E l'indomani sarebbero scese in città.

Sentì i loro piani. Tutti. Sentì i loro tradimenti. Tutti. Sentì il loro odore. Nauseabondo.

«Oh no» gridò «lasciate stare i bambini! Prendete chi volete ma non toccate i bambini».

I parenti che stavano lì con lei nella stanza scossero il capo. La credevano quasi pazza. «*Waa ku dhufatay*, sta per impazzire».

«No, amici. Sono sana. Sto bene. Giuro. Sono solo le iene che tornano. E sono tante. E faranno male ai bambini».

Qualcuno le ricordò che non stava più nella boscaglia, che quella era Xamar, la città, la capitale, l'unica. E che di iene a Mogadiscio, a Xamar, non se n'erano mai viste. E che accantonasse per una buona volta quel linguaggio da boscagliosi: era quello che rendeva arretrata la terra di Somalia.

Fu solo Maryam Laamane ad avvicinarsi a lei e a chiedere: «Quante sono le iene?».

«Tante, amore mio. Tantissime. E non sono come quelle di prima. Queste non smetteranno mai di uccidere, queste non sono mai sazie».

«Capisco» disse solo Maryam Laamane.

«Cosa? Cosa capisci figlia mia?».

«Il potere è una donna che non si condivide».

Wardigley fu bersagliata. La loro casa presa a cannonate. La casa si trovava nello stesso quartiere della residenza presidenziale. Pagava lo scotto di una vicinanza molesta. Il potere non si condivide. Troppi leoni in un branco, non si può. Solo un capo, solo una guida. Così la pensavano i leader. Nessuno voleva più la democrazia. Tutti volevano diventare il nuovo Boccagrande. Solo potere, forza, sangue. Il Manifesto dimenticato e con esso tutti i suoi ideali, tutte le sue speranze.

Bushra sentiva le iene complottare ogni sera. In ogni *laf* una cospirazione. Giochi per fare le scarpe alle tribù. Ci si accusava di nepotismo, dispotismo, di complotti e inganni di ogni genere. Ognuno tirava l'acqua per sé. Armi e devastazioni a braccetto. Intanto la città moriva. Intanto i bambini soffrivano.

«Dove vai Bushra? Non si può uscire» le gridavano i parenti. Lei si infastidiva. «Sono vecchia, non può succedermi nulla». Sciancata, percorreva le strade vuote di una città persa. Siad Barre Boccagrande era andato via. Esiliato in Nigeria. E poi morto stecchito. Ma il resto della città lo aveva seguito. Erano tutti ormai morti, il sangue continuava a fluire nei corpi per pura inerzia. Siad aveva vinto. *Divide et impera*. Ormai aveva contagiato molta gente con quella sua ingorda sete di potere. Con quel suo cancro.

Bushra camminava tra le macerie. Vedeva orrori.

Quel giorno vide per terra un ragazzo. Faccia coperta di sangue e sabbia. Una divisa lacera, un corpo secco. Addosso i colori del governo. Gli avevano appena sparato, ferita grave, avrebbe dovuto essere trasportato all'ospedale, con un certa celerità anche. Invece veniva circondato da miliziani con la faccia coperta. Uno diceva: «Lo finisco io compari, lasciatelo a me».

Una donna in divisa si era avvicinata cinicamente al corpo quasi cadavere. «Che ci fai qui?» gli aveva chiesto. Il ragazzo cominciò a recitare il Corano, stava morendo e non gli veniva in mente altro, si attaccava a quelle sue ultime parole, a quell'ultima *basmala*. «Allora che ci fai qui, da dove vieni?». Il ragazzo non aveva occhi per guardare, sussurrò appena: «Sono del Putland, ma non sono governativo, l'ho fatto per i soldi, i miliziani qui li pagano bene. Vi prego fratelli non mi uccidete. Vi prego… *waa lai siray*, mi hanno ingannato». Poi buio. Fine.

Le iene guaivano risate – «Sì, più sangue. Uccidetevi tra voi. Più sangue, somali. Per noi, che ci arricchiremo. Voi siete troppo stupidi. Va bene così. Siate stupidi. Troppo stupidi».

Bushra si rese conto che veder morire la gente non era come al cinematografo. Lì sullo schermo la gente chiudeva le palpebre, lasciava cadere la testa da un lato, la mano dall'altro e si abbandonava lasciva agli occhi della telecamera. Morire era facile, al cinematografo, un gioco da ragazzi.

«È morto?» chiese Bushra. Non sapeva perché stava lì a domandare una cosa così ovvia.

«Non lo vedi, vecchia *ajuza*. Non lo vedi che il suo cervello mi ha macchiato la camicia nuova? Vecchia *ajuza*, scema».

«Ma perché lo fate?» insistette Bushra.

Le iene la circondarono. «Uccidete la vecchia. Fa troppe domande. Non ci piace. Uccidetela».

Il maschio, uno che aveva la stessa età di Juje, puntò il suo kalashnikov sulla fronte della vecchia.

Bushra lo guardò interrogativa.

«Lascia stare quella donna. Non è della tribù *marehhan*. Lasciala stare. È del tuo stesso *laf*, non puoi ucciderla...» fece una voce emersa da un coro indistinto.

Voce roca di donna o di uomo dalle note acute? Bushra guardò in quella direzione. Un vestito di sole. Lo riconobbe, quel vestito. Era il suo. Era uno di quelli che Elias aveva fatto cucire in tela *wax* in Congo. Le piaceva tanto quel vestito. Non l'aveva più trovato. E dire che lo aveva cercato tanto. Ed ora ecco, a distanza di tempo, lo vedeva indosso a Majid. Quella era la voce del suo sposo, del suo amico perduto. Voce roca e note acute. Voce di uomo e di donna.

Il ferro del kalashnikov freddo rimase attaccato alla sua fronte. Ma l'intenzione di uccidere era venuta meno. Il ragazzo quasi si vergognava di aver spaventato una donna del suo stesso clan. Magari lo aveva anche cullato da piccolo.

«Porta via quella vecchiaccia da qui. Non vogliamo voi vecchiacce, intorno. La prossima volta ti spariamo».

Majid, vestito da donna, prese la mano della sua sposa di un tempo. Lei si fece inondare da quel calore inaspettato. La mano, il calore di quell'uomo-donna la fece impazzire di desiderio. Non credeva fosse ancora possibile alla sua età provare quelle strane sensazioni. La mano le raccontò una storia. Una corriera nel deserto e un odore di guerra antico. Un oltraggio e un amore incatenato.

«Andiamo da Elias» disse Majid a Bushra.

Bushra rispose di sì. E si avviarono per un sentiero che nessuno sapeva davvero vedere.

E qui metto un punto, figlia mia. Il resto non te lo so raccontare. I miei genitori li sto ancora aspettando. Mi piacerebbe farteli conoscere quando arriveranno.

EPILOGO

Mamma mi parla nella nostra lingua madre. Un somalo nobile dove ogni vocale ha un senso. La nostra lingua madre. Spumosa, scostante, ardita. Nella bocca di mamma il somalo diventa miele.

Mi chiedo se la lingua madre di mia madre possa farmi da madre. Se nelle nostre bocche il somalo suoni uguale. Come la parlo io questa nostra lingua madre? Sono brava come lei? Forse no, anzi sicuramente no. Non mi sembro all'altezza della mia Maryam Laamane.

No, io Zuhra figlia di Maryam, sono lontana da ogni nobiltà. Non mi sento una figlia ideale. Incespico incerta nel mio alfabeto confuso. Le parole sono tutte attorcigliate. Puzzano di strade asfaltate, cemento e periferia. Ogni suono di fatto è contaminato. Ma mi sforzo lo stesso di parlare con lei quella lingua che ci unisce. In somalo ho trovato il conforto del suo utero, in somalo ho sentito le uniche ninnananne che mi ha cantato, in somalo di certo ho fatto i primi sogni. Ma poi, ogni volta, in ogni discorso, parola, sospiro, fa capolino l'altra madre. Quella che ha allattato Dante, Boccaccio, De André e Alda Merini. L'italiano con cui sono cresciuta e che a tratti ho anche odiato, perché mi faceva sentire straniera. L'italiano aceto dei mercati rionali, l'italiano dolce degli speaker radiofonici, l'italiano serio delle lectiones magistrales. L'italiano che scrivo.

Non saprei scegliere nessun'altra lingua per scrivere, per tirare fuori l'anima. Il somalo scritto non è la stessa cosa. Non può esserlo. Almeno non lo può essere per me. Il somalo, per dire tutta la verità, non lo so scrivere quasi per niente. Qualche parola forse, ma sbaglio le doppie, le grafie. Il somalo scritto poi, ha una storia tutta strana. È nato nel 1972, dicono. O forse era il 1973? Non so dire la data esatta, ma so che è ancora molto giovane, il somalo scritto. Mamma nemmeno lo sa scrivere, se n'è andata via prima delle campagne di alfabetizzazione volute dal dittatore Siad Barre.

Che uomo orrendo quel Siad Barre! Ha ucciso, molestato, torturato. Ma molti lo ricordano solo perché ha introdotto l'alfabeto somalo. «Ci ha dato una scrittura» ti dice qualche demente, con un entusiasmo scemo sulla bocca arida. Dimenticate le molestie, le torture, gli omicidi, le minacce. Ci si ricorda solo dell'alfabeto. «Tanto dopo, hanno ucciso anche più di lui. In questi diciotto anni di guerra civile i *warlords* hanno fatto stragi ben peggiori». Ma le prime stragi immonde è stato lui a firmarle con il rosso del sangue dei somali. È stato quel maledetto Siad a spianare la strada al disastro di adesso. E poi, quei somali dimenticano che il discorso della lingua scritta era nato prima di Siad Barre, che lui ha raccolto il frutto delle riflessioni di altri. Anche nel caso dell'alfabeto, si è appropriato di cose altrui.

Maryam Laamane non sa scrivere questo somalo in caratteri latini che Siad ha scippato ad altri. Lei scrive in *osmania*. Il somalo di mamma è orale, il suo somalo è fatto di storia, poesia, musica e canto. Quando lo scrive, capita raramente, lo sa fare solo in quei caratteri strani che nessuno ormai ricorda più. Lo ha imparato da piccola negli incontri di resistenza culturale cui la trascinava la cugina grande, quella patriota. Lei era una bimbetta allora, e si divertiva come una matta a tracciare ghirigori sui fogli quadrettati. Quei caratteri che erano stati scelti dai giovani somali della Lega per scrivere la loro lingua, per firmare con un alfabeto nuovo la nuova indipendenza.

Maryam mi ha raccontato questa storia dell'*osmania*. Dice che quei primi caratteri, storti come bisce e ripiegati come la trippa di un bue, erano più adatti alla ricchezza delle sonorità somale. «Tutte queste lettere squadrate dei bianchi, per noi non vanno bene. I caratteri latini non sono adatti alla nostra ricchezza lessicale. La T con la sua durezza, la S con il suo sibilare serpentesco. Non ti puoi fidare di loro, di queste lettere. Non riporteranno mai veramente quello che diciamo, pensiamo, conserviamo. Tradiscono. Sono straniere».

Quando parla, mia madre è sempre gravida. Partorisce l'altra madre, la sua lingua.

Mi piace ascoltarla. Mi fa viaggiare dentro di lei. Vorrei stare zitta per sempre, solo ascoltarla. Assistere al parto di una madre che partorisce la madre. Invece poi devo parlare anch'io e ogni volta la mia voce esce titubante. Sento suoni striduli, i miei, quasi mi blocco per il disgusto di sentire la mia voce tentennante. Ogni volta vorrei piangere, ma mi trattengo.

A mamma piace il mio misto di somalo e italiano, dice che è la mia lingua. Io ancora me ne vergogno, però. Vorrei essere perfetta in ognuna delle due, senza sbavature. Ma quando ne parlo una, l'altra spunta sfacciata senza essere invitata. In testa cortocircuiti perenni. Io non parlo, mischio.

Ora mamma è davanti a me, siamo sedute una di fronte all'altra. Sono tornata da Tunisi l'altro ieri e la voglia di farle l'intero resoconto del viaggio è un'esigenza pressante in me. Poi sì, è morta Howa e noi ancora non ne abbiamo parlato, faccia a faccia. Per questo sono davanti a lei ora: per Tunisi e per Howa. Sono contenta che possiamo parlare di lei... di loro qui, nella casa accogliente di mamma a Primavalle. L'atmosfera è dolce, mi rilassa e poi studi scientifici sostengono che a Primavalle ci sia la migliore aria della capitale.

È molto semplice la casa della mia mamma, come tutte le case dei somali della diaspora è quasi disadorna. Il quadro della Mecca l'unica concessione. Il bianco delle pareti mi acceca. Vorrei vedere un qualsiasi Renoir in un qualsiasi muro di quella casa, ma invece c'è solo il bianco con qualche sprazzo di devozione sparso qua e là. Solo sulle poltrone, miriadi di stoffe colorate. Un trionfo di voluttà che a volte non mi so spiegare.

Mamma mi guarda. Mi scruta quasi. Manca solo che prenda un microscopio per vivisezionarmi l'anima. Aspetto una sua parola.

Fino adesso abbiamo parlato del niente. Di Tunisi, delle sue strade, delle sue paure, delle mille pazzie. Ho fatto il resoconto quasi completo delle mie vacanze. Quasi, però. Non le ho raccontato tante cose. Censura da figlia. Non le ho detto, per esempio, di essermi innamorata di nuovo dell'uomo sbagliato, non le ho detto di aver avuto una grave crisi di tremito. Stranamente non ho parlato nemmeno di Miranda. Non so, non volevo che si ingelosisse di quella donna meravigliosa. Però le ho mostrato tutti i miei miglioramenti con l'arabo classico. Ha sorriso. Ha anche battuto le mani come una foca, la mia Maryam Laamane. Ha sempre avuto un debole per l'arabo classico, lei. Come tutti i somali, ha soggezione della lingua del culto. Mi sono anche lanciata in un piccolo assaggio di dialetto tunisino. «Visto» avrei voluto dirle «quanto è brava la tua Zuhra?». Invece non ho aggiunto altro. Ho aspettato il suo bravo secondo applauso e poi me ne sono stata zitta.

Anche lei è rimasta zitta per un po'. Ma solo per un po'.

«Ieri ho parlato con la vedova di Sabrie». Parole lineari, pronunciate d'un fiato dalla mia mamma quasi in apnea.

Ecco il segnale che aspettavo. Il discorso serio che aspettavo.

«Non la vedevo da un po', sai? È molto grassa ora».

Ho riso. Molto grassa non era il termine giusto per la vedova di Sabrie. Pachidermica, l'avrei definita io, e di certo Howa Rosario mi avrebbe appoggiata. Era lei tra le due, quella senza peli sulla lingua. Mamma invece è sempre stata politically correct, anche quando si faceva di gin la mattina presto.

«Allora? Cosa ti ha detto? Si può fare?».

Le parole mi escono tremolanti come gelatina. L'ansia mi mangia viva. I nostri inutili discorsi di poco prima mi sembrano già preistoria.

«Allora?» la incalzo io.

«Mi ha dato un numero di telefono, un tale Abucar. Ha cominciato l'attività da poco, però è onesto mi ha detto. Lei gli ha affidato sua nipote e ora la ragazza vive in Svezia».

Oh, sì, la Svezia. Come sognavo la Svezia per i miei cugini Abdel Aziz e Muna. Sognavo quel paese dal welfare perfetto. Lì i somali potevano accedere a tutto, avere una casa, un po' di soldi, studi pagati. I somali lì potevano avere una possibilità. Mamma e io ne avevamo parlato spesso della Svezia, come soluzione per miei cugini. Erano giovani Abdel Aziz e Muna, non potevano di certo restare per sempre a casa mia. Non potevano passare tutta la vita a leggere riviste dei testimoni di Geova e a guardare la tv. Non potevano rimanere per troppo nell'Italia cieca della Bossi-Fini. Si dovevano avventurare altrove.

L'Italia non era più accogliente per nessuno ormai, nemmeno per chi c'era nato. Da quando ero tornata dalla Tunisia, quello dei cugini era stato un chiodo fisso per me. Trovare una soluzione per loro. Una soluzione per me. Trovare loro una vita. Per me una vita. Se questo significava pagare un contrabbandiere di anime che li avrebbe scarrozzati per mezza Europa lo avrei fatto. Era illegale? Non più di quanto non lo fosse gettare rifiuti tossici in Somalia, o alimentare le guerre civili e le insicurezze per poi depredare le ricchezze dei paesi africani, come faceva l'Occidente. Non aveva senso la parola illegale, ormai. Non lo aveva più per me.

«Ti trovo bene sai, Zuhra?» mia madre pronuncia queste parole nell'altra madre, nell'italiano dolce degli speaker radiofonici.

Mi trovi bene? In che senso? Perché bene?

«Hai un viso disteso, figlia mia, e le parole escono da te come un ruscello di campagna».

Veramente?

«Sembra che...».

Sembra cosa?

«Sembra che tu sia felice».

Felice?

«Come posso essere felice, mamma?» le dico. «È morta Howa Rosario. Mi manca. Come posso essere felice in questa assenza? E poi, questa storia dei cugini che devono partire in modo illegale non mi fa dormire».

«Ma lo sei» frase in madrelingua, categorica, assoluta.

Cosa replicare? Come giustificarsi per quella felicità inopportuna? Era vero. Mamma mi leggeva come una radiografia. Completa. Ero felice. Era per il sogno fatto al ritorno da Tunisi. Nel sogno partorivo. La mia pancia era più grande di quella della vedova di Sabrie. Leggermente discoidale. Howa Rosario nel sogno aveva un naso perfetto. Luminoso. Mi aiutava a fare i respiri. Io avevo contrazioni sempre più forti e ravvicinate. Poi non ricordo cosa sia successo, come ho partorito, se ho urlato, se mi hanno fatto l'epidurale. Non so nulla. Ho visto solo il risultato. Al posto del bambino, solo lunghe sbarre di ferro. Avevano un aspetto orribile, erano pesanti e alcune erano persino arrugginite. Le guardavo e sentivo bruciore allo stomaco. Howa era lì accanto a me però, sorrideva. Il suo sorriso e il suo naso perfetto mi davano coraggio. Non ho chiesto «Dov'è il mio bambino?», sapevo già da me che avevo partorito un'altra cosa. Mi ricordo solo di aver chiesto: «Dove nascondiamo il cordone?».

Mi sono alzata bene da quel sogno. Sudata, ma con un cuore che batteva la giusta scansione del tempo. E poi, vedere quel naso così bello, così perfetto, era stata una gioia. Mi sono toccata la pancia e mi sono sentita leggera come una farfalla.

Ho raccontato il sogno a mia madre. L'ho fatto come mi capitava. Un po' nella nostra lingua madre, un po' nell'altra madre.

«Mamma, dovevi vedere che brutti tubacci avevo dentro la pancia. Erano di ferro, tutti parecchio arrugginiti. Li ho toccati per un attimo. Le mie dita li hanno sfiorati con prudenza. Ho avuto paura a sfiorarli, sai? È la paura ad avermi fatto capire cos'era successo. Non ho partorito. Ho solo espulso. Non ho nessun cordone, perciò. Non devo nascondere nulla. Dopo, da sveglia ho toccato la mia pancia, ho sfiorato anche la mia vagina. Mi sono sentita così leggera! Sono andata oltre Babilonia, capisci? Oltre tutto, in un posto dove la mia vagina è felice e innamorata».

Oltre Babilonia era una frase che mi ero inventata al liceo. Avevo il ciclo. Niente ora di educazione fisica. Con me, sedute nell'angolo delle mestruate, due ragazze della classe avanti alla mia. Non parlavano molto con me. Poche persone parlavano con me, al liceo. Ero grassa, nera, scostante. Non ero certo la reginetta della scuola, ero anzi l'esempio da non seguire. Improvvisamente, non so chi delle due disse qualcosa su Bob Marley e Babylon. Disse che Babylon era tutto quanto di peggio possa esistere al mondo. La feccia, il vomito, lo schifo, il dolore. Non so, nel silenzio della mia testa io pensai che avrei tanto voluto vivere oltre Babilonia.

Oltre...

«Ho qualcosa per te, Zuhra. Diciamo un regalo» dice mamma.

Stavo per dirle che non era il mio compleanno – mamma faceva così con me, spesso mi comprava le mutande come da bambina. Mi imbarazzavano tutte quelle mutande.

«*Hooyo*, le mutande non mi servono, ne ho tante, davvero... regalale a Muna, forse le serviranno lì dove andrà, le potrà usare nel viaggio che l'aspetta».

«Non sono mutande».

E sul mio grembo viene poggiata una busta multicolore. Non chiusa. Dentro, delle audiocassette. Le sfilo una a una, con lentezza. Mi sembra di essere invitata a un viaggio a ritroso nel tempo, in un'epoca seppellita dal ritmo della vita, dal progresso, dalla musica che si scarica con eMule. Mi ricordo che le audiocassette non erano un granché per sentire la musica, la fedeltà sonora pessima, ma a scuola giravano di mano in mano, più veloci di un passaparola. Quante audiocassette ho ascoltato nell'adolescenza, oh mio Dio, quante! Miriadi di compilation, su cui io e le mie compagne segnavamo con cuoricini e asterischi le nostre canzoni preferite.

Anche a casa, ne giravano parecchie di casette. Ricevevamo dalla Somalia le parole di una donna dalla voce roca. Maryam Laamane non mi faceva mai sentire quelle cassette. Non voleva. Si chiudeva nella sua stanza e mi allontanava bruscamente. Ma poi, ogni volta si dimenticava di chiudere bene la porta e io origliavo. Mi ricordo che piangeva sempre, davanti a quelle casette. Piangeva come un temporale. Io origliavo, origliavo a più non posso, ma ero piccola, non capivo niente di quei discorsi, di quei personaggi, e come un soffio di vento le parole in madrelingua mi scivolavano veloci dal padiglione auricolare.

Che nostalgia mi avevano risvegliato quelle audiocassette. Mi ricordavano me piccola davanti alla radio, sulla mia emittente preferita a dare la caccia ai suoni che mi riempivano l'anima. In più, ho sempre adorato la forma della casetta, rettangolare, contenuta. Mi dava un'idea di sicurezza, anche di amore, stranamente. Mi dava fiducia la cassetta. Era un rituale metterla nel registratore per ascoltarla, anche il rumore, con tutti quei fruscii, era piacevole.

«Una volta, figlia mia, mi hai chiesto se con papà era stato bello».

Trattengo il fiato.

«Non ti ho saputo rispondere. Non saprei nemmeno dirti bene come sia andata la faccenda tra me e lui, a dir la verità. Però in queste cassette c'è una risposta. Una delle tante possibili».

Una risposta? Un tentativo? Sto tremando. Sfioro le casette con il mio piccolo indice inanellato.

«C'è papà qui dentro?» chiedo.

«Ci siamo noi» disse Maryam Laamane.

Noi... che parola meravigliosa.

A: alice.balambalis@hotmail.com
CC:
Oggetto: Vado a una festa!!!! E che festa!

Ciao Alice Abdi Nur! La tua Zuhra a rapporto. Qui butta regolare. E che si dice tra gli igloo? Lo so che in Svezia dove stai tu non ci sono gli eschimesi, ma quando penso a quel posto, brrr, penso sempre al ghiaccio e a quelle minuscole casette semisferiche. Un po' claustrofobiche, mi sembravano dallo schermo... ma dal vero vero chi le ha mai viste! Però dalle tue mail direi che a te il gelo piace e anzi, come dici tu, gli svedesi sono supercalorosi... un sacco belli pure. E comunque pure là becchi un sacco di somali, a quanto pare. Ah, 'sta diaspora! Siamo come il prezzemolo, dappertutto... ma alla fine in nessun luogo.

Qui a Roma fa un caldo boia. Vorrei anch'io una bella borsa di studio per scappare da quest'afa assurda. Roma è super, ma d'estate non la sopporto!! Ti squami viva letteralmente.

Comunque non ho grosse novità. Anzi, forse una ce l'ho. Stasera vado a una festa! Certo, se ti dico che festa è, già lo so che mi rispondi, «Uff che palle! Te pare 'na festa, questa?». Allora, ti dico prima cosa ci sarà. Molti uomini, pare (in fascia scopabile dai 30 ai 50), un buffet straricco, musica africana... lo so, lo so, non si dice musica africana. Sono afro anch'io (anche se italiana) e 'ste cose dell'Africa le so, cocca bella. Poi dicono tutti che tendo all'intellettuale spinto, perciò rispetto ☺ e non fare tanto la pignola, intesi? Anche se hai ragione, musica africana è troppo generico, mica puoi mettere insieme la Libia col Madagascar! Insomma, lo so che solo i bianchi parlano di Africa così senza criterio, ma era per abbreviare, ok? Invece non ho abbreviato un cavolo e mi sto pure perdendo in giri di parole.

Allora, per farla breve, diciamo alla Francis Bebey che ci sarà musica A.m.a.y.a, *african modern and yet authentic*. Quindi si sballa! SICURO! E poi la musica la mette Sekou Diabate. È una miniera, quello, un pozzo, non un uomo. E ci saranno anche i ballerini senegalesi. BONI!! Noi Terra di Punt portiamo le nostre culone che faranno il *niqo niqo*, col loro enorme deretano. Tutti pensano che sia solo un ballo tradizionale, a me invece sembra quello che è: donne che fanno l'amore (con chi, poi? Tra loro? È quello che non ho mai capito del *niqo niqo* e delle somale). Meno male che nessuno se n'è mai accorto... che facciamo sesso, cioè. Io di sicuro mi metto tra gli spettatori, mica vado a sbatacchiare il culo davanti agli altri!

Allora, sei pronta? Ora ti dico che festa è. Tieniti forte. È per commemorare il cinquantesimo anniversario dell'indipendenza del Ghana. Sono già 50 anni!! Che poi, è poco prima di quando l'abbiamo presa pure noi e, un po' alla volta, tutto il continente. In generale è da 50 anni che siamo tutti liberi. Ma lo siamo davvero?

Se guardo la cartina direi proprio di no. Tu ci hai mai provato? Se guardi l'Europa, ci trovi le linee di confine tutte frastagliate e curve, se guardi l'Africa vedi solo confini netti, dritti, tagliati con l'accetta. Lo vedi subito che sono fatti a tavolino dai bianchi, noi abbiamo solo piegato la testa, come al solito.

Insomma, forse non dovremmo festeggiare. Niente *niqo niqo*, niente amaya, niente Sekou. Cinquant'anni di libertà tra le macerie. La colpa? Dei bianchi, no, e di chi sennò? Si fa presto a odiarli i bianchi, sarà pure consolatorio, ma è inutile. Dobbiamo prenderci anche noi la nostra fetta di colpa. È vero, lo so... prima la guerra fredda... poi la Banca Mondiale... poi, le lobby delle armi, quella dei rifiuti, quella degli organi dei bambini, e della carne fresca delle donne nei bordelli. I bianchi c'entrano. E anche gli arabi c'entrano. Ora pare che c'entrino pure i cinesi. Ma i cinesi con l'Africa c'hanno sempre avuto a che fare. Solo che l'Occidente se n'è accorto adesso. Ma loro si sa, le cose le vedono sempre in ritardo. Pensano che le cose esistono solo dopo di loro. C'entrano tutti quindi, nessuno escluso. Ma anche noi c'entriamo. Mica erano bianchi Siad Barre, Bokassa I, Omar Bongo, Idi Amin Dada, Mobutu Sese Seko. Non mi pare. Amin Dada poi, bianco proprio non ce lo vedo...

Comunque per la festa ho comprato delle scarpe nuove. Non ci crederai mai, hanno il tacco! Sì, voglio fare la femmina stasera. La sciantosa. Le ho amate dal primo istante, le mie scarpucce. Colpo di fulmine. Scossa allo scheletro. Che bastarde! Hanno sfoderato tutto il loro potere seduttivo. Non c'era modo di resistere. Sono caracollata ai loro tacchi, con la bava alla bocca. Ci sono inciampata su E-bay. Sì!! Su E-bay! Non so nemmeno come ci sono finita. Sabot décolleté, a punta, in morbida finta pelle, con dettagli in cavallino maculato. Originali DOC, con tanto di scatola (WOW!!), dust bag e garanzia. Usate, ma ancora perfette, come da foto. Mi sono arrivate in 3 giorni. Stasera me le metto. Anche perché, tesoro (TIENITI FORTE), è arrivato il pellegrino. Sì, quello che aspettavo da tanto (troppo?), ormai. È arrivato inaspettato. Quindi le scarpe sono anche un po' per festeggiare questo arrivo. E Mamma Africa non me ne vorrà, se condivido la sua festa con qualcun altro.

Ti bacio, amica mia e non ti congelare troppo lassù.

La tua per sempre, Zuhra.

CLICK, INVIA.

Minuti di sospensione. La ragazza chiude tutti i programmi. Clicca frenetica sulle X. Sembra una pianista. Scorre veloce su tasti di ebano e avorio. Poi a un certo punto, buio. Cala il sipario. Il computer si spegne. Ma prima annuncia lampeggiando che il buio sta per sommergere la luce. Che dopo sarà solo buio.

È stata lei a creare quell'oscurità. È quasi compiaciuta. Si alza. Ha mal di pancia. Crampi che le rodono il basso ventre. Li aveva ignorati per tutta la durata della mail all'amica. Ma ora la lettera è finita, il computer è spento. Non ha più scuse per rimandare. Il bagno è in fondo alla casa. La casa quasi non ha fondo. È piccola. Una tana di scoiattolo. È sabato. Ha comprato molti giornali. Il sabato ne compra sempre tanti. Ci sono tutti gli inserti. Costano di più. Sono molto colorati, il sabato. Ne prende uno, a caso. Entra in bagno. Sfila le mutandine. Non le guarda. Non le piacciono. Si siede. Le fa male la pancia. Comincia a sfogliare la rivista. Spera la possa aiutare nel suo compito. Sfoglia. Sfoglia. Sfoglia. Troppi articoli interessanti in quell'inserto. Non le va di cominciare a leggerli. Quelli vanno letti alla scrivania. Magari pure sottolineati, compresi. Cosa vuoi comprendere mentre espelli i residui di te? Sfoglia, Sfoglia, Sfoglia. Ci vorrebbe una di quelle riviste gossip. Dove le facce sono tutte finte e gli amori solo un frontespizio. Si sente schiacciata. Non riesce a espellere. Indecisa sulla lettura. Sfoglia di nuovo. Le fotografie sono commoventi. I colori un *métissage*. Poi è investita da qualcosa di imprevisto. Una fiamma. Fissa il centro di quel calore. È la foto di un uomo con una camicia hawaiana. Comincia a leggere.

L'uomo racconta di una rana. L'uomo è del Burundi. È uno che raccoglie storie. C'è chi raccoglie le pere. Chi, sfruttato, raccoglie i pomodori. L'uomo, invece, infila nella sua sacca parole. Per condividerle. Per non perderle. Nel mezzo del raccolto, un giorno ha trovato una piccola rana. Era caduta in un recipiente pieno di latte. Sarebbe di sicuro affogata. Morta senza che nessuno lo sapesse. Ma lei, la rana, non voleva morire. Non aveva ancora vissuto. Non si era ancora innamorata. Allora pensa. Pensa, finché può farlo. «La mia vita mi piace» dice a se stessa. Sì, la sua vita le piaceva, più di tutte le altre. Ed è allora, dopo questo pensiero, che la rana comincia a sbattere le zampette. Prima piano. Poi sempre più forte. Non vuole morire. Non si è ancora innamorata. Sbatte le zampette. Forte. Fortissimo. Sbatte come può. Come può, galleggia. Il latte si smuove tutto. Balla. Traballa. Onda tumultuosa. La rana sbatte. Vede che in superficie si è formata una sostanza densa, cruda. Meno acquosa. È burro. Allora la rana pensa: «Forse mi salverò». E riprende a sbattere forte. Fortissimo. Il latte balla e traballa ancora. Altre onde tumultuose. Altro burro. Va avanti così per un bel po'. E finalmente tutto il latte diventa burro. La rana smette di sbattere. Il burro è solido. Una montagna... alta, altissima. La rana ci salta su in cima. Hop, hop, hop. E così esce dal recipiente. Salva. Finalmente salva! E la piccola rana rientra allegra nella sua vita, come se niente fosse.

L'uomo del Burundi parla spesso di questa rana, dice la rivista. Raccoglie storie, l'uomo del Burundi. La ragazza si è scordata di dove sta seduta. Ha viaggiato con quell'uomo. Senza accorgersene ha anche evacuato. Posa la rivista. Arrivederci e grazie all'uomo del Burundi. Però ha ancora i crampi. Allora volge lo sguardo in basso. Cerca il punto in cui ha gettato le mutandine. Le solleva. Si alza. Sono sporche. Macchia umida, estesa. Sembra una stella. Forse lo è.

È rossa la sua stella. Un po' umida. Ma bella. Emana luce. Una stella mestruale che brilla solo per lei, infinita. Le forme si disperdono. La stella si allarga. Una costellazione. Dentro la costellazione, la sua storia di donna. E dentro la sua storia, quella di altre prima di lei e di altre dopo di lei. Le storie si intrecciano, a volte convergono, spesso si cercano. Tutte unite da un colore e da un affetto. I crampi si vanno attenuando, evacuare le ha fatto bene. In un attimo la costellazione si dissolve leggera. Sfuma lasciando un alone di rosso intorno. E se fosse così l'amore a Roma? Una sfumatura di rosso?

La pagina del *shukran*

Devo ringraziare quasi tutto il mondo. Tante persone davvero. Spero di non dimenticarmi nessuno.

I miei genitori (che sono tre Mamma Kadija, Papà Ali, Mamma Xalima), che mi hanno sostenuto e sopportato.

Mohamed, Abdul, Ambra, Andrea, Zahra, Sofia, Maryam A. per esserci stati. E la mia ciurma di nipotini Mohamed, Soraya, Sueb, So'han.

Gabriella Kuruvilla che quando piango c'è. E quando non piango pure.

Saba Anglana per condividere con me la linea.

Ingy Mubiayi, Gabriella Ghermandi e Erminia Dell'Oro, la vostra geografia è la mia.

Flavia Capitani e Emanuele Coen, per i consigli e la vitalità.

Alice amica di Gabri K, non ti conosco ma ormai per me sei il simbolo delle confidenze più intime.

Chiara Nielsen per essermi sorella. E la redazione di «Internazionale», che mi appoggia nelle idee pazze e mi abbraccia quando serve. E per l'oroscopo meraviglioso.

Lidia Riviello e Amara Lakhous per le sfumature.

Tutta la Donzelli per aver creduto tanto in me.

Sandro Triulzi e Paola Splendore per il cuore e la testa.

Lisa Ginzburg per il regalo più bello e prezioso dell'anno. Per la medicina potente che mi ha dato contro Barbablù e per la sorellanza (che è più forte della cattiveria sterile di chi ci vuol far male).

Michela Gesualdo parlare con lei, condividere note, storie, è stato (e sarà) importante.

Roberto Silvestri perché mi ha insegnato a scavare nella scrittura.

Marco Cinque per l'amicizia.

Giuseppe Cerasa che mi ha spinto a scrivere una cosa che poi mi è servita per questo romanzo.

Sophia, la mia piccola, sei grande. Hai ragione pure io non voglio solo la pace, ma anche giustizia.

Il dottor «Ross» per avermi fatto vedere il panorama che c'è oltre Babilonia.

Claudio Tognonato per le notizie sull'Argentina.

Un grazie speciale a Laila Wadja, Tahar Lamri, Mihai Butcovan, Chang Ya-Fang, Shirin Ramzanali Fazel, Flora mamme afroitaliane, Matteo Patrono, Stefano Milani, Fabio Barovero, Marcello Cornacchia, Jorge Canifa Alves, Cinzia Gubbini, Tana Anglana. Alla rete G2 seconde generazioni, Rebecca Hopkins, Daniele Sepe, Angelo Mastrandrea, Mauro Zanda, Stefano Liberti, Patrizia Cortellessa, Elisa Davoglio,Bruna Di Pietrantonio, Sekou Diabate, Alfredo Tagliavia. A tutta la libreria Giufà, Geraldina Colotti, Claudio Noce, Andrea Satta, Tiziana Del Pra, Flaviano De Luca, Maria Laura Mosco, Cristina Ubax Ali Farah, Cristina Lombardi Diop, Ascanio Celestini, Alessandro Portelli, Daniele Barbieri, Kym Ragusa, Caterina Romeo, Astrit Dakil.

Ai tanti somali della diaspora. Ai loro dolori. Alla loro gioia.

Agli argentini e ai dolci angeli di Ciudad Juarez a cui hanno spezzato le ali.

A Mamma Africa e a noi suoi figli cocciuti, il continente vivrà, dobbiamo crederci noi per primi e smettere di elemosinare presenza, consenso, soldi occidentali. Ce la possiamo fare, dobbiamo fidarci di noi.

Ringrazio NATURALMENTE voi tutti che siete arrivati fin qui nella lettura. Spero che Zuhra, Maryam, Miranda, Mar, Elias, Bushra, Majid, la Flaca e tutti i personaggi di una sola riga vi abbiano fatto viaggiare come hanno fatto con me. Io sento di amarli.

Indice

p. 7 Prologo

UNO
25 La Nus-Nus
34 La Negropolitana
43 La Reaparecida
49 La Pessottimista
60 Il padre

DUE
71 La Nus-Nus
80 La Negropolitana
88 La Reaparecida
101 La Pessottimista
116 Il padre

TRE
123 La Nus-Nus
126 La Negropolitana
135 La Reaparecida
146 La Pessottimista
156 Il padre

QUATTRO
165 La Nus-Nus
170 La Negropolitana
180 La Reaparecida
190 La Pessottimista
202 Il padre

CINQUE
215 La Nus-Nus
227 La Negropolitana
239 La Reaparecida
250 La Pessottimista
257 Il padre

SEI
267 La Nus-Nus
276 La Negropolitana
301 La Reaparecida
288 La Pessottimista
309 Il padre

SETTE
325 La Nus-Nus
335 La Negropolitana
360 La Reaparecida
347 La Pessottimista
375 Il padre

OTTO
381 La Nus-Nus
398 La Negropolitana
408 La Reaparecida
416 La Pessottimista
431 Il padre

443 Epilogo

Finito di stampare il 5 agosto 2008
per conto di Donzelli editore s.r.l.
presso Print on web s.r.l.
03036 Isola del Liri (Fr)